OMNIBUS

Jojo Moyes

SONO SEMPRE IO

Traduzione di Maria Carla Dallavalle

MONDADORI

Questo libro è un'opera di fantasia. Personaggi e luoghi citati sono invenzioni dell'autrice e hanno lo scopo di conferire veridicità alla narrazione. Qualsiasi analogia con fatti, luoghi e persone, vive o scomparse, è assolutamente casuale.

▲ librimondadori.it
anobii.com

ISBN 978-88-04-68611-8

Copyright © Jojo's Mojo Ltd, 2018
© 2018 Mondadori Libri S.p.A., Milano
Titolo dell'opera originale
Still Me
I edizione gennaio 2018

SONO SEMPRE IO

Alla cara Saskia: porta le tue calze a righe con orgoglio

Prima conosci te stesso, poi adornati di conseguenza.
EPITTETO

1

Furono i baffi a ricordarmi che non mi trovavo più in Inghilterra: un millepiedi folto e grigio che oscurava in modo compatto il labbro superiore dell'uomo. Un paio di baffi da Village People, un paio di baffi da cowboy, il ciuffo di setole di uno scopino che indicava autorità. Non c'era niente del genere dalle mie parti. Non riuscivo a staccargli gli occhi di dosso.

«Signora?»

L'unica persona con dei baffi simili che avessi mai visto era Mr Naylor, il nostro professore di matematica, che vi collezionava briciole di Digestive. Le contavamo a una a una durante le lezioni di algebra.

«Signora?»

«Oh. Mi scusi.»

L'uomo in uniforme piegò il suo dito tozzo facendomi cenno di avvicinarmi. Non alzò nemmeno lo sguardo dallo schermo. Restai in attesa allo sportello, mentre il sudore accumulato durante le ore di volo si asciugava lentamente nella camicia. Il funzionario alzò la mano e agitò quattro dita grasse. Questa, capii dopo qualche secondo, era la richiesta di esibire il passaporto.

«Nome.»

«È scritto lì.»

«Il suo nome, signora.»

«Louisa Elizabeth Clark.» Sbirciai al di là del bancone. «In realtà Elizabeth non lo uso mai. Perché dopo avermi battezzato così, mia madre si è resa conto che, abbreviato, sarebbe diventato Lou Lizzy. E pronunciandolo rapidamente suona davvero bizzarro. Anche se mio padre è convinto che in un certo senso mi si addica. Non che io sia una pazza. Cioè, immagino che non vogliate far entrare persone con problemi mentali nel vostro paese, giusto? Ah!» La mia voce rimbalzò nervosamente contro il pannello di plexiglas.

L'uomo mi guardò in faccia per la prima volta. Aveva le spalle larghe e uno sguardo che poteva inchiodarti come un taser. Non sorrise. Aspettò che il mio sorriso svanisse.

«Scusi» dissi. «La gente in uniforme mi rende nervosa.»

Mi voltai a guardare l'ufficio immigrazione e la coda serpeggiante che si era curvata più volte su se stessa fino a diventare un mare impenetrabile di persone irrequiete. «Mi sento un po' a disagio a stare qui. In tutta onestà, questa è la coda più lunga che io abbia mai fatto. Mi stavo chiedendo se fosse il caso di iniziare a scrivere la lista dei regali di Natale.»

«Metta le mani sullo scanner.»

«È sempre di queste dimensioni?»

«Lo scanner?» mi chiese l'uomo con aria perplessa.

«La coda.»

Ma lui aveva già smesso di ascoltare. Stava studiando qualcosa sullo schermo. Appoggiai le dita sul lettore. E poi il mio cellulare segnalò l'arrivo di un messaggio.

Mamma: *Sei atterrata?*

Feci per scrivere una risposta con la mano libera, ma il funzionario si voltò bruscamente verso di me. «Signora, l'uso dei cellulari non è consentito in questa area.»

«È mia madre. Voleva solo sapere se sono arrivata.» Cercai di digitare l'emoji del pollice alzato mentre mettevo via il cellulare.

«Motivo del viaggio?»

Cos'è? rispose immediatamente mia madre. Aveva iniziato a mandare messaggi con assoluta naturalezza e ormai scriveva più rapidamente di quanto parlava. Cioè praticamente alla velocità della luce. *Sai che il mio telefono non visualizza le faccine. È un SOS? Louisa, dimmi che stai bene.*

«Motivo del viaggio, signora?» ripeté il funzionario con i baffi vibranti di irritazione. Poi, lentamente, aggiunse: «Che cosa la porta qui negli Stati Uniti?».

«Ho un nuovo lavoro.»

«Che sarebbe?»

«Lavorerò per una famiglia di New York. Vicino a Central Park.»

Per una frazione di secondo le sopracciglia dell'uomo parvero alzarsi di un millimetro. Controllò l'indirizzo sul mio modulo alla ricerca di una conferma. «Di che lavoro si tratta?»

«È un po' complicato. Diciamo che sono una specie di accompagnatrice.»

«Un'*accompagnatrice*.»

«Le spiego. Prima lavoravo per un uomo. Ero la sua accompagnatrice, ma gli davo anche le medicine, lo portavo a fare delle passeggiate e lo imboccavo. Non è così strano come sembra, comunque. Lui aveva perso l'uso delle mani. Non c'era niente di perverso. A dire il vero, il mio ultimo lavoro è stato molto più di questo, perché è difficile non affezionarsi alle persone di cui ci si prende cura, e Will, l'uomo di cui mi occupavo, era meraviglioso e noi... Be', ci siamo innamorati.» Troppo tardi: ecco la familiare sensazione degli occhi gonfi di lacrime. Me li asciugai rapidamente. «Perciò penso che sarà qualcosa di simile. Tranne per la storia d'amore. E la necessità di imboccare il mio assistito.»

Il funzionario dell'ufficio immigrazione mi stava fissando. Abbozzai un sorriso. «In realtà non è mia abitudine piangere parlando di lavoro. Non sono una squilibrata, nonostante il mio nome. Ah ah! Ma lo amavo davvero. E Will amava me. E poi lui... Be', ha deciso di togliersi la vita. E venire in questo paese è il mio tentativo di voltare pagina.» Ora le lacrime scendevano sul mio viso a un ritmo imbarazzante e inarrestabile. Sembravo incapace di fermarle. Sembravo incapace di fermare qualsiasi cosa. «Mi scusi, dev'essere il jet-lag. Sarebbero le due di notte in Inghilterra... In più, ormai mi sforzo di parlare di lui il meno possibile. Sa, ho un nuovo fidanzato. Ed è fantastico! È un paramedico! Ed è sexy! È come vincere la lotteria dei fidanzati, non trova? Un paramedico, e per giunta sexy.»

Rovistai nella borsetta alla ricerca di un fazzoletto. Quando alzai gli occhi, l'uomo mi stava porgendo una scatola di Kleenex. Ne presi uno. «Grazie. Fatto sta che il mio amico Nathan, che è neozelandese, vive qui e mi ha aiutato a trovare questo lavoro, ma non so ancora bene in cosa consista, a parte occuparmi di una donna che è sposata con un uomo ricco e soffre di depressione. Ma stavolta ho deciso di essere all'altezza di ciò che Will desiderava per me, perché prima non l'ho fatto. Pensi che sono finita a lavorare in un aeroporto.»

Mi bloccai, raggelata. «Non... ehm... non che ci sia qualcosa di male nel lavorare in un aeroporto! Sono certa che essere un funzionario dello sportello immigrazione è un ruolo importante. *Davvero* importante. Ma ho un piano: fare qualcosa di nuovo ogni settimana e dire di sì.»

«Dire di sì?»

«Alle novità. Will mi ripeteva sempre che mi precludo nuove esperienze. Perciò il mio piano è questo.»

L'uomo studiò il mio modulo. «Non ha compilato correttamente la sezione del recapito. Mi serve un codice di avviamento postale.»

Spinse il foglio verso di me. Controllai il codice sul promemoria che avevo stampato e lo copiai con le dita tremanti. Guardai alla mia sinistra, e notai che le persone in attesa stavano diventando sempre più impazienti. Nella coda accanto alla mia, due funzionari stavano interrogando una famiglia cinese. Quando la donna protestò, furono condotti in una saletta laterale. D'un tratto mi sentii completamente sola.

Il funzionario diede un'occhiata alle persone alle mie spalle, poi, improvvisamente, appose un timbro sul mio passaporto. «Buona fortuna, Louisa Clark» disse.

Lo fissai. «Tutto qui?»

«Tutto qui.»

Sorrisi. «Oh, grazie. È davvero gentile. Sa, è piuttosto strano essere dall'altra parte del mondo da soli per la prima volta, ed è un po' come se avessi incontrato la prima persona carina qui e...»

«La prego di procedere, signora.»

«Certo. Mi scusi.»

Raccolsi i miei effetti personali e mi scostai una ciocca di capelli sudaticci dal viso.

«E, signora...»

«Sì?» Mi chiesi che cosa avessi sbagliato stavolta.

L'uomo non alzò la testa dal computer. «Stia attenta a cosa dice di sì.»

Nathan mi aspettava agli Arrivi, come promesso. Scrutai la folla sentendomi un po' a disagio, segretamente convinta che non sarebbe venuto a prendermi nessuno, e invece eccolo là, con la sua manona aperta al di sopra di quella massa di corpi in movimento. Alzò anche l'altro braccio con un sorriso disegnato sul volto e si aprì un varco per venirmi incontro, poi mi sollevò letteralmente da terra e mi strinse in un grande abbraccio. «Lou!»

Non appena l'avevo individuato, avevo sentito qualcosa muoversi dentro di me – qualcosa di legato a Will, alla perdita e alle ruvide sensazioni che derivano dall'essere reduci da sette ore di volo turbolento – e approfittai del fatto che mi stringesse forte per ricompormi. «Benvenuta a New York, piccoletta! Vedo che non hai perso il tuo stile nel vestire.»

Ora mi teneva a distanza di un braccio, sorridendo. Mi raddrizzai la camicetta leopardata anni Settanta. L'avevo indossata pensando che mi avrebbe fatto somigliare a Jacqueline Kennedy nell'era Onassis. Supponendo che Jacqueline Kennedy si fosse rovesciata addosso metà del caffè che le avevano servito sull'aereo, beninteso. «È così bello rivederti.»

Nathan sollevò le mie intrasportabili valigie come se fossero piene di piume. «Andiamo, ti accompagno a casa. La Prius è in officina per manutenzione, perciò Mr G mi ha prestato la sua macchina. Il traffico è terribile, ma arriveremo in grande stile.»

La macchina nera di Mr Gopnik aveva una linea slanciata, le dimensioni di un pulmino e le portiere si chiudevano con quel suono sordo ed enfatico che evocava una cifra a cinque zeri. Nathan caricò le mie valigie nel bagagliaio e io mi sistemai sul sedile del passeggero con un sospiro. Controllai il telefono e risposi ai quattordici messaggi di mia madre con un unico messaggio in cui le dicevo che ero in macchina e che l'avrei chiamata l'indomani. E poi scrissi a Sam, che mi diceva di sentire già la mia mancanza, un semplice: *Atterrata. Baci.*

«Come sta il tuo tipo?» mi chiese Nathan.

«Sta bene, grazie.» Aggiunsi un altro "Baci" giusto per sicurezza.

«Ti ha fatto storie quando hai deciso di partire?»

Mi strinsi nelle spalle. «Ha capito che dovevo farlo.»

«Lo sapevamo tutti. Ti ci è solo voluto un po' di tempo per trovare la tua strada, tutto qui.»

Misi via il telefono, mi appoggiai allo schienale e guardai dal finestrino le insegne dai nomi insoliti che sfilavano accanto a noi lungo l'autostrada, come Milo's Tire Shop e Richie's Gym, le ambulanze e i furgoni a noleggio, le case fatiscenti con l'intonaco sfaldato e i terrazzini traballanti, i campi da basket e gli automobilisti che bevevano da enormi bicchieri di plastica. Nathan accese la radio e per un attimo, ascoltando un certo Lorenzo parlare di una partita di baseball, ebbi la sensazione di fluttuare in una specie di realtà sospesa.

«Allora, domani avrai tutto il tempo per riprenderti. Vuoi fare qualcosa di particolare? Pensavo di lasciarti dormire fino a tardi e poi portarti fuori per un brunch, che ne dici? Non puoi perderti l'esperienza di pranzare in un diner nel tuo primo weekend a New York.»

«Mi sembra perfetto.»

«I Gopnik non torneranno dal country club prima di domani sera. Hanno avuto un po' di discussioni in quest'ultima settimana. Ti racconterò tutto dopo che ti sarai riposata.»

Lo fissai con un'espressione seria. «Niente segreti, giusto? Non succederà come...»

«Non sono come i Traynor. Sono solo una classica famiglia disfunzionale multimilionaria.»

«Lei è simpatica?»

«È fantastica. È... un bel tipetto. Ma è fantastica. E anche lui.»

Era il massimo della descrizione caratteriale che ci si potesse aspettare da Nathan. Dopodiché sprofondò nel silenzio – non era il tipo che amava fare gossip – e io rimasi lì, nell'accogliente Mercedes GLS con aria condizionata, a combattere contro le ondate di sonno che continuavano a minacciare di travolgermi. Pensai a Sam, che a quest'ora dormiva profondamente a migliaia di chilometri di distanza nel suo vagone ferroviario adibito ad abitazione. Pensai a Treena e Thom, rincantucciati nel mio appartamento a Londra. E poi la voce di Nathan irruppe nei miei pensieri. «Eccoci qua.»

Alzai gli occhi offuscati di stanchezza ed ecco Manhattan, dall'altra parte del Ponte di Brooklyn, scintillante come milioni di schegge dentellate di luce: maestosa, patinata, incredibilmente compatta e bella, un'immagine così familiare grazie alla televisione e ai film che quasi non riuscivo a credere di vederla dal vivo. Mi raddrizzai sul sedile, ammutolita, mentre ci avvicinavamo alla metropoli più famosa del pianeta.

«Non ci si stanca mai di guardarla, eh? Giusto un po' più imponente di Stortfold.»

Credo che fino a quel momento non me ne fossi davvero resa conto. *La mia nuova casa.*

«Ehi, Ashok. Come va?» Nathan trascinò le mie valigie nell'androne rivestito di marmo mentre fissavo le piastrelle bianche e nere e i corrimano di ottone cercando di non inciampare e udivo i miei passi risuonare in quello spazio cavernoso. Era come l'ingresso fastoso di un albergo dalla bellezza leggermente sfiorita: l'ascensore di ottone lucidato, il pavimento coperto da una soffice livrea rossa e dorata, la reception un po' troppo cupa per risultare accogliente. Odorava di cera d'api, lucido da scarpe e denaro.

«Tutto bene, amico. La signorina chi è?»

«È Louisa. Lavorerà per Mrs G.»

Il portiere in uniforme uscì da dietro il bancone e mi tese la mano. Aveva un ampio sorriso e gli occhi di chi aveva visto tutto nella vita.

«Piacere di conoscerla, Ashok.»

«Un'inglese! Ho un cugino che vive a Londra. Croy-down. Conosce Croy-down? Abita lì vicino? È un tipo grande e grosso, ha presente?»

«Non conosco bene Croydon» risposi. E poi, vedendo un lampo di delusione attraversargli il viso, aggiunsi: «Ma terrò gli occhi aperti la prossima volta che passerò da quelle parti».

«Louisa, benvenuta al Lavery. Se le serve qualcosa, o anche solo un'informazione, mi faccia un fischio. Sono qui ventiquattr'ore su ventiquattro.»

«Non sta scherzando» disse Nathan. «A volte penso che ci dorma, sotto quel bancone.» Indicò un ascensore di servizio con le porte di un grigio sbiadito in fondo all'androne.

«Ho tre bambini sotto i cinque anni, amico» replicò Ashok. «Credimi, stare qui mi impedisce di impazzire. Non posso dire che faccia lo stesso effetto su mia moglie.» Sorrise. «Scherzi a parte, Miss Louisa. Per qualsiasi cosa, sono a disposizione.»

«Vale a dire droghe, prostitute, case di malaffare?» sussurrai mentre le porte dell'ascensore si chiudevano intorno a noi. «No. Vale a dire biglietti del teatro, tavoli al ristorante, lavanderie» disse Nathan. «Questa è la Fifth Avenue. Dio mio. Che cosa facevi a Londra?»

La residenza dei Gopnik si estendeva per seicentocinquanta metri quadri distribuiti sul secondo e terzo piano di un edificio di mattoni rossi in stile gotico, ed era uno dei rari appartamenti su due piani in questa zona di New York, testimone di generazioni di ricchezze familiari. Il palazzo che lo ospitava, il Lavery, era un'imitazione in scala ridotta del famoso Dakota Building, mi spiegò Nathan, nonché una delle costruzioni più antiche dell'Upper East Side. Nessuno poteva comprare o vendere un appartamento lì senza l'approvazione di un comitato di residenti fortemente restii al cambiamento. Mentre i lussuosi condomini dall'altra parte del parco ospitavano i nuovi ricchi – oligarchi russi, popstar, magnati cinesi dell'acciaio e miliardari della tecnologia – con ristoranti, palestre, asili e piscine riservati, i residenti del Lavery amavano le cose vecchio stile.

Questi appartamenti venivano tramandati di generazione in generazione: i loro inquilini imparavano a convivere con l'impianto idraulico degli anni Trenta, combattevano estenuanti e labirintiche battaglie per ottenere il permesso di fare un intervento più importante della sostituzione di un interruttore, e ignoravano educatamente il modo in cui New York stava cambiando intorno a loro come un passante potrebbe distogliere lo sguardo di fronte a un mendicante con un cartello di cartone.

Riuscii appena a cogliere la maestosità della casa, con i suoi pavimenti in parquet, i soffitti alti e i tendoni damascati lunghi fino a terra, mentre Nathan mi accompagnava direttamente agli alloggi di servizio relegati in fondo al secondo piano, lungo uno stretto corridoio che portava alla cucina, un anomalo retaggio di un'epoca lontana. Gli appartamenti più nuovi o ristrutturati di recente non prevedevano spazi abitativi riservati allo staff: le domestiche e le tate arrivavano dal Queens o dal New Jersey con il primo treno del mattino e tornavano a casa dopo il tramonto. Ma i Gopnik possedevano questi mini-alloggi da quando era stato costruito l'edificio. Le stanze, di fatto collegate alla residenza principale, non potevano essere modificate né vendute ed erano molto richieste come magazzini. Non era difficile capire perché la loro naturale destinazione potesse essere quella.

«Eccoci.» Nathan aprì una porta e depositò i miei bagagli.

La mia stanza misurava circa tre metri e mezzo per tre e mezzo. Conteneva un letto matrimoniale, una televisione, un cassettone e un armadio. Nell'angolo c'era una poltroncina rivestita di tessuto beige la cui seduta sfondata testimoniava la presenza di precedenti inquilini esausti. Una piccola finestra probabilmente si affacciava a sud. O a nord. O a est. Era difficile stabilirlo con certezza, visto che si trovava a poco meno di due metri di distanza dal retro di un tetro edificio di mattoni, così alto che potevo vedere il cielo solo premendo la faccia contro il vetro e allungando il collo.

Poco più in là c'era una cucina comune a disposizione del personale, che comprendeva me, Nathan e una domestica la cui stanza era situata dalla parte opposta del corridoio.

Sul mio letto era appoggiata una pila ordinata di cinque polo verde scuro e di quelli che sembravano pantaloni neri con la patina lucida tipica del Teflon a buon mercato.

«Non ti avevano parlato dell'uniforme?»

Presi una polo.

«È solo maglietta e pantaloni. I Gopnik pensano che una divisa renda le cose più facili. Così tutti sanno qual è il loro posto.»

«Se vuoi somigliare a un giocatore di golf professionista.»

Sbirciai nel bagno rivestito di marmo marroncino incrostato di calcare che comunicava direttamente con la stanza. Dentro c'erano un water, un piccolo lavabo che sembrava risalire agli anni Quaranta e una doccia. Una saponetta avvolta nella carta e una bomboletta di insetticida erano appoggiati da una parte.

«È piuttosto generoso per gli standard di Manhattan» mi fece notare Nathan. «So che ha l'aria un po' vecchiotta, ma Mrs G dice che possiamo darle un'imbiancata. Con un paio di lampade in più e una puntata da Crate and Barrel sarà...»

«Mi piace» dissi voltandomi verso di lui, la voce improvvisamente tremante. «Sono a New York, Nathan. Sono davvero qui.»

Lui mi diede una stretta sulla spalla. «Già. Sei proprio qui.»

Riuscii a stare sveglia abbastanza a lungo per disfare le valigie, mangiare un takeaway con Nathan (che lui chiamava *takeout*, come un vero americano) e fare zapping tra 859 canali, la maggior parte dei quali sembravano trasmettere un loop infinito di partite di football, pubblicità di prodotti per problemi digestivi, o telefilm polizieschi con pessime luci che non avevo mai sentito nominare. Dopodiché crollai per poi svegliarmi di soprassalto alle 4.45 del mattino. Per alcuni minuti di scombussolamento rimasi ad ascoltare il suono distante di una sirena e il lieve gemito di un furgone in retromarcia, poi accesi la luce e, quando mi ricordai dove mi trovavo, mi sentii attraversare da una scarica di adrenalina.

Tirai fuori il portatile dalla borsa e scrissi un messaggio a Sam in chat. *Ci sei? Baci.*

Attesi, ma non ottenni risposta. Non rammentavo quando mi aveva detto che sarebbe stato di turno, ed ero troppo stordita per calcolare la differenza di fuso orario. Posai il portatile e cercai di riprendere sonno (Treena diceva che se non dormivo abbastanza somigliavo a un cavallo triste). Ma i rumori inconsueti della città agivano su di me come il richiamo di una sirena, così alle sei scesi dal letto e mi feci una doccia cercando di ignorare la ruggine nello sputacchiante getto d'acqua che esplose dal soffione. Mi vestii (uno scamiciato leggero di jeans e una camicetta turchese vintage a maniche corte con un'immagine della Statua della Libertà) e mi avviai alla ricerca di un caffè.

Percorsi il corridoio con passo felpato, sforzandomi di ricordare dove si trovasse la cucina riservata allo staff che Nathan mi aveva mostrato la sera prima. Aprii una porta e una donna si voltò e mi fissò. Era una robusta signora di mezza età con i capelli scuri acconciati in onde ordinate come una diva di Hollywood degli anni Trenta. I suoi occhi erano scuri e profondi, ma gli angoli della sua bocca erano piegati all'ingiù in un'espressione di disapprovazione permanente.

«Ehm... buongiorno!»

Continuava a fissarmi.

«Sono... sono Louisa. La nuova arrivata. L'assistente di Mrs Gopnik.»

«Lei non è Mrs Gopnik.» La frase della donna rimase sospesa a mezz'aria.

«Tu devi essere...» Mi lambiccai il cervello ancora stordito dal jet-lag, ma non ci fu verso di farmi venire in mente il suo nome. "Oh, andiamo" mi dissi. «Mi devi scusare. Stamattina il mio cervello sembra porridge. Colpa del jet-lag.»

«Mi chiamo Ilaria.»

«Ilaria. Ma certo. Scusa.» Le porsi la mano. Lei non la strinse. «So chi sei.»

«Puoi... puoi mostrarmi dove tiene il latte Nathan? Volevo solo farmi un caffè.»

«Nathan non beve il latte.»

«Davvero? Una volta sì.»

«Pensi che io ti stia mentendo?»

«No. Non intendevo dire q...»

Ilaria fece un passo a sinistra e mi indicò un armadietto a muro grande la metà degli altri e leggermente fuori portata. «Quello è il tuo.» Poi aprì il frigo per riporre il suo succo di frutta e notai la bottiglia di latte da due litri sul suo ripiano. Richiuse l'anta e mi guardò con aria glaciale. «Mr Gopnik sarà di ritorno alle 18.30. Fatti trovare in divisa.» E con questa affermazione se ne andò lungo il corridoio, con le ciabatte che sbattevano contro il tallone.

«È stato un piacere conoscerti! Sono sicura che ci rivedremo prossimamente!» le gridai.

Rimasi a fissare il frigorifero per un attimo, poi decisi che forse non era troppo presto per andare a comprare il latte. Dopotutto, mi trovavo nella città che non dorme mai.

New York poteva anche essere sveglia, ma il Lavery era avvolto in un silenzio così denso che suggeriva un consumo massiccio di sonniferi da parte dei suoi abitanti. Chiusi piano la porta d'ingresso dietro di me e controllai otto volte di aver preso il portafoglio e le chiavi. Immaginavo che l'ora mattutina e il fatto che tutti stessero ancora dormendo mi avrebbero consentito di scoprire qualcosa in più del posto in cui ero finita.

Mentre percorrevo il pianerottolo in punta di piedi, con la moquette soffice che attutiva i miei passi, da dietro una porta un cane si mise ad abbaiare – un ringhio stizzito, come una reazione di protesta a un'offesa – e una persona anziana gridò qualcosa che non riuscii a capire. Non volendo essere respon-

19

sabile del risveglio degli altri inquilini, mi affrettai e anziché prendere le scale scesi con l'ascensore di servizio.

Nell'atrio non c'era nessuno, quindi uscii direttamente in strada e mi ritrovai immersa in un clamore di luci e rumori così travolgente che dovetti fermarmi un attimo per non perdere l'equilibrio. L'oasi verde di Central Park si estendeva davanti a me per un'ampiezza che mi parve di chilometri. Alla mia sinistra, le strade laterali erano già affollate. Uomini nerboruti in tuta da lavoro scaricavano casse da un furgone aperto sui lati, sorvegliati da un poliziotto con le braccia grandi come prosciutti incrociate sul petto. Uno spazzino canticchiava mentre svolgeva diligentemente il suo lavoro. Un tassista chiacchierava con qualcuno attraverso il finestrino aperto. Spuntai mentalmente tutte le attrazioni della Grande Mela. Carrozze trainate dai cavalli! Taxi gialli! Grattacieli incredibilmente alti! Due turisti esausti con i bambini nel passeggino mi superarono tenendo in mano bicchieroni di caffè, probabilmente ancora sintonizzati su un fuso orario lontano. Manhattan si diramava in ogni direzione, enorme, accarezzata dal sole, luminosa e brulicante di vita.

Gli effetti del jet-lag evaporarono con le ultime sfumature dell'alba. Presi un respiro profondo e mi incamminai, consapevole del sorriso che avevo stampato in faccia, ma incapace di nasconderlo. Percorsi otto isolati senza incrociare neanche un minimarket. Svoltai in Madison Avenue passando davanti alle gigantesche vetrine di boutique di lusso non ancora aperte, intervallate da qualche ristorante con i vetri scuri simili a occhi chiusi, e a un hotel di lusso il cui portiere in livrea non mi degnò nemmeno di uno sguardo.

Proseguii per altri cinque isolati, rendendomi conto gradualmente che questo non era il tipo di quartiere dove potevi semplicemente fare un salto al negozio di alimentari. Mi ero immaginata tavole calde a ogni angolo, con cameriere insolenti e uomini che portavano pagliette bianche, invece i locali erano tutti enormi e patinati e non lasciavano intuire neanche lontanamente che dietro le loro porte mi aspettassero un'omelette al formaggio o una tazza di tè. La maggior parte delle persone che incrociavo erano turisti o accaniti appassionati di jogging che, strizzati nelle loro tutine di Lycra e con gli auricolari nelle orecchie per isolarsi dal mondo, si destreggiavano abilmente fra i senzatetto che li guardavano con un'espressione tetra e impenetrabile. Poi finalmente mi imbattei in una caffetteria di una catena in cui sembrava essersi data appuntamento metà della popolazione mattiniera di New York, persone intente a scrivere messaggi al cellulare o a imboccare bambinetti straordinariamente allegri con un sottofondo di musica orecchiabile che filtrava dagli altoparlanti integrati nelle pareti.

Ordinai un cappuccino e un muffin che, prima che io potessi aggiungere altro, il barista aveva già tagliato in due, scaldato, spalmato di burro e avvolto nella carta stagnola, il tutto senza smettere di commentare una partita di baseball con il collega.

Pagai, mi sedetti e addentai il mio muffin. Anche al netto della fame divorante da jet-lag, era la cosa più deliziosa che avessi mai mangiato.

Rimasi seduta a un tavolo vicino alla vetrina a fissare per mezz'ora le strade di Manhattan che si risvegliavano, con la bocca piena di muffin appiccicoso o scottata da un caffè nero bollente, lasciando carta bianca al mio costante monologo interiore ("Sto bevendo un caffè newyorkese in una caffetteria newyorkese! Sto passeggiando in una strada di New York! Come Meg Ryan! Oppure Diane Keaton! Sono davvero a New York!"), e d'un tratto capii perfettamente che cosa avesse cercato di spiegarmi Will due anni prima: per quei pochi minuti, mentre assaporavo un cibo insolito con gli occhi pieni di immagini nuove, ebbi la sensazione di esistere solo in quell'istante. Ero totalmente presente a me stessa, i sensi risvegliati, tutto il mio essere pronto ad accogliere le nuove esperienze che mi circondavano. Ero nell'unico posto al mondo in cui potevo essere.

E poi, per ragioni apparentemente futili, due donne accanto a me si lanciarono in una zuffa con il caffè e i pasticcini che volavano da un tavolo all'altro, e i baristi accorsero per cercare di dividerle. Mi scrollai le briciole dal vestito, chiusi la borsa e conclusi che forse era meglio tornare alla tranquillità del Lavery.

2

Quando rientrai al Lavery, Ashok stava smistando enormi mucchi di quotidiani in diverse pile numerate. Non appena mi vide, si raddrizzò. «Buongiorno, Miss Louisa» mi disse con un sorriso. «Com'è andata la sua prima mattina a New York?»

«Benissimo. Grazie.»

«Ha canticchiato *Let the River Run* mentre camminava per la strada?»

Mi bloccai. «Come fa a saperlo?»

«Lo fanno tutti quando vengono per la prima volta a Manhattan. Diamine, qualche volta capita di farlo anche a me, eppure io non somiglio per niente a Melanie Griffith.»

«Non ci sono negozi di alimentari da queste parti? Ho dovuto scarpinare per mille chilometri per trovare un caffè. E non ho idea di dove si compri il latte.»

«Miss Louisa, avrebbe dovuto chiedermelo. Venga con me.» Mi fece cenno di seguirlo dietro il bancone e aprì la porta di una stanzetta buia, sciatta e disordinata, in netto contrasto con le rifiniture in ottone e i marmi dell'ambiente circostante. Una scrivania era occupata da una fila di monitor di sicurezza, un vecchio televisore e un grande libro mastro, insieme a una tazza, alcuni volumetti tascabili e una sfilza di fotografie di bambini sorridenti e sdentati. Dietro la porta c'era un frigorifero. «Ecco. Tenga questo» disse porgendomi un cartone di latte. «Me ne riporterà un altro più tardi.»

«Tutti i portieri fanno questo servizio?»

«Nessun portiere fa questo servizio. Ma il Lavery è diverso.»

«Quindi dove si fa la spesa?»

Lui fece una smorfia. «La gente che vive qui non fa la spesa, Miss Louisa. È un pensiero che non li sfiora *nemmeno*. Pensano che il cibo gli arrivi sulla tavola per magia, già cucinato.» Si voltò a controllare e abbassò la voce. «Scommetto che l'ottanta per cento delle donne che vivono in questo palazzo non ha cucinato niente negli ultimi cinque anni. E attenzione, la metà delle donne che vive qui non mangia, punto.»

Di fronte alla mia espressione stranita, Ashok si strinse nelle spalle. «I ricchi non vivono come me e lei, Miss Louisa. E i ricchi di New York... Be', non vivono come *nessuno*.»

Presi il cartone di latte.

«Se vuole qualcosa, se lo fa consegnare. Ci si abituerà.»

Avrei voluto chiedergli di Ilaria e di Mrs Gopnik, che a quanto pareva non era Mrs Gopnik, e della famiglia che stavo per conoscere. Ma lui spostò lo sguardo verso il corridoio.

«Buongiorno, Mrs De Witt!»

«Che cosa ci fanno tutti quei giornali per terra? Questo posto sembra una squallida edicola.» Una donnina anziana scansò irritata le pile di "New York Times" e "Wall Street Journal" che Ashok stava ancora spacchettando. Nonostante l'ora, era vestita come per andare a un matrimonio, con uno spolverino color lampone, un cappellino rosso a tamburello e un paio di grandi occhiali da sole con la montatura di tartaruga che nascondevano il suo viso rugoso. Al guinzaglio teneva un carlino ansimante dagli occhi sporgenti che mi scrutava con aria bellicosa (o almeno mi sembrava che guardasse me; era difficile stabilirlo con certezza, visto che i suoi occhi viravano in direzioni diverse). Mi apprestai ad aiutare Ashok a togliere di mezzo i giornali, ma quando mi chinai il cane si scagliò contro di me ringhiando, così mi tirai indietro di scatto rischiando di inciampare nella pila dei "New York Times".

«Oh, per l'amor del cielo!» disse la voce tremula e imperiosa dell'anziana signora. «Mi ha spaventato il cane!»

La mia gamba aveva sentito il soffio di quei canini aguzzi. Rabbrividii a quel lieve contatto.

«Per cortesia, faccia in modo che questa... questa *cartaccia* sia sparita di qui quando saremo di ritorno. Ho ripetuto a Mr Ovitz

23

un'infinità di volte che questo palazzo sta andando a rotoli. Ah, Ashok, ho lasciato il sacchetto dell'immondizia fuori dalla porta. La prego di rimuoverlo al più presto, o tutto il pianerottolo puzzerà di gigli marci. Dio solo sa come si può pensare di mandare dei gigli come omaggio floreale. Roba da funerale. Dean Martin!»

Ashok alzò il cappello in segno di rispetto. «Certamente, Mrs De Witt.» Attese finché la signora se ne fu andata, poi si voltò e guardò la mia gamba.

«Quel cane ha tentato di mordermi!»

«Già. È Dean Martin. Meglio stargli alla larga. È l'inquilino più irascibile del palazzo, e questo la dice lunga.» Si chinò di nuovo sui giornali, posò il plico successivo sulla scrivania, poi mi fermò con un gesto mentre mi apprestavo ad aiutarlo. «Lasci stare, Miss Louisa. Sono pesanti e lei ha già abbastanza grane da affrontare di sopra. Le auguro una buona giornata.»

Sparì senza nemmeno lasciarmi il tempo di chiedergli che cosa intendesse dire.

La giornata passò in un susseguirsi di ore confuse. Trascorsi il resto della mattinata a organizzare la mia stanzetta, pulendo il bagno e appendendo le foto di Sam, dei miei genitori, di Treena e Thom per ricreare l'atmosfera di casa. Nathan mi portò in un diner vicino al Columbus Circle dove mangiai un piatto delle dimensioni di un pneumatico e bevvi così tanto caffè nero che le mie mani tremarono per tutto il tragitto di ritorno. Mi segnalò i posti che potevano essermi utili: quel bar rimaneva aperto fino a tardi, quel chiosco vendeva dei falafel buonissimi, quello era uno sportello bancomat sicuro, e così via. Il mio cervello vorticava di nuove immagini e nuove informazioni. A un certo punto del pomeriggio mi sentii improvvisamente frastornata ed esausta, così Nathan mi riaccompagnò a casa, il suo braccio allacciato al mio. Fui felice di entrare in quell'androne buio e silenzioso e di trovare l'ascensore di servizio che mi risparmiò le scale.

«Fai un riposino» mi consigliò Nathan mentre mi toglievo le scarpe con un calcio. «Se fossi in te, però, non dormirei più di un'ora, altrimenti il tuo orologio biologico sarà ancora più sballato.»

«Quando hai detto che torneranno i Gopnik?» Avevo iniziato a biascicare.

«Di solito intorno alle sei. Adesso sono le tre, perciò hai tempo. Coraggio, fatti una bella dormita. Vedrai che dopo ti sentirai di nuovo umana.»

Chiuse la porta, e io sprofondai sul letto con grande sollievo.
Stavo per addormentarmi quando all'improvviso mi resi conto che se avessi aspettato non sarei riuscita a parlare con Sam:
così, riscuotendomi per un attimo dal mio torpore, presi il portatile. *Ci sei?* digitai nella chat.

Qualche minuto dopo, con il tipico suono della bolla che
scoppia, l'immagine si ingrandì ed eccolo là, nel suo vagone
ferroviario, la figura massiccia protesa verso lo schermo. Sam.
Il paramedico. Una montagna d'uomo. Il mio fidanzato nuovo di zecca. Ci scambiammo due grandi sorrisi un po' sciocchi.

«Ehi, bellezza! Come va?»

«Bene!» dissi. «Vorrei mostrarti la mia camera, ma potrei
sbattere contro le pareti girando lo schermo.» Ruotai il computer in modo che potesse vedere la mia stanzetta in tutto il
suo splendore.

«A me sembra bella. Ci sei tu dentro.»

Mi concentrai sulla finestra grigia alle sue spalle. Mi figuravo tutto con precisione: il rumore della pioggia che picchietta-
va sul tetto della carrozza, la sensazione di calore del vetro ap-
pannato, il legno e l'umidità, le galline che si riparavano sotto
una carriola grondante di acqua. Sam mi guardava, e io mi passai una mano sugli occhi, pentendomi di non essermi ricordata di truccarmi.

«Sei passato in ospedale?»

«Sì. Dicono che tra una settimana dovrei essere pronto a ricominciare. Devo essere abbastanza in forze da riuscire a sollevare una persona senza far saltare i punti.» Si portò istintivamente una mano all'addome, dove era stato colpito solo qualche
settimana prima – durante una chiamata di routine che l'aveva quasi ucciso e aveva cementato la nostra relazione – e provai qualcosa di spiazzante e viscerale.

«Vorrei che fossi qui» dissi, incapace di trattenermi.

«Anch'io. Ma questo è il primo giorno di un'avventura fantastica. E, tra un anno, sarai seduta qui...»

«Non lì» lo interruppi. «Nella tua nuova casa.»

«Nella mia nuova casa» si corresse lui. «E mi farai vedere le foto sul cellulare e in cuor mio penserò: "Oddio, eccola che ricomincia ad assillarmi con i racconti di New York".»

«Mi scriverai? Una struggente lettera d'amore innaffiata di lacrime solitarie?»

«Ah, Lou. Sai che non sono bravo a scrivere. Ma ti chiamerò. E fra quattro settimane sarò lì con te.»

«Giusto» dissi sentendo una stretta alla gola. «Okay. È meglio che faccia un pisolino.»

«Anch'io» annuì Sam. «Ti penserò.»

«In maniera disgustosa e un po' porno? O romantica, alla Nora Ephron?»

«Quale delle due opzioni non mi metterà nei guai?» Sorrise. «Ti trovo bene, Lou» disse dopo una breve pausa. «Hai l'aria... come dire, leggera.»

«Mi sento leggera. Mi sento come una persona molto, molto stanca che in realtà vorrebbe anche esplodere. È un po' sconcertante.» Avvicinai la mano al monitor e dopo un istante lui fece altrettanto per toccare la mia. La immaginai sulla mia pelle.

«Ti amo.» Mi sentivo ancora leggermente a disagio nel pronunciare quelle parole.

«Anch'io. Bacerei lo schermo, ma temo che al massimo vedresti i peli del mio naso.»

Chiusi il computer con il sorriso sulle labbra e pochi secondi dopo ero già sprofondata nel sonno.

Qualcuno stava urlando in corridoio. Mi svegliai, intontita, sudata, sospettando di essere ancora immersa in un sogno, e mi tirai su. Ma c'era davvero una donna che urlava dall'altra parte della porta. Migliaia di pensieri presero a rincorrersi nel mio cervello frastornato, titoli di giornali che parlavano di omicidi a New York e cosa fare per denunciare un reato. Qual era il numero che bisognava chiamare? Non il 999 come in Inghilterra. Mi scervellai, ma non riuscii a farmelo venire in mente.

«Perché dovrei? Perché dovrei starmene qui e sorridere mentre quelle streghe mi insultano? Tu non senti nemmeno la metà di quello che mi dicono! Sei un uomo! È come se avessi i paraocchi sulle orecchie!»

«Tesoro, ti prego, calmati. Ti prego. Non è il luogo né il momento adatto.»

«Non è mai il luogo e il momento adatto! Perché c'è sempre qualcuno qui! Devo comprare un appartamento tutto mio in modo da avere un posto dove litigare con te?»

«Non capisco che bisogno ci sia di agitarsi tanto. Devi semplicemente fregar...»

«No!»

Qualcosa si schiantò sul pavimento di legno massiccio. Ero completamente sveglia ora, il cuore in tumulto.

C'era un silenzio gravido di tensione.

«Ora mi dirai che era un cimelio di famiglia, vero?»

Una pausa.

«Be', sì. Sì, lo era.»

Un singhiozzo strozzato. «Non mi interessa! Non mi interessa! Io mi sento soffocare nella storia della tua famiglia! Mi hai sentito? Soffocare!»

«Agnes, tesoro. Non in corridoio. Coraggio, possiamo parlarne più tardi.»

Rimasi seduta sul bordo del letto, immobile.

Seguirono altri singhiozzi soffocati, poi il silenzio. Attesi, infine mi alzai e mi avvicinai alla porta in punta di piedi tendendo l'orecchio. Niente. Guardai l'ora: le 16.46.

Pensai di scrivere a Nathan, ma mi sembrava di ricordare che dovesse uscire con qualche amico. Così mi lavai la faccia e indossai rapidamente la mia divisa. Mi pettinai e sgusciai fuori dalla mia stanza senza far rumore, arrivando fino all'angolo del corridoio.

E lì mi fermai.

Più avanti, accanto alla cucina, una giovane donna era raggomitolata in posizione fetale. Un uomo di mezza età la teneva fra le braccia, la schiena premuta contro il pannello di legno. Si era chinato fin quasi a sedersi, come se l'avesse presa al volo e fosse stato costretto ad abbassarsi per sostenere il suo peso. Non vedevo la donna in faccia, ma una gamba lunga e snella spuntava in maniera poco elegante da un vestito blu scuro e una cortina di capelli biondi le nascondeva il viso. Le sue nocche erano sbiancate per la forza con cui si aggrappava a lui.

Li stavo fissando con aria sconvolta quando l'uomo alzò gli occhi e mi vide. Riconobbi Mr Gopnik.

«Non ora. Grazie» disse pacatamente.

Con la voce bloccata in gola, tornai prontamente in camera mia e chiusi la porta. Il cuore mi rimbombava così forte nelle orecchie che ero sicura che l'avrebbero sentito tutti.

Per l'ora successiva rimasi inebetita davanti alla televisione, con l'immagine di quelle due persone aggrappate l'una all'altra marchiata a fuoco nella mente. Presi di nuovo in considerazione l'idea di scrivere a Nathan, ma pensai che non avrei saputo bene cosa dirgli. Attesi fino alle 17.55, poi uscii dalla stanza e con una certa esitazione mi avviai verso l'appartamento principale attraverso la porta comunicante. Oltrepassai una grande sala da pranzo deserta, quella che sembrava una camera degli ospiti e due porte chiuse, seguendo il distante mormorio della conversazione e cercando di mantenere i miei passi leggeri sul parquet. Quando finalmente raggiunsi il salotto, mi fermai sulla soglia.

Mr Gopnik era seduto vicino alla finestra, intento a parlare al telefono, con le maniche della camicia azzurra arrotolate e una mano appoggiata sulla nuca. Mi fece cenno di entrare senza interrompere la sua conversazione. Alla mia sinistra una donna bionda – Mrs Gopnik? – era seduta su un antico divano rosa e digitava freneticamente su un iPhone. Sembrava essersi cambiata d'abito, e la cosa mi lasciò un po' confusa. Attesi imbarazzata finché Mr Gopnik terminò la chiamata e si alzò, notai, con una lieve smorfia provocata dallo sforzo. Feci un altro passo verso di lui per risparmiargli la fatica di avvicinarsi e gli strinsi la mano. Era calda, e la sua presa delicata e forte al tempo stesso. La giovane donna continuava a digitare sul telefono.

«Louisa. Sono felice di vederla qui. Mi auguro che abbia tutto ciò che le serve.» Lo disse con il tono che usano le persone quando sperano che tu non chieda niente.

«È tutto incantevole. Grazie.»

«Questa è mia figlia, Tabitha. Tab?»

La ragazza alzò una mano e mi indirizzò un sorriso appena accennato per poi tornare a concentrarsi sul cellulare.

«La prego di scusare Agnes per non essere presente. È andata a riposarsi un'oretta. Emicrania lancinante. È stato un lungo weekend.»

Un'ombra di stanchezza attraversò il suo viso, ma fu questione di un attimo. Niente nel suo atteggiamento tradiva quello che avevo visto appena due ore prima.

Sorrise. «Dunque... Questa sera è libera di fare ciò che desidera, e da domattina seguirà Agnes in ogni suo spostamento. Il suo titolo ufficiale è "assistente" e il suo compito sarà quello di supportarla nelle attività che deve svolgere durante la giornata. Ha un'agenda piuttosto fitta. Ho già chiesto al mio assistente personale di tenerla informata sul calendario familiare e di inviarle tutti gli aggiornamenti via email. Le consiglio di controllare la posta intorno alle 22, di solito a quell'ora tendiamo a fare i cambiamenti dell'ultimo minuto. Domani conoscerà il resto della squadra.»

«Benissimo. Grazie.» Registrai l'uso della parola "squadra" ed ebbi una fugace visione di un gruppo di calciatori che transitavano per l'appartamento.

«Cosa c'è per cena, papà?» chiese Tabitha come se io non ci fossi.

«Non so, tesoro. Mi sembrava di aver capito che saresti uscita.»

«Non ho molta voglia di attraversare la città stasera. Penso che mi fermerò qui.»

«Come vuoi. Fai solo in modo di avvertire Ilaria. Louisa, ha domande?»

Cercai invano di pensare a qualcosa di sensato da dire.

«Oh, e la mamma mi ha detto di chiederti se hai trovato quel piccolo quadro. Il Miró.»

«Cara, non ho intenzione di ritornare sull'argomento. Quel quadro deve restare qui.»

«Ma la mamma sostiene che era stata lei a sceglierlo. Le manca. A te non è mai piaciuto.»

«Non è questo il punto.»

Spostai il peso da un piede all'altro, non sapendo se ero stata congedata.

«Invece è proprio questo il punto, papà. La mamma sente terribilmente la mancanza di qualcosa di cui a te non importa niente.»

«Vale ottantamila dollari.»

«A lei non interessano i soldi.»

«Possiamo parlarne più tardi?»

«Più tardi sarai impegnato. Ho promesso alla mamma che avrei sistemato la questione.»

Feci un passo indietro senza dare nell'occhio.

«Non c'è niente da sistemare. L'accordo è stato concluso diciotto mesi fa. È stato stabilito tutto allora. Oh, tesoro, eccoti qui. Ti senti meglio?»

Mi voltai. La donna che era appena entrata nella stanza era di una bellezza mozzafiato, con il viso struccato e i capelli biondo chiaro raccolti in un nodo morbido. Gli zigomi alti erano spolverati di lentiggini e il taglio degli occhi suggeriva origini slave. Doveva avere più o meno la mia età. Si avvicinò a Mr Gopnik a piedi nudi e lo baciò accarezzandogli la nuca. «Molto meglio, grazie.»

«Questa è Louisa» disse lui.

Lei si voltò a guardarmi. «La mia nuova alleata» commentò.

«La tua nuova assistente» puntualizzò Mr Gopnik.

«Salve, Louisa.» Mi tese la mano esile e strinse la mia. Sentii i suoi occhi scorrere su di me, come se stesse cercando di capire qualcosa, ma poi sorrise e io non potei fare altro che sorriderle a mia volta.

«La stanza che ti ha preparato Ilaria è di tuo gradimento?» La sua voce era dolce e rivelava una cadenza dell'Est Europa.

«È perfetta. Grazie.»

«Perfetta? Oh, ti accontenti molto facilmente. Quella stanza sembra un ripostiglio delle scope. Se c'è qualcosa che non ti piace, non devi fare altro che dircelo e la renderemo più accogliente. Non è vero, tesoro?»

«Un tempo tu non vivevi in un buco ancora più piccolo di quello, Agnes?» disse Tab senza alzare gli occhi dal suo iPhone. «Papà mi ha raccontato che lo condividevi con qualcosa come altre quindici immigrate.»

«Tab.» Il tono di Mr Gopnik era un garbato avvertimento.

Agnes prese un respiro e alzò il mento. «La mia stanza era ancora più piccola, sì. Ma le ragazze con cui la condividevo erano simpatiche, perciò non è stato affatto un problema. Se le persone sono gentili e educate, si può sopportare tutto, non trovi, Louisa?»

Deglutii. «Sì, certo.»

A questo punto Ilaria entrò in salotto e si schiarì la voce. Indossava la mia stessa divisa composta da polo verde e pantaloni scuri, ma coperta da un grembiule bianco. Non mi guardò in faccia. «La cena è pronta, Mr Gopnik» disse.

«C'è qualcosa anche per me, Ilaria cara?» chiese Tab, la mano appoggiata sullo schienale del divano. «Credo che mi fermerò qui a dormire.»

L'espressione di Ilaria si fece immediatamente affettuosa. Era come se davanti a me fosse comparsa una persona completamente diversa. «Certo, Miss Tabitha. Preparo sempre qualcosa in più la domenica, in caso lei decidesse di trattenersi.»

Agnes era in piedi al centro della stanza. Mi parve di vedere un'ombra di panico attraversarle il viso. La sua mascella si contrasse. «Allora vorrei che anche Louisa si fermasse a cena con noi» disse.

Seguì una breve pausa di silenzio.

«Louisa?» ripeté Tab.

«Sì. Mi farebbe piacere conoscerla meglio. Hai dei programmi per stasera, Louisa?»

«Ehm... no» balbettai.

«Allora mangi con noi. Ilaria, hai cucinato in abbondanza, vero?»

Ilaria consultò con uno sguardo Mr Gopnik, apparentemente intento a studiare qualcosa sul telefono.

«Agnes» disse Tab dopo una breve esitazione. «Lo vuoi capire che non mangiamo con il personale?»

«Perché parli al plurale? Non sapevo che esistesse un regolamento scritto.» Agnes alzò la mano e contemplò la sua fede nuziale con calma ostentata. «Tesoro, hai forse dimenticato di darmi il regolamento?»

«Con tutto il rispetto, e anche se sono sicura che Louisa sia una persona deliziosa» continuò Tab «ci sono dei confini che vanno rispettati. Ed esistono a beneficio di tutti.»

«Posso fare come...» iniziai. «Non voglio causare...»

«Be', con tutto il rispetto, Tabitha, vorrei che Louisa cenasse con me. È la mia nuova assistente e trascorreremo insieme ogni giorno. Perciò non vedo che problema ci sia nel desiderare di conoscerla un po' meglio.»

«Nessun problema» disse Mr Gopnik.

«Papà...»

«Nessun problema, Tab. Ilaria, per favore, puoi apparecchiare per quattro? Grazie.»

Ilaria sgranò gli occhi. Mi guardò con le labbra strette in una linea sottile di rabbia trattenuta, come se fossi stata io ad architettare questa pantomima della gerarchia domestica, poi sparì nella sala da pranzo, da dove si udì subito un rumore esagerato di posate e bicchieri che sbattevano. Agnes fece un lieve sospiro e si scostò i capelli dal viso lanciandomi un sorrisetto cospiratorio.

«Bene, procediamo» disse Mr Gopnik dopo un istante. «Louisa, gradisce un drink?»

La cena si svolse in un clima teso, gravato da un penoso silenzio. Ero intimidita dal grande tavolo in mogano, dalle pesanti posate d'argento e dai bicchieri di cristallo, e mi sentivo a disagio con la divisa addosso. Mr Gopnik parlò pochissimo e sparì due volte nel suo ufficio per rispondere a delle telefonate. Tab continuò a trafficare con l'iPhone rifiutandosi deliberatamente di fare conversazione, e Ilaria servì il pollo con salsa al vino rosso e tutti i contorni e poi ritirò i vassoi di portata con una faccia, come direbbe mia madre, da cane bastonato. Forse solo io notai la malagrazia con cui mi sbatté il piatto davanti e lo sbuffo di stizza che emetteva ogni volta che passava di fianco alla mia sedia.

Agnes quasi non toccò cibo. Era seduta di fronte a me e chiacchierava coraggiosamente come se io fossi la sua nuova migliore amica, facendo scivolare di tanto in tanto lo sguardo verso suo marito. «Quindi è la tua prima volta a New York» disse. «Quali altri posti hai visitato?»

«Uhm... Non molti. Ho iniziato a viaggiare solo di recente. Ho girato l'Europa zaino in spalla un paio di anni fa, e prima sono stata... alle Mauritius. E in Svizzera.»

«L'America è molto particolare. Ogni Stato ha un'atmosfera unica, credo, per noi europei. Ho girato un po' con Leonard, ma è stato come visitare paesi completamente diversi. Sei felice di essere qui?»

«Tantissimo» risposi. «Ho... Ho intenzione di sfruttare tutto ciò che New York ha da offrire.»

«Mi sembra di sentir parlare te, Agnes» osservò Tab con tono insinuante.

Agnes la ignorò continuando a tenere gli occhi puntati su di me. Erano di una bellezza ipnotica, con quella forma affusolata che si alzava lievemente agli angoli. Per due volte dovetti ricordare a me stessa di chiudere la bocca mentre la fissavo. «Dimmi qualcosa della tua famiglia. Hai fratelli? Sorelle?»

Descrissi la mia famiglia come meglio potevo, facendola sembrare un po' più simile ai Walton che agli Addams.

«E così tua sorella vive nel tuo appartamento a Londra con suo figlio? Verrà a trovarti? E i tuoi genitori? Sentiranno la tua mancanza?»

Pensai alla battuta che mi aveva rivolto mio padre al momento di partire, alla sua stoccata finale: "Fai pure con comodo, Lou! Trasformeremo la tua vecchia camera in una vasca idromassaggio!".

«Oh, sì. Moltissimo.»

«Mia madre ha pianto per due settimane quando ho lasciato Cracovia. E hai un fidanzato?»

«Sì. Si chiama Sam. È un paramedico.»

«Un paramedico. Una specie di dottore? Che bello! Ti prego, fammi vedere una foto. Mi piacciono le foto.»

Tirai fuori il cellulare e sfogliai la galleria alla ricerca della mia foto preferita di Sam, seduto sulla terrazza di casa mia con indosso la sua uniforme verde scuro. Aveva appena staccato dal turno e teneva in mano una tazza di tè. Il sole era basso alle sue spalle, e guardando il suo sorriso ricordai esattamente come mi ero sentita lassù, con il tè che si raffreddava sulla mensola dietro di me e Sam che aspettava pazientemente mentre io gli scattavo una foto dietro l'altra.

«Molto affascinante! E si trasferirà anche lui a New York?»

«Ehm, no. Sta costruendo una casa al momento, perciò è un po' complicato. E poi ha il suo lavoro.»

Agnes spalancò gli occhi. «Ma deve venire assolutamente! Non potete vivere in due paesi diversi! Come puoi amare il tuo uomo se non è vicino a te? Io non potrei mai stare lontana da Leonard. Soffro anche quando va via solo due giorni per lavoro.»

«Sì, capisco che tu non voglia separarti *troppo* da lui» intervenne Tab. Mr Gopnik alzò gli occhi dal piatto e fece correre lo sguardo tra sua moglie e sua figlia, ma non disse una parola.

«Comunque sia» concluse Agnes sistemandosi il tovagliolo in grembo. «Londra non è poi così lontana. E l'amore è amore. Non è così, Leonard?»

«Certamente» disse lui, e per un attimo, di fronte al sorriso della moglie, la sua espressione si addolcì. Agnes allungò una mano per accarezzare il dorso della sua, e io abbassai subito lo sguardo sul mio piatto.

D'un tratto nella sala calò il silenzio.

«Credo che tornerò a casa. Ho un leggero senso di nausea.» Tab spinse indietro la sedia rumorosamente e buttò sul piatto il tovagliolo di lino immacolato che iniziò subito a impregnarsi di salsa al vino rosso. Dovetti trattenermi dall'istinto di salvarlo. Si alzò e diede un bacio sulla guancia a suo padre. Lui le toccò affettuosamente il braccio con la mano libera.

«Ti chiamo in settimana, papà.» Si voltò. «Louisa... Agnes» disse Tab con un cortese cenno del capo, e lasciò la stanza.

Agnes la guardò andare via. Forse mormorò qualcosa sottovoce, ma Ilaria stava raccogliendo il mio piatto e le mie posate così rabbiosamente e rumorosamente che non riuscii a capire cosa.

Quando Tabitha se ne andò, fu come se Agnes avesse perso tutta la sua combattività. All'improvviso sembrò avvizzirsi sulla sua sedia, le spalle piegate, l'incavo profondo della clavicola ben visibile mentre reclinava la testa. Mi alzai da tavola. «Credo che tornerò nella mia stanza. Grazie mille per la cena. Era tutto delizioso.»

Nessuno protestò. Il braccio di Mr Gopnik era appoggiato sul tavolo di mogano, le dita accarezzavano la mano della moglie. «Ci vediamo domattina, Louisa» disse senza alzare lo sguardo. Agnes lo guardò, il viso cupo. Uscii dalla sala da pranzo e mi avviai in camera mia allungando il passo davanti alla porta della cucina, in modo che i pugnali virtuali che mi sembrava di sentirmi scagliare addosso da Ilaria non avessero la possibilità di colpirmi.

Un'ora dopo Nathan mi mandò un messaggio. Stava bevendo una birra con degli amici a Brooklyn.

Ho sentito che hai avuto il battesimo del fuoco. Tutto bene?

Non avevo l'energia per pensare a una risposta spiritosa, né per chiedergli come facesse a saperlo.

Sarà più facile una volta che li avrai conosciuti meglio. Promesso.

Ci vediamo domattina, scrissi. D'un tratto fui assalita dal dubbio – perché mai avevo accettato quel lavoro? –, ma subito dopo mi rimproverai per quell'attimo di cedimento e caddi in un sonno profondo.

Quella notte sognai Will. Lo sognavo raramente ormai. Nei primi giorni, quelli in cui mi mancava così tanto che era come se qualcuno mi avesse aperto una voragine nel petto, sognarlo era stato per me solo fonte di tristezza. I sogni si erano interrotti quando avevo incontrato Sam. Ma ora eccolo di nuovo qui, nelle prime ore del mattino, un'immagine così vivida da darmi l'impressione che lui fosse di fronte a me. Era seduto sul sedile posteriore di una costosissima limousine nera simile a quella di Mr Gopnik, e io lo osservavo dall'altra parte della strada. Fui immediatamente sollevata nel constatare che non era morto, che dopotutto non ci aveva lasciato, e capii istintivamente che non sarebbe dovuto andare dov'era diretto. Era mio dovere fermarlo. Ma ogni volta che tentavo di attraversare la strada congestionata dal traffico, un'altra fila di macchine mi sfrecciava davanti impedendomi di raggiungerlo, e il rombo dei motori sovrastava la mia voce che urlava il suo nome. Era là, a pochissimi passi da me ma impossibile da raggiungere, la sua pelle liscia color caramello, il suo lieve sorriso che giocava intorno agli angoli della bocca mentre diceva qualcosa all'autista che non riuscivo a sentire. E poi all'ultimo momento incrociò il mio sguardo – i suoi occhi si spalancarono leggermente – e io mi svegliai, sudata, con il piumino aggrovigliato tra le gambe.

3

Da: BusyBee@gmail.com
A: Samfielding1@gmail.com

Sono di fretta – Mrs G sta facendo lezione di pianoforte – ma cercherò
di scriverti un'email al giorno in modo da avere almeno l'impressione
che chattiamo. Mi manchi. Scrivimi presto. So che detesti le email,
ma fai un'eccezione per me. Ti preeeego. (Immagina la mia faccia
implorante qui.) Oppure, se preferisci, mandami delle LETTERE!
Ti amo,
Lou

«Bene, buongiorno!»
Un afroamericano corpulento con una tuta rossa di Lycra ade-
rentissima stava davanti a me con le mani piantate sui fianchi.
Mi bloccai sulla soglia della cucina in T-shirt e slip, sorpresa,
chiedendomi se stessi sognando e se, chiudendo e riaprendo
gli occhi, l'avrei di nuovo trovato lì.
«Lei dev'essere Miss Louisa.» Una mano enorme si allungò
e prese la mia, scuotendola con un tale entusiasmo che mi ritrovai a saltellare involontariamente anch'io. Controllai l'ora.
Erano davvero le sei e un quarto.
«Io sono George, il personal trainer di Mrs Gopnik. Mi hanno detto che lei verrà con noi. Non vedo l'ora!»
Mi ero svegliata dopo qualche ora di sonno agitato, cercando di scrollarmi di dosso il groviglio di sogni che si era forma-

to durante la notte, e avevo attraversato il corridoio con il pilota automatico, come uno zombie che barcolla alla ricerca di caffeina.

«Okay, Louisa! È importante rimanere idratati!» George prese due bottigliette d'acqua dal ripiano. E poi sparì lungo il corridoio con una corsetta leggera.

Mi versai un caffè, e mentre me ne stavo lì a sorseggiarlo Nathan entrò in cucina, vestito di tutto punto e profumato di dopobarba. Fissò le mie gambe nude.

«Ho appena conosciuto George» dissi.

«Nessuno più di lui si intende di glutei. Hai portato le scarpe da corsa, vero?»

«Ah!» Bevvi un altro sorso di caffè, ma Nathan continuò a guardarmi con l'aria di chi si aspettasse una risposta seria. «Nathan, non si era parlato di andare a correre. Io non sono un'appassionata di jogging. Voglio dire, sono l'anti-sport fatto persona, la pantofolaia per eccellenza. Lo sai.»

Nathan si versò una tazza di caffè e rimise la caraffa al suo posto.

«In più, sono caduta dal tetto di un palazzo all'inizio di quest'anno, ricordi? Mi sono ridotta in tanti pezzettini.» Ormai riuscivo a parlare con toni leggeri di... quella notte in cui, ubriaca e ancora sconvolta per la morte di Will, ero scivolata dal parapetto della terrazza della mia casa londinese. Ma le fitte che avvertivo al fianco erano un promemoria costante di quello che era successo.

«Ma adesso stai bene. E sei l'assistente di Mrs G. Il tuo compito è quello di essere sempre al suo fianco. E se lei vuole che tu vada a correre, andrai a correre.» Bevve un sorso di caffè. «Ah, non fare quella faccia terrorizzata. Ti divertirai. Nel giro di qualche settimana sarai agile e scattante come un'atleta. Lo fanno tutti qui.»

«Sono le sei e un quarto del mattino.»

«Mr Gopnik inizia alle cinque. Abbiamo appena finito la fisioterapia. A Mrs G piace restare a letto ancora un po'.»

«Perciò a che ora si va a correre?»

«Alle sette meno venti. Fatti trovare nell'ingresso. A dopo!» Mi fece un cenno di saluto e se ne andò.

Agnes, naturalmente, era una di quelle donne che al mattino risultavano ancora più belle, con il viso senza un filo di trucco, dai contorni un po' incerti ma avvolti da un alone languidamente sexy. Aveva raccolto i capelli in una morbida coda di cavallo, e con il top e i pantaloni elasticizzati aveva la stessa aria casual ma studiata che hanno le top model nel tempo libero. Attraversò il corridoio con la falcata di un palomino con gli occhiali da sole e alzò elegantemente una mano in segno di saluto, come se fosse troppo presto per aprire bocca. Io avevo portato con me un semplice paio di pantaloncini e una canotta, che, sospettai, mi avrebbero fatto somigliare a un manovale grassottello. Ero leggermente in ansia per non essermi depilata le ascelle e tenevo i gomiti incollati ai fianchi.

«Buongiorno, Mrs G!» George si materializzò accanto a noi e porse ad Agnes una bottiglietta d'acqua. «Siamo pronti?»

Lei annuì.

«Anche lei, Louisa? Per oggi ci limitiamo a cinque chilometri. Mrs G preferisce fare una sessione extra di addominali. Ha già fatto un po' di stretching, vero?»

«Ehm, io...» Non avevo né una bottiglietta d'acqua né una borraccia. Ma in men che non si dica eravamo già in movimento.

Avevo sentito spesso l'espressione "partire in quarta", ma prima di conoscere George non avevo mai capito cosa significasse realmente. Scattò dal corridoio a una velocità che mi parve di almeno sessantacinque chilometri all'ora, e quando pensavo che avremmo rallentato per aspettare l'ascensore, George aprì le doppie porte e ci fece scendere precipitosamente le dodici rampe di scale che portavano al piano terra. Attraversammo l'atrio in un lampo sfrecciando davanti ad Ashok, di cui feci appena in tempo a cogliere il saluto frettoloso.

Buon Dio, era troppo presto per una fatica del genere. Quei due correvano disinvolti come cavalli che trainano una carrozza, mentre io arrancavo con il passo corto e con le ossa che risentivano dell'impatto di ogni falcata, mormorando le mie scuse ogni volta che scansavo i pedoni kamikaze che incrociavano il mio cammino. Correre era sempre stata un'attività riservata a Patrick, il mio ex. Era come la verza: una di quelle cose che sai che esistono e che potrebbero farti bene, ma che non prendi in considerazione perché sai anche che la vita sarà sempre troppo breve perché diventino per te una sana abitudine.

"Su, coraggio, puoi farcela" mi ripetevo. "È il tuo primo sì di questa nuova vita. Stai facendo jogging a New York! È una versione di te completamente diversa!" Per alcuni gloriosi momenti quasi ci credetti. Il traffico si arrestò, il semaforo scattò sul rosso e per un attimo ci fermammo sul ciglio del marciapiede, con George e Agnes che saltellavano leggeri sulle punte e io, boccheggiante, nascosta alle loro spalle. Poi attraversammo la strada e raggiungemmo Central Park, con il sentiero che spariva sotto i nostri piedi e i rumori del traffico che si smorzavano entrando in quell'oasi verde nel cuore della metropoli.

Avevamo percorso a malapena un chilometro e mezzo quando mi resi conto che continuare sarebbe stata una pessima idea. Anche se ormai, più che correre, camminavo a passo sostenuto, avevo il respiro affannoso e la mia anca protestava lamentando ferite ancora troppo recenti. Il massimo della distanza che avevo percorso correndo negli ultimi anni erano i dieci metri che mi separavano da un autobus che stava rallentando, e l'avevo pure perso. Alzai lo sguardo e notai che George e Agnes stavano chiacchierando. Io non riuscivo nemmeno a tirare il fiato, e loro intrattenevano un'autentica conversazione.

Mi venne in mente un amico di mio padre che aveva avuto un attacco di cuore mentre faceva jogging. Papà aveva sempre usato questo episodio come chiaro esempio del perché gli sport facessero male. Perché non avevo parlato del mio incidente? Avevo forse intenzione di sputare un polmone in mezzo al parco?

«Tutto bene laggiù, Louisa?» chiese George correndo all'indietro.

«Sì, bene!» risposi con un ottimistico pollice alzato.

Avevo sempre desiderato vedere Central Park, ma non in questo modo. Mi domandai che cosa sarebbe successo se fossi collassata e morta il primo giorno di lavoro. Come avrebbero riportato a casa il mio corpo? Schivai una donna con tre bambinetti identici che le scorrazzavano intorno. "Dio, ti prego" invocai silenziosamente guardando quei due che correvano senza sforzo davanti a me. "Fa' che uno dei due cada. Non deve per forza rompersi una gamba, basta una piccola storta. Una di quelle cose che durano ventiquattro ore e richiedono di stare sdraiati sul divano a guardare la televisione tenendo la gamba su."

Mi stavano seminando e non c'era niente che io potessi fare. Che razza di parco aveva delle vere e proprie salite? Mr Gopnik se la sarebbe presa a morte con me per non essere stata vicina a sua moglie. Agnes si sarebbe resa conto che ero una stupida inglese tracagnotta, anziché una valida alleata. Avrebbero assunto una persona snella e bellissima con un abbigliamento da jogging più adeguato.

Fu a questo punto che un anziano signore mi superò. Si voltò a guardarmi e poi, dopo aver consultato il suo fitness tracker, proseguì, agile e scattante, con gli auricolari nelle orecchie. Doveva avere settantacinque anni.

"Oh, *andiamo*" mi dissi. E poi scorsi la carrozza con il cavallo. Feci uno scatto in avanti fino a raggiungere il cocchiere. «Ehi! Ehi! Può mica portarmi da quelle due persone laggiù?»

«Quali persone?»

Indicai le due figure in lontananza, ormai ridotte a due puntini. L'uomo guardò in quella direzione e si strinse nelle spalle. Salii sulla carrozza e lui spronò il cavallo a partire con un lieve schiocco di redini. Ecco l'ennesima esperienza newyorkese che non era andata come speravo, pensai mentre me ne stavo rannicchiata dietro di lui. Quando fummo abbastanza vicini, gli diedi una pacca sulla spalla chiedendogli di farmi scendere. Avevamo percorso appena cinquecento metri, ma se non altro avevo accorciato le distanze. Feci per saltare giù dalla carrozza.

«Sono quaranta dollari» disse l'uomo.

«Che cosa?»

«Quaranta dollari.»

«Ma se abbiamo fatto cinquecento metri!»

«La tariffa è questa, signora.»

Agnes e George stavano ancora chiacchierando. Tirai fuori due banconote da venti dollari dalla tasca dei pantaloncini e quasi le scaraventai addosso al vetturino, quindi mi nascosi dietro alla carrozza e mi misi a correre proprio mentre George si girava e mi individuava. Gli mostrai di nuovo allegramente il pollice alzato, come se lo avessi mantenuto sempre in quella posizione.

Poi, finalmente, George ebbe pietà di me. Vedendomi zoppicare, mi raggiunse mentre Agnes faceva stretching con le sue gambe lunghe che si stendevano come quelle di un fenicottero molto snodato. «Miss Louisa! Tutto okay?»

Almeno mi sembrava che fosse lui. Non vedevo più niente per via del sudore che mi colava negli occhi. Mi fermai, le mani appoggiate sulle ginocchia, il petto che si alzava e si abbassava affannosamente.

«C'è qualche problema? Ha l'aria accaldata.»

«Sono un po'... arrugginita.» Boccheggiai. «Ho un problema... all'anca.»

«Si è fatta male? Doveva dirmelo!»

«Non volevo... perdermi neanche un secondo!» dissi passandomi le mani sugli occhi per asciugare il sudore, il che li fece bruciare ancora di più.

«Dove?»

«Anca sinistra. Frattura. Otto mesi fa.»

George mi mise le mani sul fianco e mosse la mia gamba sinistra avanti e indietro per testare le articolazioni. Cercai di non trasalire per il dolore.

«Credo che per oggi sia meglio fermarsi qui.»

«Ma io...»

«No, lei torni pure indietro, Louisa.»

«Oh, se proprio insiste. Che peccato!»

«Ci vediamo a casa.» Mi diede una pacca sulla schiena così vigorosa che per poco non mi schiantai con la faccia al suolo. E poi, con un cordiale cenno della mano, lui e Agnes sparirono.

«Si è divertita, Miss Louisa?» mi chiese Ashok quando rientrai a casa zoppicando tre quarti d'ora dopo. Evidentemente in Central Park ci si poteva anche perdere.

Mi fermai per staccarmi dalla schiena la maglietta inzuppata di sudore. «È stato meraviglioso. Sì, mi sono divertita.»

Quando entrai nell'appartamento, scoprii che George e Agnes erano tornati venti minuti buoni prima di me.

Mr Gopnik mi aveva detto che l'agenda di Agnes era fitta. Considerando che non aveva un lavoro, né prole, in effetti sua moglie era la persona più impegnata che avessi mai incontrato. Dopo che George se ne fu andato, dedicammo una mezz'ora alla colazione (c'era un tavolo apparecchiato per Agnes con una frittata di soli albumi, una porzione di frutti di bosco e un caffè in una caraffa d'argento; io divorai un muffin che Nathan mi aveva lasciato nella cucina dello staff), seguita da un'altra mezz'ora di riunione nello studio di Mr Gopnik con Michael, il suo assistente, per prendere nota degli eventi a cui Agnes avrebbe dovuto partecipare in settimana.

L'ufficio di Mr Gopnik era un modello di studiata virilità, tutto pannelli di legno scuro e scaffali carichi di libri. Ci sedemmo intorno a un tavolino su delle sedie superimbottite. Dietro di noi, la gigantesca scrivania era ingombra di telefoni e bloc-notes. Di tanto in tanto Michael chiedeva a Ilaria un supplemento del suo delizioso caffè, e lei obbediva, riservandogli i suoi rari sorrisi.

Passammo in rassegna il possibile ordine del giorno di una riunione della fondazione filantropica della famiglia Gopnik, una cena di beneficenza il mercoledì, un pranzo commemorativo e un aperitivo il giovedì, una mostra con concerto alla Metropolitan Opera House nel Lincoln Center il venerdì. «Una settimana tranquilla» commentò Michael sbirciando il suo iPad.

Per quella giornata, l'agenda di Agnes prevedeva una seduta dal parrucchiere alle 10 (tre volte alla settimana), un appuntamento dal dentista (pulizia dei denti di routine), un pranzo con un'ex collega e un incontro con un arredatore. Aveva poi una lezione di piano alle 16 (due volte alla settimana), una sessione di spinning alle 17.30 e una cena con Mr Gopnik in un ristorante in centro. Io avrei potuto ritenermi libera alle 18.30.

Gli impegni previsti per la giornata sembravano soddisfare Agnes, o forse era per via della benefica corsa mattutina. Si era cambiata, indossando un paio di jeans indaco e una camicetta bianca il cui colletto lasciava intravedere un grande ciondolo di diamanti, e si muoveva per la stanza avvolta in una discreta nuvola di profumo. «Mi sembra tutto a posto» concluse. «Bene. Vado a fare qualche telefonata.» Sembrava dare per scontato che io sapessi dove ci saremmo incontrate dopo.

«Nel dubbio, aspetta sempre nell'ingresso» mi sussurrò Michael andandosene. Mi sorrise, liberandosi per un attimo della sua patina di professionalità. «I primi tempi non sapevo mai dove trovarli. Il nostro lavoro, in fin dei conti, è materializzarsi quando hanno bisogno di noi. Ma senza arrivare a seguirli fino in bagno, intendiamoci.»

Doveva essere più o meno mio coetaneo, eppure aveva l'aria di una di quelle persone belle fin dalla nascita, che vestono sempre abiti di colori coordinati e hanno le scarpe perfettamente lucide. Mi domandai se a New York fossero tutti così tranne me.

«Da quanto tempo lavori qui?»

«Poco più di un anno. Hanno dovuto licenziare la vecchia segretaria perché...» Si interruppe, d'un tratto imbarazzato. «Be', un nuovo inizio e tutto quanto. Ma dopo un po' si sono resi conto che avere un solo assistente per entrambi non funzionava. Ed è per questo motivo che sei subentrata tu. Quindi benvenuta!» Mi tese la mano.

Gliela strinsi. «Ti trovi bene?»

«Benissimo. Non ho ancora capito di chi sono più innamorato, se di lui o di lei.» Sorrise. «Lui è intelligente. E davvero affascinante. E lei è una bambolina.»

«Vai a correre con loro?»

«Correre? Stai scherzando?» Trasalì. «Non sopporto di sudare, a parte con Nathan. Oh, cielo. Con lui sì che suderei molto volentieri. Non è fantastico? Si è offerto di aiutarmi a fare fisioterapia alla spalla e mi ha conquistato *all'istante*. Come accidenti hai fatto a lavorare con lui per tanto tempo senza saltare addosso a quei formidabili muscoli australiani?»

«Io...»

«Non dirmi niente. Se l'hai fatto non voglio saperlo. Dobbiamo rimanere amici. Giusto. Ora devo scappare a Wall Street.»

Mi consegnò una carta di credito («Per le emergenze, Agnes si dimentica sempre la sua. Gli estratti conto arrivano direttamente a lui») e un tablet, e mi mostrò come impostare il codice PIN. «Tutti i recapiti telefonici che ti servono sono qui. E tutto ciò che ha a che fare con il calendario lo trovi qui sopra» disse facendo scorrere l'indice sullo schermo. «A ogni persona è associato un colore: blu per Mr Gopnik, rosso per Mrs Gopnik e giallo per Tabitha. Non gestiamo più la sua agenda, dato che vive da un'altra parte, ma è utile sapere quando potrebbe passare di qui e se ci sono impegni familiari comuni, per esempio riunioni degli enti o della fondazione. Ti ho aperto una casella email privata in modo che, se ci sono cambiamenti, possiamo comunicarceli per confermare qualsiasi modifica fatta a video. Ti conviene controllare sempre tutto due volte. Le sovrapposizioni sono l'unica cosa che ha il potere di farlo imbestialire.»

«Okay.»

«Dunque, ogni mattina smisterai la posta e cercherai di capire a quali eventi Mrs Gopnik vuole partecipare. Io farò un controllo incrociato con te, perché a volte ci sono cose a cui lei dice di no e lui la scavalca. Perciò non buttare via niente. Fai due pile.»

«Quanti inviti arrivano?»

«Oh, non te lo immagini neanche. I Gopnik in sostanza sono il top. Ciò significa che vengono invitati a qualsiasi evento e non partecipano quasi a nessuno. Poi ci sono quelli che vorrebbero essere invitati almeno alla metà di quegli eventi e partecipare a tutti quelli a cui sono stati invitati.»

«E poi?»

«Poi ci sono gli imbucati. Quelli che andrebbero perfino all'inaugurazione di un chiosco ambulante che vende burritos. Li trovi anche agli eventi mondani.» Sospirò. «Davvero imbarazzanti.»

Scrutai la pagina dell'agenda zoomando sulla settimana corrente, che mi appariva come un terrificante arcobaleno di colori. Mi sforzai di non lasciar trapelare il mio scoramento. «Il marrone per cosa sta?»

«Sono gli impegni di Felix. Il gatto.»

«Il gatto ha la sua agenda personale?»

«Si parla di toelettatura, visite dal veterinario, igiene dentale, questo genere di cose. Oh, no, c'è anche la comportamentalista questa settimana. Deve aver fatto di nuovo la cacca sul tappeto Ziegler.»

«E il viola?»

Michael abbassò la voce. «L'ex Mrs Gopnik. Se vedi un quadratino viola accanto a un appuntamento, è perché sarà presente anche lei.» Stava per aggiungere qualcos'altro, ma gli squillò il cellulare.

«Sì, Mr Gopnik. Sì, certo... Sì, lo farò. Arrivo subito.» Rimise il telefono nella borsa. «Okay. Devo proprio andare. Benvenuta nella squadra!»

«Quanti siamo nello staff?» chiesi, ma lui si era già dileguato con il cappotto sul braccio.

«Il primo Allarme Viola sarà fra due settimane, okay? Ti manderò un'email. E vestiti pure normalmente quando esci! Altrimenti sembrerai una che lavora per un supermercato di prodotti biologici.»

La giornata passò in un turbinio di eventi. Venti minuti dopo aver discusso l'agenda settimanale con Michael, Agnes e io lasciammo il Lavery e salimmo su un'automobile che ci attendeva per portarci in un patinato salone di bellezza a qualche isolato di distanza. Nel breve tragitto cercai disperatamente di sembrare il tipo di persona che aveva trascorso la sua vita a salire e scendere da limousine nere con gli interni in pelle color crema. Restai seduta ai margini della sala mentre Agnes si faceva lavare e acconciare i capelli da una donna la cui chioma sembrava essere stata tagliata con l'aiuto di un righello, e un'ora dopo la macchina ci portò all'appuntamento dal dentista, dove, ancora una volta, pazientai in sala d'attesa. Tutti i posti che frequentavamo erano immersi in un'atmosfera di sommessa raffinatezza, lontani mille miglia dal caos delle strade.

Avevo scelto uno dei miei look più sobri – una camicetta blu scuro con le ancore e una gonna dritta a righe –, ma non avrei nemmeno dovuto preoccuparmi, perché ovunque andassi diventavo immediatamente invisibile. Era come se avessi la parola STAFF tatuata in fronte. Iniziai a notare gli altri assistenti personali che camminavano su e giù sul marciapiede parlando al telefono, oppure si precipitavano dentro con i capi appena ritirati in lavanderia o i bicchieri di caffè nei vassoi di cartone. Mi domandai se avrei dovuto chiedere ad Agnes se gradisse un caffè, o spuntare diligentemente le voci dalla lista delle cose da fare. Il più delle volte non ero del tutto sicura del perché mi trovassi lì. Tutto sembrava procedere come un meccanismo perfettamente oliato anche senza di me. Era come se fossi un'armatura umana, una barriera portatile tra Agnes e il resto del mondo.

Agnes, nel frattempo, si teneva impegnata parlando in polacco al cellulare o chiedendomi di prendere appunti sul tablet: «Dobbiamo verificare con Michael che il completo grigio di Leonard sia fresco di lavanderia. E magari chiamare Mrs Levitsky a proposito del mio abito Givenchy. Credo di aver perso qualche chilo dall'ultima volta in cui l'ho indossato. Magari può riprenderlo leggermente». Sbirciò nella sua maxiborsa Prada e ne tirò fuori un blister di pillole. Se ne fece saltare due in bocca. «Acqua?» Mi guardai intorno finché trovai una bottiglietta nella tasca portaoggetti della portiera. Svitai il tappo e gliela passai. L'auto si fermò.

«Grazie.»

L'autista – un uomo di mezza età con folti capelli scuri e le guance che ballonzolavano mentre si muoveva – scese per aprirle la portiera. Quando lei sparì all'interno del ristorante, dove l'usciere la accolse come una vecchia amica, feci per scendere a mia volta, ma l'autista mi chiuse la porta in faccia.

Rimasi in silenzio per un istante chiedendomi cosa fare.

Controllai il telefono. Scrutai dal finestrino cercando di capire se ci fosse una paninoteca nelle vicinanze. Agitai nervosamente il piede. Alla fine mi protesi in avanti tra i sedili anteriori. «Un tempo mio padre lasciava me e mia sorella in macchina quando andava al pub. Ci portava una Coca-Cola e un pacchetto di Monster Munch alla cipolla e con quelli ci sistemava per tre ore.» Tamburellai con le dita sulle ginocchia. «Oggi probabilmente lo condannerebbero per violenza sui minori. Badi bene, le Monster Munch alla cipolla erano le nostre preferite in assoluto. La parte migliore della settimana.»

L'autista non replicò nulla.

Mi sporsi ancora un po' in modo che il mio viso fosse a pochi centimetri dal suo. «Allora, quanto ci vuole di solito?»

«Il tempo che ci vuole.» Distolse lo sguardo dal mio attraverso lo specchietto.

«E lei sta qui ad aspettare?»

«È il mio lavoro.»

Restai in silenzio per un attimo e poi allungai la mano verso il sedile anteriore. «Io sono Louisa. Sono la nuova assistente di Mrs Gopnik.»

«Piacere di conoscerla.»

Lui non si voltò nemmeno. Quelle furono le ultime parole che mi rivolse. Infilò un CD nello stereo. *"Estoy perdido"* disse una voce femminile. *"¿Dónde está el baño?"*

«*Es-toy per-di-do. Dón-de es-tá el ba-ño*» ripeté diligentemente l'autista.

"¿Cuánto cuesta?"

«*Cuán-to cue-sta*» fece eco lui.

Trascorsi l'ora successiva a fissare l'iPad, sforzandomi di non ascoltare gli esercizi di spagnolo dell'autista e domandandomi se anch'io avrei dovuto fare qualcosa di utile. Mandai un'email a Michael per chiedergli consiglio, ma lui si limitò a rispondere: *È la tua pausa pranzo, tesoro. Goditela! Baci.*

Non ebbi il coraggio di dirgli che non avevo cibo con me. Nel tepore dell'auto, la stanchezza riprese ad avanzare come un'onda. Appoggiai la testa al finestrino, dicendo a me stessa che era normale sentirsi confusi e spaesati. "Per qualche tempo ti sentirai a disagio nel tuo nuovo mondo. Ci si sente sempre disorientati quando si viene sbalzati fuori dal proprio angolino rassicurante." Le parole dell'ultima lettera di Will riecheggiavano dentro di me, come se venissero da lontano.

E poi il nulla.

Mi svegliai di soprassalto quando la portiera si aprì. Agnes stava risalendo in macchina, il volto pallido, la mascella serrata.

«Tutto bene?» chiesi tirandomi su in fretta e furia, ma lei non rispose.

Ripartimmo in silenzio. L'aria immobile dell'abitacolo d'un tratto si caricò di tensione.

Agnes si voltò verso di me. Cercai la bottiglietta d'acqua e gliela porsi.

«Hai una sigaretta?»

«Uhm... no.»

«Garry, hai una sigaretta?»

«No, signora. Ma possiamo procurargliele.»

Le tremava una mano. Frugò nella borsa e tirò fuori un flacone di pasticche. Buttò giù un po' d'acqua e notai che aveva gli occhi velati di lacrime. Ci fermammo davanti a una farmacia Duane Reade e dopo un attimo di esitazione mi resi conto che toccava a me scendere. «Che tipo? Cioè, che marca?»

«Marlboro Lights» disse lei tamponandosi gli occhi.

Saltai giù dalla macchina – be', più che altro zoppicai, perché le mie gambe erano ancora incriccate dalla corsa della mattina – e ne acquistai un pacchetto, pensando a quanto fosse strano comprare le sigarette in una farmacia. Quando risalii in macchina, Agnes stava inveendo contro qualcuno in polacco al cellulare. Terminò la chiamata, poi aprì il finestrino, si accese una sigaretta e inalò profondamente. Me ne offrì una. Scossi la testa. «Non riferirlo a Leonard» mi disse, e la sua espressione si addolcì. «Non sopporta che io fumi.»

Restammo in silenzio per qualche istante, con il motore acceso, mentre lei fumava con rapide boccate rabbiose che mi fecero temere per i suoi polmoni. Poi spense l'ultimo centimetro di mozzicone, le labbra arricciate in una smorfia di furia interiore, e fece cenno a Garry di ripartire.

Mentre Agnes seguiva la sua lezione di pianoforte, io ne approfittai per ritirarmi nella mia stanza. Pensai di coricarmi un attimo, ma avevo il vago timore che le mie gambe rigide mi avrebbero impedito di scendere dal letto, così mi sedetti alla scrivania, scrissi a Sam una breve lettera e controllai il calendario dei giorni successivi.

Nel frattempo, il suono del pianoforte iniziò a riecheggiare nell'appartamento: dapprima esercizi e scale, poi una bellissima melodia. Mi fermai ad ascoltare, incantata da quelle note, chiedendomi cosa si dovesse provare a creare qualcosa di così meraviglioso. Chiusi gli occhi lasciando che la musica fluisse dentro di me e ricordai la sera in cui Will mi aveva accompagnato al mio primo concerto, aprendomi un nuovo mondo. La musica dal vivo era molto più tridimensionale rispetto a quella registrata, mandava in corto circuito qualcosa nel profondo di te. L'esecuzione di Agnes sembrava provenire da una parte di lei che rimaneva nascosta nelle sue interazioni con il mondo esterno, qualcosa di vulnerabile e dolce e adorabile. "A Will sarebbe piaciuto tutto questo" pensai distrattamente. "Gli sarebbe piaciuto essere qui." Nel preciso istante in cui la musica stava per esplodere in una magica cascata di note, Ilaria accese l'aspirapolvere soffocando quel suono melodioso con un rombo intervallato dagli implacabili colpi dell'aggeggio che sbatteva contro i mobili massicci. La musica si interruppe.

Il mio cellulare vibrò.

Per favore, dille di spegnere l'aspirapolvere!

Mi alzai e attraversai l'appartamento finché non trovai Ilaria che passava furiosamente l'elettrodomestico appena fuori dalla porta dello studio di Agnes, la testa bassa mentre lo strattonava avanti e indietro. Deglutii. C'era qualcosa in quella donna che ti faceva esitare prima di affrontarla, anche se era una delle poche persone in quel quartiere più bassa di me.

«Ilaria» la chiamai.

Lei non accennò a fermarsi.

«Ilaria!» Mi piazzai di fronte a lei per costringerla a guardarmi. Premette il pulsante "off" con il tallone e mi lanciò un'occhiataccia. «Mrs Gopnik chiede se ti dispiace passare l'aspirapolvere più tardi. Non riesce a seguire la lezione di musica.»

«E secondo lei quando dovrei pulire l'appartamento?» replicò Ilaria stizzita, a voce abbastanza alta da farsi sentire al di là della porta.

«Ehm... magari in qualsiasi altro momento della giornata a parte questi quaranta minuti?»

Staccò la spina dalla presa e trascinò rumorosamente l'aspirapolvere attraverso la stanza. Mi fissò con un tale livore che quasi mi fece indietreggiare. Seguì una breve pausa, dopodiché la musica ricominciò.

Quando Agnes, venti minuti dopo, riemerse dallo studio, mi guardò di sottecchi e sorrise.

Quella prima settimana procedette a fasi alterne sul modello del primo giorno, con me che tenevo d'occhio Agnes alla ricerca di segnali come faceva la mamma con la nostra vecchia cagnolina quando era diventata incontinente. Deve uscire? Che cosa vuole? Dove devo stare? Andai a correre tutte le mattine con Agnes e George, facendo loro cenno di proseguire quando ormai mi avevano distanziato di un chilometro e indicando la mia anca ancora dolorante per poi avviarmi lentamente a casa. Trascorsi molto tempo seduta nell'ingresso, studiando con attenzione il mio iPad quando qualcuno mi passava davanti, in modo da dare l'impressione di essere una che sapeva cosa stava facendo.

Michael veniva a casa tutti i giorni e mi aggiornava bisbigliando in tono concitato. Sembrava passare la vita a correre tra l'appartamento e l'ufficio di Mr Gopnik a Wall Street, con uno dei suoi due cellulari appiccicati all'orecchio, i capi ritirati in lavanderia sul braccio e il bicchiere del caffè in mano. Era decisamente affascinante e sempre sorridente e non avevo la più pallida idea se gli fossi simpatica oppure no.

Nathan lo vedevo di rado. Sembrava che il suo compito fosse quello di adattarsi al programma di impegni di Mr Gopnik. A volte lavorava con lui alle cinque del mattino, a volte alle sette di sera, e lo raggiungeva addirittura nel suo ufficio, se necessario. "Non sono stato assunto per quello che faccio" mi spiegò. "Sono stato assunto per quello che *posso* fare." Di tanto in tanto spariva e poi scoprivo che lui e Mr Gopnik avevano passato la notte da qualche parte negli Stati Uniti, poteva essere San Francisco, o Chicago. Mr Gopnik soffriva di una forma di artrite difficile da tenere sotto controllo, perciò spesso nuotava o si allenava più volte al giorno per integrare la terapia a base di antinfiammatori e analgesici.

Oltre a Nathan e a George, il personal trainer di Agnes che veniva ogni mattina nei giorni feriali, le altre persone che vidi passare dall'appartamento nell'arco di quelle prime settimane furono:

– *Gli addetti alle pulizie*. A quanto pare, c'era una distinzione tra quello che faceva Ilaria (gestione della casa) e le pulizie vere e proprie. Due volte alla settimana un team di tre donne e un uomo faceva un blitz nell'appartamento. Ognuno di loro era dotato di un grande cesto di detergenti ecocompatibili. Non parlavano tranne che per consultarsi brevemente l'uno con l'altro, e se ne andavano tre ore dopo lasciando Ilaria ad annusare l'aria e far scorrere le dita sul battiscopa esprimendo tutta la sua disapprovazione.

– *I fioristi*. Arrivavano sul loro furgoncino il lunedì mattina, si toglievano le scarpe sulla soglia di casa e portavano dentro enormi vasi di composizioni floreali che sistemavano a intervalli strategici nelle aree comuni dell'appartamento. Alcuni erano così grandi che bisognava essere in due per spostarli.

– *Il giardiniere*. Sì, proprio così. A questa figura all'inizio reagii in maniera leggermente isterica ("Si rende conto che siamo al secondo piano?"), finché non scoprii che sui lunghi balconi sul retro dell'edificio erano allineati bonsai e cassette di fiori che il giardiniere innaffiava, potava e concimava per poi sparire di nuovo. Grazie al suo intervento il balcone diventava incantevole, ma nessuno ci andava tranne me.

– *La veterinaria comportamentalista*. Una giapponese esile e minuta arrivava alle dieci del venerdì, osservava Felix da lontano per un'ora circa, poi esaminava il suo cibo, la lettiera, i posti in cui dormiva, interrogava Ilaria sul suo comportamento e dispensava consigli sui giocattoli di cui aveva bisogno o valutava se il suo tiragraffi era sufficientemente alto e stabile. Felix la ignorava per tutto il tempo, interrompendosi solo per lavarsi il sedere con un entusiasmo che appariva quasi oltraggioso.

I fornitori di generi alimentari venivano due volte alla settimana e consegnavano grandi casse verdi di prodotti freschi che spacchettavano sotto la supervisione di Ilaria. Un giorno intravidi lo scontrino e pensai che quella spesa avrebbe sfamato la mia famiglia – e forse metà del mio quartiere – per diversi mesi.

Senza contare la manicurista, il dermatologo, l'insegnante di pianoforte, il tizio che si occupava della manutenzione e del lavaggio delle auto, il tuttofare che lavorava per il palazzo e sostituiva le lampadine o riparava i condizionatori difettosi. Poi c'era la donna con i capelli rossi, magra come un chiodo, che arrivava con grandi sacchetti di Bergdorf Goodman o Saks Fifth Avenue e osservava tutti i capi che provava Agnes con occhi penetranti, dichiarando: "No. No. No" oppure: "Oh, è perfetto, cara. Davvero incantevole. Potrebbe abbinarlo a quella piccola borsetta di Prada che le ho mostrato la scorsa settimana. Cosa pensiamo di fare per il gala?".

A queste figure bisognava aggiungere l'enologo e l'uomo che appendeva i quadri e la donna che lavava le tende e l'uomo che lucidava il parquet del salotto principale con un aggeggio che somigliava a un tagliaerba, e tanti altri personaggi. Mi abituai in fretta a vedere degli sconosciuti vagare per casa. Credo che in quelle prime due settimane non ci sia stato un giorno in cui si siano trovate meno di cinque persone alla volta nell'appartamento.

Mi resi conto che quella era un'abitazione privata solo di nome. In realtà sembrava più uno spazio di lavoro, almeno per me, Nathan, Ilaria e una squadra infinita di collaboratori, assistenti e tirapiedi che si trascinavano stancamente da una stanza all'altra dalle prime luci dell'alba fino a sera inoltrata. Talvolta, dopo cena, arrivava una processione di colleghi di Mr Gopnik in giacca e cravatta che sparivano nel suo studio per poi riemergere un'ora dopo parlottando di telefonate a Washington o a Tokyo. Mr Gopnik sembrava non staccare mai dal lavoro, a parte il tempo che trascorreva con Nathan. Perfino a cena i suoi due cellulari erano sempre appoggiati sul tavolo di mogano, e a ogni messaggio che arrivava vibravano con discrezione, come vespe intrappolate.

Ogni tanto mi ritrovavo a osservare Agnes che, in pieno giorno, si chiudeva in camera sua – presumibilmente l'unico posto in cui potesse rifugiarsi – e mi domandavo: questa casa è mai stata semplicemente una casa?

Era questo, conclusi, il motivo per cui i Gopnik sparivano in campagna nei weekend. A meno che anche lì non ci fosse una schiera di personale ad attenderli.

"Nah. Quella è l'unica cosa in cui lei è riuscita a imporsi" disse Nathan quando glielo chiesi. "Ha detto al marito di cedere alla sua ex la casa dove trascorrevano il fine settimana. In cambio, l'ha convinto a ridimensionarsi con una modesta villetta sulla spiaggia. Tre camere da letto, un solo bagno. Niente personale di servizio." Scosse la testa. "E perciò niente Tab. Non è stupida."

«Ehi.»

Sam indossava la sua divisa da paramedico. Feci qualche rapido calcolo mentale e conclusi che aveva appena finito il turno. Si passò una mano fra i capelli e si protese in avanti per vedermi meglio attraverso lo schermo pixelato. Come succedeva sempre ogni volta che parlavo con lui da quando ero partita, sentii una vocina ripetermi nella mente: "Che cosa cavolo avevi in testa quando hai deciso di trasferirti in un altro paese allontanandoti da quest'uomo?".

«Hai ripreso, quindi?»

«Sì» disse lui sospirando. «Ma non è stato un gran rientro.»

«Perché?»

«Donna ha mollato il lavoro.»

Non riuscii a nascondere il mio shock. Donna – schietta, divertente, posata – era il suo yin quando lui era lo yang, la sua ancora, la sua voce della ragione sul lavoro. Era impossibile immaginare l'una senza l'altro. «Che cosa? Perché?»

«Hanno diagnosticato un cancro a suo padre. Aggressivo. Incurabile. Ha deciso di stargli vicino.»

«Oddio. Poverina. E poverino suo padre.»

«Già. È dura. E ora non mi rimane che stare a vedere a chi mi abbineranno. Non credo che mi metteranno con un novellino, per via dei miei problemi con la commissione disciplinare. Perciò immagino che arriverà qualcuno da un altro distretto.»

Sam era stato trascinato davanti alla commissione disciplinare due volte da quando stavamo insieme, e almeno in uno dei due casi era successo a causa mia. Avvertii una fitta di senso di colpa. «Ti mancherà, vero?»

«Sì.» Aveva l'aria un po' abbattuta. Avrei voluto entrare nello schermo e abbracciarlo. «Lei mi ha salvato» aggiunse.

Non era un uomo incline al sentimentalismo, e questo, in qualche modo, rese le sue parole ancora più toccanti. Ricordavo ancora quella notte sotto forma di flash terribilmente nitidi. La ferita da arma da fuoco che sanguinava sul pavimento dell'ambulanza. Donna, calma, capace, che mi urlava istruzioni dal posto di guida, cercando di mantenere vivo quel fragile filo di speranza finché non erano arrivati gli altri medici. Sentivo ancora in bocca il gusto della paura, viscerale e metallico, avvertivo ancora il mostruoso calore del sangue di Sam sulle mie mani. Rabbrividii e scacciai l'immagine dalla mia mente. Non volevo che Sam venisse protetto da nessun altro. Lui e Donna erano una squadra. Due persone che non si sarebbero mai abbandonate. E che probabilmente si sarebbero prese in giro senza pietà per sempre.

«Quando se ne andrà?»

«La prossima settimana. Ha ottenuto un permesso speciale, data la sua situazione familiare.» Sospirò. «A ogni modo, c'è di buono che tua madre mi ha invitato a pranzo domenica. Pare che voglia preparare il roast-beef con tutti i contorni. Oh, e tua sorella mi ha chiesto di fare un salto da lei. Non guardarmi così, voleva sapere se potevo aiutarla a svuotare i termosifoni.»

«Basta, sei spacciato. La mia famiglia ti ha intrappolato come una venere acchiappamosche.»

«Sarà strano senza di te.»

«Forse dovrei tornare a casa.»

Sam cercò di abbozzare un sorriso, ma non ci riuscì.

«Che c'è?»

«Niente.»

«Dài, dimmi.»

«Non so. È che... mi sembra di aver perso due delle mie donne preferite.»

Mi venne un nodo in gola. Lo spettro della terza donna che aveva perso – sua sorella, morta di cancro due anni prima – aleggiava tra di noi. «Sam, tu non hai...»

«Cancella tutto. Sono stato ingiusto.»

«Io sono ancora tua. Solo... lontana per un po'.»

Lui fece una smorfia. «Non mi aspettavo di prenderla così male.»

«Non so se esserne felice o triste.»

«Me la caverò. È solo una giornata un po' così.»

Rimasi in silenzio per un attimo, osservandolo. «Okay, senti il mio piano. Prima di tutto, vai a dare da mangiare alle galline. Hai sempre detto che prenderti cura di loro ti rilassa, e che la natura aiuta a vedere le cose in prospettiva e tutto il resto.»

Sam si raddrizzò leggermente. «E poi?»

«Poi ti prepari uno di quei deliziosi sughetti, quelli che ci vuole una vita per farli, con il vino, la pancetta e tutto il resto. Perché è praticamente impossibile sentirsi uno schifo dopo aver mangiato un buon piatto di spaghetti al sugo.»

«Galline. Sugo. Okay.»

«Dopodiché accendi la televisione e cerchi un bel film da vedere. Qualcosa da cui farti coinvolgere. Non un reality. Niente che possa essere interrotto dalla pubblicità.»

«I rimedi serali di Louisa Clark. Mi piace.»

«E poi...» Mi fermai a riflettere. «Ci pensi che mancano poco più di tre settimane e poi ci vedremo? Il che significa questo! *Taa-da*!» E mi tirai su la canottiera fino al collo.

A ripensarci, fu un peccato che Ilaria avesse scelto proprio quel momento per aprire la porta di camera mia e consegnarmi il bucato. Rimase ferma sulla soglia con una pila di asciugamani sotto il braccio, impietrita, notando il mio seno nudo e il viso di un uomo sullo schermo. Poi chiuse subito la porta borbottando qualcosa sottovoce. Mi affrettai a coprirmi.

«Che c'è?» Sam sorrise, cercando di sbirciare sul lato destro del monitor. «Che succede?»

«La governante» dissi sistemandomi la canottiera. «Oddio.»

Sam si era appoggiato allo schienale della sedia. Stava ridendo, ora, e si teneva una mano sulla pancia, che tendeva ancora a proteggere per via delle cicatrici.

«Tu non capisci. Lei mi odia.»

«E da oggi sei Madame Webcam.» Ormai rideva a crepapelle.

«Il mio nome sarà sulla lista nera della comunità delle governanti da qui a Palm Springs.» Mi lamentai ancora un po', poi iniziai a ridacchiare anch'io. Era difficile non farlo vedendo Sam così divertito.

«Bene, Lou, ci sei riuscita» mi disse. «Mi hai tirato su di morale.»

«Mi dispiace per te, ma questa è la prima e ultima volta che ti mostro la mia mercanzia tramite wi-fi.»

Sam si sporse in avanti e mi mandò un bacio. «Sì, be'» disse. «È andata bene che quello seminudo non ero io.»

Dopo l'episodio della webcam, Ilaria non mi rivolse la parola per due giorni interi. Quando entravo in una stanza, lei si voltava dall'altra parte e trovava subito qualcosa da fare per tenersi impegnata, come se, semplicemente incrociando il suo sguardo, avessi potuto contaminarla con la mia lasciva inclinazione a mostrare le tette in pubblico.

Vedendola spingere la tazza di caffè verso di me con una spatola, Nathan mi chiese cosa fosse successo fra noi, ma non potevo spiegare la situazione senza farla sembrare peggiore di quanto fosse in realtà, così borbottai qualcosa a proposito del bucato e del motivo per cui avremmo dovuto avere una serratura sulla porta della nostra stanza, e mi augurai che lui avrebbe lasciato correre.

4

Da: BusyBee@gmail.com
A: KatClark!@yahoo.com

Ehi, lurida pervertita sarai tu!
(È così che una stimata contabile si rivolge alla sorella giramondo?)
Sto bene, grazie. Il mio datore di lavoro – Agnes – ha più o meno la
mia età ed è simpatica. Il che è un vantaggio. Non puoi immaginare i
posti che frequento: ieri sera sono andata a un ballo con un vestito che
costa più del mio stipendio mensile. Mi sono sentita come Cenerentola.
Solo che io ho una sorella strepitosa. (Sì, questa è una novità anche
per me. Ahahahah!)
Sono contenta che Thom si trovi bene nella nuova scuola. Non preoccuparti per la storia dei pennarelli, possiamo sempre ridipingere la
parete. La mamma dice che è un modo per esprimere la sua creatività.
Sai che sta cercando di convincere papà a iscriversi a un corso serale
per migliorare la comunicazione di coppia? Lui si è messo in testa che
consista in un percorso per avvicinarsi al sesso tantrico. Dio solo sa
dove l'ha letto. Quando mi ha chiamato, ho fatto finta che la mamma
mi avesse confermato che si tratta proprio di quello, ma adesso mi
sento un po' in colpa perché lui è entrato nel panico all'idea di dover
tirare fuori il suo amichetto in una stanza piena di sconosciuti.
Scrivimi altre novità. Soprattutto riguardo al tizio con cui esci!!!
Mi manchi.
Un bacio,
Lou

P.S. Se papà tirerà davvero fuori il suo amichetto in una stanza piena
di sconosciuti, io non voglio sapere NIENTE.

Molti degli eventi dell'agenda di Agnes erano appuntamenti imperdibili del calendario mondano di New York, ma la cena della fondazione benefica Neil and Florence Strager si collocava quasi all'apice per importanza. Gli ospiti vestivano di giallo – gli uomini si limitavano alla cravatta, a meno che non fossero particolarmente esibizionisti – e le fotografie della serata venivano pubblicate su tutti i giornali, dal "New York Post" all'"Harper's Bazaar". Il dress code era formale, gli outfit gialli erano stupefacenti e i biglietti costavano la modica cifra di trentamila dollari, spicciolo più spicciolo meno. Per i tavoli ai margini della sala. Sapevo tutte queste cose perché avevo cominciato a raccogliere informazioni su ogni evento a cui Agnes doveva partecipare, e questo era decisamente importante, non solo per la quantità di preparativi (estetista, parrucchiere, massaggiatore, sessioni extra con George al mattino), ma anche per via del livello di stress che comportava. Agnes rimase elettrica per tutto il giorno e urlò al suo personal trainer che non poteva fare gli esercizi che lui le aveva assegnato, né correre sulla lunga distanza. Era tutto *impossibile*. George, che era dotato di una calma pari a quella del Buddha, le disse che non c'era problema, che sarebbero tornati indietro camminando e che le endorfine sprigionate con quella passeggiata le avrebbero fatto bene. Quando se ne andò mi strizzò l'occhio, come se ci fosse da aspettarsi un comportamento simile.

Mr Gopnik, forse in risposta a una richiesta di soccorso, tornò a casa per pranzo e trovò la moglie chiusa in camera sua. Ritirai da Ashok i vestiti consegnati dalla lavanderia e annullai l'appuntamento per lo sbiancamento dentale, poi mi sedetti nell'ingresso, incerta sul da farsi. Udii la voce smorzata di Agnes mentre il marito apriva la porta: «Non voglio andare».

Qualsiasi cosa disse poi fu la ragione che spinse Mr Gopnik a trattenersi a casa molto più a lungo di quanto mi sarei aspettata. Nathan era uscito, perciò non potevo consultarmi con lui. Michael, che era venuto a cercare Mr Gopnik, fece capolino dalla porta. «È ancora qui?» mi chiese. «Il mio localizzatore ha smesso di funzionare.»

«Il localizzatore?»

«Sul suo telefono. Il più delle volte è l'unico modo per sapere dove si trova.»

«È nella stanza di Agnes.» Non sapevo cos'altro dire. Non sapevo fino a che punto mi potessi fidare di Michael. Ma era difficile ignorare quelle voci alterate. «Credo che Mrs Gopnik non sia entusiasta all'idea di uscire stasera.»

«Allarme Viola. Te l'ho detto.»

E all'improvviso ricordai.

«L'ex Mrs Gopnik. Era la sua grande serata, e Agnes lo sa. Lo è ancora. Ci saranno tutte quelle arpie delle sue amiche. E non sono il massimo della simpatia.»

«Be', questo spiega molte cose.»

«Lui è un grande benefattore, perciò non può sottrarsi. In più è un vecchio amico degli Strager. Ma è una delle serate più toste del loro calendario. L'anno scorso è stato un disastro totale.»

«Perché?»

«Ah. Agnes è entrata con l'aria di un agnello condotto al macello.» Fece una smorfia. «Pensava che sarebbero diventate tutte le sue migliori amiche. Invece, da quello che ho sentito poi, l'hanno *arrostita*.»

Rabbrividii. «Non può lasciarlo andare da solo?»

«Oh, tesoro, tu non hai ancora capito come funziona qui. No. No. No. Lei deve esserci. Deve stamparsi un sorriso in faccia e farsi immortalare nelle fotografie. È il suo lavoro ormai. E lei lo sa. Ma non sarà una passeggiata.»

Nel frattempo i toni si erano fatti più accesi. Udimmo la voce di Agnes alzarsi protestando, poi quella più dolce di Mr Gopnik, implorante, ragionevole.

Michael guardò l'ora. «È meglio che torni in ufficio. Puoi farmi un favore? Mi mandi un messaggio quando lui esce? Ho cinquantotto cose da fargli firmare prima delle tre di oggi pomeriggio. Love!» Mi mandò un bacio al volo e se ne andò.

Mi trattenni ancora un po', cercando di non ascoltare le urla di Agnes che si diffondevano in corridoio. Feci scorrere il calendario domandandomi se potevo fare qualcosa per rendermi utile. Felix mi passò davanti con la coda alzata simile a un punto di domanda, del tutto incurante delle azioni degli esseri umani che lo circondavano.

E poi la porta si aprì. Mr Gopnik mi vide. «Ah, Louisa. Può entrare un attimo?»

Mi alzai e lo raggiunsi, un po' camminando e un po' correndo. Era difficile fare altrimenti, dato che le sessioni di jogging mattutine mi provocavano degli spasmi muscolari.

«Stavo pensando: è libera questa sera?»

«Libera?»

«Per venire a un evento. Di beneficenza.»

«Mmh... certo.» Ero stata avvisata fin dall'inizio che gli orari di lavoro non sarebbero stati regolari. E se non altro, questo imprevisto significava che probabilmente non avrei incrociato Ilaria. Mi sarei scaricata un film sull'iPad e l'avrei guardato in macchina.

«Bene. Che ne pensi, tesoro?»

Agnes aveva l'aria di aver pianto. «Può stare seduta accanto a me?»

«Sì, sistemo tutto io.»

Lei prese un lungo respiro tremante. «Okay, allora. Penso di potercela fare.»

«Seduta accanto a...»

«Bene. Bene!» Mr Gopnik controllò qualcosa sul telefono. «Okay, devo proprio andare adesso. Ci vediamo nella sala principale alle sette e mezzo. Se riesco a liberarmi prima da questa *conference call*, vi faccio sapere.» Fece un passo avanti e prese il viso di Agnes tra le mani, baciandola. «Stai bene?»

«Sì, sto bene.»

«Ti amo. Tanto.» Un altro bacio, e poi se ne andò.

Agnes prese un altro respiro profondo. Appoggiò le mani sulle ginocchia e poi alzò lo sguardo su di me. «Hai un abito da sera giallo?»

La fissai. «Uhm, no. Non ho molti abiti da sera, in realtà.»

Mi squadrò dall'alto in basso, come se cercasse di capire se poteva prestarmi uno dei suoi vestiti. Credo che entrambe conoscessimo già la risposta. Poi si alzò. «Chiama Garry. Dobbiamo andare da Saks.»

Mezz'ora dopo mi trovavo in un camerino con due commesse che mi strizzavano il davanzale in un abito senza spalline di un tenue color burro. L'ultima volta che ero stata palpeggiata in modo così intimo, scherzai, mi ero ritrovata a dover valutare una proposta di fidanzamento subito dopo. Nessuno rise della mia battuta.

Agnes mi guardò con un'espressione accigliata. «Fa troppo abito da sposa. E la fa sembrare abbondante sui fianchi.»

«Perché *sono* abbondante sui fianchi.»

«Abbiamo delle eccezionali mutandine contenitive, Mrs Gopnik.»

«Oh, non credo di...»

«Avete qualcosa in stile anni Cinquanta?» chiese Agnes consultando il cellulare. «Potrebbe assottigliarle la vita e farci aggirare il problema dell'altezza. Non abbiamo tempo di accorciarlo.»

«A che ora è l'evento, signora?»

«Dobbiamo essere lì alle sette e mezzo.»

«Possiamo fare tutte le modifiche del caso in tempo, Mrs Gopnik. Manderò Terri a consegnarle l'abito entro le sei.»

«Proviamo questo qui giallo con i girasoli... e quello con le paillettes.»

Se avessi saputo che quel pomeriggio sarebbe stata l'unica volta nella vita in cui avrei provato dei vestiti da tremila dollari, forse avrei fatto in modo di non indossare delle ridicole mutandine con l'immagine di un bassotto e un reggiseno tenuto chiuso da una spilla da balia. Mi domandai quante volte in una settimana potevi ritrovarti a mostrare le tette a delle perfette sconosciute, e se in quel negozio prima di allora si fosse mai visto un corpo come il mio, con qualche rotolino di ciccia qua e là. Le commesse erano troppo educate per fare commenti al riguardo, a parte offrire ripetutamente biancheria intima contenitiva, anzi, si limitarono a propormi un vestito dopo l'altro aiutandomi a metterli e toglierli come un mandriano che raduna il bestiame, finché Agnes, seduta su una poltroncina imbottita, annunciò: «Sì! Ci siamo. Che ne pensi, Louisa? Ha una lunghezza perfetta per te, con quel sottogonna di tulle».

Osservai attentamente il mio riflesso nello specchio. Non sapevo bene chi mi fissasse a sua volta. Il mio punto vita era strizzato in un corsetto, il seno sostenuto in una forma armoniosa. Il colore rendeva la mia pelle luminosa e la gonna lunga mi faceva sembrare più alta di trenta centimetri e completamente diversa da me stessa. Il fatto che non riuscissi a respirare era irrilevante.

«Raccoglieremo i capelli e troveremo un paio di orecchini adatti. Perfetto.»

«E l'abito è scontato del venti per cento» aggiunse una delle commesse. «Non vendiamo molti capi gialli dopo l'evento degli Strager...»

Fu quasi come se mi sgonfiassi per il sollievo. E poi guardai l'etichetta. Il prezzo in saldo era 2575 dollari. Lo stipendio di un mese. Credo che Agnes mi avesse visto sbiancare, perché fece subito cenno a una commessa e disse: «Louisa, cambiati pure. Hai un paio di scarpe da abbinare? Facciamo un salto al reparto calzature?».

«Sì, ho delle scarpe. Tantissime scarpe.» Avevo delle scarpette da ballo dorate di raso che si sarebbero intonate bene con quel vestito. Non volevo che il conto lievitasse ulteriormente.

Rientrai nel camerino e mi tolsi con cautela quell'abito, sentendone il peso del costo proibitivo cadere intorno a me, e mentre mi rivestivo ascoltai Agnes chiacchierare con le commesse. Chiese di vedere una borsa e degli orecchini, gli diede un'occhiata sbrigativa e con un tono apparentemente soddisfatto disse: «D'accordo, li metta sul mio conto».

«Certamente, Mrs Gopnik.»

La raggiunsi alla cassa. Mentre uscivamo dal negozio con in mano i sacchetti dello shopping, chiesi piano: «Allora, dovrò stare particolarmente attenta, vero?».

Lei mi rivolse uno sguardo vuoto.

«Con il vestito.»

Un altro sguardo vuoto.

Abbassai la voce. «Una volta a casa nascondiamo l'etichetta, così domani si può riportare indietro. A patto che non ci siano macchie di vino accidentali e non puzzi troppo di fumo. Magari gli diamo una spruzzata di Febreze.»

«Riportarlo indietro?»

«Al negozio.»

«Perché dovremmo farlo?» domandò lei mentre risalivamo in macchina e Garry caricava i sacchetti nel bagagliaio. «Non farti prendere dall'ansia, Louisa. Credi che io non sappia come ti senti? Non avevo niente quando sono arrivata qui. Io e le mie amiche condividevamo perfino gli abiti. Ma tu devi essere vestita bene per questa occasione. Non puoi venire in divisa. Stasera non sarai un membro dello staff. E mi fa piacere pagare per questo.»

«Okay.»

«Hai capito, sì? Stasera non devi sentirti parte dello staff. È molto importante.»

Mentre l'automobile procedeva a rilento nel traffico di Manhattan, pensai agli enormi sacchetti nel bagagliaio, quasi ammutolita per la piega che stava prendendo la giornata.

«Leonard dice che ti sei presa cura di un uomo che è morto.»

«Sì, è così. Si chiamava Will.»

«Dice che sei una persona... discreta.»

«Ci provo.»

«E che non conosci nessuno qui.»

«Solo Nathan.»

Agnes rifletté per qualche istante. «Nathan. Mi sembra un bravo ragazzo.»

«Lo è davvero.»

Si studiò le unghie. «Parli polacco?»

«No.» Poi aggiunsi subito: «Ma potrei imparare, se...».

«Sai che cosa è difficile per me, Louisa?»

Scossi la testa.

«Non so di chi...» Esitò, poi evidentemente cambiò idea su quello che stava per dire. «Ho bisogno che tu sia una mia amica stasera, okay? Leonard... Lui avrà i suoi impegni di lavoro. Parla, parla sempre con gli uomini. Ma tu starai con me, vero? Vicino a me.»

«D'accordo.»

«E se qualcuno dovesse fare domande, tu sei una mia vecchia amica. Di quando vivevo in Inghilterra. Noi... ci conosciamo dai tempi della scuola. Non sei la mia assistente, okay?»

«Capito. Dai tempi della scuola.»

La mia rassicurazione sembrò bastarle. Annuì e si sistemò sul sedile. Non disse altro per tutto il tragitto di ritorno.

Il New York Palace Hotel, che ospitava il gala della Fondazione Strager, era così fastoso da risultare quasi ridicolo: una fortezza fiabesca con un grande giardino e le finestre ad arco, punteggiata di valletti in livrea con pantaloni alla zuava di seta color narciso. Sembrava che avessero setacciato tutti i più antichi Grand Hotel d'Europa, avessero preso nota delle cornici elaborate, degli ingressi in marmo e dei minuti dettagli dorati, e poi avessero deciso di mettere tutto insieme, spargerci sopra un po' di polverina magica Disney ed esasperare il tutto raggiungendo livelli di pretenziosità insuperabili. Quasi mi aspettavo di veder spuntare una carrozza a forma di zucca e di trovare una scarpetta di cristallo sulle scale rivestite da un tappeto rosso. Mentre ci avvicinavamo osservai l'interno illuminato, le luci scintillanti e il mare di abiti gialli e per poco non scoppiai a ridere, ma Agnes era così tesa che non osai. In più, il mio corpetto era talmente stretto che probabilmente avrei fatto saltare le cuciture.

Garry ci scaricò davanti all'ingresso principale, poi andò a girare la macchina in uno spiazzo accodandosi ad altre grandi limousine nere. Entrammo nell'hotel passando davanti a una folla di curiosi fermi sul marciapiede. Un valletto prese i nostri cappotti, e quando alzai gli occhi vidi per la prima volta com'era vestita Agnes.

Era di una bellezza sconvolgente. Non indossava un abito da ballo tradizionale come il mio o come quello delle altre signore, ma un tubino di un giallo fosforescente, lungo fino ai piedi, con un motivo arabescato sulla spalla che saliva fino alla nuca. Aveva i capelli implacabilmente tirati indietro in un'acconciatura tesa e liscia, e portava due enormi orecchini d'oro giallo con diamanti paglierini. Nelle intenzioni, l'effetto doveva essere straordinario. Ma qui, mi resi conto con un leggero tuffo al cuore, quell'abito era eccessivo, quasi stonato nella cornice di antico splendore dell'hotel.

Man mano che Agnes avanzava, era tutto un girarsi di teste e un sollevarsi di sopracciglia, mentre le rispettabili signore dal trucco impeccabile, con le loro stole di seta gialle e i corsetti strizzati, la sbirciavano con la coda dell'occhio.

Lei sembrava incurante di tutta l'attenzione. Si guardava intorno distrattamente cercando di individuare suo marito. Di solito non si rilassava finché non allacciava il braccio al suo. Talvolta, guardandoli insieme, percepivo il sollievo quasi palpabile che la travolgeva quando lo sentiva accanto.

«Il tuo vestito è spettacolare» osservai.

Lei mi guardò come se si fosse appena ricordata della mia presenza. Poi udii lo scatto di un flash e mi accorsi che c'erano dei fotografi confusi tra gli invitati. Mi scostai per fare spazio ad Agnes, ma l'uomo mi fece cenno di tornare al mio posto.

«Anche lei, signora. Ecco, così. Un bel sorriso.» Agnes sorrise, lanciandomi una rapida occhiata come per assicurarsi che non mi fossi allontanata troppo.

E poi apparve Mr Gopnik. Ci raggiunse con un'andatura un po' rigida – Nathan aveva detto che aveva avuto una brutta settimana – e diede un bacio sulla guancia a sua moglie. Lo sentii mormorarle qualcosa all'orecchio e poi vidi Agnes sorridere, un sorriso autentico e sincero. Le loro mani si intrecciarono, e in quel preciso istante capii che due persone, pur rientrando in tutti gli stereotipi del mondo, potevano essere legate da un sentimento totalmente genuino, dal piacere di stare insieme. Questa scoperta mi fece provare un'improvvisa nostalgia per Sam. D'altra parte, però, non riuscivo a immaginarmelo in un posto come questo, tutto tirato con smoking e papillon. L'avrebbe detestato, pensai distrattamente.

«Il suo nome, per favore?» chiese il fotografo avvicinandosi a me.

Forse fu il pensiero di Sam che mi spinse a farlo. «Ehm... Louisa Clark-Fielding» risposi con un accento affettato da alta società. «Dall'Inghilterra.»

«Mr Gopnik! Guardi qui, Mr Gopnik!» Indietreggiai nella folla mentre i fotografi li immortalavano insieme, lui con la mano che sfiorava la schiena della moglie e lei con le spalle dritte e il mento sollevato, come se potesse dominare la sala. E poi lo vidi scrutare intorno a sé, cercandomi con lo sguardo finché non mi individuò dall'altra parte dell'atrio.

Accompagnò Agnes verso di me. «Tesoro, devo parlare con alcune persone. Ve la sentite di entrare da sole?»

«Certo, Mr Gopnik» risposi, come se per me fosse una cosa perfettamente naturale.

«Tornerai presto?» Agnes continuava a tenergli la mano.

«Devo parlare con Wainwright e Miller. Ho promesso che gli avrei concesso dieci minuti per discutere di questo passaggio di obbligazioni.»

Agnes annuì, ma la sua espressione tradiva la riluttanza che provava a lasciarlo andare via. Mentre lei attraversava l'ingresso, Mr Gopnik si avvicinò e mi disse: «Non la faccia bere troppo. È nervosa».

«Sì, Mr Gopnik.»

Lui annuì e si guardò intorno, come se fosse assorto nei suoi pensieri. Poi si voltò di nuovo verso di me e mi sorrise. «Sta molto bene» disse. E si dileguò.

La sala da ballo era piena di gente, una marea gialla e nera. Portavo il braccialetto con gli stessi colori che mi aveva regalato Lily, la figlia di Will, prima della mia partenza, e in cuor mio pensai a quanto mi sarebbe piaciuto indossare anche le mie calze nere e gialle da ape. Queste donne sembravano non aver mai giocato con il loro guardaroba in tutta la vita.

La prima cosa che mi colpì fu quanto fossero magre, imprigionate in vestitini striminziti, con le clavicole che sporgevano come sponde di sicurezza. Le signore di una certa età a Stortfold tendevano ad allargarsi leggermente e a nascondere i centimetri di troppo del girovita sotto cardigan o maglioni lunghi ("Mi copre il fondoschiena?"), cercando di mantenere un aspetto gradevole grazie a un nuovo mascara o a un nuovo taglio di capelli ogni sei settimane. Nella mia città natale prendersi eccessivamente cura di sé era visto come un'attività sospetta che suggeriva un interesse morboso per la propria persona.

Le donne riunite in questa sala, invece, sembravano aver fatto del loro aspetto un lavoro a tempo pieno. Non c'era capigliatura che non fosse perfettamente acconciata; non c'era braccio che non fosse stato sottoposto a un rigoroso allenamento quotidiano per risultare tonico. Perfino le donne di un'età imprecisata (era difficile stabilire quanti anni avessero, data la quantità di botox e filler che circolava) sembravano non aver mai sentito parlare di tricipiti rilassati, figuriamoci flaccidi. Pensai ad Agnes e ai suoi appuntamenti con il personal trainer, il dermatologo, il parrucchiere e l'estetista, e conclusi: questo è il suo lavoro ora. Deve fare tutta questa manutenzione in modo da potersi presentare a eventi come questi ed essere all'altezza di gente come questa.

Si muoveva lentamente in mezzo a loro, la testa alta, sorridendo agli amici di suo marito che venivano a salutarla e a scambiare qualche parola con lei, mentre io mi aggiravo imbarazzata sullo sfondo. Gli amici erano sempre uomini, ed erano solo gli uomini a sorriderle. Le donne, pur non essendo così maleducate da andarsene, tendevano a distogliere lo sguardo con discrezione, come se d'un tratto fossero state distratte da qualcosa in lontananza, per non doversi intrattenere con lei. Più di una volta, mentre ci facevamo strada fra gli invitati, con me che camminavo nella sua scia, vidi l'espressione di qualche moglie irrigidirsi, come se anche la sola presenza di Agnes fosse una specie di trasgressione.

«Buonasera» mi disse una voce all'orecchio.

Alzai lo sguardo e vacillai all'indietro. Will Traynor era in piedi accanto a me.

5

Fu un bene che la sala fosse così affollata perché, quando barcollai investendo l'uomo accanto a me, lui istintivamente allungò una mano e nel giro di qualche istante parecchie braccia in
smoking si protesero per sostenermi, un mare di volti sorridenti e preoccupati. Mentre li ringraziavo scusandomi, capii di essermi sbagliata. No, quello non era Will. Aveva lo stesso taglio
e lo stesso colore di capelli, la pelle della stessa tonalità color
caramello. Ma dovevo essere rimasta vistosamente senza fiato,
perché l'uomo che avevo scambiato per lui disse: «Mi dispiace,
l'ho spaventata?».

«Io... no. No.» Mi portai la mano alla guancia, i miei occhi in-
catenati ai suoi. «È... È solo che lei somiglia a una persona che
conosco. Conoscevo.» Mi sentii avvampare, il tipo di rossore che
parte all'altezza del petto e sale fino all'attaccatura dei capelli.

«Tutto okay?»

«Oddio. Sì, sto bene.» Mi sentivo un po' stupida. Avevo il
viso in fiamme.

«Lei è inglese.»

«E lei no.»

«Nemmeno newyorkese. Sono di Boston. Piacere, Joshua William Ryan Terzo.» Allungò la mano.

«Ha anche lo stesso nome.»

«Come dice, scusi?»

Gli strinsi la mano. Visto da vicino, in realtà, era molto diverso da Will. Aveva gli occhi marrone scuro e la fronte più bassa.
Ma la somiglianza al primo impatto mi aveva completamen-

te destabilizzato. Mi imposi di distogliere lo sguardo, consapevole di essere ancora aggrappata alle sue dita. «Mi scusi, sono un po'...»

«Lasci che le porti un drink.»

«Non posso. Sono qui con la... la mia amica laggiù.»

L'uomo guardò Agnes. «Allora ne porto uno a tutte e due. Sarà... ehm... facile trovarvi.» Sorrise e mi sfiorò il gomito. Cercai di non fissarlo mentre si allontanava.

Quando mi avvicinai ad Agnes, l'uomo che stava parlando con lei fu trascinato via da sua moglie. Agnes alzò una mano come se fosse sul punto di dargli una risposta, ma si ritrovò a parlare con un'ampia distesa di schiene in smoking. Si voltò, l'espressione impassibile.

«Scusami. Sono rimasta bloccata nella folla.»

«Ho il vestito sbagliato, vero?» mi sussurrò. «Ho fatto un errore enorme.»

L'aveva capito, quindi. In quella marea di corpi, il suo abito appariva in qualche modo troppo chiassoso, non tanto alternativo quanto piuttosto volgare. «Cosa posso fare? È un disastro. Devo cambiarmi.»

Cercai di calcolare se sarebbe riuscita ragionevolmente ad andare a casa e tornare. Anche senza traffico, sarebbe stata via un'ora. E c'era sempre il rischio che non tornasse...

«No! Non è un disastro. Per niente. È solo...» Feci una pausa. «Sai, un vestito come questo devi saperlo portare.»

«In che senso?»

«Portalo con disinvoltura. Tieni la testa alta. Come se non te ne fregasse niente.»

Mi fissò.

«È stato un amico a insegnarmelo. L'uomo per cui lavoravo. Mi diceva di portare le mie calze a righe con orgoglio.»

«Le tue cosa?»

«Lui... Be', mi ripeteva sempre che è bello distinguersi dagli altri. Agnes, tu stai cento volte meglio di qualsiasi donna in questa sala. Sei splendida. E il vestito è straordinario. Perciò immagina di fare un bel dito medio a tutta questa gente. Hai capito? *Io mi vesto come voglio.*»

Mi guardò intensamente. «Lo pensi davvero?»

«Oh, sì.»

Prese un respiro profondo. «Hai ragione. Un bel dito medio.» Raddrizzò le spalle. «E comunque a nessun uomo interessa che vestito indossi, giusto?»

«Nessuno.»

Sorrise e mi lanciò uno sguardo d'intesa. «A loro interessa solo cosa c'è sotto.»

«Complimenti per l'abito, signora» disse Joshua comparendo al mio fianco. Offrì un calice a ciascuna. «Champagne. L'unica bevanda gialla era la Chartreuse, ma solo a guardarla mi è venuta la nausea.»

«Grazie» dissi prendendo il bicchiere.

Lui tese la mano ad Agnes. «Joshua William Ryan Terzo.»

«Dev'esserselo inventato quel nome.»

Entrambi si voltarono a guardarmi.

«Neanche il personaggio di una soap opera potrebbe chiamarsi così» rincarai la dose, prima di rendermi conto che avrei dovuto solo pensarlo, anziché dirlo ad alta voce.

«Okay, potete chiamarmi Josh» replicò lui conciliante.

«Louisa Clark» dissi io, e poi aggiunsi: «Prima.»

I suoi occhi si strinsero leggermente in un'espressione divertita.

«Mrs Gopnik. Seconda» disse Agnes. «Ma forse questo lo sapevi già.»

«In effetti sì. Sei sulla bocca di tutti in città.» Le sue parole sarebbero potute suonare dure, ma le disse con cordialità. Notai che le spalle di Agnes si rilassarono leggermente.

Josh, ci spiegò, aveva accompagnato alla festa sua zia poiché il marito era in viaggio e lei non aveva voluto andarci da sola. Lavorava per una società di intermediazione che si occupava di formare consulenti finanziari e gestori di fondi speculativi in materia di gestione del rischio. Era specializzato in prestiti e partecipazioni societarie.

«Non ho idea di cosa significhi» dissi.

«Spesso neanch'io.»

Faceva lo splendido, ovviamente. Ma all'improvviso la stanza mi sembrò un po' meno fredda. Era originario di Back Bay, Boston, si era appena trasferito in un appartamento a SoHo che descrisse come una gabbia per conigli, e da quando era arrivato a New York aveva messo su due chili perché i ristoranti del centro erano insuperabili. Disse un sacco di altre cose, ma non saprei ripeterle perché non riuscivo a smettere di fissarlo.

«E che mi dici di te, Miss Louisa Clark Prima? Di cosa ti occupi?»

«Io...»

«Louisa è una mia amica. È venuta a trovarmi dall'Inghilterra.»

«E finora come ti pare New York?»

«La adoro» dissi. «Credo che la mia testa non abbia ancora smesso di girare.»

«E il Ballo in Giallo è uno dei tuoi primi eventi mondani. Be', cara Mrs Gopnik Seconda, non si può dire che tu non faccia le cose in grande.»

La serata scorreva liscia, alleggerita da un secondo bicchiere di champagne. A cena mi ritrovai seduta fra Agnes e un uomo che non si presentò neppure e mi rivolse la parola solo una volta chiedendo alle mie tette chi conoscevano, per poi voltarmi le spalle quando gli fu chiaro che la risposta era praticamente nessuno. Controllai cosa beveva Agnes, secondo le istruzioni di Mr Gopnik, e quando mi accorsi che lui guardava nella mia direzione scambiai rapidamente il bicchiere pieno di sua moglie con il mio quasi vuoto, sentendomi sollevata di fronte al suo sagace sorriso di approvazione. Agnes parlava a voce alta con l'uomo alla sua destra, la sua risata un po' troppo sonora, i suoi gesti forzati e nervosi. Osservai le altre donne sedute a tavola, tutte sulla quarantina se non di più, e notai il modo in cui la guardavano, i giochi di sguardi con le vicine come per confermare un'opinione espressa in privato. Era una scena orribile.

Mr Gopnik, seduto dalla parte opposta del tavolo, non poteva starle vicino, ma il suo sguardo guizzava spesso verso di lei, anche mentre sorrideva e stringeva mani e sembrava, almeno all'apparenza, l'uomo più rilassato del pianeta.

«Lei dov'è?»

Mi protesi verso Agnes per sentirla meglio.

«L'ex moglie di Leonard. Dov'è? Devi scoprirlo, Louisa. Finché non lo so, non riesco a tranquillizzarmi. Sento la sua presenza.»

"Allarme Viola." «Controllo i posti assegnati ai tavoli» dissi, e mi alzai scusandomi.

Mi fermai davanti al cartellone all'ingresso della sala da pranzo. C'erano circa ottocento nomi stampati l'uno vicino all'altro e non sapevo se la prima Mrs Gopnik continuasse a usare il suo vecchio cognome. Stavo imprecando sottovoce quando Josh si materializzò alle mie spalle.

«Cerchi qualcuno?»

Abbassai la voce. «Devo scoprire dov'è seduta la prima Mrs Gopnik. Per caso sai se si fa ancora chiamare così? Agnes vorrebbe... sapere dove si trova.»

Lui mi guardò con aria confusa.

«È un po' stressata» aggiunsi.

«Non ne ho idea, mi dispiace. Ma mia zia potrebbe saperlo. Lei conosce tutti. Aspetta qui.» Mi sfiorò la spalla nuda e si inoltrò nel salone, mentre io cercavo di assumere di nuovo l'espressione di una persona che studiava il pannello per trovare conferma della presenza di alcuni amici intimi, e non di una ragazza le cui guance avevano assunto un'inaspettata sfumatura di rosa.

Josh tornò nel giro di un minuto.

«Si fa ancora chiamare Gopnik» mi informò. «Zia Nancy ha detto che le pare di averla vista al tavolo dell'asta.» Fece scorrere una mano curata lungo l'elenco di nomi. «Eccola. Tavolo 144. Sono passato di lì per controllare e in effetti c'è una donna che corrisponde alla sua descrizione. Una cinquantina d'anni, capelli scuri, impegnata a lanciare dardi avvelenati da una pochette di Chanel? L'hanno sistemata il più lontano possibile da Agnes.»

«Oh, grazie al cielo!» esclamai. «Ne sarà sollevata.»

«Possono essere davvero spaventose, queste matrone newyorkesi» commentò lui. «Non biasimo Agnes per volersi guardare le spalle. L'alta società inglese è così spietata?»

«L'alta società inglese? Oh, io... non sono una grande appassionata di vita mondana.»

«Nemmeno io. A essere sincero, spesso dopo il lavoro sono così esausto che il massimo che riesco a fare è leggere il menu del takeaway. Di cosa ti occupi, Louisa?»

«Ehm...» Guardai improvvisamente il telefono. «Oddio. Devo tornare da Agnes.»

«Ci rivedremo entro la fine della serata? Qual è il tuo tavolo?»

«Il numero 32» risposi senza pensare a tutte le ragioni per cui non avrei dovuto farlo.

«Allora ci vediamo dopo.» Per un attimo rimasi paralizzata

dal suo sorriso. «A proposito, volevo dirti che sei bellissima.» Si protese in avanti e abbassò la voce facendola vibrare vicino al mio orecchio. «Se devo essere sincero, preferisco il tuo vestito a quello della tua amica. Hai già fatto una foto?»

«Una foto?»

«Qui.» Alzò il braccio e, prima che mi rendessi conto di cosa stesse facendo, scattò un selfie di noi due con le teste accostate. «Ecco, guarda. Dammi il tuo numero così te la mando.»

«Vuoi mandarmi una foto di noi due insieme?»

«Non intuisci il mio secondo fine?» mi domandò con un ampio sorriso. «Okay, la terrò per me. Come ricordo della ragazza più carina della festa. A meno che tu non voglia cancellarla. Tieni. Cancella pure.» Mi porse il telefono.

Guardai la foto e lasciai che il mio dito indugiasse sul tasto "cancella" per poi ritirarlo. «Mi sembra maleducato cancellare l'immagine di qualcuno che hai appena conosciuto. Ma, ehm... grazie... per l'aiuto nella faccenda dei tavoli. È stato molto gentile da parte tua.»

«Non c'è di che.»

Ci scambiammo un sorriso. E per evitare di aggiungere altro tornai di corsa al mio tavolo.

Diedi ad Agnes la buona notizia – alla quale lei rispose con un sospiro sonoro –, dopodiché mi sedetti e mangiai un boccone di pesce ormai freddo mentre aspettavo che la mia testa smettesse di ronzare. "Non è Will" mi dissi. La voce non era quella. Le sopracciglia non erano quelle. Era americano. Eppure c'era qualcosa nel suo atteggiamento che me lo ricordava: quella sicurezza unita a un'intelligenza acuta, l'aria di chi è in grado di affrontare tutto ciò che la vita gli pone davanti, quel modo di guardarti che ti lascia svuotata. Mi voltai e mi resi conto di non avergli nemmeno chiesto dove fosse seduto.

«Louisa?»

Guardai alla mia destra. Agnes mi stava fissando intensamente.

«Devo andare in bagno.»

Mi ci volle qualche istante per capire che ci sarei dovuta andare anch'io.

Ci facemmo strada lentamente fra i tavoli, mentre io mi sforzavo di non guardarmi intorno alla ricerca di Josh. Tutti gli occhi erano puntati su Agnes, non solo per il suo vestito sgargiante, ma perché era dotata di un certo magnetismo, un modo inconsapevole di attirare l'attenzione. Camminava con il mento alzato e le spalle ben dritte, come una regina.

Non appena entrammo in bagno, si abbandonò sulla chaise longue nell'angolo e mi fece cenno di passarle una sigaretta. «Mio Dio, che serata. Se non ce ne andiamo presto potrei anche morire.»

L'addetta alle pulizie, una donna sulla sessantina, alzò un sopracciglio alla vista della sigaretta e poi distolse lo sguardo.

«Ehm... Agnes, non sono sicura che si possa fumare qui dentro.»

L'avrebbe fatto comunque. Forse, pensai, quando sei ricco semplicemente te ne infischi delle regole imposte dagli altri. Cosa avrebbero potuto farle, dopotutto? Sbatterla fuori?

Lei accese la sigaretta, aspirò una boccata di fumo ed emise un sospiro di sollievo. «Ah, questo vestito è così scomodo. E il perizoma è peggio di un filo per tagliare il formaggio, hai presente?» Si dimenò davanti allo specchio tirandosi su il vestito e armeggiandoci sotto con la sua mano curata. «Avrei dovuto evitare di mettermi l'intimo.»

«Ma ti senti bene?» le chiesi.

Mi sorrise. «Sì, mi sento bene. Ho conosciuto delle persone molto carine stasera. Quel Josh, per esempio, e Mr Peterson, l'uomo seduto vicino a me, è davvero gentile. Non è così male. Forse qualcuno sta finalmente iniziando ad accettare il fatto che Leonard abbia una nuova moglie.»

«Hanno solo bisogno di tempo.»

«Tieni questa. Devo fare pipì.» Mi passò la sigaretta fumata a metà e sparì in un cubicolo. La presi fra due dita come se fosse una stellina pirotecnica. Io e l'inserviente ci scambiammo un'occhiata e lei si strinse nelle spalle, come a dire "Che ci vuoi fare?".

«Oh, mio Dio» sentii Agnes esclamare da dietro la porta. «Devo togliermi tutto. Non c'è verso di tirarla su. Dovrai aiutarmi con la zip dopo.»

«Okay» dissi. La donna alzò le sopracciglia. Entrambe ci sforzammo di non ridacchiare.

Due signore di mezza età entrarono nella toilette e guardarono la mia sigaretta con aria di disapprovazione.

«Il punto, Jane, è che sembrano travolti dalla pazzia» disse una delle due fermandosi davanti allo specchio per controllare l'acconciatura. Non so perché, visto che aveva così tanta lacca che probabilmente nemmeno un uragano forza 10 le avrebbe smosso un capello.

«Lo so. Ogni volta è la stessa storia.»

«Ma in genere perlomeno hanno la decenza di gestire la cosa con discrezione. Dev'essere stata proprio questa la cosa più deludente per Kathryn. La mancanza di discrezione.»

«Già. Sarebbe stato molto più facile se almeno si fosse trattato di una donna con un briciolo di classe.»

«Esatto. Lui si è comportato come il classico uomo di mezza età che perde la testa per una più giovane.»

«Louisa?» disse una voce soffocata dall'interno del cubicolo. «Puoi venire un attimo?»

Al che entrambe le donne si voltarono di scatto, e in quel momento capii di chi stavano parlando. Lo capii solo guardando le loro facce.

Seguì una breve pausa di silenzio.

«Si rende conto che qui dentro è vietato fumare?» chiese una delle due signore con tono piccato.

«Oh, davvero? Mi dispiace.» Spensi la sigaretta nel lavabo e feci scorrere un po' d'acqua sul mozzicone.

«Puoi aiutarmi, Louisa? La lampo è bloccata.»

Le due donne avevano capito. Fecero due più due e vidi le loro espressioni indurirsi. Passai davanti a loro, bussai un paio di volte alla porta e Agnes mi fece entrare.

Era in reggiseno, con il tubino giallo bloccato sui fianchi.

«Che cosa...» iniziò.

Mi portai un dito sulle labbra e le feci cenno di stare zitta indicando verso l'esterno. Lei allungò il collo, come se potesse vedere attraverso la porta, e storse la bocca. La feci voltare. La cerniera, abbassata per due terzi, era incastrata all'altezza della vita. Provai a tirare due, tre volte, poi presi il cellulare dalla borsa e accesi la torcia per cercare di capire che cosa la bloccasse.

«Riesci a sistemarla?» mi sussurrò Agnes.

«Ci sto provando.»

«Devi farcela. Non posso uscire conciata così davanti a quelle due.»

Agnes era in piedi a pochi centimetri da me con indosso solo un minireggiseno, e la sua pelle chiara emanava calde ondate di un profumo costoso. Cercai di darmi da fare per sbloccare la cerniera osservandola più da vicino, ma era impossibile. Serviva spazio, in modo che lei potesse togliersi il vestito e io potessi trafficare con la zip, altrimenti non sarei riuscita a farla salire. Guardai Agnes stringendomi nelle spalle e per un attimo lei apparve angosciata.

«Non credo di farcela qui dentro, Agnes. Non ho spazio. E non ci vedo.»

«Non posso uscire così. Mi daranno della puttana.» Si portò le mani al viso, disperata.

Il silenzio opprimente che regnava all'esterno mi fece capire che le due arpie erano in attesa della nostra prossima mossa. Non facevano nemmeno finta di andare in bagno. Eravamo fregate. Mi staccai da Agnes e scossi la testa, riflettendo. E poi mi venne un'idea.

«Dito medio» sussurrai.

Agnes spalancò gli occhi.

Le rivolsi uno sguardo fermo e le feci un cenno col capo. Lei per un attimo rimase spaesata, poi i suoi occhi furono attraversati da un lampo.

Aprii la porta del bagno e mi scostai. Agnes prese un bel respiro, raddrizzò la schiena, quindi uscì a passo deciso e sfilò davanti alle due donne come una top model nel backstage, con il corpino dell'abito che le ricadeva intorno ai fianchi e due impalpabili triangoli che coprivano a malapena i seni pallidi. Si fermò in mezzo alla toilette e si piegò in avanti in modo che io potessi sfilarle con cautela il vestito dalla testa, poi si raddrizzò, ormai nuda eccetto quei due scampoli di lingerie, un modello di studiata noncuranza. Non osai guardare le facce delle signore, ma mentre mi appoggiavo l'abito giallo sul braccio udii un sospiro ostentato e ne avvertii il riverbero nell'aria.

«*Bene*, io...» iniziò una.

«Le serve un kit da cucito, signora?» L'addetta alle pulizie apparve accanto a me. Aprì il sacchettino mentre Agnes si sedeva con grazia sulla chaise longue, le sue gambe snelle e pallide allungate pudicamente di lato.

Nel frattempo entrarono altre due donne, e non appena vide-

ro Agnes seminuda la loro conversazione si interruppe bruscamente. Una tossì e distolse deliberatamente lo sguardo, trovando qualche altra banalità di cui parlare. Agnes rimase seduta
tranquilla, fingendosi beatamente inconsapevole.

Poi l'inserviente mi passò uno spillo, e aiutandomi con la
punta catturai il pezzettino di filo che si era attorcigliato tra i
denti della zip. Tirai delicatamente finché non lo eliminai e la
chiusura lampo tornò a scorrere. «Ecco fatto!»

Agnes si alzò, afferrò la mano tesa dell'inserviente ed entrò
elegantemente nell'abito che alzammo insieme intorno al suo
corpo. Quando fu sistemato, tirai la cerniera con un movimento fluido, e ogni centimetro di tessuto aderì alla sua pelle. Lei
se lo lisciò lungo le gambe chilometriche.

L'addetta le offrì una bomboletta di lacca. «Ecco» sussurrò.
«Permette?» Si avvicinò e diede una rapida spruzzata alla cerniera. «La aiuterà a stare su.»

«Grazie. È stata molto gentile» disse Agnes. Tirò fuori dalla
pochette una banconota da cinquanta dollari e gliela porse. Poi
si voltò verso di me e con un sorriso mi disse: «Louisa, cara, che
ne dici di tornare al nostro tavolo?». E con un imperioso cenno
del capo diretto alle due donne, alzò il mento e si diresse verso la porta con passo felino.

Seguì un attimo di silenzio. L'inserviente mi guardò e inta-
scò la banconota con un gran sorriso. Poi, a voce ben udibile,
commentò: «Questa sì che è *classe*».

6

La mattina dopo George non si presentò. Nessuno mi aveva avvisato. Rimasi in attesa nell'ingressc con indosso i miei pantaloncini, gli occhi impastati di sonno, finché alle sette e mezzo mi resi conto che probabilmente l'appuntamento era stato annullato.

Agnes dormì fino alle nove passate, cosa che suscitò lo sdegno di Ilaria, la quale continuava a guardare l'orologio con aria di disapprovazione. Avevo ricevuto un messaggio con cui mi si chiedeva di cancellare tutti gli impegni. Invece, più o meno a metà mattina, Agnes disse che aveva voglia di fare quattro passi lungo il Reservoir. Era una giornata ventilata e passeggiammo con le sciarpe tirate su fino al mento e le mani infilate in tasca. Avevo passato gran parte della notte a ripensare al viso di Josh. Mi sentivo ancora destabilizzata da quell'incontro e mi ritrovai a chiedermi quanti sosia di Will fossero in circolazione nei vari paesi in quello stesso momento. Okay, le sopracciglia di Josh erano più folte, i suoi occhi erano di un'altra tonalità, e naturalmente anche il suo accento era completamente diverso. Ma comunque.

«Sai cosa facevo sempre con le mie amiche per smaltire la sbornia?» disse Agnes irrompendo nei miei pensieri. «Andavamo in un ristorante giapponese vicino a Gramercy Park, mangiavamo noodles e parlavamo e parlavamo e parlavamo.»

«Andiamoci, allora.»

«Dove?»

«In questo posto dove fanno i noodles. Possiamo passare a prendere le tue amiche.»

Il suo viso fu attraversato da un lampo di entusiasmo, ma poi lei diede un calcio a un sassolino. «Non posso. È diverso ora.» «Non dobbiamo per forza farci accompagnare da Garry. Possiamo prendere un taxi. Voglio dire, ti metti qualcosa di più casual e andiamo. Sarebbe bello, no?»

«Te l'ho detto. È diverso ora.» Si voltò verso di me. «Ci ho provato, Louisa. Per un periodo. Ma le mie amiche sono curiose. Vogliono sapere tutto sulla mia vita di adesso. E poi, quando gli racconto la verità, per loro è... strano.»

«Strano?»

«Un tempo eravamo tutte uguali, capisci? Adesso dicono che non posso capire i loro problemi. Perché sono diventata ricca. In qualche maniera è come se io non fossi autorizzata ad avere problemi. Oppure si comportano in modo strano con me, come se io fossi diventata una persona diversa. Come se le cose buone che mi sono capitate nella vita fossero un insulto alla loro. Tu credi che io mi metta a lamentarmi della governante con qualcuno che non ha nemmeno una casa?»

Si fermò sul sentiero. «Quando ci siamo sposati, Leonard mi ha donato dei soldi tutti per me. Un regalo di nozze, così da non doverglieli chiedere in continuazione. E io ne ho girato una parte a Paula, la mia migliore amica. Le ho dato diecimila dollari per cancellare i suoi debiti, per farla ricominciare daccapo. All'inizio era felicissima. Ed ero felice anch'io di aver fatto una cosa del genere per lei, così non doveva più preoccuparsi!» Si rabbuiò di colpo. «E poi... poi non ha più voluto saperne di me. Era cambiata, era sempre troppo impegnata per vedermi. E piano piano ho capito che ce l'aveva con me perché l'avevo aiutata. Non intendeva farlo, ma adesso, ogni volta che mi vede, non riesce a pensare ad altro che ai soldi che mi deve. Ed è orgogliosa, molto orgogliosa. Non vuole vivere con questo peso. Perciò...» Si strinse nelle spalle. «... Non viene a pranzo con me e non risponde alle mie chiamate. Ho perso la mia amica per colpa dei soldi.»

«I problemi sono problemi» dissi quando mi resi conto che si aspettava un commento da parte mia. «Non importa chi li ha.»

Si scostò da una parte per evitare un bambinetto su un monopattino. Restò a guardarlo, assorta, poi mi chiese: «Hai una sigaretta?».

Avevo imparato ormai. Tirai fuori il pacchetto dallo zaino e glielo passai. Non ero sicura di far bene ad assecondarla a fumare, ma lei era il mio capo. Inalò una boccata e soffiò fuori un lungo pennacchio di fumo.

«I problemi sono problemi» ripeté lentamente. «Tu hai dei problemi, Louisa Clark?»

«Mi manca il mio fidanzato.» Lo dissi più che altro per rassicurare me stessa. «A parte questo, nient'altro. È tutto... fantastico. Sono felice qui.»

Lei annuì. «Anch'io una volta mi sentivo così. New York! Sempre qualcosa di nuovo da vedere. Sempre eccitante. Adesso invece... mi manca...» Lasciò la frase a metà.

Per un attimo mi sembrò che i suoi occhi si fossero riempiti di lacrime, ma poi il suo viso rimase immobile.

«Sai che mi odia?»

«Chi?»

«Ilaria. La strega. Era la governante dell'altra e Leonard non ha voluto licenziarla. Perciò la devo sopportare.»

«Col tempo potrebbe imparare a conoscerti.»

«Potrebbe imparare a mettermi l'arsenico nel piatto, altroché! Lo vedo come mi guarda. Mi vorrebbe morta. Sai come ci si sente a vivere con qualcuno che ti vorrebbe morta?»

Per la verità, Ilaria incuteva un certo timore anche a me, ma non mi andava di ammetterlo apertamente. Continuammo a camminare. «Sai, prima lavoravo per una persona e all'inizio ero convintissima che mi detestasse» risposi. «E poi, piano piano, ho capito che io non c'entravo nulla. Semplicemente lui odiava la sua vita. E conoscendoci meglio abbiamo iniziato ad andare d'accordo.»

«Ti ha mai bruciacchiato "per sbaglio" la tua camicetta migliore? O ha lavato la tua biancheria con un detersivo che sapeva che ti avrebbe causato prurito alle parti intime?»

«Mmh... no.»

«Oppure ti ha mai servito del cibo dopo che avevi detto cinquanta volte che non ti piaceva solo per far sembrare che ti lamenti sempre? O ha raccontato delle bugie su di te per farti passare per una poco di buono?»

Avevo la bocca aperta come quella di un pesce rosso. La chiusi e scossi la testa.

Agnes si scostò i capelli dal viso. «Io lo amo, Louisa. Ma far parte della sua vita è impossibile. La mia vita è impossibile...» Si interruppe di nuovo.

Ci fermammo un attimo e osservammo le persone che ci passavano accanto lungo il sentiero: ragazzini sui rollerblade, bambini su monopattini traballanti, coppie che si tenevano sottobraccio e poliziotti con gli occhiali da sole. La temperatura era calata e avvertii un brivido, anche se indossavo una felpa.

Agnes sospirò. «Okay. Torniamo a casa. Vediamo quale tra i miei indumenti preferiti ha rovinato oggi la strega.»

«No» dissi. «Andiamo a mangiare quei famosi noodles. Questo almeno possiamo farlo.»

Prendemmo un taxi fino a Gramercy Park, dirette in un ristorante situato in un edificio in pietra arenaria in una losca stradina laterale dall'aspetto abbastanza sudicio da lasciar presagire la possibilità di contrarre un terribile virus intestinale. Ma Agnes sembrò più leggera non appena arrivammo a destinazione. Mentre pagavo il tassista, lei salì i gradini saltellando ed entrò nel locale immerso nella penombra, e quando la ragazza giapponese spuntò dalla cucina spalancò le braccia e la abbracciò con slancio, come se avesse appena ritrovato una vecchia amica. Poi, tenendola per i gomiti, le chiese che fine avesse fatto. Agnes si tolse il berretto e borbottò vagamente che era stata impegnata, che si era sposata e aveva cambiato casa, senza mai dare il minimo indizio sul reale livello di variazione della sua condizione sociale. Notai che portava la fede nuziale ma non il solitario di diamanti, talmente pesante che si poteva usare per tonificare i tricipiti.

E quando ci accomodammo al tavolo di formica, ebbi l'impressione che davanti a me fosse seduta una donna completamente diversa. Agnes era divertente, vivace e perfino chiassosa, con una risata improvvisa e sonora, e d'un tratto capii di chi si era innamorato Mr Gopnik.

«Come vi siete conosciuti?» le chiesi, mentre sorbivamo rumorosamente un piatto di ramen ustionante.

«Con Leonard? Ero la sua massaggiatrice.» Fece una pausa, come se aspettasse la mia reazione scandalizzata, e quando questa non arrivò abbassò la testa e continuò il suo racconto.

«Lavoravo al St Regis, e ogni settimana mandavano dei massaggiatori a casa sua, André, di solito. Era molto bravo. Ma un giorno lui era malato e mi chiesero di andare al posto suo. E io pensai: "Oh, no, un altro tizio di Wall Street". Molti di loro dicono solo un sacco di stronzate, sai? Non ti considerano nemmeno un essere umano. Non si danno la pena di salutare, non parlano... Alcuni ti chiedono...» abbassò la voce «... un servizietto extra. Sai cos'è un "servizietto extra"? Come se fossi una prostituta. Ma Leonard... lui era gentile. Mi strinse la mano e mi offrì una tazza di tè appena entrai. Era così felice quando lo massaggiavo. E l'ho capito, sai?»

«Capito cosa?»

«Che lei non lo toccava mai. Sua moglie. Lo capisci quando tocchi un corpo. Era una donna fredda, gelida.» Abbassò lo sguardo. «E certi giorni lui soffriva molto. Gli facevano male le articolazioni. Questo prima che arrivasse Nathan. Nathan è stata una mia idea. Per far sì che Leonard restasse in forma e in buona salute. A ogni modo, ce la metto tutta per fargli un bel massaggio. Finisco la mia ora. Ascolto quello che mi dice il suo corpo. E lui mi ringrazia. E poi, la settimana dopo, chiede di nuovo di me. André non la prese bene, ma cosa ci potevo fare? E così comincio ad andare a casa sua due volte alla settimana. Certi giorni mi chiedeva se volevo bere un tè con lui dopo la seduta e parlavamo. E poi... Be', è stato difficile perché sapevo che mi stavo innamorando di lui, ed era una cosa che non potevamo fare.»

«Come i dottori con i pazienti. O gli insegnanti con gli allievi.»

«Esattamente.» Agnes si interruppe per prendere un raviolo al vapore. Era il massimo che le avessi mai visto mangiare. «Ma non riesco a smettere di pensare a quell'uomo. Così triste. E così tenero. E così solo! Alla fine dico ad André di occuparsene lui perché io non posso più farlo.»

«E poi cos'è successo?» Smisi di masticare.

«Leonard viene a cercarmi! Nel Queens! In qualche modo si procura il mio indirizzo e si presenta a casa mia con il suo macchinone. Sono seduta sulla scala antincendio con le mie amiche quando lo vedo scendere dall'auto e venirmi incontro. "Devo parlarti" mi dice.»

«Come in *Pretty Woman*.»

«Sì! Proprio così! E allora lo raggiungo sul marciapiede. Lui è arrabbiato e mi chiede: "Ti ho offeso? Ti ho trattato in modo inappropriato?". Io mi limito a scuotere la testa. E poi, camminando nervosamente su e giù, mi dice: "Perché non vieni più? Non voglio André. Voglio te". E a quel punto scoppio a piangere come una stupida.»

I suoi occhi erano colmi di lacrime.

«Scoppio a piangere in pieno giorno e in mezzo alla strada, con le mie amiche che stanno a guardare. E gli dico: "Non posso dirtelo". E così lui va su tutte le furie. Voleva sapere se sua moglie mi aveva trattato male. O se era successo qualcosa al lavoro. E alla fine glielo dico: "Non posso più venire perché mi piaci. Mi piaci molto. E questo non è professionale. Potrei perdere il lavoro". Lui mi guarda per un attimo senza dire niente, neanche una parola. E poi risale in macchina e l'autista lo porta via. E io penso: "Oh, no. Adesso non rivedrò mai più quest'uomo, e in più ho perso il mio impiego". Il giorno dopo, andando al lavoro, ero nervosa. Davvero nervosa, Louisa. Mi faceva perfino male lo stomaco!»

«Perché pensavi che lui l'avrebbe detto al tuo capo.»

«Proprio così. E invece sai cosa succede quando arrivo?»

«Cosa?»

«Trovo un enorme mazzo di rose rosse ad attendermi. Il più grande che avessi mai visto, con delle bellissime rose vellutate e profumate. Così morbide che ti veniva voglia di accarezzarle. Non c'è nessun bigliettino, ma io capisco immediatamente. E da lì in poi, ogni giorno arriva un nuovo bouquet di rose rosse. Il mio appartamento si riempie di fiori. Le mie amiche dicevano che il profumo era talmente intenso che quasi gli dava la nausea.» Si mise a ridere. «E poi, l'ultimo giorno viene di nuovo a casa mia e io scendo e lui mi chiede di salire in macchina. Ci sediamo dietro e lui invita l'autista ad andare a fare quattro passi e mi racconta che è un uomo infelice e che dal momento in cui ci siamo incontrati non è più riuscito a smettere di pensare a me e che non devo fare altro che dire una parola e lui lascerà sua moglie e noi staremo insieme.»

«E non vi eravate nemmeno baciati?»

«Niente. Gli avevo massaggiato il fondoschiena, certo, ma non è la stessa cosa.» Sospirò, assaporando il ricordo. «E a quel punto capii. Capii che dovevamo stare insieme. E così lo dissi. Gli dissi di sì.»

Ero incantata.

«Quella sera torna a casa e dice a sua moglie che vuole separarsi. E lei va fuori di testa. *Completamente*. Gli chiede perché e lui le dice che non può portare avanti un matrimonio senza amore. E quella stessa sera mi chiama da un albergo e mi chiede di raggiungerlo, così ci incontriamo in una suite del Ritz-Carlton. Sei mai stata al Ritz-Carlton?»

«Ehm, no.»

«Entro e lo trovo sulla soglia, come se fosse troppo agitato per sedersi, e mi dice che sa di essere uno stereotipo, di essere troppo vecchio per me e di avere il fisico compromesso dall'artrite, ma che se esiste anche solo una possibilità che io voglia stare davvero con lui, allora farà qualsiasi cosa per rendermi felice. Perché aveva delle sensazioni su noi due, capisci? Sentiva che eravamo anime gemelle. E poi ci abbracciamo e finalmente ci baciamo e poi restiamo svegli tutta la notte a parlare e parlare della nostra infanzia, della nostra vita, delle nostre speranze e dei nostri sogni.»

«È la storia più romantica che io abbia mai sentito.»

«E poi scopiamo, ovviamente, e Dio mio, mi rendo conto che quest'uomo è stato ibernato per anni.»

A quel punto feci un colpo di tosse, sputando un pezzo di ramen sul tavolo. Alzai lo sguardo e notai che qualcuno dai tavoli vicini ci stava fissando.

La voce di Agnes si alzò. Le sue mani gesticolavano animatamente. «È incredibile. C'era una tale fame in lui, tutta la fame accumulata negli anni gli *pulsava* dentro. *Pulsava!* Quella prima notte fu *insaziabile*.»

«Okay» gemetti tamponandomi la bocca con un tovagliolo di carta.

«È stato magico, quell'incontro di corpi. E dopo restammo abbracciati per ore, io avvinghiata a lui e lui con la testa appoggiata sul mio petto, e gli promisi che non sarebbe mai più stato ibernato. Capisci?»

Nel ristorante calò il silenzio. Alle spalle di Agnes, un ragazzo con una felpa le fissava la nuca, il cucchiaio sospeso a mezz'aria. Quando si accorse di essere osservato, lo lasciò cadere con un suono metallico.

«È... è una storia davvero bellissima.»

«E ha mantenuto la sua promessa. Tutto ciò che ha detto è diventato realtà. Siamo felici insieme. Tanto felici.» Si incupì leggermente. «Ma sua figlia mi odia. La sua ex moglie mi odia. Mi incolpa di tutto, anche se non lo amava. Va a raccontare in giro che sono una brutta persona perché le ho rubato il marito.»

Non sapevo che dire.

«E ogni settimana devo andare a questi eventi di beneficenza e sorridere facendo finta di non sapere che cosa dicono di me. Il modo in cui queste donne mi guardano. Io non sono come mi descrivono. Parlo quattro lingue. So suonare il pianoforte. Sono diplomata in fisioterapia. Sai quale lingua parla lei? Quella dell'*ipocrisia*. Ma è difficile fingere di non soffrire, sai? Che non te ne importa niente.»

«Le persone cambiano» dissi, cercando di infonderle speranza. «Con il tempo.»

«No. Non credo che sia possibile.»

Un velo di malinconia offuscò il suo viso. Poi alzò le spalle. «Il lato positivo è che sono decisamente anziane, quindi qualcuna morirà prima o poi.»

Quel pomeriggio, mentre Agnes faceva un riposino e Ilaria si affaccendava al piano di sotto, chiamai Sam. La mia mente era ancora in balia degli eventi della sera precedente e delle confidenze di Agnes. Mi sembrava in qualche modo di aver occupato un nuovo spazio. "Ti vedo più come un'amica che come un'assistente" mi aveva detto lei tornando a casa. "È bellissimo avere accanto qualcuno di cui ti puoi fidare."

«Ho ricevuto le tue foto» disse Sam. Era sera laggiù, e Jake, suo nipote, si sarebbe fermato a dormire da lui. Sentivo la sua musica in sottofondo. Avvicinò la bocca al microfono del telefono. «Eri uno schianto.»

«Non indosserò mai più un vestito come quello in tutta la mia vita, ma per il resto è stato incredibile. Il cibo, la musica, la sala da ballo... e la cosa più assurda è che quelle persone non badano neppure a queste cose. Non vedono cosa li circonda! C'era un'intera parete fatta di gardenie e lanterne colorate. Cioè, una parete gigantesca! E il budino al cioccolato più delizioso che io abbia mai mangiato, un quadratino di fondant con sopra delle scaglie di cioccolato bianco e minitartufi tutt'intorno, e nessuna di quelle donne l'ha assaggiato. Nemmeno una! Ho fatto il giro dei tavoli, giusto per controllare. Ho avuto la tentazione di far scivolare qualche tartufo nella pochette, ma poi ho pensato che si sarebbero sciolti. Scommetto che hanno buttato via tutto. Oh, e ogni tavolo aveva una decorazione diversa a forma di uccello, ma erano tutte fatte di piume gialle. Noi avevamo un gufo.»

«Una gran bella serata, insomma.»

«C'era un barman che preparava i cocktail in base al tuo carattere. Gli dicevi tre cose di te e lui te ne creava uno personalizzato.»

«Te ne sei fatta fare uno anche tu?»

«No. Alla persona che era con me ha rifilato una cosa assurda e avevo paura che mi facesse un cocktail con qualche nome strano, perciò mi sono limitata allo champagne. Limitata allo champagne! Ma cosa sto dicendo?»

«E... con chi eri?»

Ci fu una brevissima pausa prima della domanda.

E, mi secca doverlo ammettere, una brevissima pausa da parte mia prima di rispondere. «Oh... un tizio... un certo Josh. Un manager. Ha tenuto compagnia a me e ad Agnes mentre aspettavamo che tornasse Mr Gopnik.»

Un'altra pausa. «Fantastico.»

Iniziai a farfugliare. «E la cosa più bella è che non devi nemmeno preoccuparti di come tornare a casa, perché c'è sempre un'auto che ti aspetta fuori. Anche solo per andare a fare shopping. L'autista si ferma fuori dal negozio, aspetta lì o fa il giro dell'isolato, e quando esci... *ta-daa*! Ecco il tuo macchinone nero e lucido. Sali. Carichi tutte le borse nel bagagliaio. Niente autobus notturno! Niente metropolitana la sera tardi con la gente che ti vomita sulle scarpe.»

«La bella vita, eh? Non vorrai più tornare a casa.»

«Oh, no. Questa non è la *mia* vita. Io sono solo una portaborse che sta a guardare. Ma poterla vedere da vicino non è male.»

«Devo andare, Lou. Ho promesso a Jake di portarlo a mangiare una pizza.»

«Ma... non abbiamo nemmeno parlato. Tu come stai? Dimmi di te.»

«Un'altra volta. Jake ha fame.»

«Okay!» La mia voce era troppo alta. «Salutalo da parte mia!»

«Okay.»

«Ti amo.»

«Anch'io.»

«Ancora una settimana! Non vedo l'ora.»

«Devo andare.»

Mi sentii stranamente destabilizzata una volta abbassato il ricevitore. Non avevo capito bene cosa fosse successo. Rimasi seduta sul bordo del letto, immobile. E poi mi cadde l'occhio sul biglietto da visita di Josh. Me l'aveva consegnato mentre ci salutavamo a fine serata, premendolo nel mio palmo e chiudendovi le dita attorno.

"Chiamami. Ti mostrerò qualche bel posticino."

L'avevo preso con un sorriso educato. Che, naturalmente, avrebbe potuto significare qualsiasi cosa.

7

Fox's Cottage
Martedì 6 ottobre

Cara Louisa,
mi auguro che lei stia bene e si stia divertendo a New York. Credo che anche Lily le scriverà, ma ripensando alla nostra ultima conversazione ho dato un'occhiata in soffitta e ho trovato alcune lettere del periodo in cui Will soggiornava a NY che penso le farà piacere leggere. Sa che viaggiatore incallito era, e chissà, magari potrebbe venirle voglia di ripercorrere le sue orme.
Ne ho lette un paio: è stata un'esperienza dolceamara. Può tenerle lei fino alla prossima volta che ci vedremo.

Con i più cari saluti,
Camilla Traynor

New York
12.6.2004

Cara mamma,
ti avrei chiamato, ma la differenza di fuso orario non combacia con i miei programmi, così ho pensato di traumatizzarti scrivendoti una lettera. È la prima che ti scrivo dopo quel breve periodo al Priory Manor, credo. Non sono mai stato tagliato per la vita da collegio, vero?

New York è davvero pazzesca. È impossibile non farsi conquistare dall'energia di questo posto. Tutte le mattine alle cinque e mezzo sono già in movimento. La sede della mia società è in Stone Street, nel Financial District. Nigel mi ha trovato un ufficio (non d'angolo, ma con una bella vista sul fiume... pare che siano queste le cose in base alle quali si giudica la gente a NY) e i colleghi sembrano una bella squadra. Di' a papà che sabato sono stato a sentire l'opera al Met con il mio capo e sua moglie (*Der Rosenkavalier*, un po' sopravvalutato); quanto a te, sarai felice di sapere che ho assistito a una rappresentazione di *Les Liaisons Dangereuses*. Per il resto, molti pranzi di lavoro, molte partite con la squadra di softball aziendale. La sera non faccio granché: i miei nuovi colleghi sono quasi tutti sposati con figli piccoli, perciò me ne vado in giro da solo, setacciando un bar dopo l'altro...

Sono uscito con un paio di ragazze – niente di serio (qui "frequentarsi" è visto come un passatempo) –, ma finora ho trascorso il tempo libero principalmente in palestra o con vecchi amici. Ci sono un sacco di persone della Shipmans, e alcune che ho conosciuto ai tempi della scuola. Il mondo è piccolo, alla fine... Molti, però, sono cambiati stando qui. Sono più tosti, più affamati di quanto ricordassi. Credo che una città come New York tiri fuori questo lato di te.

Bene! Stasera mi vedo con la figlia di Henry Farnsworth. Te la ricordi? Esponente di spicco del Pony Club di Stortfold? Si è reinventata diventando una specie di guru dello shopping. (Non illuderti, ci esco solo per fare un favore a Henry.) La porto nella mia steakhouse preferita, nell'Upper East Side, dove servono sberle di carne delle dimensioni del poncho di un gaucho. Spero solo che non sia vegetariana. Qui tutti sembrano avere un sacco di fisime sull'alimentazione.

Ah, domenica scorsa ho preso la linea F e sono sceso dall'altra parte del Ponte di Brooklyn per poi tornare indietro a piedi da una sponda all'altra, come mi avevi consigliato. È stata la cosa migliore che abbia fatto finora. Mi sono sentito catapultato in uno dei primi film di Woody Allen, sai, quelli in cui c'erano solo dieci anni di differenza tra lui e le sue attrici protagoniste...

Di' a papà che lo chiamerò la prossima settimana e dai un abbraccio al cane da parte mia.

Con affetto,
W.

Con quel modesto piatto di noodles, qualcosa era cambiato nel mio rapporto con i Gopnik. Per esempio, avevo cominciato a capire un po' meglio come supportare Agnes nel suo nuovo ruolo. Aveva bisogno di qualcuno a cui appoggiarsi e di cui potersi fidare. Questo, unito alla strana energia osmotica di New York, fece sì che da quel giorno in poi mi buttassi letteralmente giù dal letto con un entusiasmo che non provavo dai tempi in cui lavoravo per Will, suscitando occhiate di malcelata sopportazione da parte di Ilaria e la perplessità di Nathan, che mi guardava come se avessi iniziato ad assumere droghe.

Ma era semplice da spiegare. Volevo fare bene il mio lavoro. Volevo sfruttare al massimo il periodo che avrei trascorso a New York al servizio di quelle persone meravigliose. Volevo succhiare fino all'osso ogni giorno, come avrebbe fatto Will. Rilessi quella prima lettera più volte, e dopo aver superato la strana sensazione di sentire la sua voce, avvertii un'inaspettata affinità nei suoi confronti, anche lui un nuovo arrivato in città.

Alzai l'asticella. Andai a fare jogging con Agnes e George tutte le mattine, e qualche volta riuscii perfino ad arrivare a fine percorso senza provare l'impulso di vomitare. Imparai a conoscere i luoghi legati alla routine quotidiana di Agnes, a capire che cosa avrebbe dovuto avere con sé, indossare e portare a casa. Mi facevo trovare nell'ingresso prima che arrivasse lei, ed ero pronta a fornirle bottigliette d'acqua, sigarette o centrifugati ancor prima che ne sentisse la necessità. Quando doveva andare a un pranzo dove c'era la possibilità di incontrare le Orrende Matrone, facevo delle battute per stemperare la tensione e le mandavo sul cellulare delle gif di panda che facevano le puzzette o di gente che cadeva dal tappeto elastico, da rivedere durante i pasti. Una volta terminato l'evento, ero lì ad aspettarla in macchina. La ascoltavo mentre mi raccontava in lacrime che cosa le avevano o non le avevano detto, e annuivo in segno di solidarietà o concordavo dicendole che sì, quelle donne erano "creature meschine e insopportabili. Aride come il deserto. Senza un briciolo di cuore".

Diventai brava a restare impassibile quando mi rivelava fin troppi dettagli del bellissimo, bellissimo corpo di Leonard, e delle sue tante, tante *superlative* abilità come amante, e cercavo di non ridere quando mi diceva delle parole in polacco, come per esempio *cholernica*, che usava per insultare Ilaria senza farsi capire.

Mi resi conto in fretta che Agnes non aveva filtri. Papà mi ripeteva sempre che avevo il vizio di dire la prima cosa che mi passava per la mente, ma nel mio caso non era "Vecchia puttana inacidita!" o "Ti immagini Susan Fitzwalter che si fa fare la ceretta? Dev'essere come fare la barba a una cozza chiusa. *Brrr*, che immagine orribile".

Non che Agnes fosse cattiva di per sé. Credo che si sentisse talmente sotto pressione nel dover tenere un certo comportamento e nell'essere costantemente analizzata senza mai farsi cogliere in fallo, che per lei ero diventata una sorta di valvola di sfogo. Non appena si liberava della compagnia di quelle donne imprecava e inveiva contro di loro, così, quando Garry ci riportava a casa, aveva già recuperato la sua compostezza in tempo per incontrare suo marito.

Sviluppai delle strategie per reintrodurre un po' di divertimento nella sua vita. Una volta a settimana, senza segnarlo sulla sua agenda, ci rintanavamo nel cinema di Lincoln Square in pieno giorno per vedere stupide commedie di dubbio gusto, scoppiando a ridere mentre ingurgitavamo manciate di popcorn. Oppure ci sfidavamo a entrare nelle boutique esclusive di Madison Avenue e a provarci i peggiori vestiti firmati che trovavamo, ammirandoci con espressione impassibile e chiedendo "Ce l'avete di un verde più acceso?", mentre le commesse, adocchiando la Birkin di Hermès di Agnes, le svolazzavano intorno premurose pronunciando complimenti a denti stretti. Una volta Agnes convinse Mr Gopnik a raggiungerci durante la pausa pranzo, e io la osservai mentre, posando come una top model, sfilava di fronte a lui con una serie di pantaloni stile costume da clown sfidandolo a non ridere, anche se gli angoli della bocca di suo marito fremevano per lo sforzo di restare serio. "Sei tremenda" le disse infine Mr Gopnik scuotendo la testa.

Ma non era stato soltanto il mio lavoro a tirarmi su di morale. Avevo iniziato a capire un po' meglio New York, che, in cambio, aveva iniziato a adattarsi alle mie esigenze. Non fu difficile, essendo una città di immigrati. Fuori dalla rarefatta stratosfera del tran tran quotidiano di Agnes, ero solo una delle tante persone provenienti da migliaia di chilometri di distanza che correvano da una parte all'altra della metropoli, lavoravano, ordinavano cibo da asporto e avevano imparato a specificare almeno tre ingredienti che desideravano nel loro caffè o nel loro sandwich, giusto per sentirsi newyorkesi DOC.

Osservavo e imparavo.

Questo è ciò che appresi sugli abitanti di New York nel mio primo mese di permanenza in città.

1. Nel mio palazzo nessuno parlava con nessuno, e i Gopnik parlavano solo con Ashok. L'anziana signora del secondo piano, Mrs De Witt, non parlava con la coppia californiana che viveva nell'attico, e la coppia in carriera del terzo piano percorreva il corridoio con il naso incollato all'iPhone sbraitando istruzioni all'interlocutore di turno. Perfino i bambini del primo piano – piccoli modelli vestiti di tutto punto, guidati da una giovane filippina dall'aria spaurita – non salutavano mai e tenevano gli occhi fissi sulla moquette soffice. Una volta rivolsi un sorriso alla bambina, e lei sgranò gli occhi come se avessi fatto qualcosa di profondamente sospetto. Quando lasciavano l'edificio, gli inquilini del Lavery salivano direttamente su macchine nere identiche che aspettavano pazientemente sul ciglio della strada. Sapevano sempre quale apparteneva a chi. Mrs De Witt, da quanto avevo capito, era l'unica persona che parlava con chiunque. Oltre a chiacchierare costantemente con Dean Martin mentre faceva il giro dell'isolato con la sua andatura incerta, borbottava sottovoce contro "quei maledetti russi, quegli orribili cinesi" del palazzo dietro il nostro, i cui autisti, operativi ventiquattr'ore su ventiquattro, intasavano la strada. Si lamentava vivacemente con Ashok o con l'amministratore di condominio per le lezioni di piano di Agnes e, se la incrociavamo sul pianerottolo, allungava il passo e di tanto in tanto faceva schioccare la lingua in segno di disapprovazione.

2. In compenso, nei negozi tutti ti rivolgevano la parola. Le commesse ti seguivano tra una corsia e l'altra con la testa protesa in avanti come per sentirti meglio, sempre pronte a chiederti se potevano fare altro per te o se potevano portare in camerino il capo che avevi scelto. Non ricevevo tante attenzioni da quando io e Treena eravamo state beccate a rubacchiare una barretta di Mars dall'ufficio postale e per i tre anni successivi Mrs Barker

ci aveva pedinato come un agente dei servizi segreti ogni volta che tornavamo lì per comprare i leccalecca alla fragola.

Inoltre, tutte le commesse di New York ti auguravano una buona giornata, anche se compravi soltanto un cartone di succo di frutta o un giornale. All'inizio, incoraggiata dalla loro gentilezza, rispondevo: "Oh! Buona giornata anche a lei!", e loro rimanevano sempre un po' interdette, come se proprio non capissi le regole della conversazione nella Grande Mela.

Quanto ad Ashok, nessuno varcava la soglia del Lavery senza scambiare qualche parola con lui. Ma quelli erano affari. Lui conosceva il suo lavoro. Ti chiedeva sempre se stavi bene, se avevi bisogno di qualcosa. "Non può uscire con le scarpe spelacchiate, Miss Louisa!" Estraeva un ombrello dalla manica come per magia e ti accompagnava fin sul ciglio della strada, accettando mance con la compassata destrezza di un imbonitore che fa il gioco delle tre carte. Tirava fuori dollari dai polsini, ringraziando con discrezione l'addetto al traffico che spianava la strada all'arrivo del furgoncino della spesa o della tintoria, e richiamava l'attenzione di un taxi dal nulla con un fischio che solo i cani potevano percepire. Non era un semplice portinaio, ma il cuore pulsante del nostro palazzo, colui che gestiva l'andirivieni generale assicurandosi che ogni cosa scorresse liscia come il flusso sanguigno.

3. I newyorkesi – quelli che non si allontanavano dal nostro condominio con la limousine – camminavano molto, molto rapidamente, procedendo a passo deciso sui marciapiedi e zigzagando nella folla come se avessero uno di quei sensori integrati che ti impediscono di andare a sbattere contro la gente. Tenevano in mano telefoni e bicchieroni di caffè, e prima delle sette del mattino metà di loro era già in perfetta tenuta da fitness. Ogni volta che rallentavo, udivo un'imprecazione soffocata nell'orecchio o sentivo la borsa di qualcuno conficcarsi nella schiena. Smisi di portare le mie scarpe più originali – quelle che mi facevano vacillare un po', come le infradito da geisha o gli stivali a righe con la zeppa anni Settanta – e iniziai a mettermi le sneakers, in modo da poter seguire la corrente anziché essere un ostacolo che divideva le acque. Mi piaceva pensare che, vista dall'alto, nessuno si sarebbe mai accorto che non c'entravo niente con quel posto.

In quei primi weekend feci anche delle lunghe passeggiate. Inizialmente avevo dato per scontato che Nathan e io saremmo usciti insieme per esplorare nuovi posti in città. Ma lui sembrava essersi costruito un giro di amici formato da quel tipo di uomini che non avevano un reale interesse per la compagnia femminile a meno di non essersi scolati prima qualche birra. Passava ore in palestra e concludeva ogni weekend con un paio di appuntamenti galanti. Quando gli proponevo di visitare un museo o magari di fare una passeggiata nell'High Line, mi rivolgeva un sorriso imbarazzato e mi diceva che aveva già altri programmi. Così me ne andavo in giro da sola, attraversando Midtown fino al Meatpacking District, al Greenwich Village e a SoHo, deviando dalle strade principali e seguendo qualsiasi traccia mi sembrasse interessante, con la cartina in mano, cercando di ricordare in quale direzione scorreva il traffico. Mi resi conto che Manhattan era divisa in distretti diversi, dai grattacieli svettanti di Midtown alle strade acciottolate e tremendamente cool intorno a Crosby Street, dove una persona su due sembrava una modella o comunque aveva un profilo Instagram dedicato al mangiare sano. Gironzolai senza una meta precisa né l'obbligo di andare da qualche parte. Mangiai un'insalata mista in un locale per vegetariani e ordinai qualcosa con il coriandolo e i fagioli neri solo perché non li avevo mai assaggiati. Presi la metropolitana, cercando di non sembrare una turista mentre tentavo di capire come comprare un biglietto, individuai le leggendarie figure strampalate che la popolavano e aspettai dieci minuti perché il mio battito cardiaco tornasse alla normalità prima di riemergere in superficie. E poi percorsi a piedi il Ponte di Brooklyn come aveva fatto Will, e mi si allargò il cuore vedendo l'acqua scintillante, avvertendo il rombo del traffico sotto i miei piedi, sentendo ancora una volta la sua voce che mi ripeteva: "Devi sfidare la vita, Clark".

Mi bloccai a metà strada e rimasi immobile a osservare l'East River, sentendomi sospesa, quasi frastornata dall'impressione di non essere più legata a nessun luogo. Un altro segno di spunta. E a poco a poco smisi di spuntare esperienze dal mio elenco, perché praticamente tutto quello che facevo era nuovo, e strano.

Durante quelle prime passeggiate mi capitò di vedere:
– un uomo travestito da donna che pedalava sulla sua bici-

cletta cantando le canzoni tratte dai musical, con tanto di microfono e casse. Alcune persone applaudirono al suo passaggio;
– quattro ragazze che saltavano la corda tra due idranti. Ne muovevano due in contemporanea, e al termine della loro esibizione mi fermai ad applaudire e loro mi ringraziarono con un sorriso timido;
– un cane su uno skateboard. Quando mandai un messaggio a mia sorella per dirle cosa avevo visto, mi chiese se ero ubriaca;
– Robert De Niro.

Almeno credo che fosse Robert De Niro. Era tardo pomeriggio e avevo un po' di nostalgia di casa. Mi passò davanti all'angolo tra Spring Street e Broadway Street e io esclamai "Oh, mio Dio. Robert De Niro!" a voce alta senza riuscire a trattenermi, ma lui non si voltò, e dopo mi domandai se fosse dovuto al fatto che in realtà si trattasse di uno sconosciuto convinto che stessi parlando da sola, o se fosse esattamente così che si sarebbe comportato Robert De Niro se una donna sul marciapiede avesse iniziato a balbettare il suo nome.

Optai per la seconda possibilità. Anche in questo caso, mia sorella mi accusò di aver alzato il gomito. Le mandai una foto sul cellulare, ma lei mi rispose: *Potrebbe essere la nuca di chiunque, razza di svampita*, e aggiunse che non solo ero ubriaca, ma anche davvero stupida. Fu a quel punto che iniziai a sentire un po' meno la mancanza di casa.

Avrei voluto raccontare queste cose a Sam. Avrei voluto raccontargli tutto in meravigliose lettere scritte a mano, o almeno lunghe email sconclusionate che avremmo salvato e stampato, e che cinquant'anni dopo il nostro matrimonio sarebbero state ritrovate nella mansarda della nostra casa, pronte per essere adorate dai nostri nipoti. Ma durante quelle prime settimane ero così stanca che non riuscivo a fare altro che scrivergli quanto ero stanca.

Sono esausta. Mi manchi.

Anche tu.

No, voglio dire, davvero, davvero esausta. Roba da scoppiare in lacrime davanti alle pubblicità in tivù e addormentarmi mentre mi lavo i denti per poi ritrovarmi la maglia impiastricciata di dentifricio.

Okay, hai reso l'idea.

Mi sforzai di non fare caso al fatto che i suoi messaggi fossero sempre più rari. Mi sforzai di ricordarmi che il suo era un lavoro pesante che implicava salvare vite umane e fare la differenza, mentre io me ne stavo seduta nella sala d'attesa dell'estetista oppure facevo jogging in Central Park.

Il suo capo aveva cambiato la tabella dei turni, e lui era costretto a lavorare quattro notti di fila, sempre in attesa che gli venisse assegnata una nuova partner permanente. Quando, la sera, mi collegavo alla chat, di solito Sam stava per iniziare il turno.

Talvolta mi sentivo stranamente sconnessa, come se lui fosse semplicemente frutto della mia immaginazione.

Tra poco ci rivedremo, mi rassicurava. Tra poco.

Quanto poteva essere difficile?

Agnes stava di nuovo suonando il pianoforte. Suonava quando era felice o triste, arrabbiata o frustrata: sceglieva brani tumultuosi, ad alta carica emotiva, e chiudeva gli occhi mentre le sue mani vagabondavano su e giù sulla tastiera e lei ondeggiava trascinata dalla melodia. La sera prima aveva suonato un notturno, e passando davanti alla porta aperta del salotto mi ero fermata a osservare Mr Gopnik, seduto accanto a lei sullo sgabello. Nonostante fosse totalmente assorbita dalla musica, era chiaro che Agnes stava suonando per lui. Notai quanto quell'uomo fosse felice anche solo di stare lì a girare le pagine del suo spartito. Una volta finita l'esecuzione, Agnes gli aveva rivolto un grande sorriso e lui aveva chinato la testa per baciarle la mano. Io ero scivolata via in punta di piedi facendo finta di niente.

Ora mi trovavo nello studio, intenta a passare in rassegna gli eventi della settimana. Ero arrivata a giovedì (pranzo a sostegno dell'ospedale oncologico pediatrico, *Le nozze di Figaro*), quando all'improvviso mi accorsi che qualcuno stava bussando alla porta d'ingresso. Ilaria era impegnata con la comportamentalista – Felix aveva di nuovo combinato qualcosa di indicibile nell'ufficio di Mr Gopnik –, perciò uscii nell'ingresso e andai ad aprire.

Mrs De Witt era in piedi di fronte a me con il bastone alzato, come se fosse pronta a colpire. Istintivamente mi scansai e poi, quando abbassò la sua arma, mi raddrizzai e mostrai i palmi in aria. Mi ci volle qualche istante per capire che l'aveva semplicemente usato per bussare alla porta.

«Posso aiutarla?»

«Le dica di smetterla con quel chiasso infernale!» Il suo visetto rugoso era rosso di rabbia.

«Come, scusi?»

«La massaggiatrice. La mogliettina per corrispondenza. Qualsiasi cosa sia. Si sente fino in fondo al pianerottolo.» Indossava uno spolverino anni Settanta stile Pucci con ghirigori verdi e rosa e un turbante verde smeraldo. Nonostante fossi irritata dalla sua aggressività, rimasi pietrificata dalla sua eleganza. «In realtà Agnes è una fisioterapista diplomata. E quello che sta suonando è Mozart.»

«Per quanto mi riguarda, potrebbe anche essere Champion il Cavallo delle Meraviglie che suona il kazoo con il suo sappiamo-bene-cosa. Non mi interessa. Le dica di fare silenzio. Vive in un condominio. Dovrebbe avere un briciolo di riguardo nei confronti degli altri inquilini!»

Dean Martin mi ringhiò contro come per sostenere le ragioni della sua padrona. Avrei voluto aggiungere qualcos'altro, ma lo sforzo di capire quale dei suoi occhi mi stava fissando mi distraeva non poco. «Glielo riferirò, Mrs De Witt» dissi sfoderando un sorriso professionale.

«Cosa significa "riferirò"? Lei non deve "riferire", deve farla smettere. Mi manda al manicomio con quella maledetta pianola. Giorno, notte, in continuazione. Una volta questo era un palazzo tranquillo.»

«Ma, per essere sinceri, il suo cane abb...»

«Non che l'altra fosse meglio, intendiamoci. Una donna patetica. Sempre con le sue amiche starnazzanti, *qua qua qua* sul pianerottolo, intasavano la strada con i loro macchinoni. Ah, non mi stupisce che lui l'abbia scaricata.»

«Non credo che Mr Gopnik...»

«"Fisioterapista diplomata". Buon Dio, adesso si chiamano così? Se tanto mi dà tanto, io sono negoziatore capo delle Nazioni Unite.» Si tamponò il viso con un fazzoletto.

«Da quanto ho capito, la grande forza dell'America è che qui puoi essere ciò che vuoi.» Sorrisi.

Mrs De Witt strinse gli occhi. Io mantenni il mio sorriso.

«Lei è inglese?»

«Sì» risposi intravedendo una possibile distensione dei toni.

«Perché, ha dei parenti in Inghilterra?»

«Non sia ridicola.» Mi squadrò da capo a piedi. «Semplicemente pensavo che le ragazze inglesi avessero un minimo di stile.» Dopodiché girò i tacchi e con un altezzoso cenno della mano si avviò lungo il corridoio sulle gambe malferme, mentre Dean Martin si voltava lanciandomi occhiate piene di risentimento.

«Era quella vecchia strega?» urlò Agnes mentre chiudevo piano la porta. «Caspita. Non mi sorprende che non la venga mai a trovare nessuno. È un disgustoso pezzo di *suszony dorsz* rinsecchito.»

Seguì un breve silenzio. Sentii un fruscio di pagine che venivano sfogliate.

E poi Agnes si lanciò nell'esecuzione di un brano fragoroso e scrosciante, con le dita che pestavano sulla tastiera e il piede che premeva il pedale con una tale forza da far vibrare le assi di legno del pavimento.

Mi stampai di nuovo il sorriso sulle labbra e attraversai l'atrio controllando l'ora e sospirando interiormente. Mancavano solo due ore.

8

Sam sarebbe arrivato in giornata e si sarebbe fermato fino al lunedì mattina. Aveva prenotato una stanza doppia in un albergo a qualche isolato di distanza da Times Square. Ricordando le sue dichiarazioni sul fatto che io e Sam non dovevamo restare lontani, avevo chiesto ad Agnes se poteva concedermi parte del pomeriggio libero. Mi aveva risposto "forse" con un tono che mi era sembrato incoraggiante, anche se avevo avuto la netta sensazione che l'arrivo del mio fidanzato fosse motivo di irritazione per lei. A ogni modo, raggiunsi Penn Station a passo saltellante trascinandomi dietro un trolley per il weekend e presi l'AirTrain fino al JFK. Quando arrivai all'aeroporto, leggermente in anticipo, fremevo di trepidazione.

Il pannello degli Arrivi diceva che Sam era atterrato e che ormai doveva essere al ritiro bagagli, così feci una corsa in bagno per controllarmi i capelli e il trucco. Un po' accaldata per la camminata e il treno stipato, mi ritoccai il mascara e il rossetto e mi diedi una pettinata. Indossavo una gonna pantalone di seta turchese con un dolcevita nero e degli stivaletti anch'essi neri. Volevo continuare a sembrare me stessa, ma nel contempo dimostrare che ero cambiata in modo indefinibile, magari diventando un po' più misteriosa. Schivai una donna dall'aria esausta con un trolley esageratamente grande, mi spruzzai una nuvola di profumo e poi finalmente mi giudicai il tipo di donna che va ad accogliere il suo amante in un aeroporto internazionale.

Eppure, quando uscii dal bagno con il cuore che martellava nel petto e guardai il pannello, mi sentii stranamente nervosa.

Eravamo stati lontani solo quattro settimane. Quest'uomo mi aveva visto al peggio delle mie condizioni – distrutta, terrorizzata, triste, chiusa in me stessa – e nonostante tutto continuavo a piacergli. Era sempre Sam, mi dissi. Il mio Sam. Non era cambiato niente dalla prima volta in cui aveva suonato alla porta di casa mia e mi aveva maldestramente invitato a uscire con lui attraverso il citofono.

Sul pannello lampeggiava ancora la scritta RITIRO BAGAGLI.

Mi infilai tra le persone in attesa conquistandomi un posto in prima fila alla barriera, mi ravviai di nuovo i capelli e mi concentrai sulle doppie porte, sorridendo involontariamente agli urletti di felicità delle coppie che si ritrovavano dopo tanto tempo e pensando: "Quelli saremo noi fra qualche minuto". Presi un respiro profondo e notai che i miei palmi avevano iniziato a sudare. Man mano che i passeggeri varcavano le porte alla spicciolata, la mia faccia assumeva un'espressione che sospettavo somigliasse a uno spasmo di impazienza leggermente da pazza, con le sopracciglia alzate, gongolante, come un politico che finge di riconoscere qualcuno nella folla.

E poi, mentre frugavo nella borsa alla ricerca di un fazzoletto, strabuzzai gli occhi. A pochi metri di distanza, confuso in quella massa di gente, c'era Sam, più alto di chiunque intorno a lui, che scrutava la folla proprio come me. Mormorai un «Permesso, permesso» alla persona alla mia destra e gli corsi incontro. Lui si voltò proprio nel momento in cui lo raggiunsi, e nel farlo mi sbatté prontamente il borsone negli stinchi.

«Oh, accidenti! Tutto bene? Lou? ... Lou?»

Mi afferrai la gamba sforzandomi di non imprecare. Avevo gli occhi velati di lacrime, e quando parlai, la mia voce uscì smorzata da un rantolo di dolore. «Diceva che eri ancora al ritiro bagagli!» borbottai a denti stretti. «Non posso credere di essermi persa il nostro grande incontro! Ero in bagno!»

«Ho portato solo il bagaglio a mano.» Mi cinse dolcemente le spalle. «Come va la gamba?»

«Ma avevo pianificato tutto! Avevo anche un cartello!» Tirai fuori dalla giacca il mio cartello plastificato e mi raddrizzai cercando di ignorare il dolore pulsante allo stinco. Il cartello recitava: IL PARAMEDICO PIÙ BELLO DEL MONDO. «Doveva essere uno dei momenti decisivi della nostra relazione! Uno di quei momenti a cui ripensi a distanza di tempo dicendo: "Ah, ti ricordi quella volta in cui sono venuta a prenderti al JFK?".»

«È comunque memorabile» disse Sam in tono incoraggiante. «È bello vederti.»

«È bello vedermi?»

«Fantastico. È fantastico vederti. Scusami, sono fuso. Non ho dormito.»

Mi sfregai il polpaccio. Ci fissammo per qualche istante. «Non va bene» dissi. «Devi tornare indietro.»

«Tornare indietro?»

«Alla barriera. Così farò come avevo in mente, ossia io reggo il cartello e poi corro verso di te e poi ci baciamo e ricominciamo tutto daccapo come si deve.»

Sam mi fissò interdetto. «Sul serio?»

«Ne varrà la pena. Coraggio, vai. Ti prego.»

Gli ci volle qualche istante per capire che non stavo scherzando, poi si avviò risalendo la corrente dei passeggeri in arrivo. Qualcuno gli lanciò un'occhiata severa, qualcuno borbottò.

«Fermati!» gridai dall'altra parte dell'atrio rumoroso. «Così va bene!»

Ma lui non mi sentì. Proseguì fino all'altezza delle doppie porte, e per un attimo ebbi il terrore che sarebbe di nuovo salito sull'aereo.

«*Sam!*» urlai. «*FERMATI!*»

Si girarono tutti. Poi finalmente si voltò anche lui e mi vide. E mentre si avviava verso di me, passai sotto la barriera. «Eccomi! Sam! Sono qui!» dissi sventolando il mio cartello, e lui si mise a ridere per quanto era assurda la situazione.

Abbassai il cartello e gli corsi incontro, e stavolta Sam non mi colpì negli stinchi, ma lasciò cadere il borsone ai suoi piedi e mi sollevò con slancio. Ci baciammo come nei film, abbandonandoci completamente alla gioia di rivederci, senza imbarazzo né paura per l'alito che sapeva di caffè. O forse sì. Non saprei dirlo. Perché nel momento in cui Sam mi strinse tra le sue braccia, dimenticai tutto il resto; dimenticai i bagagli, la folla e gli occhi puntati addosso. Oddio, la sensazione delle sue braccia intorno a me, le sue labbra morbide sulle mie. Non volevo lasciarlo andare. Mi aggrappai a lui e sentii la sua forza mentre mi stringeva e inalai il profumo della sua pelle e affondai il viso nell'incavo del suo collo, la mia pelle contro la sua, rendendomi conto che ogni cellula del mio corpo aveva sentito la sua mancanza.

«Così va bene, matta che non sei altro?» disse quando finalmente si staccò da me per guardarmi meglio. Credo di aver avuto il rossetto tutto sbavato sulla faccia. Quasi sicuramente avevo anche un'irritazione da barba. Mi facevano male le costole per la foga con cui Sam mi aveva stretto a sé.

«Oh, sì» dissi, senza riuscire a smettere di sorridere. «Molto meglio.»

Decidemmo per prima cosa di lasciare i bagagli in albergo, mentre io mi sforzavo di non farneticare dall'entusiasmo. Continuavo a parlare a sproposito, un fiume di pensieri e commenti sconclusionati che mi uscivano dalla bocca senza filtri. Sam mi guardava come si guarderebbe un cane che di punto in bianco si mettesse a ballare, con un'espressione che rivelava un mix di divertimento e malcelata preoccupazione. Ma quando le porte dell'ascensore si chiusero, mi attirò a sé, mi prese il viso fra le mani e mi baciò di nuovo.

«Era per farmi tacere?» chiesi quando mi lasciò andare.

«No. Era perché sono quattro lunghe settimane che aspetto questo momento e ho intenzione di baciarti il maggior numero di volte possibile finché non tornerò a casa.»

«Mi piace questo programma.»

«Ci ho pensato per quasi tutto il volo.»

Lo osservai mentre infilava la scheda magnetica nella porta e, per la cinquecentesima volta, mi meravigliai della fortuna di averlo incontrato quando pensavo che non sarei mai più riuscita ad amare nessuno. Mi sentivo impulsiva e romantica come il personaggio di un film della domenica pomeriggio.

«E così eccoci qua.»

Ci fermammo sulla soglia. La camera era ancora più piccola della mia stanza dai Gopnik. Sul pavimento c'era una moquette marrone con un motivo scozzese, e il letto, anziché la lussuosa distesa di lenzuola Frette immacolate che mi ero immaginata, era un giaciglio sfondato con un copriletto a quadri bordeaux e arancione. Mi sforzai di non pensare all'ultima volta in cui poteva essere stato lavato. Quando Sam chiuse la porta alle sue spalle, posai il mio borsone e mi avvicinai al letto per dare una sbirciata in bagno. C'era una doccia e non una vasca, e accendendo la luce la ventola iniziava a piagnucolare come un bambino alla cassa di un supermercato. La stanza era impregnata di un misto tra nicotina e deodorante per ambienti dozzinale.

«Non ti piace, vero?» Gli occhi di Sam scrutarono il mio viso.

«No, è perfetta!»

«Non è perfetta. Mi dispiace. L'ho prenotata su un sito e avevo appena finito il turno di notte. Vuoi che scenda a vedere se hanno altre camere?»

«Ho sentito dire dalla receptionist che sono al completo. A ogni modo, va bene così! Ha un letto e una doccia, ed è nel centro di New York, e ci sei tu. Il che significa che è tutto magnifico!»

«Ah, cavolo. Avrei dovuto consultarti prima.»

Non ero mai stata brava a raccontare le bugie. Sam mi prese la mano e io strinsi la sua. «Va bene così. Davvero.»

Restammo a fissare il letto per qualche istante. Mi misi la mano sulla bocca finché mi resi conto che non potevo trattenermi oltre.

«Forse dovremmo controllare che non ci siano cimici del letto, però.»

«Dici sul serio?»

«Secondo Ilaria siamo invasi.»

Le spalle di Sam si afflosciarono.

«Perfino gli hotel più chic ne sono infestati.» Feci un passo avanti e tirai indietro il copriletto con un gesto deciso, esaminando le lenzuola bianche per poi chinarmi a controllare il bordo del materasso. Mi avvicinai. «Niente!» dissi. «È una bella notizia! Siamo in un albergo senza cimici!» Alzai il pollice. «*Yeah!*»

Seguì un lungo silenzio.

«Andiamo a fare due passi» propose Sam.

Andammo a fare due passi. La posizione, se non altro, era spettacolare. Camminammo per sei isolati lungo la Sixth Avenue e risalimmo sulla Fifth, zigzagando in mezzo alla folla e seguendo l'impulso del momento, mentre mi sforzavo di non parlare in continuazione di me o di New York, il che si rivelò più difficile del previsto, dato che Sam praticamente non aprì bocca. Mi prese la mano, e io mi appoggiai alla sua spalla imponendomi di non sbirciare il suo viso troppo spesso. C'era qualcosa di strano nell'averlo accanto: mi ritrovai a fissarmi sui piccoli dettagli – un graffio sulla mano, un lieve cambiamento nella lunghezza dei capelli – e tentai di recuperare la sua immagine nella mia mente.

«Non zoppichi più» dissi mentre sostavamo davanti alle vetrate del Museum of Modern Art. Ero nervosa per il suo silenzio e avevo la sensazione che quella terribile camera d'albergo avesse rovinato tutto.

«Nemmeno tu.»

«Mi tengo in forma! Te l'ho detto. Vado a correre in Central Park tutte le mattine con Agnes e George, il suo personal trainer. Tocca qui. Senti che gambe!» Sam mi strizzò la coscia con aria opportunamente colpita. «Puoi lasciarla andare adesso» dissi, notando che la gente aveva iniziato a fissarci.

«Scusami. È passato un po' di tempo.»

Avevo dimenticato quanto preferisse ascoltare anziché parlare. Gli ci volle un bel po' prima di raccontarmi qualcosa di sé. Finalmente aveva una nuova collega. Dopo due false partenze – un ragazzo che aveva deciso di non voler diventare un paramedico e Tim, un sindacalista di mezza età che pareva detestare l'umanità intera (di sicuro non la mentalità ideale per quel tipo di lavoro) –, era stato accoppiato con una donna del distretto di North Kensington che di recente si era trasferita e cercava un impiego vicino a casa.

«Com'è?»

«Non è certo Donna» disse Sam. «Ma è una tipa a posto. Se non altro, sembra una che sa il fatto suo.»

Era andato a prendere un caffè con Donna la settimana prima. Suo padre non rispondeva alla chemioterapia, ma lei aveva mascherato la sua tristezza dietro il sarcasmo e le battute, come faceva sempre. «Avrei voluto dirle che non ce n'era bisogno» continuò Sam. «Sa che cosa ho passato con mia sorella.» Mi guardò di sottecchi. «Ma ognuno reagisce a queste cose a modo suo.»

Jake se la stava cavando bene a scuola. Mi mandava i suoi saluti. Suo padre, il cognato di Sam, aveva abbandonato la terapia per l'elaborazione del lutto dicendo che "non faceva per lui", anche se gli era servita per smettere di cedere alla tentazione compulsiva di portarsi a letto donne strane. «Sta annegando tutti i suoi dispiaceri nel cibo. Ha messo su sei chili da quando sei partita.»

«E tu?»

«Ah. Io tiro avanti.»

Lo disse con disinvoltura, ma alle sue parole sentii una piccola crepa aprirsi nel mio cuore. «Non sarà così per sempre» dissi fermandomi.

«Lo so.»

«E faremo un sacco di cose divertenti mentre sei qui.»

«Che cosa hai organizzato?»

«Dunque, cominceremo con un assaggio di Sam Nudo. Seguito dalla cena. Seguito da un altro po' di Sam Nudo. Magari una passeggiata in Central Park, qualche scontata attività turistica come una gita in traghetto a Staten Island, una tappa in Times Square e un po' di shopping nell'East Village e dell'ottimo cibo, per chiudere in bellezza con Sam Nudo.»

Sorrise. «È prevista anche la versione Lou Nuda?»

«Oh, sì, è un'offerta due al prezzo di uno.» Appoggiai la testa sulla sua spalla. «Scherzi a parte. Mi piacerebbe farti vedere dove lavoro. Magari farti conoscere Nathan e Ashok e tutte le persone di cui continuo a parlare. I Gopnik saranno fuori città, perciò probabilmente non li vedremo, ma almeno ti farai un'idea.»

Lui si fermò e mi fece ruotare in modo da guardarlo negli occhi. «Lou. Non mi interessa che cosa facciamo, l'importante è che stiamo insieme.» Arrossì leggermente, come se quelle parole avessero sorpreso anche lui.

«È molto romantico da parte sua, Mr Fielding.»

«Devo confessarti una cosa, però. È meglio che metta al più presto qualcosa sotto i denti se voglio essere all'altezza del tuo programmino hot. Dove possiamo mangiare un boccone?»

Stavamo passando davanti al Radio City, circondato da enormi complessi di uffici. «Laggiù c'è una caffetteria» dissi.

«Oh, no» disse lui. E poi, battendo le mani, aggiunse: «Ecco quello che fa per me. Un autentico *food truck* newyorkese!». Indicò uno degli onnipresenti chioschi ambulanti la cui insegna, nello specifico, prometteva: SUPER BURRITOS – CE N'È PER TUTTI I GUSTI! Lo seguii e attesi mentre ordinava qualcosa che sembrava avere le dimensioni del suo avambraccio ed emanava un odore di formaggio fuso e carne grassa non ben identificata. «Non avevi intenzione di portarmi a cena fuori stasera, giusto?» Se ne ficcò un'estremità in bocca e la addentò voracemente.

Non potei fare a meno di scoppiare a ridere. «Qualsiasi cosa, pur di farti stare sveglio. Anche se sospetto che quello ti farà venire un abbiocco tremendo.»

«Oddio, è delizioso. Ne vuoi un po'?»

In realtà sì, ne volevo un po'. Ma indossavo della biancheria intima davvero graziosa e non volevo rischiare di strabordare da nessuna parte. Così pazientai mentre lui finiva di mangiare leccandosi rumorosamente le dita e poi gettava il tovagliolo nel cestino. Sospirò, profondamente soddisfatto. «Allora» disse poi prendendomi il braccio, e d'un tratto tutto sembrò perfettamente normale. «Passiamo alla fase hot.»

Tornammo in albergo restando in silenzio. Non mi sentivo più a disagio, non avevo più la sensazione che il periodo che avevamo trascorso separati avesse inaspettatamente creato una distanza tra noi. Non mi andava di parlare. Volevo solo sentire la sua pelle sulla mia. Volevo essere di nuovo completamente sua, stretta fra le sue braccia, posseduta. Mentre percorrevamo la Sixth Avenue superando il Rockefeller Center, non notai più i turisti che intralciavano il nostro passaggio: mi sentivo racchiusa in una bolla invisibile, tutti i miei sensi concentrati sulla mano calda che si chiudeva intorno alla mia, il braccio che scivolava intorno alle mie spalle. Ogni suo movimento era carico di intenzioni. Quasi mi mancava il respiro. Potevo anche sopportare la lontananza, pensai, se il tempo che passavamo insieme era così piacevole.

Eravamo appena saliti in ascensore quando Sam si voltò e mi attirò a sé. Ci baciammo e io mi sciolsi perdendomi nella sensazione del suo corpo contro il mio, con il sangue che mi pulsava nelle orecchie, così sentii a stento il rumore delle porte che si aprivano. Uscimmo dall'ascensore barcollando.

«Il coso per aprire la porta» disse Sam tastandosi le tasche con una certa urgenza. «La scheda! Dove l'ho messa?»

«Ce l'ho io» dissi tirandola fuori dalla tasca posteriore dei pantaloni.

«Grazie a Dio» mormorò lui mentre chiudeva la porta alle nostre spalle con un calcio, la sua voce roca nel mio orecchio. «Non hai idea di quanto ho aspettato questo momento.»

Due minuti dopo ero distesa sul Fatidico Copriletto Bordeaux con il sudore che si raffreddava sulla pelle, chiedendomi se sarebbe stato inopportuno piegarmi per raccogliere le mutandine. Nonostante il controllo anticimici, c'era qualcosa in questa coperta che mi faceva desiderare di porre una barriera tra essa e qualsiasi parte del mio corpo nudo.

La voce di Sam vibrò nell'aria. «Scusami» mormorò. «Sapevo di essere felice di vederti, ma non così felice.»

«Non preoccuparti» gli dissi voltandomi verso di lui. Aveva quel modo di attirarmi a sé, come se mi raccogliesse tutta chiudendomi in un abbraccio indissolubile. Non avevo mai capito le donne che dicevano che un uomo le faceva sentire al sicuro, ma era così che mi sentivo con Sam. I suoi occhi si stavano facendo pesanti e combattevano per resistere al sonno. Calcolai che per lui dovevano essere più o meno le tre del mattino. Mi posò un bacio sul naso. «Dammi venti minuti e sono pronto a ripartire.»

Feci scorrere il dito sul suo viso tracciando il profilo delle sue labbra e mi spostai in modo che lui potesse tirare le coperte sopra di noi. Intrecciai la mia gamba alla sua facendo aderire ogni centimetro del mio corpo al suo. Quel rapido movimento fu sufficiente ad accendere una scintilla dentro di me. C'era qualcosa in Sam che mi spingeva ad agire come se non fossi più io, senza inibizioni, mossa dal desiderio. Non ero sicura di riuscire a toccare la sua pelle senza essere immediatamente pervasa da un calore intenso. Mi bastava guardare le sue spalle, la massa dei suoi avambracci, i morbidi peletti scuri sulla nuca, e mi sentivo ardere di desiderio.

«Ti amo, Louisa Clark» mi disse dolcemente.

«Venti minuti, eh?» gli dissi sorridendo, e lo strinsi più forte.

Ma lui sprofondò nel sonno con la stessa rapidità con cui si precipita giù da un dirupo. Lo contemplai per qualche istante chiedendomi se fosse il caso di svegliarlo e quali mezzi usare per farlo, ma poi ricordai quanto mi ero sentita disorientata ed esausta al mio arrivo a New York. Pensai che aveva sulle spalle una settimana di turni da dodici ore. E che in fondo si trattava solo di qualche ora su tre giorni interi che avremmo trascorso insieme. Con un sospiro, lo lasciai stare e mi abbandonai sulla schiena. Era buio fuori ormai, e i rumori del traffico in lontananza fluttuavano fino alla nostra finestra. Ero travolta da un milione di sensazioni e rimasi sconcertata nello scoprire che una di queste era la delusione.

"Smettila" mi rimproverai. Le mie aspettative per il weekend erano semplicemente cresciute, lievitate come un soufflé, troppo alte per resistere a un contatto prolungato con l'atmosfera. Sam era qui, eravamo insieme, e nel giro di qualche ora ci saremmo svegliati. "Dormi, Clark" mi dissi. Gli presi il braccio e lo posai sul mio corpo, inalando il profumo della sua pelle calda. E chiusi gli occhi.

Un'ora e mezza dopo ero distesa sul bordo del letto intenta a curiosare su Facebook, meravigliandomi di fronte all'appetito apparentemente inesauribile di mia madre per le citazioni motivazionali e le fotografie di Thom in divisa scolastica. Erano le dieci e mezzo e il sonno non voleva saperne di arrivare. Scesi dal letto e andai in bagno, evitando di accendere la luce per non svegliare Sam con lo stridio della ventola. Esitai prima di tornare a coricarmi. L'avvallamento del materasso indicava che Sam si era spostato leggermente in mezzo, lasciandomi a disposizione solo qualche centimetro sul bordo, a meno di non salirgli praticamente sopra. Mi domandai oziosamente se un'ora e mezza di sonno fosse sufficiente per riprendersi. Poi mi infilai sotto le coperte, mi avvicinai a lui, e dopo un attimo di esitazione, lo baciai.

Il suo corpo caldo si risvegliò prima di lui. Il suo braccio mi attirò a sé e la sua mano grande mi percorse tutta, poi lui mi restituì il bacio, un bacio lento, impastato di sonno, cui ne seguirono altri, teneri e morbidi, che mi fecero inarcare la schiena. Mi spostai in modo che Sam fosse sopra di me, cercai la sua mano e intrecciai le dita alle sue lasciandomi sfuggire un gemito di piacere. Lui mi voleva. Aprì gli occhi nella penombra e io li fissai, carichi di desiderio, notando con sorpresa che aveva già iniziato a sudare.

Mi fissò per un attimo.

«Ciao, bellezza» sussurrai.

Fece per parlare, ma non uscì alcun suono.

Guardò da una parte. E poi, all'improvviso, si alzò.

«Che c'è?» chiesi. «Che cos'ho detto?»

«Scusami» disse lui. «Aspetta.»

Si precipitò in bagno sbattendosi la porta alle spalle. Udii un «Oddio» e dei rumori che, per una volta, non mi fecero lamentare per il ronzio della ventola.

Rimasi lì, impietrita, poi scesi dal letto e mi infilai una T-shirt. «Sam?»

Mi avvicinai alla porta e vi premetti contro l'orecchio, ma mi allontanai subito. L'intimità, riflettei, poteva sopravvivere solo fino a un certo punto alla prova degli effetti sonori. «Sam? Stai bene?»

«Sì» giunse la sua voce flebile.

Non stava bene.

«Che cosa succede?»

Una lunga pausa. Lo scroscio dello sciacquone.

«Io... ehm... credo di essermi beccato un'intossicazione alimentare.»

«Sul serio? Posso fare qualcosa?»

«No. Solo... non entrare, okay?» Questa richiesta fu seguita da altri conati di vomito e imprecazioni soffocate. «Non entrare.»

Passammo quasi due ore così: lui prigioniero di una terribile battaglia con i suoi organi interni da una parte della porta, e io dall'altra, seduta ansiosamente sul letto con addosso una T-shirt. Si rifiutò di farmi entrare per vedere come stava. Il suo orgoglio, pensai, glielo proibiva.

L'uomo che finalmente emerse dal bagno poco prima dell'una era bianco come lo stucco e aveva la fronte madida di sudore. Non appena la porta si aprì, mi alzai e lo vidi uscire barcollando leggermente, quasi sorpreso di trovarmi ancora lì. Gli tesi la mano, come se avessi qualche speranza di impedire a uno della sua stazza di cadere. «Che cosa facciamo? Ti serve un medico?»

«No. Devo... Devo solo tenere duro.» Crollò sul letto ansimando e tenendosi una mano sulla pancia. Aveva gli occhi segnati da occhiaie profonde e lo sguardo perso nel vuoto. «Letteralmente.»

«Ti porto un po' d'acqua.» Lo fissai. «Anzi, faccio un salto in farmacia e ti prendo qualcosa per bloccare la diarrea.» Lui non parlò nemmeno. Si girò dal suo lato del letto continuando a guardare dritto davanti a sé, il corpo ancora madido di sudore.

Acquistai i farmaci per Sam e rivolsi un ringraziamento silenzioso alla Città Che Non Solo Non Dormiva Mai Ma Offriva Anche Soluzioni Reidratanti. Sam ne assunse una bustina, e poi, scusandosi, si ritirò nuovamente in bagno. Di tanto in tanto gli passavo una bottiglia d'acqua attraverso uno spiraglio della porta e alla fine accesi la televisione.

«Mi dispiace» borbottò quando riemerse dal bagno per la seconda volta poco prima delle quattro. Dopodiché sprofondò sul Fatidico Copriletto Bordeaux e crollò in un sonno breve e frammentato.

Io riposai un paio d'ore coprendomi con l'accappatoio dell'albergo e, quando mi svegliai, Sam dormiva ancora. Mi feci una doccia e mi vestii, poi uscii senza far rumore per prendere un caffè alla macchinetta nell'ingresso. Mi sentivo confusa. Se non altro, mi dissi, ci rimanevano ancora due giorni da passare insieme.

Ma quando rientrai in camera, Sam si era di nuovo chiuso nel gabinetto. «Mi dispiace tanto» disse quando uscì. Scostai le tende, e alla luce del giorno mi accorsi che aveva un colorito, se possibile, ancora più grigio rispetto alle lenzuola e delle occhiaie profonde. «Non credo di riuscire a combinare molto oggi.»

«Non importa!»

«Non so se questo pomeriggio starò meglio.»

«Non importa!»

«Meglio evitare la gita in traghetto, comunque. Non voglio trovarmi in posti dove...»

«... ci sono bagni in comune. Ho capito.»

Sam sospirò. «Non è la giornata che avevo in mente.»

«Non importa» ripetei sedendomi sul letto accanto a lui.

«Vuoi smetterla di dire "non importa"?» esplose con tono irritato.

Esitai un istante, ferita dal suo scatto, e poi conclusi freddamente: «Okay, non importa».

Lui mi guardò con la coda dell'occhio. «Scusa.»

«Smettila di scusarti.»

Restammo seduti sul copriletto, entrambi con lo sguardo perso nel vuoto. E poi la sua mano cercò la mia. «Ascolta» disse infine. «È meglio che me ne rimanga qui un paio d'ore per cercare di riprendere le forze. Non sentirti in obbligo di starmi vicino. Vai pure a fare shopping o quello che vuoi.»

«Ma ti fermerai solo fino a lunedì. Non voglio fare niente senza di te.»

«Sono uno straccio, Lou.»

Aveva l'aria di uno che avrebbe avuto voglia di tirare pugni al muro. Se solo avesse avuto la forza di alzare il pugno.

Raggiunsi un'edicola a due isolati di distanza e comprai un fascio di quotidiani e riviste. Poi presi un caffè decente con un muffin integrale per me e un bagel liscio in caso Sam avesse voluto mangiare qualcosa.

«Scorte» dissi posando il sacchetto sul mio lato del letto. «Possiamo anche starcene rintanati qui.» E in effetti fu così che trascorremmo la giornata. Lessi ogni singola rubrica del "New York Times", compresi i resoconti delle partite di baseball, appesi l'avviso "Non disturbare" alla maniglia della porta e guardai il mio fidanzato sonnecchiare aspettando che riacquistasse un po' di colore.

"Forse si riprenderà in tempo per fare una passeggiata finché è chiaro."

"Forse potremmo bere un drink nel bar dell'albergo."

"Gli farebbe bene mettere qualche cuscino dietro la schiena."

"Okay, forse domani starà meglio."

Quando, alle dieci meno un quarto, smisi di guardare il talk-show, spostai tutti i giornali dal letto e mi infilai sotto le coperte, l'unica parte del mio corpo che ancora toccava il suo erano le dita, intrecciate alle sue.

La domenica Sam si svegliò sentendosi un po' più in forze. Probabilmente ormai era rimasto così poco nel suo organismo che non c'era più niente da espellere. Gli offrii un brodino leggero e lui lo bevve con cautela, dichiarando poi di sentirsi abbastanza bene da andare a fare una passeggiata. Venti minuti dopo tornammo indietro di corsa per permettergli di chiudersi in bagno. Era furioso, ormai. Cercai di dirgli che non importava, ma questo non sembrò fare altro che irritarlo ulteriormente. Non c'è niente di più patetico di un omone di un metro e novanta che vorrebbe esprimere tutta la sua rabbia quando invece riesce a malapena a reggere un bicchiere d'acqua.

Quanto a me, lo lasciai stare per un po', anche perché la mia delusione cominciava a essere evidente. Avevo bisogno di fare quattro passi e di ricordare a me stessa che questo imprevisto non era un segno, non significava nulla, e che era facile perdere la giusta prospettiva quando avevi passato la notte in bianco ed eri rimasta bloccata in una camera d'albergo per quarantotto ore in compagnia di un uomo con problemi gastrointestinali e un bagno dall'insonorizzazione decisamente inadeguata.

Ma il fatto che ormai fosse domenica mi spezzava il cuore. L'indomani sarei tornata al lavoro. E io e Sam non avevamo fatto nemmeno una delle cose che avevo pianificato. Non eravamo andati a una partita, né avevamo preso il traghetto per Staten Island. Non eravamo saliti sull'Empire State Building né avevamo passeggiato sottobraccio nell'High Line. Quella sera restammo a letto. Sam mangiò un po' di riso bollito che gli avevo preso in un ristorante sushi e io un sandwich con pollo alla griglia che non sapeva di niente.

«Mi sto riprendendo» mormorò mentre lo coprivo.

«Fantastico» dissi. E poi lui si addormentò.

Non potevo sopportare di passare un'altra sera a trafficare con il telefono, così mi alzai senza far rumore, gli lasciai un biglietto e uscii. Mi sentivo triste e stranamente arrabbiata. Perché aveva mangiato quei burritos che gli avevano provocato uno sconquasso intestinale? Perché non era riuscito a riprendersi più in fretta? Era un paramedico, dopotutto. Perché non aveva scelto un albergo più decente? Camminai lungo la Sixth Avenue con le mani affondate in tasca, circondata dal rumore assordante del traffico, e nel giro di qualche minuto mi ritrovai a dirigermi verso casa.

Casa.

Mi resi conto con un sussulto che era così che la vedevo ormai.

Ashok era sotto la tettoia e stava parlando con un altro portiere che si allontanò non appena mi vide arrivare.

«Ehi, Miss Louisa. Non dovrebbe essere con il suo fidanzato?»

«Sta male» dissi. «Intossicazione alimentare.»

«Sta scherzando. Dov'è adesso?»

«Sta dormendo. Solo che... non potevo sopportare di rimanere in quella stanza per altre dodici ore.» D'un tratto, per qualche strano motivo, mi sentii sull'orlo delle lacrime. Probabilmente

Ashok se ne accorse, perché mi fece cenno di entrare. Mise un bollitore sul fuoco e mi preparò un tè alla menta nella sua piccola guardiola. Mi sedetti alla scrivania e lo sorseggiai mentre lui ogni tanto sbirciava fuori per assicurarsi che non ci fosse in giro Mrs De Witt, pronta ad accusarlo di battere la fiacca. «A ogni modo» dissi. «Come mai è qui? Pensavo di trovare il tizio del turno di notte.»

«Sta male anche lui. Mia moglie ce l'ha a morte con me in questo momento. Doveva andare a uno dei suoi incontri in biblioteca, ma non abbiamo nessuno che si occupi dei bambini. Dice che se passo un altro dei miei giorni liberi qui dentro verrà a fare quattro chiacchiere con Mr Ovitz. E, mi creda, è meglio di no.» Scosse la testa. «Mia moglie è una donna tremenda, Miss Louisa. Meglio non farla arrabbiare.»

«Mi offrirei di aiutarvi, ma credo sia meglio che torni da Sam per vedere come sta.»

«Sia dolce con lui» disse mentre gli restituivo la tazza. «Ha fatto tanta strada per venirla a trovare. E le garantisco che in questo momento si sentirà molto peggio di lei.»

Tornando in albergo, trovai Sam sveglio, intento a guardare le immagini sgranate del vecchio televisore con i cuscini dietro la schiena. Alzò lo sguardo quando aprii la porta.

«Sono andata a fare due passi. Io... io...»

«Non sopportavi di rimanere qui dentro con me un minuto di più.»

Mi bloccai sulla soglia. Aveva la testa infossata tra le spalle. Era pallido come un cencio e aveva un'aria incredibilmente depressa.

«Lou, se sapessi quanto vorrei prendermi a calci...»

«Non imp...» Mi fermai appena in tempo. «Lascia stare» dissi. «Va bene così.»

Gli preparai la doccia e lo aiutai a lavarsi i capelli spremendo il flaconcino monouso fino all'ultima goccia mentre osservavo la schiuma scendere lungo l'ampia curva delle sue spalle. Senza dire niente, lui mi prese la mano e mi baciò l'interno del polso, dolcemente, un bacio di scuse. Gli posai l'asciugamano sulle spalle e poi tornammo in camera. Lui si coricò sul letto con un sospiro. Mi spogliai e mi sdraiai accanto a lui, desiderando di non sentirmi così abbattuta.

«Raccontami qualcosa di te che ancora non so» mi disse.
Mi voltai. «Oh, tu sai tutto. Sono un libro aperto.»
«Andiamo, accontentami» mi sussurrò all'orecchio. Non riuscivo a pensare a niente. Avrei voluto dirgli: "Sono ancora troppo infastidita per com'è andato questo weekend, anche se so che è ingiusto da parte mia".
«Okay» disse quando fu chiaro che non avrei parlato. «Inizio io, allora. Non mangerò mai più il cibo che servono sugli aerei low-cost.»
«Divertente.»
Studiò il mio viso. Quando riprese a parlare, la sua voce era insolitamente calma. «E le cose non sono state facili negli ultimi tempi.»
«In che senso?»
Esitò per qualche istante, come se non fosse sicuro di voler continuare a spiegare. «Per il lavoro. Sai, prima che mi sparassero non avevo paura di niente. Ero convinto di saper badare a me stesso. Probabilmente pensavo di essere un tipo tosto. Adesso, invece, quello che è successo è sempre lì, in un angolo della mia mente.»
Cercai di non mostrare quanto fossi sorpresa.
Sam si passò una mano sul viso. «Da quando ho ripreso servizio mi ritrovo a valutare le situazioni in... in modo diverso, cercando di individuare vie d'uscita, potenziali fonti di guai. Anche se non ce n'è motivo.»
«Hai paura?»
«Sì. Proprio io.» Abbozzò una risatina amara e scosse la testa. «Mi hanno proposto di andare in terapia. Oh, so come funziona, fin dai tempi in cui ero nell'esercito. Devi parlarne, capire che è il modo in cui la tua mente elabora quello che è successo. So tutto. Ma è destabilizzante.» Si distese sulla schiena. «A dire la verità, non mi sento più io.»
Attesi.
«È per questo che il congedo di Donna mi ha colpito così tanto, perché... perché sapevo che lei si sarebbe sempre presa cura di me.»
«Ma questa nuova collega farà altrettanto, giusto? Come si chiama?»
«Katie.»

113

«Vedrai, Katie si prenderà cura di te. Voglio dire, ha esperienza. E vi insegnano a prendervi cura l'uno dell'altro, giusto?» Il suo sguardo scivolò verso di me.

«Non ti spareranno di nuovo, Sam. Ne sono sicura.»

Più tardi mi resi conto di aver detto una stupidaggine. L'avevo fatto perché non potevo sopportare l'idea che lui fosse infelice. Perché volevo che fosse vero.

«Me la caverò» concluse lui con tono pacato.

Ebbi l'impressione di averlo deluso. Chissà da quanto tempo desiderava parlarmi di queste cose. Restammo in silenzio per un po'. Feci scorrere dolcemente un dito sul suo braccio, pensando a cosa dire.

«Tu?» mi chiese.

«Io cosa?»

«Dimmi qualcosa che non so. Su di te.»

Stavo per replicare che conosceva tutte le cose importanti. Mi sarei comportata come la versione newyorkese di me, piena di vita, intraprendente, impenetrabile. Gli avrei detto qualcosa per farlo ridere. Ma lui mi aveva raccontato la sua verità.

Mi girai in modo da guardarlo in faccia. «Una cosa ci sarebbe. Ma non voglio che tu mi veda diversamente se te la dico.»

Sam aggrottò le sopracciglia.

«È successo molto tempo fa. Ma tu mi hai confidato una cosa e io farò altrettanto.» Presi un respiro profondo e iniziai a raccontare. Gli raccontai la storia che prima di allora avevo condiviso soltanto con Will, che mi aveva ascoltato liberandomi dalla presa che quell'episodio aveva avuto su di me. Raccontai a Sam la storia di una ragazza che dieci anni prima aveva bevuto e fumato troppo, imparando a proprie spese che solo perché dei ragazzi venivano da buone famiglie questo non significava che fossero delle brave persone. Glielo raccontai con un tono calmo, leggermente distaccato. Ormai non mi sembrava nemmeno più che quel fatto terribile fosse capitato a me. Sam mi ascoltò nella penombra, gli occhi inchiodati ai miei, senza dire niente.

«È uno dei motivi per cui venire a New York era così importante per me. Sono rimasta chiusa in me stessa per anni, Sam. Ero convinta che fosse ciò di cui avevo bisogno per sentirmi al sicuro. E adesso... be', adesso credo di aver bisogno di sfidare i miei limiti. Devo sapere di cosa sono capace se smetto di tenere gli occhi bassi.»

Una volta finito il mio racconto, Sam rimase in silenzio per un bel po', tanto da farmi dubitare della decisione di dirgli tutto. Ma poi allungò una mano e mi accarezzò i capelli. «Mi dispiace» disse. «Avrei voluto essere lì per proteggerti. Avrei voluto...»

«Non importa. È passato tanto tempo ormai.»

«Sì che importa.» Mi attirò a sé. Appoggiai la testa sul suo petto, sintonizzandomi sul battito regolare del suo cuore.

«Ti chiedo solo di non guardarmi diversamente» gli sussurrai.

«Non posso fare a meno di guardarti diversamente.»

Tirai indietro la testa per vederlo meglio.

«Nel senso che penso che tu sia ancora più straordinaria» aggiunse, e le sue braccia si strinsero intorno a me. «Oltre a tutti gli altri motivi per amarti, sei coraggiosa, e forte, e mi hai appena ricordato che... tutti abbiamo i nostri ostacoli da affrontare. Io supererò i miei. Ma ti prometto una cosa, Louisa Clark.» La sua voce, quando riprese a parlare, era bassa e tenera. «Nessuno ti farà più del male.»

9

Da: BusyBee@gmail.com
A: SillyLily@gmail.com

Ciao Lily!
Sono di fretta perché ti sto scrivendo dalla metropolitana (sono sempre di fretta in questi giorni), ma mi fa piacere sentirti. Sono contenta che la scuola stia andando bene, anche se mi sembra che tu l'abbia scampata bella con la faccenda del fumo. Mrs Traynor ha ragione: sarebbe un peccato farsi espellere ancora prima di aver dato gli esami. Ma non ho intenzione di farti prediche. New York è fantastica. Sto assaporando ogni momento. Certo, sarebbe bello se venissi a trovarmi, ma credo che dovresti alloggiare in un albergo, quindi sarebbe meglio parlarne con i tuoi genitori, prima. In più non avrei molto tempo libero perché il lavoro dai Gopnik mi porta via quasi tutta la giornata, perciò non potrei accompagnarti in giro per il momento.
Sam sta bene, grazie. No, non mi ha ancora scaricata. Anzi, è proprio qui in questi giorni. Tornerà a casa stasera. Puoi chiedergli di prestarti la moto al suo ritorno. Penso che dobbiate parlarne e accordarvi direttamente voi due.
Okay, sto per arrivare alla mia fermata. Saluta Mrs T. da parte mia. Dille che sto facendo le cose che raccontava tuo padre nelle lettere (be', non tutte; non sono uscita con nessuna PR bionda dalle gambe chilometriche).
Baci,
Lou

La mia sveglia suonò alle sei e mezzo con un cicalino acuto che ruppe il silenzio. Dovevo essere dai Gopnik entro un'ora. Emisi un debole lamento mentre mi allungavo verso il comodino e annaspavo per spegnerla. Avevo calcolato che mi ci sarebbero voluti quindici minuti per arrivare a Central Park. Ripassai mentalmente la lista delle cose da fare, chiedendomi se fosse rimasto dello shampoo in bagno e se fosse necessario dare una stiratina alla mia camicia.

Sam allungò il braccio attirandomi a sé. «Non andare» disse con la voce impastata dal sonno.

«Devo.» Il suo braccio mi bloccava.

«Tarda un po'.» Aprì un occhio. Aveva un odore dolce e caldo e non mi tolse gli occhi di dosso mentre alzava lentamente una pesante gamba muscolosa su di me.

Era impossibile respingerlo. Stava meglio. Decisamente meglio, a quanto pareva.

«Devo vestirmi.»

Mi coprì la clavicola di bacetti delicati che mi fecero rabbrividire. La sua bocca, leggera e decisa, iniziò a scendere tracciando un disegno sulla mia pelle. Mi guardò da sotto le coperte con un sopracciglio alzato. «Avevo dimenticato queste cicatrici. Quanto le amo.» Abbassò la testa e baciò i rilievi argentei lasciati dall'operazione sul mio fianco facendomi fremere di piacere, poi scomparve di nuovo sotto le lenzuola.

«Sam, devo proprio andare. Davvero.» Le mie dita si strinsero intorno al copriletto. «Io... sul serio, io... io... oh.»

Qualche minuto dopo, con la pelle che pizzicava per il sudore e il respiro ansante, giacevo a pancia in giù con uno stupido sorriso stampato in faccia e i muscoli che mi facevano male in posti inaspettati. Avevo i capelli sulla fronte ma non riuscivo a raccogliere l'energia necessaria per scostarli, e una ciocca si muoveva al ritmo del mio respiro. Sam era disteso accanto a me. Cercò la mia mano tra le lenzuola. «Mi sei mancata» disse, poi rotolò su se stesso per scivolare sopra di me e tenermi bloccata. «Louisa Clark» mormorò, e la sua voce, irresistibile profonda, risuonò in ogni parte del mio corpo. «Mi sei entrata dentro.»

«Tecnicamente parlando, credo che sia stato tu a farlo.»

Il suo viso era pieno di tenerezza. Era come se le quarantotto ore precedenti fossero svanite. Mi trovavo nel posto giusto con l'uomo giusto, stretta tra le sue braccia, e il suo corpo era familiare e bellissimo. Gli sfiorai la guancia con un dito, poi mi avvicinai e lo baciai lentamente.

«Non farlo più» disse lui, i suoi occhi nei miei.

«Perché?»

«Perché in quel caso non sarei in grado di trattenermi, e tu sei già in ritardo e non voglio essere responsabile del tuo licenziamento.»

Mi voltai per controllare la sveglia. Strabuzzai gli occhi. «Le otto meno un quarto? Stai scherzando? *Com'è possibile che siano le otto meno un quarto?*» Sgusciai da sotto di lui agitando le braccia e mi fiondai in bagno. «Oddio. Sono terribilmente in ritardo. *Oh, no. Oh, no no no no no.*»

Mi buttai sotto la doccia e fui così rapida che probabilmente le gocce non fecero nemmeno in tempo a depositarsi sulla mia pelle. Quando uscii dal bagno, Sam era sulla soglia, pronto a passarmi i vestiti da indossare.

«Le scarpe. Dove sono le scarpe?»

Me le diede. «I capelli» disse indicandoli. «Devi darti una pettinata. Sono tutti... be'...»

«Come?»

«Arruffati. Sexy. I capelli di chi ha appena fatto sesso. Raccolgo io le tue cose.» Mentre correvo verso la porta, mi prese per il braccio e mi attirò a sé. «Magari... potresti, non so, tardare ancora un po'.»

«Sono già in ritardo. E tanto, anche.»

«Solo per una volta. Lei è la tua nuova migliore amica, no? Dubito che ti licenzino.» Mi prese tra le braccia e mi baciò. Le sue labbra mi percorsero il collo facendomi rabbrividire. «E questa è la mia ultima mattina qui...»

«Sam...»

«Cinque minuti.»

«Non sono mai cinque minuti. Oh, accidenti. È incredibile che io lo dica come se fosse una brutta cosa.»

Sam borbottò, frustrato. «Maledizione. Oggi mi sento bene. Cioè, *davvero* bene.»

«Lo vedo, credimi.»

«Mi dispiace» disse. E subito dopo: «Anzi, no. Neanche un po'».

Gli sorrisi. Chiusi gli occhi e gli restituii il bacio, con la consapevolezza che sarebbe stato facile sprofondare sul Fatidico Copriletto Bordeaux e lasciarmi di nuovo andare. «Neppure a me. Ci vediamo dopo, comunque.» Mi districai dal suo abbraccio e corsi fuori dalla stanza e lungo il corridoio, mentre lui mi urlava «Ti amo!» dalla porta. E pensai che, nonostante il pericolo delle cimici del letto, i copriletti antigienici e la pessima insonorizzazione del bagno, tutto sommato quell'alberguccio era molto carino.

Mr Gopnik era rimasto sveglio quasi tutta la notte a causa di un forte dolore alle gambe, il che aveva reso Agnes nervosa e irritabile. Aveva trascorso un brutto fine settimana al country club; le altre signore l'avevano tagliata fuori dalle conversazioni e avevano spettegolato su di lei nella spa. Dal modo in cui Nathan me l'aveva riferito a bassa voce quando l'avevo incrociato nell'androne, sembrava che si trattasse di ragazzine tredicenni reduci da un pigiama party deleterio.

«Sei in ritardo» mi fece notare Agnes mentre tornava dalla sua sessione di corsa con George, tamponandosi il viso con una salvietta. Dalla stanza vicina sentivo provenire la voce insolitamente alta di Mr Gopnik al telefono. Lei mi parlò senza guardarmi in faccia.

«Mi dispiace. È successo perché il mio...» iniziai, ma Agnes si era già allontanata.

«Sta dando di matto per via del ricevimento a scopo benefico di questa sera» mormorò Michael passandomi davanti con una bracciata di abiti lavati in tintoria e una cartellina.

Feci scorrere la mia agendina mentale. «Ospedale oncologico pediatrico?»

«Proprio quello» mi confermò lui. «Deve presentarsi con un disegnino.»

«Un disegnino?»

«Sì, un piccolo schizzo. Su un cartoncino speciale che metteranno all'asta durante la cena.»

«E cosa c'è di tanto difficile? Può disegnare una faccina sorridente, o un fiore, o qualcosa di simile. Posso farlo io, se vuole. So disegnare un simpatico cavallino che sorride. Volendo gli metto anche un cappello, con le orecchie che spuntano dai buchi.» Ero ancora pervasa dalle sensazioni che mi aveva regalato Sam e trovavo difficile vedere problemi nelle piccole cose.

Michael mi guardò. «Tesoro, tu pensi che quando parlo di "disegnino" io intenda realmente un disegnino? *Oh, no.* Deve essere arte, arte vera.»

«Ho preso un ottimo voto all'esame finale di arte.»

«Sei così ingenua. No, Louisa, nessuno si prende la briga di fare un disegno personalmente. Ogni artista da qui al Ponte di Brooklyn ha passato il weekend a creare qualche delizioso piccolo studio a penna in cambio di un bel mucchietto di denaro sonante. Agnes l'ha scoperto solo ieri sera. Ne ha sentito parlare da due streghe prima di lasciare il circolo, e quando ha indagato per saperne di più loro le hanno detto come stavano le cose. Perciò indovina quale sarà il tuo compito oggi? Ti auguro una buona mattinata!»

Mi lanciò un bacio sulla punta delle dita e si affrettò a uscire.

Mentre Agnes faceva la doccia e poi la colazione, io mi dedicai a qualche ricerca online inserendo i termini "artisti a New York". Si rivelò utile quasi come cercare "cani con la coda". I pochi che avevano un sito Internet e che si degnarono di rispondere al telefono reagirono alla mia richiesta come se avessi suggerito loro di fare un giro nudi intorno al centro commerciale più vicino. "Lei vuole che Mr Fischl faccia un... *disegnino*? Per una *cena di beneficenza*?" Due mi chiusero semplicemente il telefono in faccia. Gli artisti, evidentemente, avevano un'alta considerazione di sé.

Chiamai tutti i contatti che riuscii a trovare. Chiamai i galleristi di Chelsea. Chiamai la New York Academy Of Art. E nel frattempo cercavo di non pensare a cosa stesse facendo Sam. Forse sarebbe andato in quel diner di cui avevamo parlato per un brunch. Avrebbe passeggiato nell'High Line, come avevamo in mente di fare. Dovevo assolutamente tornare in tempo per fare quella gita in traghetto con lui prima della sua partenza. All'imbrunire sarebbe stato ancora più romantico. Mi figurai noi due abbracciati ad ammirare la Statua della Libertà, e Sam che mi posava un bacio sui capelli. Mi sforzai di distogliermi da quell'immagine e continuai a scervellarmi per trovare una soluzione. E poi pensai all'unica persona che conoscevo a New York che forse sarebbe stata in grado di aiutarmi.

«Josh?»

«Sì?» Il suono di un milione di voci maschili dietro di lui.

«Sono... Sono Louisa Clark. Ci siamo conosciuti al Ballo in Giallo, ricordi?»

«Louisa! Che bello sentirti! Come stai?» Sembrava rilassato, come se fosse abituato a ricevere chiamate da donne che conosceva appena. Forse era davvero così. «Aspetta. Fammi uscire... Allora, che mi dici?»

Aveva la capacità di farti sentire immediatamente a tuo agio. Mi domandai se fosse un tratto tipico degli americani.

«Veramente sono un po' in difficoltà e non conosco molta gente qui, così mi chiedevo se potessi aiutarmi.»

«Sentiamo.»

Gli spiegai la situazione, tralasciando lo stato d'animo di Agnes, le sue paranoie, il mio approccio esitante e assolutamente terrorizzato di fronte alla scena artistica di New York.

«Non dovrebbe essere troppo difficile. Per quando ti serve questa cosa?»

«È questo il problema. Per stasera.»

Un breve respiro trattenuto. «Oookay. Be', allora è un po' più difficile.»

Mi passai una mano fra i capelli. «Lo so. È assurdo. Se l'avessi saputo prima, avrei potuto fare qualcosa. Mi spiace tanto di averti disturbato.»

«No, no, aspetta. Troveremo una soluzione. Posso richiamarti?»

Agnes era sul balcone a fumare. Evidentemente non ero l'unica a usare quello spazio. Faceva freddo e lei era avvolta in un'ampia mantella di morbido cashmere che le lasciava scoperta soltanto la punta delle dita lievemente arrossate.

«Ho fatto parecchie telefonate. Sto aspettando che una persona mi richiami per darmi una risposta.»

«Sai che cosa diranno, Louisa, se porto uno stupido disegnino?»

Rimasi in silenzio.

«Diranno che sono ignorante. Cosa ci si può aspettare da una sciocca massaggiatrice polacca? Oppure diranno che nessuno ha voluto disegnare per me.»

«È solo mezzogiorno e venti. C'è ancora tempo.»

«Non so neanche perché mi preoccupo» mormorò.

Avrei voluto dirle che, per essere precisi, non era lei quella preoccupata. Il suo pensiero principale al momento era fumare ed essere di cattivo umore. Ma sapevo qual era il mio posto. In quel preciso istante squillò il telefono.

«Louisa?»

«Josh?»

«Penso di aver trovato la persona che fa al caso vostro. Puoi andare a East Williamsburg?»

Venti minuti dopo eravamo in auto, dirette verso il Midtown Tunnel.

Mentre eravamo imbottigliati nel traffico, con Garry impassibile e silenzioso alla guida, Agnes, preoccupata per la salute di suo marito, chiamò Mr Gopnik chiedendogli come andavano i dolori. «Nathan passa da te in ufficio? Hai preso un analgesico? ... Sei sicuro di star bene, tesoro? Vuoi che venga a portarti qualcosa? ... No... Sono in macchina. Devo sistemare una questione per stasera. Sì, sono ancora per strada. È tutto a posto.»

Udivo la voce di Mr Gopnik all'altro capo del telefono. Bassa, rassicurante.

Agnes chiuse la chiamata e guardò fuori dal finestrino facendo un lungo sospiro. Attesi un istante e poi mi misi a consultare i miei appunti.

«Pare che questo Steven Lipkott sia un artista molto promettente. Ha esposto in diversi luoghi importanti. Ed è...» esaminai gli appunti «... un artista figurativo. Non astratto. Perciò basta scegliere un soggetto e lui realizza il disegno. Non so quanto ti verrà a costare, però.»

«Non importa» disse Agnes. «Sarà comunque un disastro.»

Tornai a concentrarmi sull'iPad e feci un'ulteriore ricerca sull'artista. Notai con sollievo che in effetti i suoi disegni erano bellissime raffigurazioni di corpi dai tratti delicati e sinuosi. Passai l'iPad ad Agnes per mostrarglieli e il suo umore mutò immediatamente. «Bene, ottimo.» Sembrava quasi sorpresa.

«Sì. Se hai chiaro quello che vuoi, possiamo chiedergli di farlo e tornare per... diciamo le quattro?» "E poi posso andarmene" pensai. Mentre lei faceva scorrere le altre immagini, scambiai qualche messaggio con Sam.

Come va?

Non c'è male. Ho fatto una bella passeggiata. Ho comprato un cappello portabirre come souvenir per Jake. Non ridere.

Vorrei essere lì con te.

Una pausa.

A che ora pensi di poterti sganciare? Ho calcolato che dovrei partire alle sette per andare in aeroporto.

Spero di liberarmi per le quattro. Ci aggiorniamo. Baci baci.

Dato il traffico congestionato di New York, ci impiegammo un'ora per raggiungere l'indirizzo che mi aveva dato Josh: un anonimo e sciatto complesso di uffici degli anni Settanta situato dietro una zona industriale. Garry accostò con una smorfia scettica. «Sicura che il posto sia questo?» chiese voltandosi a fatica dal posto di guida.

Controllai l'indirizzo. «Qui c'è scritto così.»

«Io resto in auto, Louisa. Devo richiamare Leonard.»

Il corridoio del secondo piano era una successione di porte, un paio delle quali aperte, da cui usciva una musica assordante. Lo percorsi lentamente controllando i numeri. Qua e là c'erano delle latte di pittura bianca, e sbirciando dentro una stanza notai una donna con un paio di jeans sformati che tendeva una tela su una grande cornice di legno.

«Salve! Mi sa dire dov'è Steven?»

La donna scaricò una batteria di punti metallici sulla cornice con una grande pistola sparachiodi. «Al 14. Ma credo che sia appena uscito per pranzo.»

Il numero 14 era in fondo al pianerottolo. Bussai, spinsi la porta con cautela ed entrai. Lo studio, tappezzato di tele, era dominato da due grandi tavoli coperti di vassoietti untuosi di colori a olio e malandati pastelli a cera. Alle pareti erano appesi dipinti di grandi dimensioni di donne più o meno svestite, alcuni dei quali incompiuti. Nell'aria ristagnava un odore di pittura, di trementina e di fumo di sigarette.

«Salve.»

Mi voltai e mi trovai davanti un uomo con una borsa di plastica bianca in mano. Dimostrava una trentina d'anni, aveva i lineamenti regolari, ma uno sguardo intenso e una leggera peluria sul mento. Indossava degli abiti pratici e un po' sgualciti, come se non si curasse affatto di pensare a cosa mettersi addosso. Sembrava un modello di una rivista di moda per iniziati. «Salve, sono Louisa Clark. Abbiamo parlato al telefono poco fa. Anzi, non direttamente. È stato il suo amico Josh a dirmi di venire qui.»

«Oh, sì. Voleva acquistare un disegno.»

«Non proprio. Abbiamo bisogno che lei ne *realizzi* uno. Una cosa piccola.»

Steven si sedette su uno sgabello, aprì la scatola di noodles e cominciò a mangiare facendoseli saltare in bocca con rapidi colpetti delle bacchette.

«Si tratta di un'iniziativa benefica. Ogni invitato arriva con questi scarab... questi piccoli disegni» mi corressi subito. «Molti artisti di spicco in città ne hanno realizzato uno e così...»

«Artisti di spicco» ripeté lui.

«Be', sì. Pare che non sia il caso di farselo da soli, e Agnes, la persona per cui lavoro, ha assolutamente bisogno che un artista in gamba ne crei uno per lei.» Le mie parole suonavano stridule e ansiose. «Voglio dire, non dovrebbe portarle via molto tempo. Noi... non pretendiamo niente di particolarmente ricercato...»

Steven alzò lo sguardo e io udii la mia voce perdersi nell'aria, debole e incerta.

«Naturalmente... siamo disposte a pagare» aggiunsi. «Molto bene. Ed è per una finalità benefica.»

Lui prese un altro boccone di noodles e fissò intensamente la scatola di cartone. Io restai in attesa accanto alla finestra.

«Ho capito» disse quando ebbe finito di masticare. «Non sono l'uomo che fa per voi.»

«Ma Josh ha detto...»

«Voi volete che io crei qualcosa per soddisfare l'ego di qualche signora viziata che non sa disegnare e non vuole sfigurare davanti alle sue amiche che si rimpinzano per beneficenza...» Scosse la testa. «Praticamente volete che disegni un biglietto d'auguri.»

«Mr Lipkott. La prego. Forse non mi sono spiegata bene. Io...»

«Si è spiegata benissimo.»

«Ma Josh ha detto...»

«Josh non mi ha parlato di biglietti. Io detesto queste schifose cene di beneficenza.»

«Anch'io.» Agnes era ferma sulla soglia. Fece un passo avanti tenendo gli occhi fissi a terra per assicurarsi di non inciampare in un tubetto di colore o nei ritagli di carta disseminati sul pavimento. Tese una mano pallida e affusolata. «Agnes Gopnik. Anch'io detesto queste schifose cene di beneficenza.»

Steven Lipkott si alzò in piedi lentamente e poi, come spinto da un impulso tipico di un'epoca più cavalleresca che non riusciva a dominare del tutto, strinse la mano di Agnes senza staccare gli occhi da lei. Avevo dimenticato che Agnes poteva catturarti in questo modo al primo incontro.

«Mr Lipkott? Lipkott, giusto? So che non è una cosa normale per lei. Ma devo partecipare a questo evento in un covo di streghe. Capisce? Autentiche streghe. E disegno come una bambina di tre anni con le muffole. Se vado là e mi presento con un disegno fatto da me, mi sfotteranno più di quanto non facciano già.» Si sedette e tirò fuori una sigaretta dalla borsa. Prese un accendino da un tavolo da disegno e la accese. Steven Lipkott la stava ancora fissando, con le bacchette dimenticate fra le dita.

«Io non sono di qui. Sono una massaggiatrice di origine polacca. Non me ne vergogno. Ma non voglio dare a quelle streghe un altro motivo per guardarmi dall'alto in basso. Sa come ci si sente quando qualcuno ti guarda dall'alto in basso?» Fissò Steven con la testa inclinata di lato ed emise una boccata di fumo orizzontale che lo colpì in pieno viso, tanto che lui avrebbe potuto inalarlo.

«Io... uhm... sì.»

«Quindi è una piccola cosa che le domando. Le domando di aiutarmi. So che è una richiesta insolita, che lei è un artista serio, ma ho davvero bisogno del suo aiuto. E saprò ricompensarla molto generosamente.»

La stanza sprofondò nel silenzio. Sentii vibrare il cellulare nella tasca posteriore dei pantaloni. Cercai di ignorarlo. In quel preciso momento capii che non dovevo muovermi. Restammo fermi tutti e tre per un tempo che parve un'eternità.

«Okay» disse lui alla fine. «Ma a una condizione.»

«Dica.»

«Voglio farle un ritratto.»

Per un lungo istante nessuno parlò. Agnes inarcò un soprac-
ciglio e poi aspirò una lenta boccata dalla sigaretta. «A me?»
«Non sarà certo la prima volta che glielo chiedono.»
«Perché proprio io?»
«Non fare l'ingenua.»
A quel punto Steven sorrise, e lei restò impassibile, come se
stesse valutando se sentirsi insultata o meno. Si guardò i piedi,
e quando alzò gli occhi ecco il suo sorriso, accennato, pensoso,
che a lui apparve come un premio.
Agnes spense la sigaretta schiacciandola sul pavimento.
«Quanto ci vorrà?»
Steven scostò il cartone di noodles da una parte e prese un
blocco di spessi fogli bianchi. Forse fui soltanto io a notare che
la sua voce si era abbassata. «Dipende da quanto sei brava a
restare ferma.»

Qualche minuto dopo ero di nuovo in macchina. Chiusi la portiera. Garry stava ascoltando i suoi CD di spagnolo.
"Por favor, habla más despacio."
«*Por fa-vor, ha-bla más despascio.*» Sbatté stizzito il palmo della sua mano grassa sul cruscotto. «Ah, merda. Fammi riprova-
re. *Abla-mas-despasio.*» Si esercitò ripetendo altre tre battute, poi
si voltò. «Ci metterà molto?» mi chiese.
Diedi un'occhiata alle finestre cieche del secondo piano. «Spero proprio di no.»

Finalmente Agnes riemerse alle tre e quarantacinque, un'ora e
tre quarti dopo che io e Garry avevamo esaurito gli argomenti della nostra già stentata conversazione. Dopo aver guardato un programma comico scaricato sul suo iPad (non si offrì di
condividerlo con me), si era appisolato con il mento sul torace
poderoso, russando discretamente. Io ero rimasta ad aspettare
in macchina, sempre più tesa via via che scorrevano i minuti,
mandando a Sam messaggi che erano variazioni sul tema del
ritardo, del tipo: *Non è ancora tornata. Sempre in attesa. Oddio, ma
cosa cavolo ci fa là dentro?* Lui aveva pranzato in una piccola ro-
sticceria in città, perché era così affamato che si sarebbe mangiato quindici cavalli. Sembrava allegro, rilassato, e ogni parola
che ci scambiavamo mi faceva capire che mi trovavo nel posto

sbagliato e che avrei dovuto essere accanto a lui, con la testa appoggiata sulla sua spalla, ad ascoltare la sua voce che mi mormorava nell'orecchio. Avevo iniziato a odiare Agnes.

E poi, d'un tratto, eccola uscire a passo deciso dall'edificio, con un ampio sorriso sulle labbra e un pacchettino piatto sotto il braccio.

«Oh, grazie a Dio!» esclamai.

Garry si ridestò di soprassalto e si affrettò a scendere dalla macchina per andare ad aprirle la portiera. Lei salì con calma, come se fosse stata via due minuti anziché due ore. Portava con sé un lieve sentore di sigarette e di trementina.

«Dobbiamo fare un salto da McNally Jackson. Voglio prendere della carta da regalo per avvolgere il disegno.»

«Abbiamo della carta adatta a...»

«Steven mi ha suggerito una carta speciale pressata a mano. Volevo prendere proprio quella. Garry, sai dov'è il negozio? Possiamo passare da SoHo sulla via del ritorno, vero?» Sventolò la mano invitandolo a partire.

Mi sentii invadere da una leggera disperazione. Garry uscì dal parcheggio sobbalzando sul terreno pieno di buche e tornò a quella che lui considerava la civiltà.

Arrivammo nella Fifth Avenue alle quattro e quaranta. Agnes scese dall'auto e io la seguii a ruota stringendo la borsa con quella carta da regalo tanto speciale.

«Agnes, mi chiedevo... ti ricordi quando mi hai detto che oggi potevo staccare prima...»

«Non so se mettermi il Temperley o il Badgley Mischka stasera. Tu che ne pensi?»

Mi sforzai di visualizzare i due abiti. Niente da fare. Stavo cercando di calcolare quanto tempo avrei impiegato per raggiungere Times Square, dove avevo appuntamento con Sam. «Il Temperley, credo. Sì, decisamente. È perfetto. Agnes, ricordi di avermi detto che forse potevo uscire prima oggi?»

«Ma è di un blu troppo scuro. Non credo che quella tonalità mi doni. E le scarpe da abbinare mi sfregano il tallone.»

«Ne abbiamo parlato la settimana scorsa. Andrebbe bene per te? Ci terrei tanto ad accompagnare Sam all'aeroporto.» Tentai di non lasciar trapelare l'irritazione dalla mia voce.

«Sam?» Fece un cenno di saluto ad Ashok.

«Il mio fidanzato.»

Rifletté per qualche istante. «Mmh. Okay. Oh, rimarranno tutti senza parole quando vedranno questo disegno. Steven è un genio, sai? Un vero genio.»

«Quindi posso andare?»

«Certo.»

Rilassai le spalle, sollevata. Se fossi uscita entro dieci minuti, avrei potuto prendere la metropolitana diretta a sud ed essere da lui alle cinque e mezzo. Questo ci avrebbe permesso di passare insieme poco più di un'ora. Meglio di niente.

Le porte dell'ascensore si chiusero alle nostre spalle. Agnes aprì il portacipria e si controllò il rossetto sporgendo le labbra davanti al piccolo specchio. «Ma forse è meglio che resti finché non sono vestita. Mi serve un secondo parere su quel Temperley.»

Agnes si cambiò d'abito quattro volte. Ero troppo in ritardo per raggiungere Sam in centro, che fosse in Times Square o da qualsiasi altra parte. Così mi diressi al JFK, dove arrivai quindici minuti prima che lui passasse ai controlli di sicurezza. Dopo essermi fatta largo tra i passeggeri, riuscii a individuarlo davanti al tabellone delle partenze e mi precipitai oltre le porte fino a sbattere contro la sua schiena. «Mi dispiace. Mi dispiace tanto.»

Restammo abbracciati per qualche istante.

«Che cosa è successo?»

«Agnes.»

«Ma non doveva farti uscire prima? Pensavo che te la fossi fatta amica.»

«Era ossessionata da quella faccenda del disegno ed è andato tutto... Oddio, è stato un delirio.» Gesticolai animatamente. «Che cosa ci sto a fare qui con questo stupido lavoro, Sam? Mi ha costretto a rimanere perché non riusciva a decidere cosa mettersi. Almeno Will aveva realmente bisogno di me.»

Sam piegò la testa di lato e accostò la fronte alla mia. «Abbiamo avuto lo splendido risveglio di questa mattina.»

Lo baciai e gli strinsi le braccia al collo, facendo aderire ogni parte del mio corpo al suo. Restammo così, con gli occhi chiusi, mentre l'aeroporto si muoveva e ondeggiava intorno a noi.

E poi il mio telefono squillò.

«Non rispondo» dissi stringendomi più forte a lui.

Ma il telefono continuava a suonare con una certa insistenza.

«Potrebbe essere lei.» Sam mi scostò dolcemente.

Mi lasciai sfuggire un debole lamento, poi tirai fuori il cellulare dalla tasca dei pantaloni e me lo portai all'orecchio. «Agnes?» Stentai a trattenere l'irritazione.

«Sono Josh. Ti chiamavo solo per sapere com'è andata oggi.»

«Josh! Ehi... oh. Sì, tutto bene. Grazie!» Girai leggermente il capo e mi misi la mano sull'orecchio libero. Avvertii l'improvviso irrigidirsi di Sam accanto a me.

«Quindi vi ha realizzato il disegno?»

«Sì. E lei era felicissima. Grazie mille per aver organizzato tutto. Ascolta, ho da fare in questo momento, ma ti ringrazio. Sei stato davvero gentile.»

«Mi fa piacere che siate riuscite a sistemare la faccenda. Senti, fammi uno squillo quando ti va. Magari ci prendiamo un caffè insieme.»

«Volentieri!» Quando chiusi la chiamata, mi trovai gli occhi di Sam puntati addosso.

«Josh» disse.

Mi rimisi il cellulare in tasca.

«Il tipo che hai conosciuto al ballo.»

«È una lunga storia.»

«Okay.»

«Mi ha aiutato a trovare un artista disposto a fare il disegno per Agnes oggi. Ero disperata.»

«Quindi avevi il suo numero.»

«Siamo a New York. Qui tutti hanno il numero di tutti.»

Sam si passò la mano sulla testa e distolse lo sguardo.

«Non è nulla. Davvero.» Feci un passo verso di lui e lo attirai a me infilando le dita sotto la fibbia della sua cintura. Ebbi di nuovo la sensazione che il weekend scivolasse via da me. «Sam... Sam...»

Lui si rilassò e mi prese di nuovo tra le sue braccia. Appoggiò il mento sulla mia testa e scosse la sua da una parte all'altra. «Questo è...»

«Lo so. Credimi, lo so. Ma io ti amo e tu ami me, e se non altro siamo riusciti a fare qualcosa del nostro programmino hot. Ed è stato fantastico, non è vero?»

«Per quanto? Cinque minuti?»

«I cinque minuti migliori delle ultime quattro settimane. Cinque minuti che mi aiuteranno a tirare avanti per le prossime quattro.»

«Solo che in realtà saranno sette.»

Feci scivolare le mani nelle sue tasche posteriori. «Non lasciamoci male, ti prego. Non voglio che tu parta arrabbiato per colpa di una stupida telefonata di qualcuno che non significa assolutamente nulla per me.»

Mi guardò negli occhi e la sua espressione si addolcì, come succedeva sempre. Era una delle cose che amavo di lui, il modo in cui i suoi lineamenti, normalmente così duri, si riempivano di tenerezza quando mi guardava. «Non sono incavolato con te. Sono incavolato con me stesso. E con il cibo che servono sugli aerei, o con i burritos, o qualsiasi cosa sia stata. E con quella tua Agnes che a quanto pare non è in grado di scegliersi un vestito da sola.»

«Tornerò per Natale. E resterò per un'intera settimana.»

Sam si rabbuiò. Mi prese il viso fra le mani. Erano calde e leggermente ruvide. Restammo così per un istante, poi ci baciammo, e qualche decennio dopo lui si staccò da me e diede un'occhiata al tabellone.

«E ora devi andare.»

«Già. E ora devo andare.»

Cercai di ingoiare il nodo che mi era salito in gola. Sam mi baciò ancora una volta, poi si buttò il borsone sulla spalla. Dopo averlo visto sparire oltre i controlli, rimasi lì, nell'atrio, a fissare per un minuto intero lo spazio che lui aveva occupato.

In genere non sono una persona umorale. Non sono molto brava a sbattere porte, mettere il broncio o sbuffare alzando gli occhi al cielo. Ma quella sera, mentre tornavo in città, mi feci strada tra la folla sulla banchina della metropolitana sgomitando con il cipiglio di una newyorkese. Mi scoprii a controllare l'orologio per tutto il tragitto. "Adesso è nell'area partenze" mi dicevo. "Si sta imbarcando. E... è partito." Nel momento in cui era previsto il decollo sentii qualcosa sprofondare dentro di me e il mio umore si fece ancora più tetro. Presi un sushi da asporto e percorsi a piedi il tratto dalla stazione della metropolitana al palazzo dei Gopnik. Quando entrai nella mia stanzetta, rimasi a fissare alternativamente il contenitore della cena e la parete, poi, rendendomi conto che non potevo starmene lì da sola con i miei pensieri, decisi di bussare alla porta di Nathan.

«Entra!»

Stava guardando una partita di football con una birra in mano. Indossava un paio di calzoncini da surfista e una T-shirt. Alzò lo sguardo con aria sorpresa e con un leggerissimo ritardo, come fanno le persone quando vogliono farti capire che sono assorte in qualcos'altro.

«Posso mangiare qui con te?»

Staccò di nuovo gli occhi dallo schermo. «Brutta giornata?»

Annuii.

«Hai bisogno di un abbraccio?»

Scossi il capo. «Solo virtuale. Se sei gentile con me, potrei mettermi a piangere.»

«Ah. Il tuo uomo è tornato a casa, vero?»

«È stato un disastro, Nathan. Ha vomitato per quasi tutto il tempo, e poi oggi Agnes non mi ha concesso di uscire prima come mi aveva promesso e così sono riuscita a raggiungerlo solo all'ultimo momento, e quando ci siamo visti si è creato un clima di... imbarazzo fra di noi.»

Nathan abbassò il volume della televisione con un sospiro e diede dei colpetti con la mano sul bordo del letto per invitarmi a sedere. Mi piazzai il takeaway in grembo e appoggiai la testa sulla sua spalla. Più tardi avrei scoperto che la salsa di soia, gocciolando, mi aveva sporcato i pantaloni della divisa.

«Le relazioni a distanza sono difficili» sentenziò Nathan come se fosse il primo a fare quella considerazione. Poi aggiunse: «Molto, molto difficili».

«Esatto.»

«E non solo per il sesso, e l'inevitabile gelosia...»

«Noi non siamo tipi gelosi.»

«Ma lui non sarà mai la prima persona a cui racconti le cose. Le piccole cose spicciole di tutti i giorni. E questo è importante.»

Mi offrì la sua birra. Ne bevvi un sorso e gliela restituii. «Sapevamo bene che sarebbe stata dura. Voglio dire, ne abbiamo parlato prima della mia partenza. Ma sai cosa mi scoccia davvero?»

Nathan distolse un'altra volta lo sguardo dalla tivù. «Dimmi.»

«Agnes sapeva quanto desiderassi trascorrere del tempo con Sam. Ne avevamo parlato. Era lei quella che diceva che dovevamo stare insieme, che non dovevamo stare separati, *bla bla bla*. E invece mi ha costretto a rimanere con lei fino all'ultimissimo minuto.»

«È il lavoro, Lou. Loro vengono prima di tutto.»

«Ma sapeva quanto ci tenessi.»

«Forse.»

«Credevo che stesse dalla mia parte.»

Nathan inarcò un sopracciglio. «Lou, i Traynor non erano datori di lavoro normali. Will non era un datore di lavoro normale. E non lo sono nemmeno i Gopnik. Queste persone possono anche essere gentili con te, ma alla fine devi metterti in testa che è un rapporto di potere. È uno scambio commerciale.» Bevve un sorso di birra. «Sai che cos'è successo all'ultima assistente dei Gopnik? Agnes ha raccontato al marito che la poveretta sparlava di lei alle sue spalle rivelando segreti in giro. Così l'hanno silurata. Dopo ventidue anni. Licenziata in tronco.»

«Ed era vero?»

«Cosa?»

«Che sparlava di lei.»

«Non lo so. Ma non è questo il punto, ti pare?»

Non mi andava di contraddirlo, ma spiegargli perché il rapporto tra me e Agnes era diverso avrebbe significato tradirla. Così non dissi nulla.

Nathan sembrò sul punto di aggiungere qualcosa, poi cambiò idea.

«Che c'è?»

«Senti... non si può avere tutto.»

«In che senso?»

«Questo è un gran bel lavoro, giusto? Cioè, magari stasera la pensi diversamente, ma hai un fantastico impiego nel cuore di New York, uno stipendio più che dignitoso e un principale che è un uomo perbene. Hai l'occasione di frequentare dei posti pazzeschi e di ricevere qualche bonus ogni tanto. Ti hanno comprato un vestito da quasi tremila dollari, giusto? Mi è capitato di andare alle Bahamas con Mr G due mesi fa. Hotel cinque stelle, camera con vista sulla spiaggia e tutto quanto. Solo per un paio d'ore di lavoro al giorno. Perciò siamo fortunati. Ma, alla lunga, lo scotto da pagare per tutto questo potrebbe essere una relazione con una persona lontana un milione di chilometri e con una vita completamente diversa dalla tua. Quella è la scelta che fai quando intraprendi una strada.»

Lo fissai.

«Penso solo che bisogna essere realisti su queste cose.»

«Così non mi aiuti, Nathan.»

«Voglio essere schietto con te. E poi, ehi, guarda il lato positivo. Ho saputo che te la sei cavata alla grande oggi con quel disegno. Mr G mi ha detto che è rimasto molto colpito dal tuo lavoro.»

«L'ha apprezzato davvero?» Cercai di reprimere un moto di compiacimento.

«Oh, sì. Caspita se l'ha apprezzato. Agnes le farà schiattare tutte, quelle dame caritatevoli.»

Mi appoggiai alla sua spalla, e lui alzò di nuovo il volume. «Grazie, Nathan» dissi, e mi apprestai ad aprire il mio sushi. «Sei un amico.»

Lui mi rivolse un tiepido sorriso più simile a una smorfia. «Sì. Quel pesce, però... Non potresti aspettare di mangiarlo una volta tornata in camera tua?»

Richiusi il contenitore. Aveva ragione. Non si può avere tutto.

10

Da: BusyBee@gmail.com
A: MrandMrsBernardClark@yahoo.com

Ciao mamma,
scusa se ti rispondo soltanto ora. Sono molto presa qui, non c'è mai un momento di pausa!
Sono contenta che le foto ti siano piaciute. Sì, la moquette è 100% lana, alcuni tappeti sono di seta e il legno non è assolutamente impiallacciato. Ho chiesto a Ilaria. Mi ha detto che i tendoni vengono lavati a secco una volta all'anno quando i Gopnik trascorrono un mese negli Hamptons. Gli addetti alle pulizie sono molto scrupolosi, ma lei ripassa personalmente il pavimento della cucina tutti i giorni perché non si fida.
Sì, Mrs Gopnik dispone di un'ampia cabina doccia e anche di una cabina armadio. È molto affezionata alla sua stanza e vi si rifugia spesso per telefonare a sua madre in Polonia. Non ho avuto tempo di contare le scarpe che ha come mi avevi chiesto, ma direi che superano di gran lunga le cento paia. Le tiene tutte nelle loro scatole, con tanto di immagine sul davanti per poterle riconoscere. Quando ne acquista un nuovo paio, è mio compito scattare una foto. Ha una fotocamera apposta per questo!
Mi fa piacere che il laboratorio di arte sia andato bene, e il corso per migliorare la comunicazione di coppia sembra fantastico già dal nome, ma devi spiegare a papà che non ha niente a che vedere con quello che succede in camera da letto. Questa settimana mi ha già mandato tre email chiedendomi se a mio parere potrebbe simulare un soffio al cuore per evitare di accompagnarti.

Mi dispiace che il nonno stia così così. Nasconde ancora le verdure sotto il tavolo? Sei sicura di dover rinunciare alla scuola serale? Sarebbe un peccato.
Okay, devo andare ora. Agnes mi chiama. Ti farò sapere per Natale, ma non preoccuparti: ci sarò.
Ti voglio bene.
Baci,
Louisa

P.S. No, non ho più incontrato Robert De Niro, ma se dovesse ricapitarmi gli dirò senz'altro che ti è piaciuto moltissimo in *Mission*.
P.P.S. No, ti assicuro che non ho trascorso un periodo in Angola e non ho urgente bisogno di un trasferimento di contanti. Non rispondere a quelle richieste.

Non sono un'esperta di depressione. Non avevo nemmeno capito di esserne stata colpita dopo la morte di Will, ma trovavo gli umori di Agnes particolarmente difficili da scandagliare. Le amiche di mia madre che soffrivano di stati depressivi – un numero davvero scoraggiante – sembravano schiacciate dalla vita e si dibattevano per fendere la coltre di nebbia che scendeva su di loro fino a renderle incapaci di vedere una gioia, una prospettiva di piacere, oscurando la via da seguire. Lo si intuiva dal modo in cui andavano in giro per la città, con le spalle basse, la bocca tesa in una sottile linea di sopportazione. Era come se emanassero tristezza.

Agnes era diversa. Un attimo prima era allegra e loquace, e un attimo dopo piagnucolosa o arrabbiata. Mi avevano spiegato che si sentiva isolata, giudicata, priva di alleati. Ma questa descrizione non trovava conferma nelle sue reali condizioni. Perché più tempo passavo con lei, più notavo che non era davvero intimidita dalle donne del suo entourage sociale, anzi, era furiosa con loro. Si arrabbiava per l'ostilità che dimostravano nei suoi confronti e se ne lagnava urlando con suo marito; le imitava crudelmente e inveiva contro la prima Mrs Gopnik o contro Ilaria e i suoi modi intriganti. Era volubile, una fiamma umana di oltraggio e ribellione che borbottava rabbiosamente parole come *cipa* o *debil* o *dziwka*. (Quando, nel tempo libero, cercavo questi termini su Google, arrossivo fino alle orecchie.)

E poi, d'un tratto, diventava un'altra persona, una donna che spariva nella sua stanza e piangeva silenziosamente con il viso teso e impietrito dopo una lunga telefonata in Polonia. La sua tristezza si traduceva in forti emicranie che non mi sembravano mai del tutto autentiche.

Ne parlai con Treena durante una pausa nella caffetteria con il wi-fi gratuito, dove ero entrata la mattina della mia prima giornata a New York. Stavamo usando FaceTime Audio, che preferivo rispetto alla possibilità di parlare guardandoci in faccia perché così non ero distratta dal mio naso che appariva enorme o da quello che facevano gli altri clienti alle mie spalle. Inoltre non volevo che mia sorella vedesse le dimensioni dei muffin imburrati che stavo mangiando.

«Forse è bipolare» disse Treena.

«Già. Ho cercato i sintomi, ma non mi quadra. Non ha mai comportamenti da sindrome maniaco-depressiva, è solo, come dire... iperattiva.»

«Non credo che la depressione sia uguale per chiunque, Lou» osservò Treena. «D'altronde, non sono tutti un po' squinternati in America? Non prendono un sacco di pillole?»

«Diversamente da quello che succede in Inghilterra, vero? La mamma ci consiglierebbe di fare una bella camminata stimolante come rimedio universale.»

«"Per svagarti un po'"» aggiunse mia sorella ridacchiando.

«"Trasforma quel broncio in un sorriso."»

«"Oppure mettiti un bel rossetto. Dai un tocco di luminosità al tuo viso. Ecco. Chi ha bisogno di quelle stupide medicine?"»

Era accaduto qualcosa nel rapporto fra me e Treena da quando me n'ero andata. Ci sentivamo tutte le settimane, e per la prima volta nella nostra vita adulta lei aveva smesso di punzecchiarmi in ogni occasione. Sembrava sinceramente interessata alla mia nuova vita a New York: mi interrogava sul mio lavoro, sui luoghi che visitavo, su come passavano le giornate le persone che frequentavo. Quando le chiedevo un consiglio, generalmente mi dava una risposta meditata invece di definirmi una cretina o di domandarmi se sapevo a cosa servisse Google.

Due settimane prima mi aveva confidato che, per la prima volta da secoli, le piaceva qualcuno. Lei e questo tizio erano andati a prendere un aperitivo in un locale hipster di Shoreditch e poi in un pop-up cinema di Clapton, e per i giorni successivi aveva camminato su una nuvoletta. L'idea di mia sorella che camminava su una nuvoletta era una novità assoluta.

«Com'è lui? Devi raccontarmi qualcosa *subito*.»

«Preferisco non dire nulla. Ogni volta che parlo di queste cose vanno a finire male.»

«Neppure a me?»

«Per ora no. È... una cosa bella, comunque. Sono felice.»

«Oh. Quindi è per questo che sei carina con me.»

«In che senso?»

«Be', lo stai *diventando*, almeno. Pensavo che fosse perché finalmente approvi quello che sto facendo della mia vita.»

Scoppiò a ridere. Mia sorella di solito non rideva, se non per prendermi in giro. «Semplicemente sono felice che stia andando tutto per il verso giusto. Tu hai un lavoro fantastico negli Stati Uniti. Io amo quello che faccio, mi piace vivere a Londra e anche Thom è contento. Sento che si stanno aprendo nuove prospettive per tutti noi.»

Era un'affermazione così improbabile sulla bocca di Treena che non ebbi il coraggio di dirle di Sam. Parlammo ancora un po' della mamma, che avrebbe voluto iniziare un lavoro part-time nella scuola locale, e del peggioramento delle condizioni di salute del nonno, che l'avevano convinta a non inviare nemmeno la candidatura. Nel frattempo finii il muffin e il caffè e mi resi conto che, pur essendo interessata a quello che succedeva a Stortfold, non sentivo affatto nostalgia di casa.

«Adesso non comincerai a parlare con quell'osceno accento transatlantico, spero.»

«Sono sempre io, Treen. È molto improbabile che cambi» dichiarai con un osceno accento transatlantico.

«Sei proprio una cretina» concluse lei.

«Oh, santo cielo. È ancora qui.»

Quando varcai il portone d'ingresso, Mrs De Witt era sotto la tettoia e si stava infilando i guanti, pronta per uscire. Feci un passo indietro per evitare di ritrovarmi i denti di Dean Martin piantati nella caviglia e le rivolsi un sorriso educato. «Buongiorno, Mrs De Witt. Dove altro potrei essere?»

«Pensavo che la ballerina estone di lap dance l'avesse già licenziata ormai. Mi meraviglio che non tema che lei segua il suo esempio e fugga con il vecchio.»

«Non è proprio il mio *modus operandi*, Mrs De Witt» dissi in tono allegro.

«L'ho di nuovo sentita urlare sul pianerottolo l'altra sera. Un chiasso infernale. Almeno la precedente si limitava a tenere il broncio per un paio di decenni. Era molto più indulgente con i vicini di casa.»

«Riferirò.»

Scosse la testa. Stava per andarsene quando si fermò a studiare il mio abbigliamento. Indossavo una gonna plissettata color oro con un gilet di pelliccia sintetica e un berrettino a forma di fragola che Thom aveva ricevuto come regalo di Natale due anni prima e che si rifiutava di mettere perché diceva che era troppo "da femmina". Ai piedi portavo un paio di scarpe stringate di vernice rossa che avevo comprato in saldo in un negozio per bambini lanciando i pugni in aria per l'entusiasmo, in mezzo a mamme esauste e mocciosi urlanti, quando mi ero resa conto che erano della mia misura.

«Quella gonna.»

Abbassai lo sguardo e mi preparai a qualsiasi commento sprezzante Mrs De Witt mi avrebbe indirizzato.

«Ne avevo una simile di Biba.»

«Questa *è* di Biba!» esclamai compiaciuta. «L'ho comprata a un'asta online due anni fa. Quattro sterline e cinquanta! Ha solo un buchino nella cinta.»

«Ne ho una identica. Viaggiavo molto negli anni Sessanta. Ogni volta che andavo a Londra, passavo ore in quel negozio. Mi facevo spedire a Manhattan interi bauli di modelli Biba. Non si trovava niente di simile da queste parti.»

«Ma è meraviglioso! Ho visto delle foto» dissi. «Dev'essere stato fantastico frequentare quel negozio. Che cosa faceva? Voglio dire, come mai viaggiava così spesso?»

«Lavoravo nella moda. Per una rivista femminile. Era...» Vacillò in avanti, scossa da un improvviso attacco di tosse, e attesi che riprendesse fiato. «Be', comunque. Vestita così ha un'aria accettabile» disse appoggiando la mano al muro per sostenersi. Poi si voltò e si avviò con passo esitante lungo la strada, mentre Dean Martin lanciava occhiate minacciose sia a me, sia al bordo del marciapiede dietro di lui.

Il resto della settimana fu, come l'avrebbe definito Michael, *interessante*. L'appartamento di Tabitha a SoHo doveva essere imbiancato, di conseguenza, per quindici giorni, casa nostra diventò un campo di battaglia per una serie di dispute territoriali apparentemente invisibili all'occhio maschile, ma fin troppo evidenti per Agnes, che sibilava le sue lagnanze nelle orecchie di Mr Gopnik quando pensava che Tabitha non stesse ascoltando.

Ilaria si godeva il suo ruolo di soldato di fanteria. Considerava doveroso servire i piatti preferiti di Tab (curry speziati e carni rosse), che Agnes non mangiava, e sosteneva di essere all'oscuro di tale dettaglio quando quest'ultima glielo faceva notare. Si assicurava che la biancheria di Tab venisse lavata per prima e gliela faceva trovare accuratamente piegata sul letto, mentre Agnes doveva correre per tutta la casa in accappatoio cercando di capire che cosa fosse successo alla camicetta che aveva in mente di indossare quel giorno.

La sera Tab si piazzava in salotto mentre Agnes era al telefono con sua madre. La infastidiva canticchiando e trafficando con il suo iPad, finché Agnes, silenziosamente furibonda, era costretta a togliere le tende e a rifugiarsi nella sua stanza. Ogni tanto Tab invitava delle amiche che si impadronivano della cucina o della sala tivù come un branco di oche starnazzanti che spettegolavano ridacchiando in continuazione, un cerchio di teste bionde pronte a cadere nel silenzio più totale all'eventuale passaggio di Agnes davanti alla porta della stanza.

"Questa è anche casa sua, amore mio" le faceva notare pacatamente Mr Gopnik quando Agnes protestava. "Lei è cresciuta qui."

"Mi tratta come se fossi un'ospite indesiderata."

"Con il tempo si abituerà. Per molti versi è ancora una bambina."

"Ha *ventiquattro* anni." A questo punto Agnes emetteva un ringhio prolungato, un suono che, ne sono certa, nessuna donna inglese è mai riuscita a padroneggiare (ci avevo provato anch'io qualche volta) e agitava le mani in aria, esasperata. Michael mi passava accanto con il viso impassibile, ma i suoi occhi scivolavano verso i miei esprimendo una muta solidarietà.

Un giorno Agnes mi chiese di spedire un pacco in Polonia tramite FedEx. Voleva che pagassi in contanti e che conservassi la ricevuta. Era una scatola grande e quadrata non particolarmente pesante. Ne parlammo nel suo studio, che aveva cominciato a chiudere a chiave con grande disgusto di Ilaria.

«Che cos'è?»

«Un regalino per mia madre» rispose lei facendo un gesto vago con la mano. «Ma Leonard pensa che io spenda troppo per la mia famiglia, perciò non voglio che sappia tutto quello che spedisco.»

Portai quel pacco ingombrante fino alla filiale FedEx sulla West 57th Street e attesi il mio turno in coda. Quando compilai il modulo e l'impiegato mi chiese: «Contenuto? Per adempimenti doganali», mi resi conto che non sapevo rispondere, così mandai un messaggio ad Agnes. La sua risposta arrivò subito:

Di' che è un regalo per la famiglia.

«Deve specificare che tipo di regalo, signora» disse l'uomo con aria stanca.

Scrissi un altro messaggio. Udii qualcuno sbuffare ostentatamente dietro di me.

Tchotchkes.

Fissai il display. Poi mostrai il telefono. «Mi spiace. Non so pronunciarlo.»

L'impiegato diede un'occhiata. «Sì, signora. Questo non mi aiuta, però.»

Scrissi di nuovo ad Agnes.

Digli di farsi gli affari suoi! Che gliene importa a lui di quello che voglio mandare a mia madre?

Mi rimisi il cellulare in tasca. «Dice che ci sono dei cosmetici, un maglione e un paio di DVD.»

«Valore?»

«185,52 dollari.»

«Finalmente» borbottò l'impiegato. Gli porsi la carta di credito di famiglia e mi augurai che nessuno vedesse le dita incrociate della mia mano libera.

Il venerdì pomeriggio, quando Agnes iniziò la sua lezione di pianoforte, mi ritirai nella mia stanza a fare una telefonata. Mentre componevo il numero di Sam, riconobbi il familiare palpito carico di eccitazione che provavo alla prospettiva di sentire la sua voce. Certi giorni mi mancava così tanto che mi sembrava di portarmi dietro un dolore costante. Rimasi in attesa mentre il telefono squillava dall'altra parte dell'oceano. Rispose una voce femminile.

«Pronto?» Era una voce impostata con una sfumatura leggermente rauca, come quella di chi ha fumato troppe sigarette.

«Oh, mi scusi. Devo aver sbagliato numero.» Allontanai il telefono dall'orecchio e fissai il display.

«Chi cerca?»

«Sam. Sam Fielding.»

«È sotto la doccia. Attenda, glielo passo.» La donna coprì il ricevitore con la mano e urlò il nome di Sam. La sua voce mi arrivò leggermente attutita. Rimasi muta e immobile. Non c'erano giovani donne nella famiglia di Sam. «Arriva subito» aggiunse un istante dopo. «Chi parla?»

«Louisa.»

«Oh. Okay.»

Le telefonate intercontinentali ti rendono stranamente sensibile alle minime variazioni di tono e di enfasi, e in quell'"Oh" colsi qualcosa che mi turbò. Ero sul punto di chiedere con chi stavo parlando quando Sam prese la chiamata.

«Ehi!»

«Ehi!» Mi uscì un saluto un po' rauco perché all'improvviso mi si era seccata la gola e dovetti ripeterlo una seconda volta.

«Che succede?»

«Niente! Cioè, niente di urgente. Volevo... volevo solo, insomma, volevo sentire la tua voce.»

«Aspetta, chiudo la porta.» Lo immaginai mentre raggiungeva la porta della camera da letto nella piccola carrozza ferroviaria. Quando tornò, sembrava allegro, un Sam ben diverso dall'ultima volta che ci eravamo sentiti. «Allora, come va? Tutto a posto? Che ore sono da te?»

«Sono appena passate le due. Ehm, chi è che mi ha risposto poco fa?»

«Oh. Era Katie.»

«Katie.»

«Katie Ingram. La mia nuova collega.»

«Katie! Certo! E... cosa ci fa a casa tua?»

«Oh, mi dà un passaggio per la festicciola che abbiamo organizzato per salutare Donna. Ho la moto in officina. Problemi con la marmitta.»

«Si sta davvero prendendo cura di te, allora!» Mi domandai distrattamente se in quel momento Sam avesse almeno un asciugamano addosso.

«Già. Abita proprio in fondo alla strada, perciò ci è sembrato logico fare così.» Lo disse con la disinvoltura forzata di chi sa di essere ascoltato da due donne.

«E dove siete diretti?»

«In quel tapas bar di Hackney, hai presente? Quello dove una volta c'era una chiesa. Non so se ci siamo mai stati.»

«Una chiesa! Ah ah ah! Allora dovrete tenere un comportamento esemplare!» commentai ridendo, forse troppo forte.

«Una banda di paramedici in una serata libera? Ne dubito.»

Seguì un breve silenzio. Cercai di ignorare il nodo allo stomaco. La voce di Sam si addolcì. «Sicura che vada tutto bene? Mi sembri un po'...»

«Sto bene! Davvero! Te l'ho detto, volevo solo sentire la tua voce.»

«Tesoro, è bellissimo parlare con te, ma devo proprio andare. Katie mi ha fatto un grosso favore a passarmi a prendere e siamo già in ritardo.»

«Okay! Bene, goditi la serata! E non fare niente che io non farei!» Stavo parlando per punti esclamativi. «E salutami tanto Donna!»

«Lo farò. Ci sentiamo in settimana.»

«Ti amo» dissi con un tono più malinconico di quanto intendessi. «Scrivimi!»

«Ah, Lou...»

E poi cadde la linea. E io rimasi a fissare il telefono in una stanza troppo silenziosa.

Organizzai una proiezione privata di un film appena uscito per le mogli dei soci d'affari di Mr Gopnik e mi occupai del buffet che avrebbe completato l'evento. Contestai il conto del fiorista per una consegna che in realtà non era mai stata effettuata e poi feci una scappata da Sephora per prendere due boccettini di smalto che Agnes aveva visto su "Vogue" e desiderava portare con sé in campagna.

Due minuti dopo la fine del mio turno e la partenza dei Gopnik per il weekend, rifiutai educatamente le polpettine di carne avanzate che mi offrì Ilaria e mi rifugiai in camera mia.

Ed ebbene sì, caro lettore, feci una grossa stupidaggine. Cercai il suo profilo Facebook.

Non ci vollero più di quaranta minuti per scovare questa Katie Ingram in mezzo a un centinaio di omonime. Il suo profilo era aperto e riportava il logo del servizio sanitario. Nella sezione dedicata alla professione si leggeva: "Paramedico: amo il mio lavoro!!!". I capelli sembravano rossi o biondo ramato, ma era difficile stabilirlo dalle fotografie. Poteva avere poco meno di trent'anni, ed era carina, con il naso all'insù. Nelle prime trenta foto che aveva postato appariva sorridente in compagnia di amici, immortalata nel pieno della spensieratezza. Era fastidiosamente attraente in bikini ("Skiathos 2014! Che risate!!!"), possedeva un piccolo cane peloso e aveva un debole per i tacchi vertiginosi e una migliore amica dai lunghi capelli scuri che nelle foto amava baciarla sulla guancia (per un attimo mi cullai nella speranza che fosse lesbica, ma era iscritta a un gruppo Facebook chiamato "Alzi la mano chi è felice che Brad Pitt sia tornato libero!").

Alla voce "situazione sentimentale" si dichiarava single.

Continuai a scorrere il suo profilo, detestandomi per quello che stavo facendo, ma incapace di fermarmi. Studiai le foto cercando di trovarne una dove apparisse grassa, o imbronciata, o magari afflitta da una terribile dermatite squamosa. Cliccai e cliccai ancora. E, proprio mentre stavo per chiudere il portatile, mi bloccai. Eccola là, una foto pubblicata tre settimane prima. Katie Ingram in una luminosa giornata invernale, con indosso la sua divisa verde scuro, la valigetta del pronto soccorso in bella mostra ai suoi piedi, davanti alla stazione delle ambulanze di East London. Questa volta era abbracciata a Sam, anche lui in divisa, con le braccia conserte, che sorrideva all'obiettivo.

143

"Il miglior collega del MONDO" recitava la didascalia. "Amo il mio nuovo lavoro!"

Tra i commenti, la sua amica dai capelli scuri aveva scritto "Chissà perché...?!" e aveva aggiunto una faccina ammiccante.

È questo il guaio della gelosia. Non è una bella cosa. E la parte razionale di te lo sa. Tu non sei un tipo geloso! Le donne gelose sono terribili! E non ha alcun senso! Se una persona ti vuole bene, resterà con te; e se non te ne vuole abbastanza da restare con te, allora non valeva la pena di starci assieme comunque. Questo lo sai. Sei una ragazza ragionevole e matura di ventotto anni. Hai letto articoli di auto-aiuto. Hai guardato il "Dr. Phil Show" in tivù.

Ma quando vivi a cinquemilaseicento chilometri di distanza dal tuo fidanzato, un paramedico attraente, gentile e sexy, e lui ha una nuova collega che somiglia a Pussy Galore – una donna che passa almeno dodici ore al giorno a stretto contatto con l'uomo che ami, un uomo che ti ha già confessato quanto sia difficile sopportare la separazione fisica – ebbene, quando succede, la tua parte razionale viene implacabilmente schiacciata da quel gigantesco rospo acquattato dentro di te che è la tua parte irrazionale.

Qualsiasi cosa facessi, non riuscivo a cancellare dalla mia mente l'immagine di quei due. Si era insediata da qualche parte dietro i miei occhi, in negativo bianco su nero, e mi ossessionava: il braccio lievemente abbronzato di Katie intorno alla vita di Sam, le dita che gli sfioravano la cintura della divisa. In questo momento erano fianco a fianco in un bar e lei gli dava una scherzosa gomitata ridendo di qualche battuta che condividevano solo loro due? Era il tipo di donna affettuosa che posava la mano sul braccio dell'interlocutore per dare maggior enfasi alle proprie parole? Aveva un profumo così buono da dare a Sam la sensazione che, per qualche ragione indefinibile, gli mancasse qualcosa quando era lontano da lei?

Sapevo che questa era la strada maestra per la pazzia, eppure non riuscivo a controllarmi. Pensai di chiamarlo, ma non c'è niente che ti faccia apparire una fidanzata ossessiva e insicura più di una telefonata alle quattro di mattina. I miei pensieri turbinavano, cadevano e sprofondavano in una grande nube tossica. Mi odiavo per questo. E ne arrivavano altri, turbinando e cadendo ancora.

«Oh, perché non ti hanno affiancato come collega un uomo grasso e innocuo?» mormorai alzando gli occhi al cielo. E a un certo punto, a notte inoltrata, finalmente mi addormentai.

Il lunedì mattina iniziammo con la solita sessione di jogging (mi dovetti fermare solo una volta), e poi andammo a fare shopping da Macy's, dove Agnes acquistò dei vestitini per sua nipote. Li spedii a Cracovia dalla filiale FedEx, questa volta certa del contenuto del pacco.

A pranzo Agnes mi parlò di sua sorella, del fatto che si era sposata troppo giovane con il direttore della distilleria locale, un uomo che la trattava con scarso rispetto facendola sentire talmente oppressa e incapace che lei non aveva il coraggio di andarsene di casa, nonostante gli sforzi di Agnes per convincerla a farlo. «Si sfoga con mia madre tutti i giorni piangendo per quello che le dice il marito. Che è grassa, che è brutta, o che lui avrebbe potuto avere di meglio. Quella merdosa, puzzolente testa di cazzo. Un cane non piscerebbe sulla sua gamba nemmeno se avesse bevuto cento secchi d'acqua.»

Il suo obiettivo finale, mi confidò Agnes davanti a un'insalata di bietole e rape rosse, era portare sua sorella a New York allontanandola da quell'uomo. «Potrei chiedere a Leonard di trovarle un lavoro. Magari come segretaria nel suo ufficio. O meglio ancora, come governante nel nostro appartamento! Così potremmo sbarazzarci di Ilaria! Mia sorella è molto brava, sai? Molto coscienziosa. Ma non vuole lasciare Cracovia.»

«Forse non vuole sconvolgere il percorso scolastico di sua figlia. Treena era molto agitata alla prospettiva di dover trovare una scuola per Thom a Londra» osservai.

«Mmh» fu il commento di Agnes. Ma capii benissimo che non lo considerava un ostacolo. Forse i ricchi non vedevano ostacoli in nulla.

Eravamo tornate da appena mezz'ora quando Agnes diede un'occhiata al telefono e annunciò che dovevamo recarci a East Williamsburg.

«Dal pittore? Ma io pensavo...»

«Steven mi sta insegnando a disegnare. Lezioni di disegno.»
La guardai con aria perplessa.
«Okay.»
«È una sorpresa per Leonard, perciò devi tenere la bocca chiusa.»
Non mi degnò di uno sguardo per l'intero tragitto.

«Sei in ritardo» disse Nathan quando rientrai a casa. Stava per andare a giocare a basket con alcuni amici della palestra e aveva già il borsone sulla spalla e il cappuccio della felpa sulla testa.
«Lo so.» Mi liberai della borsetta e riempii il bollitore di acqua, poi posai sul bancone il sacchetto di plastica contenente una porzione di noodles.
«Dove sei stata di bello?»
Esitai. «Solo... in giro qua e là. Sai com'è fatta.» Accesi il fuoco.
«Tutto bene?»
«Sì, tutto bene.»
Sentivo il suo sguardo su di me, così mi voltai e mi sforzai di sorridergli. Lui mi diede una leggera pacca sulla schiena e si avviò verso la porta. «Una bella giornatina, eh?»
Una bella giornatina, sì. Fissai il bancone della cucina. Non sapevo cosa rispondergli. Non sapevo come giustificare le due ore e mezza che avevo passato in macchina con l'autista ad aspettare Agnes, facendo correre ripetutamente lo sguardo in alto, verso la luce che filtrava dalla finestra oscurata, e poi sul display del cellulare. Dopo un'ora Garry, stanco dei suoi CD di spagnolo, le aveva mandato un messaggio per dirle che il custode del parcheggio l'aveva invitato a spostarsi e che quindi lei avrebbe dovuto avvertirlo non appena avesse avuto bisogno dell'auto, ma non aveva ottenuto risposta. Avevamo fatto il giro dell'isolato per fare benzina e poi ci eravamo concessi un caffè. "Non ha detto quanto ci metterà. Questo di solito significa che si tratterrà per almeno un paio d'ore."
"È già successo altre volte?"
"Mrs G fa come le pare."
Garry mi offrì un caffè in un diner semideserto il cui menu plastificato presentava ogni piatto con delle foto troppo scure. Scambiammo poche parole, ciascuno assorto a fissare il proprio cellulare in caso Agnes avesse chiamato, osservando il crepu-

scolo di Williamsburg trasformarsi gradualmente in una sera illuminata dalle luci al neon. Mi ero trasferita nella città più vivace e stimolante del mondo, eppure in certi giorni mi sembrava che la mia vita si fosse ridotta a una serie di monotoni spostamenti dalla limousine all'appartamento, dall'appartamento alla limousine.

"È da molto che lavori per i Gopnik?"

Garry fece sciogliere lentamente due cucchiaini di zucchero nel caffè e appallottolò le bustine vuote nel suo pugno grassoccio. "Un anno e mezzo."

"E prima per chi lavoravi?"

"Qualcun altro."

Bevvi un sorso di caffè, che mi parve inaspettatamente buono. "Non ti pesa mai?"

Lui mi scrutò da sotto le sue sopracciglia spesse.

"Stare sempre in giro?" spiegai. "Cioè, Agnes si comporta spesso così?"

Garry continuò a mescolare il suo caffè tenendo gli occhi fissi sulla tazza. "Ragazzina" disse dopo qualche istante "non voglio essere scortese, ma da quel che ho capito non sei in questo ambiente da molto, e ti assicuro che ci resterai molto più a lungo se non ti fai troppe domande." Si appoggiò allo schienale, e la massa ingombrante del suo busto si distribuì dolcemente intorno alla vita. "Io sono un autista. Mi faccio trovare dove c'è bisogno di me, parlo quando sono interpellato, non vedo niente, non sento niente, dimentico tutto. È questo il motivo per cui bazzico in questo settore da trentadue anni e sono riuscito a mandare due figli ingrati all'università. Tra due anni e mezzo me ne andrò in pensione anticipata e mi trasferirò nella mia casa sulla spiaggia in Costa Rica. È così che si fa." Si sfregò il naso con un tovagliolino di carta facendo sussultare le guance. "Hai capito bene?"

"Non vedo niente, non sento niente..."

"... dimentico tutto. Proprio così. Vuoi un donut? Ne fanno di ottimi qui. Li sfornano freschi in continuazione." Si alzò e si avviò pesantemente verso il bancone, e quando tornò indietro si limitò ad annuire soddisfatto quando gli dissi che sì, quei donuts erano davvero ottimi.

Agnes non disse nulla quando finalmente ci raggiunse. "Leonard ha chiamato?" chiese dopo qualche istante. "Ho spento il telefono per sbaglio."

"No."

"Dev'essere in ufficio. Ora lo sento." Si sistemò i capelli, poi si adagiò contro lo schienale. "È stata una lezione bellissima. Sto davvero imparando molte cose. Steven è un artista straordinario" dichiarò.

Solo a metà del tragitto verso casa mi accorsi che non aveva alcun disegno con sé.

11

Caro Thom,
ti mando un berrettino da baseball perché io e Nathan siamo andati a vedere una partita ieri e tutti i giocatori ne avevano uno uguale (in realtà portavano il caschetto, ma questa è la versione tradizionale). Ne ho preso uno per te e uno per una persona che conosco. Chiedi alla mamma di farti una foto così la appendo in camera mia!

No, purtroppo credo che non ci siano cowboy da queste parti, ma oggi andrò al country club e terrò gli occhi bene aperti in caso dovessi vederne uno passare di lì per caso.

Grazie per il bellissimo disegno del mio culone con il mio cane immaginario. Non mi ero mai resa conto di avere un fondoschiena di quella sfumatura di viola sotto i pantaloni, ma lo terrò a mente qualora decidessi di fare una passeggiata nuda davanti alla Statua della Libertà, come nel tuo disegno.

Credo che la tua versione di New York sia ancora più elettrizzante di quella reale.

Ti voglio bene,
Zia Lou

Il Grand Pines Country Club si estendeva per ettari di campagna lussureggiante, con gli alberi e i prati che si succedevano con una tale perfezione e con una tonalità di verde così vivida che avrebbero potuto essere stati concepiti da un bambino di sette anni con un'intera scatola di pastelli a disposizione.

In un pomeriggio limpido e frizzante Garry percorse lentamente il lungo viale d'accesso fino all'imponente edificio bianco dove ci attendeva un giovanotto premuroso con una divisa azzurro chiaro che si avvicinò per aprire la portiera di Agnes.

«Buongiorno, Mrs Gopnik. Come va oggi?»

«Molto bene, grazie, Randy. E tu?»

«Non potrebbe andare meglio, signora. C'è già un gran fermento. Che giornata!» Prese le chiavi, salutò toccandosi brevemente il berretto e andò a parcheggiare la macchina.

Poiché Mr Gopnik era stato trattenuto in ufficio, toccava ad Agnes consegnare un regalo di congedo a Mary, uno dei membri dello staff del country club con il maggior numero di anni di servizio. Agnes aveva fatto capire molto chiaramente per quasi tutta la settimana quanto le pesasse doversi sobbarcare quell'impegno. Lei odiava il country club. Sarebbero state presenti tutte le amichette della vecchia Mrs Gopnik. E Agnes detestava parlare in pubblico, non riusciva a farlo senza Leonard al suo fianco. Ma questa volta lui era stato irremovibile. "Ti aiuterà a conquistarti il posto che ti spetta, tesoro. E ci sarà Louisa con te" le aveva detto.

Così avevamo preparato il discorso ed elaborato un piano. Saremmo arrivate nella Sala Grande il più tardi possibile, un attimo prima che venissero serviti gli antipasti, in modo da poterci sedere scusandoci e lamentandoci per il traffico di Manhattan. Mary Lander, la neo-pensionata in questione, si sarebbe alzata da tavola dopo il caffè intorno alle 14, e alcuni dei presenti avrebbero detto qualche parola di circostanza su di lei. Poi sarebbe toccato ad Agnes: si sarebbe scusata per l'inevitabile assenza di suo marito e avrebbe pronunciato qualche altra parola carina all'indirizzo di Mary prima di consegnarle il dono di pensionamento. Avremmo atteso diplomaticamente per circa mezz'ora, e poi ci saremmo congedate con il pretesto di importanti impegni in città.

«Pensi che questo vestito vada bene?» mi chiese Agnes. Indossava una *mise* insolitamente classica formata da un tubino fucsia e un giacchino a maniche corte di una tonalità più chiara con un filo di perle al collo. Non era il suo look abituale, ma intuii che aveva bisogno di sentirsi sicura di sé, come se indossasse un'armatura.

«È perfetto.» Agnes prese fiato e io le diedi una leggera gomitata sorridendo. Lei mi sfiorò la mano e me la strinse.

«Respira a fondo» dissi. «Nient'altro.»

«Non un dito medio stavolta, ma due» mormorò con un sorrisetto.

L'edificio era ampio e luminoso, con i muri di un tenue color magnolia, e c'erano enormi vasi di fiori e mobili in stile ovunque. Nelle sale rivestite di pannelli in legno di quercia, con i ritratti dei fondatori alle pareti, il personale di servizio si muoveva silenziosamente da una stanza all'altra, accompagnato dal brusio di tranquille conversazioni e dallo sporadico tintinnio di un bicchiere o di una tazzina di caffè. Ogni cosa era bellissima, ogni desiderio apparentemente già esaudito.

La Sala Grande era affollata, con una sessantina di tavoli rotondi elegantemente addobbati, già occupati da signore ben vestite che chiacchieravano davanti a bicchieri di acqua naturale o di punch alla frutta. Le acconciature erano state realizzate con abili colpi di phon e l'abbigliamento era prevalentemente di un'eleganza costosa, con abiti di ottima fattura e giacche bouclé o capi accuratamente coordinati. L'aria era carica di un inebriante mix di profumi. Qua e là si vedeva qualche uomo solitario seduto a un tavolo di sole donne che appariva stranamente neutralizzato da quella schiacciante preponderanza femminile.

Un osservatore casuale avrebbe potuto pensare che fosse tutto perfetto. Un lieve movimento del capo, un calo quasi impercettibile del tono delle conversazioni al nostro passaggio, un arricciarsi di labbra appena accennato. Camminavo dietro Agnes e, quando lei vacillò di colpo, rischiai di sbattere contro la sua schiena. E poi notai la disposizione degli invitati a tavola: Tabitha, un giovanotto, un uomo anziano, due donne che non riconobbi e, di fianco a me, una signora più matura che alzò la testa e guardò Agnes dritta negli occhi. Quando il cameriere si fece avanti con sollecitudine per scostarle la sedia, Agnes si ritrovò seduta di fronte all'Allarme Viola in persona: Kathryn Gopnik.

«Buon pomeriggio» disse Agnes sforzandosi di non guardare la sua rivale mentre rivolgeva un saluto collettivo alla tavolata.

«Buon pomeriggio, Mrs Gopnik» rispose l'uomo seduto accanto a me.

«Mr Henry» disse Agnes con un sorriso tremante. «Tabitha, non sapevo che saresti venuta oggi.»

«Non credo di essere tenuta a informarti di tutti i nostri spostamenti, non ti pare, Agnes?» ribatté Tab.

«E lei chi sarebbe?» chiese l'uomo anziano alla mia destra. Stavo per rispondere che ero un'amica londinese di Agnes, ma mi resi conto che era impossibile reggere quel gioco. «Sono Louisa» dissi. «Louisa Clark.»

«Emmett Henry» disse lui porgendomi una mano nodosa. «Felice di conoscerla. Sbaglio o il suo accento è inglese?»

«Non sbaglia.» Alzai gli occhi per ringraziare una cameriera che mi stava versando dell'acqua.

«Davvero delizioso. Ed è qui in visita?»

«Louisa lavora come assistente di Agnes, Emmett.» La voce di Tabitha ci arrivò dall'altra parte del tavolo. «Agnes ha preso l'abitudine alquanto discutibile di farsi accompagnare dai suoi dipendenti nelle occasioni mondane.»

Mi sentii avvampare. Avvertii lo sguardo di fuoco di Kathryn Gopnik che mi scrutava, così come quello del resto dei commensali.

Emmett si soffermò a riflettere. «Be', sai, negli ultimi dieci anni la mia Dora si faceva accompagnare ovunque dalla sua infermiera Libby. Ristoranti, teatri, dappertutto. Diceva sempre che la vecchia Libby sapeva conversare meglio di me.» Mi picchiettò la mano e ridacchiò, opportunamente imitato dagli altri invitati. «Oserei dire che aveva ragione.»

E fu così che un arguto ottantaseienne mi salvò dall'ignominia sociale. Emmett Henry conversò con me davanti all'antipasto ai gamberetti, raccontandomi della sua adesione di lunga data al country club, della sua carriera di avvocato a Manhattan, del suo attuale soggiorno in una casa di riposo nelle vicinanze.

«Vengo qui tutti i giorni, sa? Mi mantengo attivo e trovo sempre qualcuno con cui parlare. È la mia seconda casa.»

«È bellissimo» dissi sbirciando dietro di me. Alcune teste si voltarono immediatamente dall'altra parte. «Capisco perché le piace frequentare questo posto.» All'apparenza Agnes sembrava tranquilla, ma notai che le mani le tremavano leggermente.

«Oh, questo è un edificio carico di storia, mia cara.» Emmett mi indicò una targa sul lato della sala. «Risale al...» Fece una pausa per assicurarsi di suscitare il mio stupore, e poi scandì lentamente l'anno. «1937.»

Avrei voluto dirgli che in Inghilterra, nella strada dove abitavo, avevamo delle case popolari più antiche di questa. Credo che mia madre avesse perfino un paio di collant ancora più vecchi. Invece mi limitai ad annuire e sorridere, e mangiai il mio pollo ai funghi domandandomi se esistesse un modo per avvicinarmi ad Agnes, che ora aveva un'aria chiaramente infelice. Il pasto si trascinò per le lunghe. Emmett mi raccontò innumerevoli aneddoti legati al circolo e cose divertenti dette o fatte da persone di cui non avevo mai sentito parlare. Di tanto in tanto Agnes mi cercava con gli occhi e io le sorridevo, ma capivo che stava per crollare. Gli sguardi guizzavano furtivamente verso il nostro tavolo e le teste si accostavano le une alle altre bisbigliando: "Le due Mrs Gopnik sedute a pochi centimetri di distanza! Roba da non credere!". Dopo il primo, chiesi scusa e mi alzai da tavola.

«Agnes, ti spiace indicarmi la toilette delle signore?» chiesi. Pensai che anche solo dieci minuti lontano da quella sala l'avrebbero aiutata.

Ma prima che Agnes potesse rispondermi, Kathryn Gopnik posò il tovagliolo sul tavolo e mi disse: «Gliela mostro io, cara. Vado anch'io da quella parte». Prese la borsetta e si piazzò accanto a me, in attesa. Lanciai un'occhiata ad Agnes, ma lei non si mosse.

Infine annuì. «Vai pure. Io... finisco il mio pollo» disse.

Seguii Mrs Gopnik fra i tavoli della Sala Grande fino all'atrio, con la mente in subbuglio. Percorremmo il corridoio, io un po' più indietro rispetto a lei, i nostri passi attutiti da una spessa moquette, e ci fermammo davanti a una pesante porta di mogano. Lei la aprì, poi si scostò per farmi entrare per prima.

«Grazie» mormorai, e mi rifugiai subito in un cubicolo. Non mi scappava nemmeno la pipì. Mi sedetti sulla tazza proponendomi di rimanere lì abbastanza a lungo da indurla ad andarsene prima di me, ma quando uscii, la trovai davanti allo specchio, intenta a ritoccarsi il rossetto. Fece scivolare lo sguardo verso di me mentre mi lavavo le mani.

«Sicché lei vive nella mia vecchia casa» esordì.

«Sì.» Mi sembrava abbastanza inutile mentire al riguardo.

Sporse le labbra, poi, soddisfatta del risultato, chiuse il tubetto di rossetto. «Dev'essere piuttosto imbarazzante per lei.»

«Faccio solo il mio lavoro.»

«Mmh.» Tirò fuori una spazzola da borsetta e se la passò piano fra i capelli. Mi domandai se sarebbe stato scortese andarmene o se l'etichetta prevedeva che dovessi tornare al tavolo con lei. Mi asciugai le mani e mi avvicinai allo specchio, controllando se avevo il trucco sbavato sotto gli occhi e attardandomi il più possibile.

«Come sta mio marito?»

Sbattei le palpebre, colta di sorpresa.

«Leonard. Come sta? Le assicuro che non tradisce la fiducia di nessuno rispondendo alla mia domanda.» Il suo riflesso mi fissava dallo specchio.

«Io... non lo vedo molto. Ma mi pare che stia bene.»

«Mi chiedevo perché non è qui. Forse la sua artrite si è riacutizzata?»

«Oh, no. Credo che avesse un impegno di lavoro.»

«Un impegno di lavoro. Bene. Suppongo che questa sia una buona notizia.» Ripose accuratamente la spazzola nella borsetta e tirò fuori un portacipria. Si picchiettò il naso una, due volte, da un lato e dall'altro, e poi lo richiuse. Stavo esaurendo le cose da fare. Rovistai nella borsa cercando di ricordare se anch'io avevo portato i trucchi con me. E poi Mrs Gopnik si voltò per guardarmi bene in faccia. «È felice?»

«Scusi?»

«È una domanda chiara e diretta.»

Il cuore mi martellava nel petto.

La sua voce era pacata, melliflua. «Tab non mi parla mai di lui. È ancora molto arrabbiata con suo padre, anche se lo ama alla follia. È sempre stata una cocca di papà. Quindi non penso che possa darmi un quadro preciso della situazione.»

«Mrs Gopnik, con tutto il rispetto, non credo che spetti a me descrivere...»

Si voltò di scatto. «No. Suppongo di no.» Rimise il portacipria in borsetta. «Posso ben immaginare che cosa le è stato detto di me, Miss...?»

«Clark.»

«Miss Clark. Ma saprà anche che raramente nella vita è tutto bianco o nero.»

«Lo so.» Deglutii. «So anche che Agnes è una brava persona. Intelligente. Gentile. Colta. E non è un'arrampicatrice sociale. Come ha detto lei, queste cose non sono mai ben definite.»

I suoi occhi incontrarono i miei nello specchio. Indugiammo

ancora qualche istante, poi lei chiuse la borsetta, e dopo aver dato un'ultima occhiata al suo riflesso mi rivolse un sorriso tirato. «Mi fa piacere che Leonard stia bene.»

Tornammo al tavolo proprio mentre i camerieri stavano ritirando i piatti. Mrs Gopnik non mi rivolse più la parola per il resto del pasto.

I dessert furono serviti insieme al caffè, e via via che il pranzo volgeva al termine le conversazioni si smorzarono. Alcune signore anziane furono accompagnate alla toilette districando i loro deambulatori dalle gambe delle sedie con un discreto trambusto. Un uomo in completo scuro, probabilmente il direttore del country club, stava in piedi sul podio davanti alla platea, con il colletto leggermente bagnato di sudore. Ringraziò tutti i presenti per essere intervenuti, poi annunciò brevemente i prossimi eventi che si sarebbero tenuti al circolo, compresa una serata a scopo benefico di lì a due settimane che, a quanto pareva, aveva già raccolto la massima adesione (un fragoroso applauso accolse la notizia). Per terminare, disse, aveva un annuncio importante da fare, e indirizzò un cenno del capo verso il nostro tavolo.

Agnes fece un sospiro, si alzò in piedi, e con gli occhi della sala tutti su di lei, si avviò verso il podio prendendo il posto del direttore davanti al microfono. Restò in attesa mentre l'uomo accompagnava un'anziana signora afroamericana in abito scuro sul palco accanto a lei. La donna agitò le mani come per schermirsi davanti a un tributo non necessario. Agnes le sorrise e prese un respiro profondo, secondo quanto le avevo raccomandato di fare. Poi dispose accuratamente sul leggio i suoi due fogli di appunti e iniziò a parlare con voce chiara e ferma.

«Buon pomeriggio a tutti. Grazie per essere intervenuti e grazie a tutto lo staff per il pranzo delizioso.»

Il suo tono era modulato alla perfezione, le parole levigate come pietre da ore e ore di pratica a cui si era dedicata per l'intera settimana. L'esordio fu accolto da un mormorio di approvazione. Lanciai un'occhiata a Mrs Gopnik, ma la sua espressione era impenetrabile.

«Come molti di voi sapranno, questo per Mary Lander è l'ultimo giorno di lavoro al circolo. E noi siamo qui per augurarle un sereno pensionamento. Leonard desidera esprimere attraverso di me il suo rammarico per non poter essere presente oggi. Apprezza molto tutto ciò che lei ha fatto per questo posto ed è certo che tutti i soci si uniranno calorosamente al suo ringraziamento.» Fece una pausa come le avevo consigliato. La sala era in silenzio, i volti attenti. «Mary ha iniziato a lavorare al Grand Pines nel 1967 come aiuto in cucina e si è fatta strada fino ad assumere il ruolo di vicedirettrice del personale di servizio. Tutti qui, Mary, hanno avuto modo di godere della sua compagnia e di apprezzare il suo duro lavoro nel corso degli anni, e sentiranno molto la sua mancanza. Noi, e gli altri membri di questo club, desideriamo consegnarle un piccolo dono in segno di riconoscenza e ci auguriamo che la attendano giorni sereni.»

Ci fu un cortese giro di applausi e qualcuno passò ad Agnes la riproduzione in vetro di una pergamena parzialmente srotolata con il nome di Mary inciso sopra. Lei la consegnò sorridendo alla neo-pensionata, restando in posa mentre alcuni degli astanti scattavano delle foto. Poi scese dalla pedana e tornò al tavolo, chiaramente sollevata per aver finalmente lasciato la ribalta. Osservai Mary che sorrideva per altre foto, stavolta di fianco al direttore. Stavo per congratularmi con Agnes quando Kathryn Gopnik si alzò in piedi.

«Se permettete» disse con una voce stridula che sovrastò il brusio dei commenti. «Vorrei dire due parole anch'io.»

Salì sul podio e, ignorando il leggio, si avvicinò a Mary e la liberò del regalo passandolo al direttore. Le prese entrambe le mani e le strinse fra le sue. «Oh, Mary» disse, e poi, rivolgendosi alla platea: «Mary, Mary, Mary. Che *tesoro* sei stata.»

Una spontanea esplosione di applausi scosse la sala. Mrs Gopnik annuì e attese che si smorzasse. «In tutti questi anni mia figlia è cresciuta con te che ti prendevi cura di lei, e di noi, nelle centinaia, ma che dico, *migliaia* di ore che abbiamo trascorso qui. Momenti felici, molto felici. Se avevamo anche il minimo problema, tu eri sempre pronta a trovare una soluzione, a medicare un ginocchio sbucciato o a mettere impacchi di ghiaccio sulla testa per scongiurare l'ennesimo bernoccolo. Tutti ricordiamo l'incidente nella rimessa per le barche, vero?»

Uno scroscio di risate dilagò nella stanza.

«Hai riservato un affetto speciale ai nostri figli, e questo posto è sempre stato come un rifugio per me e per Leonard perché sapevamo che qui la nostra famiglia sarebbe stata felice e al sicuro. Quei bei prati hanno visto tanti periodi spensierati e sono stati testimoni di tante risate. Mentre noi eravamo fuori a giocare a golf o a condividere un delizioso cocktail con gli amici, tu eri là a bordo campo, intenta a sorvegliare i bambini o a servirci bicchieri di quell'inimitabile tè freddo. Chi di noi non ama il tè freddo di Mary?»

Di nuovo applausi. Vidi Agnes irrigidirsi mentre batteva le mani meccanicamente, come se non sapesse bene cos'altro fare.

«Il tè freddo di Mary è qualcosa di speciale» mi sussurrò Emmett all'orecchio. «Non so cosa ci metta dentro, ma santo cielo, è *letale*.» Alzò gli occhi al cielo.

«Tabitha è venuta apposta dalla città, come molti di noi oggi, perché so che ti considera non solo un membro dello staff di questo circolo, ma parte integrante della *famiglia*. E tutti sappiamo bene che niente può sostituire la famiglia!»

A questo punto, mentre scoppiavano altri applausi, non osai guardare Agnes.

«Mary» proseguì Kathryn Gopnik quando cessarono «tu ci hai aiutato a perpetuare i veri valori di questo posto. Valori che qualcuno potrà ritenere superati, ma che, ne siamo convinti, fanno di questo country club quello che è, ossia coerenza, eccellenza e *lealtà*. Tu ne sei stata il volto sorridente, il cuore pulsante. So di interpretare il pensiero di tutti quando dico che non sarà la stessa cosa senza di te.» La festeggiata era raggiante e aveva gli occhi lucidi. «E ora tutti quanti riempiamo i calici e brindiamo alla nostra meravigliosa *Mary*.»

La sala esplose. Quelli che erano in grado di alzarsi, si alzarono. Mentre Emmett si rimetteva in piedi vacillando, io mi guardai intorno e poi, sentendomi un po' sleale, feci altrettanto. Agnes fu l'ultima ad alzarsi dalla sedia, continuando ad applaudire e ostentando un sorriso forzato più simile a una smorfia.

C'era qualcosa di confortante nel trovarsi in un bar tra i più frequentati della città, uno di quei posti dove dovevi allungare il braccio in una tripla coda per ottenere l'attenzione del barman e ritenerti fortunato se, dopo aver sgomitato tra gli avventori per tornare al tuo tavolo, ti restavano nel bicchiere almeno due terzi del tuo drink. Il Balthazar, mi spiegò Nathan, era una sorta di istituzione a SoHo: sempre affollato, sempre divertente, un pilastro della vita notturna newyorkese. Quella sera, nonostante fosse domenica, era gremito, e vi si respirava un'atmosfera sufficientemente frizzante – tra il rumore, l'attività frenetica dei baristi, le luci e l'acciottolio confuso – da scacciare dalla mia mente gli eventi della giornata.

Ci scolammo un paio di birre ciascuno in piedi al bancone, e Nathan mi presentò gli amici della palestra. Ne dimenticai i nomi quasi subito, ma erano ragazzi divertenti e simpatici che sembravano avere soltanto bisogno della presenza di una donna come pretesto per scambiarsi insulti scherzosi per tutta la sera. Alla fine riuscimmo a conquistarci un tavolo per bere ancora un paio di birre e mangiare un cheeseburger, il che mi fece sentire un po' meglio. Intorno alle dieci, mentre i ragazzi erano impegnati a fare cattive imitazioni di altri frequentatori della palestra complete di espressioni facciali e vene gonfie, mi alzai per andare in bagno. Vi rimasi per una decina di minuti, godendomi il relativo silenzio mentre mi ritoccavo il trucco e mi ravviavo i capelli. Cercai di non immaginare che cosa stesse facendo Sam. Pensare a lui aveva smesso di essere un conforto e aveva cominciato invece a provocarmi un nodo allo stomaco. E poi tornai dagli altri.

«Mi stai tampinando?»

Mi voltai di scatto in corridoio. Era Joshua Ryan, con indosso i jeans e una camicia, che mi fissava inarcando le sopracciglia.

«Che cosa? Oh. Ciao!» Mi portai istintivamente la mano ai capelli. «No... no, sono qui con un gruppo di amici.»

«Stavo scherzando. Come stai, Louisa Clark? Siamo piuttosto lontani da Central Park.» Si chinò per baciarmi sulla guancia. Aveva un delizioso profumo di lime con un lieve sentore muschiato. «Wow. È stato quasi poetico.»

«Sto solo facendo il giro di tutti i bar di Manhattan, sai com'è.»

«Oh, sì. Per la serie "proviamo qualcosa di nuovo". Sei molto carina. Mi piace questo tuo...» indicò il tubino e il cardigan a maniche corte «... stile da scolaretta.»

«Sono stata al country club oggi.»

«È un look che ti dona. Ti andrebbe una birra?»

«Non... non posso abbandonare i miei amici.» Per un attimo Josh apparve deluso. «Ma... ehi! Perché non ti unisci a noi?»

«Perfetto! Fammi solo avvisare le persone con cui sono qui.»

Mi sono aggregato a una coppia. Saranno felici di liberarsi di me. Dove siete seduti?»

Mi feci strada per raggiungere Nathan avvertendo un'improvvisa vampata di calore al viso e un lieve ronzio nelle orecchie. Non importava quanto fosse "sbagliato" l'accento, quanto fossero diverse le sopracciglia e il taglio degli occhi: era impossibile guardare Josh senza vedere Will. Mi domandai se quella somiglianza avrebbe mai smesso di sconvolgermi. E mi interrogai sull'utilizzo inconscio della parola "mai".

«Mi sono imbattuta in un amico» dissi proprio mentre si stava avvicinando Josh.

«Un amico» ripeté Nathan.

«Nathan, Dean, Arun, vi presento Josh Ryan.»

«Hai dimenticato "Terzo".» Mi indirizzò un grande sorriso, come se ci fossimo scambiati una battuta soltanto nostra. «Salve.» Josh si protese leggermente per stringere la mano di Nathan. Vidi gli occhi di Nathan scorrere lentamente su di lui e poi balenare di nuovo verso di me. Spianai le labbra in un sorriso innocente e neutro, come se avessi un sacco di amici bellocci sparsi in giro per Manhattan pronti ad aggregarsi a noi in un locale.

«Posso offrirvi una birra?» disse Josh. «Servono anche degli ottimi piatti qui, se qualcuno è interessato.»

«Un "amico"?» mormorò Nathan mentre Josh si avviava al bancone.

«Sì. Un amico. L'ho conosciuto al Ballo in Giallo. Con Agnes.»

«Somiglia a...»

«Lo so.»

Nathan rifletté per qualche istante. Guardò me, poi di nuovo Josh. «Sempre per quella tua teoria del dire sì alle esperienze nuove, immagino. Non avrai per caso...»

«Io amo Sam, Nathan.»

«Certo, certo. Era solo per dire.»

Mi sentii addosso il suo sguardo indagatore per il resto della serata. Non so come, io e Josh finimmo in fondo al tavolo, un po' in disparte rispetto agli altri. Mi parlò dello sconsiderato mix di narcotici e antidepressivi che i suoi colleghi ingoiavano ogni giorno per poter affrontare le sfide imposte dal loro lavoro, di quanto si impegnasse per cercare di non urtare il suo capo assai suscettibile e di come fallisse comunque, dell'appartamento che non aveva mai avuto il tempo di imbiancare, di cosa era successo quando sua madre, ossessionata dalle pulizie, era venuta a fargli una visita a sorpresa da Boston, e così via, a ruota libera. Io annuivo, sorridevo e lo ascoltavo, assicurandomi di guardarlo in faccia con aria partecipe e interessata anziché abbandonarmi a una malinconica e leggermente ossessiva litania di "Oh, quanto gli somigli!".

«E che mi dici di te, Louisa Clark? Non hai quasi aperto bocca per tutta la sera. Come procede la tua vacanza? Quando devi tornare?»

Il lavoro. Mi resi conto con un sussulto che l'ultima volta che ci eravamo incontrati avevo mentito sulla mia identità. E mi resi anche conto che ero troppo ubriaca per sostenere qualunque tipo di bugia, o per vergognarmi come probabilmente avrei dovuto fare se avessi confessato. «Josh, devo dirti una cosa.»

Lui si protese verso di me. «Ah. Sei sposata.»

«No.»

«Bene, è già qualcosa. Hai una malattia incurabile? Ti rimangono poche settimane di vita?»

Scossi la testa.

«Sei annoiata? Sì, sei annoiata. Preferiresti parlare con qualcun altro, vero? Ho capito. Praticamente non ho mai preso fiato.»

Scoppiai a ridere. «No. Non è questo. Tu sei un'ottima compagnia.» Mi guardai i piedi. «Io... non sono chi ti ho detto di essere. Non sono un'amica inglese di Agnes. L'ho detto perché lei aveva bisogno di un sostegno morale al ballo. Io sono... sì, insomma, sono la sua assistente personale. Sono una semplice assistente.»

Quando alzai lo sguardo, Josh mi stava scrutando.

«E?»

Lo fissai. I suoi occhi erano screziati di pagliuzze dorate.

«Louisa, questa è New York. Tutti si spacciano per quello che non sono. Ogni cassiere di banca, come minimo, è vicepresidente junior. Ogni barista ha una casa di produzione. Avevo intuito che lavorassi per Agnes perché le stavi intorno con grande sollecitudine. Nessuna amica farebbe una cosa del genere. A meno che non fosse, come dire, davvero stupida. Cosa che chiaramente tu non sei.»

«E non ti importa?»

«Ehi. Intanto sono felice che tu non sia sposata. Purché tu non lo sia davvero. Quella non era una bugia, giusto?»

Mi aveva preso le mani. Mi sentii mancare leggermente il respiro e dovetti deglutire prima di parlare. «No. Ma ho un fidanzato.»

Josh continuò a fissarmi negli occhi, forse cercando di capire se sarebbe arrivata una battuta a effetto, poi, con riluttanza, mi lasciò andare le mani. «Ah. Be', questo è un peccato.» Si appoggiò allo schienale e bevve un sorso del suo drink. «E come mai lui non è qui con te?»

«Perché è in Inghilterra.»

«E ti raggiungerà?»

«No.»

Josh fece una smorfia, il tipo di smorfia che appare sul volto delle persone quando pensano che tu stia facendo una stupidaggine ma non vogliono dirlo ad alta voce. Si strinse nelle spalle. «Però possiamo essere amici. Sai che qui tutti escono con qualcuno? Non deve essere per forza una cosa impegnativa. Sarò il tuo accompagnatore incredibilmente attraente.»

«Per "uscire con qualcuno" intendi "fare sesso con qualcuno"?»

«Caspita! Voi ragazze inglesi non usate mezzi termini, vedo.»

«È solo che non voglio prendere in giro nessuno.»

«Mi stai dicendo che non saremo amici-con-benefit. Okay, Louisa Clark. Intesi.»

Cercai di non sorridere. Invano.

«Sei molto carina. E buffa. E diretta. E diversa da qualsiasi ragazza io abbia mai incontrato.»

«E tu sei molto affascinante.»

«Perché sono lievemente rapito.»

«E io sono lievemente brilla.»

«Oh, così mi ferisci. Mi ferisci davvero.» E, con un gesto teatrale, si premette le mani sul cuore.

Fu a questo punto che, girando la testa, vidi Nathan che mi stava osservando. Alzò impercettibilmente il sopracciglio e si picchiettò il polso. Questo bastò per riportarmi con i piedi per terra. «Sai, devo proprio andare. Ho la sveglia presto.»

«Mi sono spinto troppo in là. Ti ho spaventata.»

«Oh, non mi spavento tanto facilmente. Ma domani sarà davvero una giornata difficile. E la mia corsa mattutina non si concilia bene con diverse pinte di birra e uno shot di tequila per concludere.»

«Mi chiamerai? Per una birra platonica? Per un drink? O per un'innocente limonata?»

«Una limonata? Ti faccio notare che la tua proposta è un po' equivoca. Vuoi per caso intendere altro?»

Josh scoppiò a ridere. «Oh, no. A meno che non sia tu stessa a chiedermelo.»

«Allora si può fare.»

«Ci conto. Chiamami.»

Uscii dal locale sentendo il suo sguardo su di me per tutto il tragitto. Mentre Nathan fermava un taxi, mi voltai proprio nell'istante in cui la porta si chiudeva. Riuscii a scorgerlo attraverso una fessura sottile, ma fu sufficiente per confermarmi che mi stava ancora guardando. E sorrideva.

Chiamai Sam.

«Ehi» dissi quando sollevò il ricevitore.

«Lou? Cosa lo chiedo a fare? Chi altri potrebbe telefonare alle 4.45 del mattino?»

«Che cosa stai facendo?» Mi distesi sul letto e lasciai cadere le scarpe sulla moquette.

«Sono appena smontato da un turno. Sto leggendo. Tu come stai? Mi sembri di buonumore.»

«Sono stata in un locale. Ho avuto una giornata pesante, ma ora sto molto meglio. E avevo voglia di sentire la tua voce. Perché mi manchi. E perché sei il mio fidanzato.»

«E perché sei sbronza» concluse Sam ridendo.

«Forse. Un pochino. Hai detto che stavi leggendo?»

«Sì. Un romanzo.»

«Davvero? Pensavo che non ti piacessero i libri di narrativa.»

«Oh, me l'ha dato Katie. Era sicura che mi sarebbe piaciuto. E comunque non potrei sopportare le sue interminabili tiritere se mi ostino a non leggerlo.»

«Katie ti compra i libri?» Mi tirai su e il mio buonumore svanì rapidamente.

«Perché? Che cosa significa "ti compra i libri"?» Sembrava quasi divertito.

«Significa che le piaci.»

«Non è vero.»

«Sì, invece.» L'alcol aveva allentato i miei freni inibitori. Sentivo le parole uscirmi di bocca senza poterle fermare. «Se una donna cerca di farti leggere qualcosa, è perché ha un debole per te. Vuole entrare nella tua testa. Vuole farti pensare a una determinata cosa.»

Lo sentii ridacchiare. «E se il libro in questione fosse un manuale per riparare le motociclette?»

«Vale lo stesso discorso. In quel caso vorrebbe cercare di dimostrarti che è una tipa intraprendente, sexy e pure appassionata di moto.»

«Be', qui i motori non c'entrano. È un libro francese.»

«Francese? Ancora peggio. Come si intitola?»

«*Madame de.*»

«*Madame de* cosa?»

«Solo *Madame de.* Parla di un generale e di un paio di orecchini e...»

«E cosa?»

«Lui ha una relazione clandestina.»

«Ti sta facendo leggere un libro su un generale francese che ha una relazione clandestina? Oddio. È completamente pazza di te.»

«Sei fuori strada, Lou.»

«So cosa significa piacere a qualcuno, Sam.»

«Davvero?» Cominciava a sembrare insofferente.

«Un tizio ci ha provato con me stasera. Sapevo di piacergli. Così gli ho detto chiaramente che stavo con qualcuno. L'ho respinto.»

«Ma va'! E chi era questo tipo?»

«Si chiama Josh.»

«*Josh.* Sarebbe lo stesso Josh che ti ha telefonato in aeroporto quando stavo per partire?»

Nonostante avessi la mente lievemente offuscata dai drink, iniziai a pensare che quella telefonata fosse stata una cattiva idea. «Sì.»

«E guarda caso l'hai incontrato in un bar.»

«Sì! Ero andata lì con Nathan. E mi sono letteralmente scontrata con lui uscendo dalla toilette.»

«Quindi, che cosa ti ha detto?» La sua voce era venata di irritazione.

«Ha detto che... che era un peccato.»

«E lo è?»

«Cosa?»

«Un peccato.»

Seguì un breve silenzio. D'un tratto mi sentii terribilmente sobria. «Ti sto solo riferendo quello che mi ha detto. Io sto con te, Sam. Sto usando questo episodio per farti un esempio di come ho capito di piacere a qualcuno e di come ho subito troncato la cosa prima che lui potesse farsi un'idea sbagliata. Un concetto che tu non sembri in grado di afferrare.»

«No, io invece ho l'impressione che tu mi chiami nel cuore della notte per darmi addosso solo perché la mia collega mi ha prestato un libro, mentre trovi giusto uscire e chiacchierare di relazioni amorose davanti a un drink con questo Josh. Dio. Non volevi neppure ammettere che noi due avessimo una relazione finché non ti ho forzato io a farlo. E adesso parli con disinvoltura di questioni intime con un tizio che hai incontrato in un bar. Se davvero l'hai incontrato per caso in un bar.»

«Allora avevo solo bisogno di tempo, Sam! Pensavo che tu non facessi sul serio!»

«Avevi bisogno di tempo perché eri ancora innamorata del ricordo di un altro uomo. Un uomo che non c'era più. E ora sei a New York perché, be', perché lui voleva che ci andassi. Perciò proprio non capisco perché tu faccia tante storie e sia gelosa di Katie. Non ti è mai importato di quanto tempo trascorrevo con Donna.»

«Perché Donna non ti vedeva in quel modo.»

«Ma se Katie non l'hai nemmeno incontrata! Come fai a sapere se ha un debole per me oppure no?»

«Ho visto le foto!»

«*Quali foto?*» esplose.

Chiusi gli occhi. Ero un'idiota. «Sul suo profilo Facebook. Ha postato delle foto. Di te e lei insieme.» Deglutii. «Una foto.»

Ci fu un lungo silenzio. Il tipo di silenzio che significa: "Ma fai sul serio?". Il tipo di silenzio inquietante che si instaura ogni volta che qualcuno rivede silenziosamente l'idea che si è fatto di te. Quando Sam riprese a parlare, la sua voce era bassa e controllata. «Questa discussione è ridicola e io ho bisogno di dormire.»

«Sam, io...»

«Dormi, Lou. Ne parleremo un'altra volta.» Riattaccò.

12

Passai una notte pressoché insonne. Tutte le cose che avrei voluto dire e non dire mi turbinavano nella mente in un interminabile, deleterio carosello, e mi svegliai stordita sentendo bussare alla porta. Scesi dal letto e barcollando andai ad aprire. Mi trovai davanti Mrs De Witt in vestaglia. Sembrava più piccola e fragile senza trucco, con i capelli scarmigliati e il viso stravolto dall'ansia.

«Oh, è *qui*» esclamò, come se io avessi potuto essere da un'altra parte. «Venga. Venga. Ho bisogno del suo aiuto.»

«Che... Che cosa? Chi l'ha fatta entrare?»

«Quel tizio ben piantato. L'australiano. Su, non c'è tempo da perdere.»

Mi sfregai gli occhi cercando di capire cosa stesse succedendo.

«Mi ha aiutato prima, ma ha detto che non poteva lasciare Mr Gopnik. Be', comunque. Stamattina ho aperto la porta per mettere fuori la spazzatura e Dean Martin è scappato da qualche parte nel palazzo. Non ho idea di dove possa essersi cacciato. Non riesco a trovarlo da sola.» La sua voce era tremante e imperiosa insieme, e gesticolava agitando le mani intorno alla testa. «Presto, si sbrighi. Ho paura che qualcuno giù apra il portone e lui possa uscire in strada.» Si torse le mani. «Non va bene che stia fuori da solo. Senza contare che potrebbero portarlo via. È un cane di razza, sa?»

Presi le chiavi e la seguii nell'atrio così come mi trovavo. «Dove ha cercato finora?»

Mi guardò come se avessi detto qualcosa di particolarmente

stupido. «Be', da nessuna parte, cara. Faccio fatica a camminare. È per questo che ho bisogno del suo aiuto. Intanto io vado a
prendere il bastone.» Sospirai e cercai di immaginare che cosa
avrei fatto io se fossi stata un carlino strabico in preda a un'improvvisa sete di libertà.

«È tutto quello che ho. Deve trovarlo.» La signora iniziò a
tossire, come se i suoi polmoni non fossero in grado di reggere la tensione.

«Provo nell'androne per prima cosa.»

Scesi le scale di corsa partendo dal presupposto che era improbabile che Dean Martin sapesse chiamare un ascensore, e
perlustrai il corridoio alla ricerca di un cagnolino rabbioso. Era
vuoto. Guardai l'ora e notai con un certo sgomento che non erano ancora le sei, il che spiegava perché Ashok non fosse al suo
posto. Sbirciai dietro e sotto il suo bancone, e poi corsi verso
la guardiola, che, naturalmente, era chiusa a chiave. Chiamai
più volte Dean Martin con voce dolce, sentendomi un pochino
stupida nel farlo. Nessun segno. Risalii le scale e feci la stessa
cosa al nostro piano, controllando la cucina e i corridoi sul retro. Niente. Ripetei l'operazione al terzo e al quarto piano per
poi concludere razionalmente che, se ero senza fiato io, le probabilità che un piccolo carlino obeso fosse in grado di affrontare così tante rampe di scale erano davvero molto scarse. Poi
udii il familiare stridio del camion dell'immondizia. E pensai
al mio vecchio cane, che aveva la stupefacente capacità di tol-
lerare – e perfino di apprezzare – gli odori più disgustosi noti
all'umanità.

Mi diressi verso l'entrata di servizio. E là, intento a seguire la
scena con aria incantata, c'era Dean Martin, con un filo di bava
che gli colava dalla bocca mentre osservava i netturbini che tra-
sportavano i grossi bidoni puzzolenti dal nostro palazzo al camion e viceversa. Mi avvicinai lentamente, ma il rumore era così
forte e la sua attenzione così rapita dalla spazzatura che non si
accorse di me fino al momento in cui mi abbassai e lo afferrai.

Avete mai tenuto in braccio un carlino arrabbiato? Non avevo più visto nessuna creatura dimenarsi in quel modo da quando avevo dovuto placcare sul divano Thom, che allora aveva
due anni, per permettere a mia sorella di estrargli una malefica
biglia dalla narice sinistra. Mentre lo trattenevo a stento sotto

il braccio, il cane si dibatteva a destra e a sinistra con gli occhi fuori dalla testa per la furia, e i suoi guaiti per l'oltraggio subito riempirono l'edificio ancora immerso nel silenzio. Dovetti tenerlo ben saldo scostando la testa di lato per evitare che le sue fauci mi azzannassero. Dal piano di sopra udii Mrs De Witt gridare: «Dean Martin? Sei tu?».

Dovetti fare appello a tutta la forza che avevo in corpo per trattenerlo. Salii di volata l'ultima rampa di scale, impaziente di riconsegnarlo alla sua padrona.

«L'ho preso!» ansimai. Mrs De Witt mi venne incontro con le braccia spalancate e il guinzaglio pronto. Lo legò subito al collare mentre io depositavo quella peste per terra. A quel punto, con una rapidità totalmente sproporzionata per la sua taglia e stazza, il cane si voltò di scatto e affondò i denti nella mia mano sinistra.

Se c'era qualcuno nel palazzo che non era ancora stato svegliato dai latrati, l'urlo che cacciai lo fece di sicuro. Se non altro, fu abbastanza forte da scioccare Dean Martin e indurlo a mollare la presa. Mi piegai in due imprecando, mentre il sangue cominciava già a uscire dalla ferita sulla mia mano. «Mi ha morso! Il suo dannato cane mi ha morso!»

Mrs De Witt inspirò a fondo e raddrizzò un poco le spalle. «Be', è naturale, visto che lo teneva così stretto. Si sarà sentito imprigionato!» Spinse il cane in casa, ma lui continuò a ringhiare contro di me scoprendo i denti. «Ecco, ha visto?» disse indicandolo. «Le sue urla isteriche l'hanno spaventato. Ora è agitatissimo. Ne ha di cose da imparare lei sui cani, se vuole trattarli correttamente.»

Non riuscii a ribattere. Mi era caduta la mascella come nei cartoni animati. Fu a questo punto che Mr Gopnik spalancò la porta di casa. Indossava i pantaloni della tuta e una T-shirt.

«Cos'è questo baccano?» esclamò uscendo sul pianerottolo. Sobbalzai per il suo tono irato. Studiò la scena che aveva davanti agli occhi: io in maglietta e slip che mi tenevo la mano sanguinante, e l'anziana signora in vestaglia con il cagnetto bellicoso ai suoi piedi. Alle spalle di Mr Gopnik intravidi Nathan in divisa, con un asciugamano davanti al viso. «Cosa accidenti sta succedendo?»

«Oh, lo chieda a questa sciagurata. È stata lei a cominciare.» Mrs De Witt raccolse Dean Martin da terra stringendolo fra le sue braccia esili, poi puntò un dito contro Mr Gopnik. «E non si azzardi a rimproverare *me* per il rumore, giovanotto! Il suo appartamento è peggio di un casinò di Las Vegas, con tutto quell'andirivieni di gente. Mi stupisco che nessuno si sia ancora lamentato con Mr Ovitz.» E alzando il mento impettita, si voltò ed entrò in casa sbattendo la porta.

Mr Gopnik, incredulo, guardò prima me, poi la porta chiusa. Rimase in silenzio per un attimo, infine, inaspettatamente, scoppiò a ridere. «"Giovanotto". Be'» disse scuotendo il capo, «era parecchio tempo che non mi sentivo chiamare così.» Si voltò verso Nathan, che era dietro di lui. «Evidentemente stai facendo un buon lavoro.»

Dall'interno dell'appartamento si udì una voce ovattata che si alzò per commentare: «Non montarti la testa, Gopnik!».

Mr Gopnik mi fece accompagnare da Garry nell'ambulatorio del suo medico personale per farmi fare un'antitetanica. Mi accomodai in una sala d'attesa che sembrava il lounge di un hotel di lusso e fui ricevuta da un medico iraniano di mezza età che si rivelò la persona più attenta e disponibile che io avessi mai incontrato. Quando mi cadde l'occhio sulla parcella, a cui avrebbe provveduto la segretaria di Mr Gopnik, dimenticai il morso di Dean Martin e pensai di essere sul punto di svenire.

Una volta tornata a casa, scoprii che Agnes era già al corrente di quanto era successo. A quanto pareva, ero sulla bocca di tutti gli inquilini del condominio. «Devi farle causa» mi disse infervorata. «È solo un'odiosa vecchia rompiscatole. E quel cane è decisamente pericoloso. Non penso che sia sicuro vivere nello stesso palazzo. Ti serve un permesso? Se hai bisogno di assentarti dal lavoro, forse potrei chiederle i danni per il tuo mancato servizio.»

Non dissi nulla, ma continuai a nutrire sentimenti di avversione nei confronti di Mrs De Witt e del suo adorato Dean Martin. «Nessuna buona azione resta impunita, eh?» commentò Nathan quando lo incrociai in cucina. Prese la mia mano per controllare la medicazione. «Cavolo. Quel cane è davvero indemoniato.»

Ma pur essendo furiosa con Mrs De Witt, non riuscivo a togliermi dalla mente quello che aveva detto quando si era presentata alla mia porta. "È tutto quello che ho."

Benché Tabitha fosse tornata nel suo appartamento, quella settimana l'umore in casa Gopnik rimase irritabile, taciturno e caratterizzato da occasionali esplosioni. Mr Gopnik continuò a trattenersi in ufficio fino a tardi, mentre Agnes passava gran parte del tempo al telefono con sua madre. Avevo la sensazione che ci fosse una specie di crisi familiare in corso. Ilaria bruciò una delle camicette preferite di Agnes – un reale incidente, pensai, perché per settimane si era lamentata dei tasti per la regolazione della temperatura del nuovo ferro da stiro – e quando lei le urlò che era una falsa, una traditrice, una *suka* in casa sua, e le lanciò addosso la camicetta rovinata, la governante finalmente sbottò. Disse a Mr Gopnik che non poteva più restare a lavorare per loro, che era impossibile, che nessuno avrebbe potuto sgobbare più di lei e per un compenso più basso per tutti quegli anni, che non poteva sopportare oltre quella situazione ed era decisa a rassegnare le sue dimissioni. Mr Gopnik, con parole suadenti e la testa piegata di lato a mostrare empatia, la convinse a cambiare idea (forse con l'aiuto di una bella somma di denaro), e quell'apparente atto di tradimento fece sì che Agnes sbattesse la porta abbastanza forte da far cadere un altro vaso cinese con uno schianto musicale e, di conseguenza, che passasse un'intera serata a piangere chiusa in camera sua.

Quando mi presentai al lavoro il mattino dopo, Agnes era seduta a colazione accanto al marito con la testa appoggiata alla sua spalla mentre lui le mormorava qualcosa all'orecchio tenendo le dita intrecciate alle sue. Si scusò formalmente con Ilaria sotto lo sguardo incoraggiante di Mr Gopnik e, quando lui uscì per recarsi al lavoro, lei imprecò furiosamente in polacco per tutta la sessione di jogging in Central Park.

Quella sera annunciò che sarebbe andata in Polonia per trascorrere un weekend lungo con la sua famiglia, e io mi sentii leggermente sollevata quando capii che non avrei dovuto seguirla. Talvolta quell'appartamento, per quanto enorme, era insopportabilmente claustrofobico, visti gli umori mutevoli di Agnes, le tensioni altalenanti fra lei e Mr Gopnik o la sua famiglia allargata, e l'ostilità di Ilaria. La prospettiva di rimanere sola per qualche giorno mi faceva vedere quella casa come un'oasi di tranquillità.

«Che cosa vuoi che faccia mentre sei via?» chiesi.

«Prenditi qualche giorno libero!» rispose Agnes sorridendo. «Sei mia amica, Louisa! Penso che tu debba rilassarti. Oh, sono così ansiosa di rivedere la mia famiglia. Mi sento elettrizzata.» Batté le mani. «In Polonia! Nessuno stupido evento di beneficenza a cui partecipare! Sono tanto felice!»

Mi venne in mente quanto era stata riluttante a lasciare suo marito anche solo per una notte poco dopo il mio arrivo. E scacciai il pensiero.

Quando tornai in cucina, ancora intenta a riflettere su questo cambiamento, Ilaria si stava facendo il segno della croce.

«Tutto bene, Ilaria?»

«Sto pregando» rispose lei senza alzare gli occhi dalla padella.

«È tutto a posto?»

«Sì. Sto pregando perché quella *puta* non torni più.»

Scrissi un'email a Sam mentre un'idea stava germogliando dentro di me, riempiendomi di gioiosa aspettativa. Avrei voluto chiamarlo, ma lui non si era più fatto sentire dalla nostra ultima telefonata, e per la verità temevo che fosse ancora arrabbiato con me. Gli dissi che mi era stato concesso un weekend lungo, che avevo controllato i voli ed ero tentata di scialacquare un po' di soldi per fare un'inaspettata puntatina a casa. Che cosa ne pensava? In fondo, a cos'altro serviva lo stipendio? Firmai aggiungendo una faccina sorridente, l'emoji di un aereo e una serie di cuori e baci.

La risposta arrivò nel giro di un'ora.

Mi dispiace. Sto lavorando come un matto in questi giorni e sabato sera ho promesso di portare Jake alla O2 Arena a sentire una band. La tua è una bella idea, ma questo non è un gran weekend per me. Baci, S.

Restai a fissare l'email cercando di non sentirmi raggelata. "È una bella idea" aveva scritto, come se gli avessi proposto una banale passeggiata al parco.

«Vuole mantenere le distanze?»

Nathan lesse l'email due volte. «No. Ti sta dicendo che è impegnato e che non è il momento adatto per una visita inaspettata.»

«Vuole mantenere le distanze, ti dico. Non c'è niente in questo messaggio. Né amore, né... *desiderio*.»

«Magari quando ti ha scritto stava per andare al lavoro. Oppure era seduto sul water, che ne so. O stava parlando con il suo capo. Si sta comportando come farebbe qualsiasi altro uomo.» Non mi convinse. Conoscevo Sam. Rilessi quelle poche righe più e più volte, cercando di analizzarne il tono, di scoprirne l'obiettivo recondito. Andai su Facebook, odiandomi mentre lo facevo, e controllai se Katie Ingram avesse per caso annunciato qualcosa di speciale per il weekend (con mio grande disappunto, scoprii che non aveva postato nulla, il che era *esattamente* quello che farebbe una donna che ha intenzione di sedurre il fidanzato sexy di un'altra). Poi presi un bel respiro e scrissi una risposta. Anzi, parecchie risposte, ma questa fu l'unica che non cancellai.

Nessun problema. Era comunque un'idea azzardata! Divertiti con Jake. Baci. L.

Infine cliccai "invio", meravigliandomi di quanto le parole di un'email potessero discostarsi da ciò che si provava realmente.

Agnes partì il giovedì sera carica di regali. Dopo averla salutata con grandi sorrisi, finalmente mi accasciai davanti alla televisione.

Il venerdì mattina andai a visitare una mostra di costumi d'opera cinesi al Met Costume Institute e passai un'ora ad ammirare quegli abiti dai colori brillanti e dai ricami elaborati, e i riflessi cangianti delle sete. Sentendomi ispirata, da lì mi recai nella West 37th per curiosare fra i negozi di tessuti e le mercerie che avevo adocchiato la settimana prima. La giornata autunnale era fredda e frizzante e sembrava annunciare l'inizio precoce della stagione invernale. Presi la metropolitana e mi immersi quasi con piacere in quell'aria che sapeva di chiuso e di sporco. Arrivata sul posto, gironzolai a lungo tra gli scaffali perdendomi fra i rotoli di tessuti dalle fantasie più varie. Avevo deciso di creare da sola un *moodboard* per Agnes, per ravvivare la sua chaise longue e i cuscini con colori allegri e luminosi – verde giada e varie sfumature di rosa –, e con spettacolari stoffe stampate con pappagalli e ananas, ben diversi dai tristi tessuti damascati e dalle tende che gli arredatori si ostinavano a proporle. Erano tutti i colori preferiti dalla prima Mrs Gopnik. Agnes voleva dare un'impronta personale all'appartamento, qualcosa di audace, di vivo, di bello. Quando spiegai che cosa intendevo fare, la commessa mi indicò un altro negozio nell'East Village, un emporio di abiti usati dove avrei trovato delle stoffe vintage.

Visto da fuori, il negozio non era molto promettente, con un sudicio esterno anni Settanta e l'insegna VINTAGE CLOTHES EMPORIUM che assicurava "tutti i decenni, tutti gli stili a prezzi bassi". Ma quando entrai, rimasi di stucco. In sostanza il negozio era un magazzino stipato di abiti distribuiti in diverse sezioni contrassegnate da cartelli rimediati alla meglio con su scritto: "Anni Quaranta", "Anni Sessanta", "Gli abiti di cui sono fatti i sogni", "Angolo delle occasioni: un difettuccio si può perdonare". L'aria sapeva di muschio, di profumi stantii, di pellicce intaccate dalle tarme e di serate dimenticate da tempo, e io inspirai avidamente quelle sensazioni olfattive quasi fossero ossigeno, come se in qualche modo avessi recuperato una parte di me stessa di cui non sapevo di sentire la mancanza. Curiosai per il negozio provandomi capi di stilisti che non conoscevo, i cui nomi erano un'eco appena sussurrata di un'epoca ormai lontana – "Fatto su misura da Michel", "Fonseca of New Jersey", "Miss Aramis" – sfiorando con le dita cuciture invisibili, accostandomi al viso sete cinesi e chiffon. Avrei comprato decine di cose, ma alla fine optai per un abitino da cocktail verdeazzurro con dei grandi polsini di pelo e un'ampia scollatura (mi convinsi che la presenza della pelliccia non importava, visto che risaliva a sessant'anni prima), una salopette vintage in denim rigato e un camiciotto a quadri che mi faceva venir voglia di abbattere un albero o di montare un cavallo dalla coda fluttuante. Sarei rimasta là dentro tutto il giorno.

«Tengo d'occhio quel vestito da un sacco di tempo» disse la ragazza alla cassa mentre lo posavo sul bancone. Era coperta di tatuaggi, portava i capelli corvini raccolti in un enorme chignon e gli occhi erano sottolineati da un pesante tratto di kohl nero. «Ma non sono mai riuscita a farci entrare il culo. A te invece sta benissimo.» Aveva una voce arrochita dal fumo e irresistibilmente accattivante.

«Non ho idea di quando potrò indossarlo, ma sentivo che doveva essere mio.»

«Succede la stessa cosa anche a me, con i vestiti. È come se ti parlassero, vero? Questo mi urlava in continuazione: "Comprami, idiota! E magari piantala con quelle patatine!".» Lo accarezzò. «*Bye bye*, mio piccolo amico azzurro. Mi dispiace di averti deluso.»

«Questo posto è straordinario.»

«Oh, cerchiamo di tenere duro. Sferzate dai crudeli venti del rialzo degli affitti e dal cattivo gusto dei residenti di Manhattan che preferiscono andare da TJ Maxx piuttosto che acquistare qualcosa di bello e originale. Guarda qui che qualità!» Mi mostrò la fodera del vestito indicando la precisione dei punti. «Come fai a trovare una cura come questa in un capo uscito da una fabbrica che sfrutta i bambini in Indonesia? Nessuno ha un pezzo come questo in tutto lo Stato di New York.» Mi guardò e inarcò le sopracciglia. «Tranne te, signorina inglese. Da dove viene quella meraviglia?»

Indossavo un pastrano verde militare che, secondo mio padre, puzzava come se avesse fatto la guerra in Crimea, un berretto rosso e un paio di calzoncini in tweed con i collant, e ai piedi calzavo i miei Dr. Martens turchesi.

«Adoro il tuo look. Se mai decidessi di disfarti di quel cappotto, lo venderei in tempo zero.» Schioccò le dita così forte che mi fece sobbalzare. «Cappotti militari. Non stancano mai. Ne ho uno rosso da fanteria che mia nonna giura di aver rubato a una guardia di Buckingham Palace. Gli ho tagliato via la parte dietro e l'ho trasformato in un *bum-freezer*. Sai che cos'è un *bum-freezer*, giusto? Vuoi vedere una foto?»

Certo che lo sapevo. Davanti a quella giacca corta che lasciava scoperto il fondoschiena entrammo subito in sintonia, come fanno le altre persone quando guardano le foto dei bambini. La commessa si chiamava Lydia e viveva a Brooklyn. Lei e la sorella Angelica avevano ereditato il negozio dei genitori sette anni prima. Potevano contare su una clientela ristretta ma affezionata, e riuscivano a stare a galla soprattutto grazie alle incursioni dei costumisti del cinema e della televisione che da loro compravano vestiti da disfare per trasformarli in qualcosa di nuovo. La maggior parte dei loro capi, disse, proveniva da vendite immobiliari. «La Florida è il fornitore ideale. Ci sono tutte queste signore anziane che possiedono grandi armadi climatizzati pieni zeppi di abiti da sera anni Cinquanta di cui non si sono mai sbarazzate. Ogni due mesi andiamo laggiù e ci riforniamo dai parenti della defunta di turno. Ma sta diventando sempre più difficile. C'è tanta concorrenza oggigiorno.» Mi consegnò un biglietto da visita che riportava il sito Internet del negozio e l'email. «Se dovesse capitarti di avere qualcosa da vendermi, dammi un colpo di telefono.»

«Lydia» le dissi mentre avvolgeva i miei acquisti nella carta velina e li metteva in una borsa. «Credo di essere un tipo che ama comprare, più che vendere. Ma grazie. Il tuo negozio è favoloso. Tu sei favolosa. Mi sento... Mi sento a casa qui.»

«E tu sei adorabile» replicò Lydia senza cambiare minimamente espressione. Alzò un dito facendomi cenno di aspettare e si chinò sotto il bancone. Ne riemerse con un paio di occhiali da sole vintage con la montatura di plastica azzurrina.

«Li hanno dimenticati qui mesi fa. Avevo intenzione di metterli in vendita, ma ho pensato che ti starebbero una favola, soprattutto con quella *mise*.»

«Forse è meglio di no» iniziai. «Ho già speso tr...»

«Ssh! È un regalo. Così ora sei in debito con noi e ti sentirai in dovere di tornare. Tieni. Ma quanto ti stanno bene?» Mi porse uno specchio.

Dovevo ammetterlo, in effetti mi stavano proprio bene. Me li aggiustai sul naso. «Okay, questa è ufficialmente la giornata più bella che ho trascorso a New York. Lydia, ci vediamo la prossima settimana. In sostanza, d'ora in poi spenderò qui tutti i miei soldi.»

«Grande! È così che ricattiamo emotivamente i nostri clienti perché ci aiutino a sopravvivere!» Si accese una Sobranie e mi salutò con un cenno della mano.

Passai il pomeriggio a realizzare il *moodboard* per Agnes e a provarmi i miei nuovi acquisti, finché d'un tratto, alle sei, mi ritrovai seduta sul letto a tamburellare con le dita sulle ginocchia. Ero partita elettrizzata all'idea di avere del tempo per me stessa, ma ora la sera si estendeva davanti a me come un paesaggio tetro e monotono. Mandai un messaggio a Nathan, che era ancora impegnato con Mr Gopnik, per capire se gli andava di uscire a mangiare un boccone dopo il lavoro, ma mi rispose che aveva un appuntamento con una ragazza. Me lo disse garbatamente, ma con il tono di chi non voleva avere intorno un terzo incomodo.

Pensai di chiamare di nuovo Sam, ma non ero più tanto convinta che le nostre telefonate nella vita reale si sarebbero risolte come me le costruivo nella mente e, benché continuassi a fissare il telefono, le mie dita proprio non riuscivano a comporre il numero. Pensai a Josh e mi domandai se invitarlo a bere un drink l'avrebbe spinto a credere che significasse qualcosa. E poi mi domandai se il fatto di volerlo invitare a bere un drink effettivamente significasse qualcosa. Controllai il profilo Facebook di Katie Ingram, ma non aveva più postato nulla. Dopodiché andai in cucina per evitare di prendere iniziative altrettanto stupide e chiesi a Ilaria se voleva una mano per preparare la cena, una proposta che la fece traballare sulle sue ciabattine nere e la indusse a fissarmi con aria sospettosa per dieci secondi buoni.

«Tu vuoi aiutarmi a preparare la cena?»

«Sì» risposi con un sorriso.

«No» disse lei, e si voltò dall'altra parte.

Fino a quella sera non mi ero mai resa conto realmente di quante poche persone conoscessi a New York. Ero stata così indaffarata e la mia vita si era concentrata così totalmente su Agnes, la sua agenda e le sue esigenze che non avevo mai riflettuto sul fatto che non avevo amici. Ma essere a Manhattan di venerdì sera, sola e senza uno scopo, mi faceva sentire... be', un po' una sfigata.

Andai in quel bel ristorantino giapponese, comprai della zuppa di miso e del sashimi che non avevo mai assaggiato e li mangiai nella mia stanza cercando di non pensare: "Un'anguilla! In sostanza sto mangiando un'anguilla!". Bevvi una birra, poi mi sdraiai sul letto, accesi la tivù e feci un po' di zapping scacciando via gli altri pensieri, come per esempio cosa stesse facendo Sam. Mi ripetei che in fondo ero a New York, il centro dell'universo. Perciò non c'era niente di male a passare un venerdì sera in casa, no? Mi stavo semplicemente riposando dopo una settimana di duro lavoro nella Grande Mela. Avrei potuto uscire qualsiasi altra sera della settimana, se avessi voluto. Me lo ripetei più volte. E poi mi arrivò un messaggio sul cellulare:

Sei in giro a esplorare i migliori bar di New York anche stasera?

Capii di chi si trattava anche senza guardare. Avvertii una leggera stretta allo stomaco. Esitai un istante prima di rispondere.

Sto passando la serata a casa, in realtà.

Ti va una birra in amicizia con un esausto schiavo del lavoro salariale? Se non altro, potresti impedirmi di tornare a casa con una compagnia sconveniente.

Mi uscì spontaneo un sorriso. Poi scrissi:

Che cosa ti fa pensare che io possa essere un baluardo difensivo?

Stai dicendo che non potremmo mai stare insieme, noi due? Oh, sei crudele.

Intendevo dire: che cosa ti fa pensare che ti impedirei di andare a casa con un'altra donna?

Il fatto stesso che tu stia rispondendo ai miei messaggi? (Aggiunse uno smiley.)

Smisi di scrivere, sentendomi improvvisamente sleale. Fissai il telefono soffermandomi sul cursore che palpitava impaziente. Alla fine fu lui a scrivere.

Ho rovinato tutto? Ho rovinato tutto, vero? Dannazione, Louisa Clark. Volevo solo andare a bere una birra con una ragazza carina un venerdì sera ed ero disposto a mettere a tacere quel senso di vaga delusione che ti prende sapendo che è innamorata di qualcun altro. Questo per dire quanto mi piace la tua compagnia. Ti va una birra? Soltanto una?

Mi adagiai sul cuscino, riflettendo. Chiusi gli occhi e gemetti. Poi mi tirai su e digitai la risposta.

Mi dispiace tanto, Josh. Non posso. Baci.

Lui non ribatté. L'avevo offeso. Non l'avrei mai più sentito. E poi arrivò un altro messaggio.

Okay. Bene, se mi metto nei casini, la prima cosa che farò domattina sarà mandarti un SOS per chiederti di venirmi a prendere fingendo di essere la mia fidanzata gelosa e inviperita. Preparati a picchiare duro. Affare fatto?

Non potei trattenere una risata.

È il minimo che possa fare. Buona serata.

Anche a te. Non sarà molto buona, però. L'unica cosa che mi trattiene dall'uscire in questo momento è il pensiero di te che, sotto sotto, sei pentita di non aver accettato il mio invito. Baci.

In effetti, un po' pentita lo ero. Certo che sì. Gli episodi di *The Big Bang Theory* che si possono guardare in una sera non sono infiniti. Spensi la tivù e rimasi a fissare il soffitto pensando al mio fidanzato che viveva dall'altra parte del mondo e a un giovanotto americano che somigliava a Will Traynor e che desiderava trascorrere del tempo con me, e non in compagnia di una ragazza con una selvaggia chioma bionda che sembrava indossare un perizoma paillettato sotto la divisa da paramedico. Pensai di chiamare mia sorella, ma non volevo rischiare di svegliare Thom.

Per la prima volta da quando ero arrivata in America provai la netta sensazione di trovarmi nel posto sbagliato, come se fossi stata trascinata da corde invisibili a milioni di chilometri di distanza. Toccai il fondo a tal punto che, quando andai in bagno e trovai una grande blatta marrone sul bordo del lavabo, non urlai come avevo sempre fatto, ma per un attimo accarezzai l'idea di trasformarla in un animaletto da compagnia, come un personaggio di un libro per bambini. E poi mi resi conto che stavo ufficialmente ragionando come una pazza e decisi di spruzzarla con il Raid.

Alle dieci, inquieta e irritabile, andai in cucina e rubai due birre a Nathan lasciandogli un bigliettino di scuse sotto la porta, e le bevvi una dopo l'altra, ingollandole con una tale avidità che dopo la prima dovetti trattenere un sonoro rutto. Stavo male per via di quel maledetto scarafaggio. Che cosa ci faceva là, dopotutto? Si faceva semplicemente i fatti suoi. Forse si sentiva solo anche lui. Forse voleva fare amicizia con *me*. Andai in bagno e scrutai sotto il lavandino, dove lo avevo spinto con il piede, ma era inequivocabilmente stecchito. Questo mi riempì di una rabbia irrazionale. Pensavo che non fosse possibile ammazzare veramente gli scarafaggi. Aggiunsi questo alla lista dei motivi per cui sentirmi furiosa.

Mi misi le cuffiette e passai la serata a canticchiare qualche canzone di Beyoncé: ero consapevole che, essendo un po' brilla, mi avrebbe fatto stare ancora peggio, ma per qualche ragione non mi importava. Feci scorrere le poche foto che avevo di me e Sam sul cellulare, cercando di percepire la forza dei suoi sentimenti dal modo in cui mi stringeva la vita o abbassava la testa verso la mia. Le fissai sforzandomi di richiamare alla mente che cosa mi aveva fatta sentire così al sicuro, così protetta fra le sue braccia. Poi presi il portatile, aprii una nuova email e scrissi il suo indirizzo.

Senti ancora la mia mancanza?

E premetti "invio", rendendomi conto, nel momento in cui il messaggio sgusciava nell'etere, che mi ero appena condannata ad almeno ventiquattr'ore di ansia nell'attesa che Sam rispondesse.

13

Mi svegliai con la nausea, e non per colpa della birra. Ci vollero meno di dieci secondi perché quella vaga sensazione si infiltrasse in una sinapsi e si connettesse con il ricordo di quello che avevo fatto la sera prima. Aprii lentamente il laptop, controllai la posta e mi premetti i pugni sugli occhi quando scoprii che sì, avevo davvero mandato quell'email e no, Sam non aveva risposto. Pur avendo cliccato "aggiorna" almeno quattordici volte.

Rimasi accartocciata in posizione fetale per un po', cercando di sciogliere il nodo che mi chiudeva lo stomaco. E poi mi domandai se fosse il caso di chiamarlo e di spiegargli con leggerezza: "Aha! Ero un po' brilla e sentivo nostalgia di casa e avevo bisogno di sentire la tua voce, scusa...", ma lui mi aveva detto che avrebbe lavorato l'intero sabato, il che significava che in quel preciso istante si trovava sull'ambulanza con Katie Ingram. E una parte di me recalcitrava all'idea di tenere quella conversazione con lei in ascolto.

Per la prima volta da quando avevo iniziato a lavorare per i Gopnik, il weekend si allungava davanti a me come un interminabile viaggio in una landa desolata. Così feci quello che farebbe qualsiasi ragazza quando si trova lontano da casa e si sente un po' triste: mangiai mezzo pacchetto di Digestive al cioccolato e chiamai mia madre.

«Lou! Sei tu? Aspetta, sto lavando le mutande del nonno. Fammi chiudere il rubinetto dell'acqua calda.» La sentii spostarsi dall'altra parte della cucina, il ronzio della radio in sottofondo d'un tratto cessò e io mi ritrovai immediatamente catapultata nella nostra piccola casa in Renfrew Road.

«Pronto? Sono qui! Va tutto bene?» Sembrava affannata. Me la immaginai mentre si slacciava il grembiule. Se lo toglieva sempre per le telefonate importanti.

«Sì, bene! Finalmente ho un po' di tempo per parlarti con calma, così ho pensato di darti un colpo di telefono.»

«Non costa un occhio della testa? Pensavo che preferissi comunicare solo via mail. Non è che poi ti vedi arrivare una bolletta con una mazzata da migliaia di dollari, vero? Ho visto un servizio in tivù su alcune persone che sono rimaste fregate per aver usato il telefono mentre erano in vacanza all'estero. Al ritorno sono state praticamente costrette a vendere la casa per venirne fuori.»

«Tranquilla, ho controllato le tariffe. È bello sentire la tua voce, mamma.»

La sua gioia nel parlarmi mi fece vergognare un po' per non averla chiamata prima. Si mise a chiacchierare a ruota libera, dicendomi che aveva intenzione di frequentare il corso serale di poesia quando il nonno si fosse sentito meglio e che stava dando lezioni di inglese ai profughi siriani che si erano trasferiti in fondo alla nostra strada. «Naturalmente il più delle volte non capisco un'acca di quello che dicono, ma ci aiutiamo con i disegni, sai? E Zeinah, la madre, mi cucina sempre qualcosa per ringraziarmi. Non sai cosa riesce a fare con la pasta sfoglia. Davvero, sono carinissimi, tutti quanti.»

Mi raccontò che il nuovo medico aveva consigliato a papà di dimagrire, che il nonno stava perdendo progressivamente l'udito e teneva il volume della televisione così alto che, ogni volta che la accendeva, quel suono assordante quasi le faceva scappare un goccino di pipì, e che Dymphna, la vicina di casa che abitava due porte più in là, era incinta e la sentivano vomitare mattino, pomeriggio e sera. Seduta sul letto, la ascoltai provando un certo sollievo nel constatare che la vita procedeva come sempre da qualche altra parte nel mondo.

«Hai parlato con tua sorella di recente?»

«Non la sento da un paio di giorni. Perché?»

Mia madre abbassò la voce, come se Treena fosse nella sua stanza anziché a sessantacinque chilometri di distanza. «Ha un uomo.»

«Oh, sì, questo lo so.»

«Lo sai? E com'è? Lei non vuole dirci niente. Ormai esce con questo tale due o tre volte alla settimana. Continua a canticchiare tra sé e a sorridere quando le parlo di lui. È molto *strano*.»

«Strano?»

«Che tua sorella sorrida così tanto. La cosa mi inquieta un po'. Cioè, è una cosa bella e tutto quanto, ma non è da lei. Lou, mi sono fermata una sera a Londra per badare a Thom e permetterle di uscire, e quando è tornata *cantava*.»

«Caspita.»

«Già. Ed era quasi intonata, per giunta. L'ho detto a tuo padre e lui mi ha accusata di essere poco romantica. Poco romantica! Gli ho risposto che solo una che crede profondamente nel romanticismo poteva rimanere sposata con un uomo dopo avergli lavato le mutande per trent'anni.»

«Mamma!»

«Oh, Signore. Scusami. Magari non hai ancora fatto colazione. A ogni modo, se senti tua sorella, cerca di carpirle qualche informazione. Come sta il tuo lui, a proposito?»

«Sam? Oh, sta... bene.»

«Fantastico. È passato dal tuo appartamento un paio di volte da quando sei partita. Penso che volesse semplicemente sentirsi vicino a te, povero diavolo. Treena ha detto che sembrava un cane bastonato. Continuava a cercare dei lavoretti da fare in casa per rendersi utile. È anche venuto a mangiare l'arrosto da noi. Ma è un po' che non si vede da queste parti.»

«È molto impegnato, mamma.»

«Certo. Il suo è come se fosse un doppio lavoro, vero? Bene, è meglio che ti lasci prima che questa telefonata mandi in rovina tutte e due. Ti ho detto che questa settimana mi vedo con Maria? L'inserviente della toilette di quella bella sala da tè dove siamo state in agosto, ricordi? Venerdì, quando andrò a Londra a trovare Treena e Thom, farò un salto da lei e pranzeremo insieme.»

«Nella toilette?»

«Non essere ridicola. In quella catena di ristoranti italiani vicino a Leicester Square, non ricordo il nome, c'è un'offerta per due piatti di pasta al prezzo di uno. Maria è molto esigente nella scelta del posto, dice che la cucina di un ristorante andrebbe giudicata dalla pulizia dei bagni. Questo, a quanto pare, ha un ottimo programma di manutenzione ordinaria. Ogni ora, spaccando il minuto. E da te come vanno le cose? Com'è la scintillante vita della Fifth Street?»

«Avenue. Fifth Avenue, mamma. È fantastica. È tutto... stupefacente.»

«Non dimenticarti di mandarmi altre foto. Ho fatto vedere a Mrs Edwards quella del Ballo in Giallo e ha detto che sembravi una star del cinema. Non ha specificato quale, ma sono sicura che intendeva in senso buono. Ho detto a papà che faremmo meglio a venire a trovarti, prima che tu diventi troppo importante per riconoscerci ancora!»

«Come se potesse succedere una cosa del genere.»

«Siamo terribilmente orgogliosi di te, tesoro. Non riesco a credere di avere una figlia inserita nell'alta società newyorkese, che viaggia in limousine e socializza con la gente che conta.»

Mi guardai intorno nella mia cameretta con la carta da parati anni Ottanta e lo scarafaggio stecchito sotto il lavandino. «Sì» dissi. «Sono davvero fortunata.»

Mi vestii cercando di non pensare a cosa potesse significare il fatto che Sam non passasse più da casa mia per "sentirsi vicino a me". Bevvi un caffè e scesi al piano di sotto. Avevo in programma di tornare al negozio di abiti vintage. Ero certa che a Lydia non sarebbe dispiaciuto se mi fossi limitata a curiosare un po' in giro senza acquistare nulla.

Scelsi il mio abbigliamento con molta cura. Questa volta indossai una camicetta turchese alla coreana con una gonna pantalone di lana nera e un paio di scarpette da ballo rosse. Già solo il fatto di non portare un'anonima polo e dei pantaloni di tessuto sintetico mi fece sentire più a mio agio. Mi raccolsi i capelli in due trecce legate con un nastrino rosso e completai il tutto con gli occhiali da sole che mi aveva regalato Lydia e un paio di orecchini a forma di Statua della Libertà che avevo trovato irresistibili, anche se venivano da una bancarella di paccottiglia per turisti.

Cominciai a udire il trambusto già mentre scendevo le scale. Per un attimo mi domandai che cosa stesse combinando Mrs De Witt questa volta, ma quando svoltai l'angolo constatai che la voce alterata era quella di una giovane donna asiatica che stava spingendo una bambinetta verso Ashok. «Avevi detto che oggi ero libera. Me l'avevi promesso. Devo andare alla manifestazione!»

«Non posso, baby. Vincent non c'è. Non c'è nessuno che badi alla portineria.»

«Allora i bambini possono restare qui mentre tu lavori. Io parteciperò a questa marcia, Ashok. Hanno bisogno del mio aiuto.»

«Non posso occuparmi dei bambini qui!»

«La biblioteca sta per essere *chiusa*, baby. Lo capisci questo o no? Sai che è l'unico posto con l'aria condizionata dove posso andare in estate? E anche l'unico posto dove mi sembra di non impazzire. Mi dici tu dove posso portare i bambini negli Heights quando sono sola diciotto ore al giorno?»

Ashok alzò lo sguardo e si accorse di me. «Oh, salve, Miss Louisa.»

La donna si voltò. Non so che idea mi fossi fatta della moglie di Ashok, ma di certo non corrispondeva a questa donna battagliera in jeans e bandana con i capelli ricci che le ricadevano sulla schiena.

«Buondì.»

«Buongiorno.» Tornò a rivolgersi a suo marito. «Non intendo discuterne ancora, baby. Mi avevi detto che potevo prendermi il sabato libero. Perciò parteciperò alla marcia per proteggere un bene pubblico di valore. Questione *chiusa*.»

«Ce ne sarà un'altra la settimana prossima.»

«Dobbiamo tenere alta la pressione! Questo è il momento in cui i consiglieri comunali decidono l'assegnazione dei fondi! Se non ci facciamo sentire ora, i giornali locali non ne parleranno e loro penseranno che non importi niente a nessuno. Sai come funzionano le PR? Sai come funziona il mondo o no?»

«Io *perderò il lavoro* se il mio capo scende e mi trova qui con tre bambini. Sì, ti amo, Nadia. Davvero. Non piangere, tesoro» disse alla piccola che teneva fra le braccia, e baciò la sua guancia umida. «Papà deve lavorare oggi.»

«Io vado, baby. Sarò di ritorno nel primo pomeriggio.»

«No, non andare. Non osare... Ehi!»

La donna si voltò e se ne andò a passo deciso con la mano alzata, come per respingere ogni ulteriore protesta. Sulla soglia si chinò per raccogliere un cartello che aveva lasciato davanti al portone. E, come se obbedissero a una coreografia perfettamente studiata, tutti e tre i bambini scoppiarono a piangere in contemporanea. Ashok imprecò sottovoce. «Cosa caspita dovrei fare adesso?»

«Ci penso io» dissi senza neanche rendermi bene conto di cosa stessi facendo.

«Cosa?»

«Non c'è nessuno in casa. Li porto su con me.»

«Dice sul serio?»

«Ilaria va a trovare la sorella il sabato. Mr Gopnik è al circolo. Li parcheggio davanti alla tivù. Che ci vuole?»

Ashok mi guardò con aria scettica. «Lei non ha bambini, vero, Miss Louisa?» E poi si riprese. «Ma accidenti, sarebbe una manna dal cielo. Se Mr Ovitz passasse di qui e mi vedesse con queste tre piccole pesti, mi caccerebbe all'istante prima di poter dire... uh...» Rifletté per un attimo.

«"Lei è licenziato"?»

«Esatto. Okay. Salgo con lei e le spiego chi è chi e quali sono le preferenze di ciascuno. Ehi, bambini, ora andate di sopra con Miss Louisa, sarà un'avventura! Bello, eh?» Tre paia di occhi mi fissavano, le faccine umide di lacrime e di muco. Feci loro un sorriso invitante. E tutti e tre, all'unisono, ricominciarono a piangere.

Se mai vi capitasse di essere un po' malinconici, lontani dalla vostra famiglia e tormentati dai dubbi sulla persona che amate, posso assicurarvi che dover badare anche solo temporaneamente a tre piccoli estranei, di cui almeno due incapaci di andare in bagno da soli, vi sarebbe di grande aiuto. L'espressione "vivere l'attimo" acquistò davvero un senso per me quando mi trovai a inseguire una bambina che gattonava per la stanza con un pannolino oscenamente inzuppato che penzolava su un pregiato tappeto Aubusson, cercando nel contempo di impedire al fratellino di quattro anni di dare la caccia a un gattino traumatizzato. Quanto al bambino di mezzo, Abhik, ero riuscita a tenerlo tranquillo con un pacchetto di biscotti, dopodiché l'avevo piazzato davanti alla tivù a guardare i cartoni animati e a ingozzarsi di briciole infilandosi le manine paffute in bocca e spargendo bava ovunque, il tutto mentre tentavo di convogliare gli altri due almeno nello stesso raggio di due metri quadri. Erano teneri e divertenti, capricciosi ed estenuanti, e strillavano, correvano e sbattevano ripetutamente contro i mobili. Vidi vasi che traballavano pericolosamente e libri buttati a terra che rimisi subito al loro posto sugli scaffali. La stanza si riempì di rumori e di vari odori sgradevoli. A un certo punto mi sedetti sul pavimento afferrando due di loro per la vita mentre Rachana, la più grande, mi infilava le dita appiccicaticce negli occhi e rideva. Risi anch'io. Era quasi divertente, o meglio, divertente nella misura in cui mi ripetevo come un mantra: "Grazie a Dio finirà presto".

Ashok salì dopo un paio d'ore dicendo che la moglie era stata coinvolta nella manifestazione di protesta e chiedendomi se potevo badare ai piccoli per un'altra ora. Risposi di sì. Aveva lo sguardo sgomento di chi era davvero disperato e, dopotutto, io non avevo nient'altro da fare. Tuttavia presi la precauzione di trasferire i bambini nella mia stanza, dove accesi la televisione, proibii loro di aprire la porta e accettai la prospettiva che l'aria in quest'ala della casa non sarebbe più stata la stessa. Stavo giusto tentando di impedire ad Abhik di spruzzarsi l'insetticida in bocca quando sentii bussare alla porta.

«*Un attimo, Ashok!*» urlai cercando di strappare di mano la bomboletta al piccolo prima che lo vedesse suo padre.

Ma fu il viso di Ilaria che apparve dietro la porta. Guardò prima me, poi i bambini, poi di nuovo me. Abhik rimase a fissarla incantato con i suoi occhioni nocciola e per un attimo smise di piangere.

«Oh. Ciao, Ilaria!»

Lei non disse nulla.

«Sto... sto solo aiutando Ashok ad affrontare un'emergenza per un paio d'ore. So che non è una buona idea, ma per favore, non dire nulla. Non resteranno qui ancora per molto.»

Lei osservò la scena e annusò l'aria.

«Spruzzerò del deodorante dopo. Ti prego, non dirlo a Mr Gopnik. Prometto che non succederà più. So che avrei dovuto chiedere il permesso, ma non c'era nessuno e Ashok non sapeva dove sbattere la testa.» Mentre parlavo, Rachana corse frignando verso Ilaria e le piombò sullo stomaco come una palla da rugby. Trasalii vedendola barcollare all'indietro. «Se ne andranno presto. Chiamo subito Ashok. Davvero. Nessuno deve sapere...»

Ma Ilaria si sistemò la camicetta e prese in braccio la bambina. «Hai sete, *compañera*?» le chiese. E senza neppure degnarmi di uno sguardo, si allontanò a passo strascicato, con Rachana rannicchiata contro il suo petto florido, il pollice ficcato in bocca. Mentre indugiavo incerta sul da farsi, la sentii urlare dal corridoio: «Portali in cucina».

Ilaria preparò una padellata di frittelle di banana. Diede ai bambini dei pezzettini di frutta per tenerli occupati mentre cucinava, e io riempii i bicchieri d'acqua e cercai di evitare che i più piccoli ruzzolassero giù dalle sedie della cucina. Lei non mi rivolse la parola, ma continuò a canticchiare a bocca chiusa con un'espressione pervasa da un'insolita dolcezza, la voce sommessa e cantilenante mentre chiacchierava con i bambini. Questi, come cagnolini che rispondono a un bravo istruttore, si fecero immediatamente calmi e obbedienti e allungarono le manine piene di fossette per avere un altro pezzo di banana, ricordando educatamente tutti i "per favore" e i "grazie" secondo le raccomandazioni di Ilaria. Mangiarono a volontà, diventando sempre più placidi e sorridenti, finché la più piccola cominciò a stropicciarsi gli occhi con i pugnetti come se fosse pronta per la nanna.

«Avevano fame» commentò Ilaria indicando con un cenno del capo i piatti vuoti.

Cercai di ricordare se Ashok mi avesse parlato di cibo consegnandomi lo zainetto delle scorte, ma ero stata troppo distratta dalle nuove incombenze per registrare l'informazione. Ero grata di avere una persona esperta con me. «Sei bravissima con i bambini» dissi mangiucchiando una frittella.

Ilaria si strinse nelle spalle, ma parve intimamente compiaciuta. «Dovresti cambiare la piccolina. Potremmo creare una culletta nell'ultimo cassetto del comò.»

La fissai esterrefatta.

«Perché dal letto potrebbe cadere, no?» aggiunse alzando gli occhi al cielo, come se la cosa fosse stata ovvia.

«Oh. Certo.»

Riportai Nadia nella mia stanza e le cambiai il pannolino ritraendomi con un moto di lieve disgusto. Tirai le tende. Poi sfilai il cassetto dal comò, sistemai le maglie in modo da creare uno strato morbido e vi deposi delicatamente la bambina aspettando che si addormentasse. Dapprima fece un po' di resistenza, fissandomi con gli occhioni sgranati, le manine grassocce che cercavano le mie, ma capii che la sua era una battaglia che era destinata a perdere. Cercai di imitare Ilaria e iniziai a cantare una dolce ninnananna. Be', non era proprio una ninnananna: l'unico motivetto di cui mi ricordavo le parole era la *Canzone di Molahonkey*, che la divertì, e un altro che raccontava di Hitler che aveva un testicolo solo, e che mio padre mi cantava sempre quando ero piccola. Ma Nadia sembrò gradire anche quello. Le sue palpebre cominciarono a chiudersi.

Udii i passi di Ashok nel corridoio e la porta aprirsi alle mie spalle.

«Non entri» sussurrai. «Ci siamo quasi... "Himmler aveva qualcosa di simile..."»

Ashok rimase dov'era senza muoversi.

«"Ma il povero vecchio Goebbels non ne aveva neanche uno."»

E la piccola si addormentò. Attesi ancora un istante, la coprii con il mio maglione di cashmere turchese a girocollo perché non prendesse freddo, e mi rialzai in piedi.

«Può lasciarla qui, se vuole» sussurrai. «Ilaria è in cucina con gli altri due. Penso che stia...»

Poi mi voltai e mi sfuggì un grido. Sam era lì, sulla soglia di camera mia, le braccia conserte e un mezzo sorriso sulle labbra, con un borsone appoggiato a terra. Lo guardai temendo di avere le allucinazioni. E poi mi portai lentamente le mani al viso.

«Sorpresa!» disse lui con il solo movimento delle labbra, e io mi gettai barcollando fra le sue braccia e lo spinsi in corridoio per poterlo baciare liberamente.

Aveva pianificato il viaggio la stessa sera in cui gli avevo detto del mio inaspettato weekend libero. Jake non aveva fatto storie – non era certo a corto di amici felici di scroccare un biglietto gratis per il concerto – e per il lavoro Sam si era organizzato chiedendo favori ai colleghi e scambiando i turni. Poi aveva prenotato un volo last-minute a prezzo stracciato ed era partito per New York per farmi un'improvvisata.

«Per fortuna non ho deciso di fare la stessa cosa.»

«A dire il vero, il pensiero mi ha attraversato la mente a novemila metri di altezza. Ho avuto una fugace visione di te in volo nella direzione opposta.»

«Quanto tempo abbiamo?»

«Solo quarantotto ore, purtroppo. Devo ripartire lunedì mattina presto. Ma credimi, Lou... Non ce la facevo più ad aspettare ancora.»

Non aggiunse altro, ma capii cosa intendeva. «Sono così felice che tu abbia deciso di raggiungermi. Grazie. Grazie. Ma chi ti ha fatto entrare?»

«Il tuo amico alla reception. Mi ha detto dei bambini, poi mi ha chiesto se mi ero ripreso dall'intossicazione alimentare.» Alzò un sopracciglio.

«Sì. Non ci sono segreti in questo palazzo.»

«Mi ha anche detto che sei un tesoro, la persona più gentile e carina che abita qui. Cosa che io sapevo già, naturalmente. E poi dal corridoio è spuntata una vecchietta, accompagnata da un cane inviperito, che ha iniziato a inveire contro il portiere a proposito della raccolta dei rifiuti, al che l'ho lasciato a risolvere la questione.»

Bevemmo un caffè nell'attesa che la moglie di Ashok venisse a prendere i bambini. Si chiamava Meena, e, ancora animata dall'energia residua della sua marcia di protesta, mi ringraziò calorosamente e ci raccontò della biblioteca di Washington Heights che stavano cercando di salvare dalla chiusura. Ilaria sembrava non aver voglia di separarsi da Abhik, presa com'era a scambiare risolini con lui, a pizzicargli dolcemente le guance e a fargli il solletico. Per tutto il tempo in cui restammo là a chiacchierare con le due donne, con la mano di Sam che mi accarezzava la schiena e la sua corporatura imponente che riempiva la nostra cucina, ebbi l'impressione che quel luogo fosse un po' più casa mia, perché da quel momento in poi avrei potuto raffigurarmi lui in quella cornice.

"Piacere di conoscerla" aveva detto a Ilaria tendendole la mano, e invece di accoglierlo con la sua consueta espressione sospettosa, lei aveva sorriso, un piccolo sorriso, e gli aveva restituito la stretta. Mi resi conto di quante poche persone si prendessero il disturbo di presentarsi. Io e lei eravamo quasi sempre invisibili, e Ilaria – forse a causa della sua età, o della sua nazionalità – lo era ancora più di me.

«Stai attenta che Mr Gopnik non lo veda» borbottò quando Sam si allontanò per andare in bagno. «Non sono ammessi fidanzati in questa casa. Usate la porta di servizio.» Scosse la testa, come se non potesse credere che stava acconsentendo a qualcosa di tanto immorale.

«Ilaria, non lo dimenticherò. Grazie» dissi. Allargai le braccia come per stringerla a me, ma lei mi lanciò uno sguardo così penetrante che mi bloccai e trasformai il mio gesto in una specie di doppio pollice alzato in segno d'intesa.

Mangiammo una pizza – vegetariana, per scongiurare eventuali conseguenze sgradevoli – e poi ci fermammo in un bar buio e sudicio dove un piccolo televisore trasmetteva a tutto volume la telecronaca di una partita di baseball. Me ne stavo seduta a un tavolino con le ginocchia contro quelle di Sam, senza nemmeno sapere davvero di cosa stavamo parlando, incredula di trovarmelo lì di fronte, rilassato, a ridere delle cose che gli raccontavo e a passarsi la mano fra i capelli. Come se ci fossimo accordati in proposito, evitammo gli argomenti Katie Ingram e Josh e ci concentrammo invece sulle nostre famiglie. Jake aveva una nuova ragazza e aveva diradato le visite a casa di Sam. Lui sentiva molto la sua mancanza, mi confessò, ma capiva che nessun diciassettenne avrebbe voluto passare il suo tempo libero con lo zio. «È molto più sereno ora da questo punto di vista, anche se suo padre non è ancora riuscito a risolvere i problemi che ha. È strano, so che dovrei essere felice per lui, ma mi ero abituato ad averlo intorno.»

«Puoi sempre andare a trovare i miei genitori» suggerii.

«Lo so.»

«Posso dirti per la cinquantottesima volta quanto sono felice di averti qui?»

«Tu puoi dirmi qualsiasi cosa, Louisa Clark» disse lui dolcemente portandosi la mia mano alle labbra e baciandomi le nocche.

Restammo nel bar fino alle undici. Stranamente, nonostante il poco tempo che avevamo a disposizione, nessuno dei due provava l'ansia venata di panico di sfruttare appieno ogni istante com'era successo l'ultima volta. Il fatto che Sam fosse qui era un regalo così inaspettato che forse aveva spinto entrambi ad accontentarsi di godere della reciproca vicinanza. Non c'era bisogno di visitare la città, di collezionare esperienze o di correre a letto. Si prospettava un weekend in totale libertà.

Lasciammo il bar allacciati l'uno all'altro, come fanno gli ubriachi felici. Salii sul marciapiede, mi misi due dita in bocca e fischiai, senza battere ciglio quando il taxi giallo si fermò davanti a me con uno stridio di freni. Mi voltai facendo cenno a Sam di salire, ma lui mi stava fissando con aria stupefatta.

«Oh, sì. È stato Ashok a insegnarmelo. Devi metterti le dita sotto la lingua. Ecco, così.»

Gli sorrisi, ma c'era qualcosa nella sua espressione che mi fece preoccupare. Pensavo che avrebbe apprezzato la mia spettacolare tecnica da newyorkese DOC, invece era come se all'improvviso non mi riconoscesse più.

Quando tornammo a casa, il Lavery era immerso nel silenzio. L'edificio si ergeva buio e maestoso sul parco, isolato dal rumore e dal caos della grande metropoli come se, in un certo senso, fosse al di sopra di questo genere di cose. Mentre percorrevamo il vialetto coperto che conduceva all'ingresso principale, Sam si fermò e alzò lo sguardo sulla struttura imponente sopra di lui, con la monumentale facciata di mattoni e le finestre in stile palladiano. Scosse la testa, quasi a concludere un discorso iniziato tra sé, ed entrammo. L'atrio di marmo era silenzioso, il portiere di notte sonnecchiava nella guardiola di Ashok. Lasciammo perdere l'ascensore di servizio e prendemmo le scale, i nostri passi ovattati sulla spessa passatoia blu reale, le nostre mani che scivolavano lungo il lucido corrimano di ottone, e poi salimmo un'altra rampa fino ad arrivare al pianerottolo dei Gopnik. Dean Martin cominciò ad abbaiare in lontananza. Entrammo in casa e ci chiudemmo piano la porta alle spalle.

La luce di Nathan era spenta, e percorrendo il corridoio udimmo il suono smorzato della tivù di Ilaria. Attraversammo l'androne in punta di piedi, passammo davanti alla cucina ed entrammo nella mia stanza. Mi infilai una T-shirt rammaricandomi di non poter sfoggiare qualcosa di più sofisticato, poi presi lo spazzolino e cominciai a lavarmi i denti. Uscendo dal bagno mentre continuavo a spazzolare, vidi Sam seduto sul letto che fissava la parete. Lo guardai con aria interrogativa, per quan-

190

to si possa fare quando hai la bocca piena di schiuma al sapore di menta piperita.

«Che c'è?» gli chiesi.

«È... strano.»

«La mia tenuta per la notte?»

«No. Essere qui. In questo posto.»

Tornai in bagno, sputai il dentifricio e mi sciacquai la bocca.

«Non preoccuparti» lo rassicurai chiudendo il rubinetto. «Ilaria è un tipo tranquillo e Mr Gopnik non sarà di ritorno fino a domani sera. Se proprio ti senti a disagio, prenoto una stanza in un piccolo albergo a due isolati da qui che mi ha consigliato Nathan, così possiamo...»

Sam scosse la testa. «No, non *questo*. Tu. Qui. Quando siamo stati in quell'albergo eravamo solo noi due, io e te, come siamo di solito, capisci? Era diverso soltanto il posto. Qui, invece, sei diversa tu. Abiti sulla Fifth Avenue, cavolo! Uno dei luoghi più costosi al mondo. Lavori in questo edificio pazzesco dove tutto emana odore di soldi. E per te è perfettamente normale.»

Provai l'istinto di mettermi sulla difensiva. «Sono sempre io.»

«Certo» disse lui. «Ma... sei altrove. In tutti i sensi.»

Lo disse pacatamente, ma c'era qualcosa nelle sue parole che mi faceva sentire a disagio. Mi avvicinai a piedi nudi, gli misi le mani sulle spalle e dissi con un tono leggermente più ansioso di quanto intendessi: «Sono sempre la stessa Louisa Clark, la tua ragazza di Stortfold un po' sbilenca». Poiché restava in silenzio, aggiunsi: «Sono solo una dipendente qui, Sam».

Lui mi guardò negli occhi, poi sollevò una mano e mi accarezzò la guancia. «Non capisci. Non ti accorgi di quanto sei cambiata. Sei diversa, Lou. Cammini per queste strade come se ti appartenessero. Chiami i taxi con un fischio e quelli arrivano. Perfino il tuo passo è diverso. È come se... Non so. Sei cresciuta. O forse sei cresciuta fino a diventare un'altra.»

«Vedi, stai dicendo una cosa carina, eppure, in qualche modo, mi sembra una cosa negativa.»

«Non negativa» ribatté lui. «Solo... diversa.»

Mi sedetti a cavalcioni sulle sue gambe, la mia pelle nuda sui suoi jeans ruvidi. Mi avvicinai al suo viso, il naso contro il suo, fino a sfiorargli la bocca. Gli avvolsi le braccia intorno al collo per sentire la morbidezza dei suoi capelli sotto le dita e il suo respiro caldo sul mio petto. Era buio e una fredda luce al neon proiettava una sottile striscia bianca sul letto. Lo baciai, e con quel bacio cercai di trasmettergli almeno una parte di ciò che lui significava per me, il fatto che avrei anche potuto chiamare con un fischio un milione di taxi, ma nessuno mi avrebbe tolto la consapevolezza che lui era l'unica persona con cui avrei voluto salirci. Lo baciai, e i miei baci si fecero sempre più profondi, più intensi, più insistenti, finché lui si arrese, finché le sue mani si strinsero intorno ai miei fianchi per poi risalire lungo la schiena, finché avvertii il momento esatto in cui smise di pensare. Mi attirò bruscamente a sé, la bocca premuta sulla mia, e per un attimo mi mancò il respiro mentre lui si girava e mi spingeva sul letto, tutto il suo essere ridotto a uno scopo.

Quella notte diedi qualcosa di me stessa a Sam, disinibita come non mai. Diventai un'altra persona perché desideravo mostrargli quanto fosse reale il mio bisogno di lui. Era una lotta, anche se lui non lo sapeva. Seppellii il mio potere e lo accecai con il suo. Non ci fu tenerezza, né parole dolci. Quando i nostri sguardi si incrociarono, ero quasi arrabbiata con lui. "Sono sempre io" gli dissi silenziosamente. "Non osare dubitare di me. Non dopo tutto questo." Mi coprì gli occhi, premette la bocca sui miei capelli e mi possedette. Mi abbandonai. Lo desideravo follemente. Volevo che lui avesse la percezione di aver preso tutto di me. Non so quali suoni produssi, ma una volta finito, avvertii un ronzio vorticoso nelle orecchie.

«È stato... diverso» disse Sam quando riprese a respirare regolarmente. La sua mano scivolò su di me, non più imperiosa ma tenera, e mi sfiorò la coscia con il pollice. «Non sei mai stata così prima.»

«Forse non mi sei mai mancato così tanto.» Mi voltai e gli baciai il petto. Mi lasciò il sale sulle labbra. Restammo distesi al buio socchiudendo le palpebre davanti alla striscia di luce proiettata dal neon sul soffitto.

«È lo stesso cielo» disse lui nel buio. «È questo che dobbiamo tenere a mente. Siamo pur sempre sotto lo stesso cielo.»

In lontananza scattò una sirena della polizia, subito seguita da un'altra in un controcanto discordante. Ormai non ci facevo neanche più caso: i suoni di New York erano diventati così familiari che si dissolvevano in un indistinto rumore bianco.

Sam si voltò verso di me, il viso in ombra. «Stavo cominciando a dimenticare certe cose, sai? Tutti i piccoli dettagli di te che amo. Non ricordavo il profumo dei tuoi capelli.» Vi affondò la testa per respirarlo. «O l'ovale del tuo viso. O il modo in cui rabbrividisci quando faccio questo...» Fece scorrere lentamente un dito sulla mia clavicola e mi venne quasi da ridere per la reazione involontaria del mio corpo. «Quel delizioso sguardo rapito che mi rivolgi subito dopo... Sono dovuto venire fin qui per ricordarmelo.»

«Sono sempre la stessa, Sam» replicai.

Mi baciò posando le sue labbra sulle mie quattro, cinque volte, lievi come un sussurro. «Bene, chiunque tu sia, Louisa Clark, io ti amo» disse, e con un sospiro rotolò sulla schiena.

Ma fu a quel punto che dovetti riconoscere una verità scomoda. Ero stata diversa con lui, sì. E non solo perché volevo dimostrargli quanto lo desiderassi, quanto lo adorassi, anche se in parte era stata quella la motivazione che mi aveva guidato. A un livello buio e recondito del mio inconscio, avevo voluto dimostrargli che ero migliore di *lei*.

14

Dormimmo fino alle dieci abbondanti e raggiungemmo a piedi il diner vicino al Columbus Circle. Mangiammo fino a scoppiare e bevemmo litri di caffè riscaldato seduti l'uno di fronte all'altro con le ginocchia che si sfioravano.

«Sei felice di essere venuto?» gli chiesi, come se non conoscessi la risposta.

Sam posò dolcemente una mano dietro il mio collo, sporgendosi in avanti per arrivare a baciarmi, incurante degli altri clienti, finché io non ottenni tutte le risposte di cui avevo bisogno. Intorno a noi c'erano delle coppie di mezza età immerse nella lettura del giornale della domenica, gruppi di nottambuli vestiti in modo eccentrico che non erano ancora andati a letto e che si parlavano l'uno sull'altro, e genitori stremati alle prese con bambini capricciosi.

Sam si appoggiò allo schienale ed emise un lungo sospiro. «Sai, mia sorella ha sempre sognato di venire qui. È assurdo che non l'abbia mai fatto.»

«Davvero?» Cercai la sua mano e lui voltò il palmo verso l'alto per prendere la mia, poi vi chiuse sopra le dita.

«Sì. Aveva una lunga lista di cose che avrebbe voluto fare, per esempio andare a una partita di una certa squadra di basket. I Kicks? I Knicks? Un nome simile. E mangiare in un diner di New York. Ma soprattutto, le sarebbe piaciuto salire in cima al Rockefeller Center.»

«Non l'Empire State?»

«Nah. Diceva che il Rockefeller era meglio, per via di questo osservatorio panoramico con il parapetto in vetro da cui si ha una vista mozzafiato. Pare che si veda anche la Statua della Libertà da lassù.»

Gli strinsi la mano più forte. «Potremmo andarci oggi.»

«Perché no? Questo però ti fa riflettere, non trovi?» disse prendendo la sua tazza. «Bisogna cogliere le occasioni finché si può.»

Una vaga malinconia scese su di lui. Non tentai di dissiparla. Sapevo meglio di chiunque altro che talvolta hai solo bisogno che ti venga concesso di sentirti triste. Attesi un istante e poi dissi: «È quello che cerco di fare ogni giorno».

Lui mi guardò.

«Sto per dire una cosa che ha a che fare con Will Traynor» lo avvertii.

«Okay.»

«Da quando sono qui, praticamente non c'è stato giorno in cui non abbia pensato al fatto che lui sarebbe orgoglioso di me.»

Ero un po' nervosa nel fare questa dichiarazione, poiché ero consapevole di quanto avessi messo a dura prova Sam all'inizio della nostra relazione continuando a parlare di Will, di cosa avesse significato per me, del vuoto che aveva lasciato dietro di sé. Ma Sam si limitò ad annuire. «Credo anch'io che lo sarebbe.» Mi accarezzò il dito con il pollice. «E lo sono anch'io. Orgoglioso di te, intendo. Cioè, mi manchi da morire. Però, cavolo. Sei straordinaria, Lou. Sei arrivata in una città che non conoscevi e ti sei conquistata un lavoro da questi milionari, anzi, miliardari, ti sei fatta degli amici e ti sei creata questa *cosa* da sola. C'è gente che vive una vita intera senza fare un decimo di tutto questo.» E allargò il braccio in un gesto circolare.

«Potresti farlo anche tu» mi sfuggì di bocca. «Mi sono informata: le autorità di New York sono sempre alla ricerca di bravi paramedici. Ma sono sicura che potremmo aggirare il problema.» Era una battuta, ma non appena pronunciai quelle parole mi resi conto di quanto avrei desiderato che l'idea si realizzasse. Mi protesi verso di lui. «Sam. Potremmo affittare un appartamentino nel Queens o da qualche altra parte e stare insieme ogni sera, a seconda degli orari di lavoro indecenti dell'uno o dell'altro, e passare mattine come queste ogni domenica. Potremmo stare *insieme*. Non sarebbe meraviglioso?» "Abbiamo una vita soltanto." Quella frase mi risuonò nelle orecchie. "Di' di sì" lo implorai silenziosamente. "Dimmi soltanto di sì."

Sam mi prese la mano. Poi sospirò. «Non posso, Lou. La casa non è ancora pronta. Anche se decidessi di affittarla, prima dovrei comunque finire i lavori. E poi non me la sento di lasciare Jake in questo momento. Ha bisogno di sapere che può contare su di me ancora per un po'.»

Atteggiai la mia bocca in un sorriso, come a indicare che non avevo preso la cosa sul serio. «Certo! Era solo un'idea stupida.»

Lui premette le labbra sul palmo della mia mano. «Non è stupida. Solo irrealizzabile, per ora.»

Decidemmo per tacito accordo di non toccare di nuovo argomenti potenzialmente problematici, il che ne escludeva un numero sorprendente: il suo lavoro, la sua vita familiare, il nostro futuro. Passeggiammo nell'High Line e poi andammo al negozio di abiti vintage dove salutai Lydia come una vecchia amica e mi misurai una tutina rosa con i lustrini e una pelliccia sintetica anni Cinquanta con un berretto da marinaio che Sam trovò molto divertente.

«Ecco!» esclamò quando sbucai dal camerino con un tubino psichedelico di nylon rosa e giallo. «*Questa* è la Louisa Clark che conosco e che amo.»

«Ti ha già mostrato l'abito da cocktail azzurro? Quello con le maniche?» chiese Lydia.

«Non so decidere fra questo e la pelliccia.»

«Tesoro» disse Lydia accendendosi una Sobranie «non puoi andare in giro con una pelliccia sulla Fifth Avenue. La gente non capirebbe che lo fai in modo provocatorio.»

Quando uscii definitivamente dal camerino, Sam era davanti alla cassa. Mi porse un pacchetto.

«È il vestito anni Sessanta» intervenne Lydia in suo aiuto.

«L'hai comprato per me?» Glielo presi di mano. «Davvero? Non ti è sembrato troppo vistoso?»

«È semplicemente folle» disse Sam restando impassibile. «Ma eri così felice di indossarlo...»

«Oh, mio Dio, uno così devi tenertelo stretto» sussurrò Lydia con la sigaretta all'angolo della bocca mentre ci dirigevamo verso l'uscita. «Ah, la prossima volta convincilo a comprarti la tutina. Eri una strafiga vestita così.»

Tornammo nell'appartamento per un paio d'ore e ci concedemmo un riposino, completamente vestiti e castamente abbracciati, appesantiti dal pasto abbondante. Alle quattro, ancora un po' storditi, ci alzammo e decidemmo di uscire per la nostra ultima escursione poiché il mattino dopo Sam sarebbe partito con il volo delle otto dal JFK. Mentre lui raccoglieva le sue poche cose nel borsone, andai in cucina per scaldare l'acqua per il tè. Qui trovai Nathan, che si stava preparando un beverone proteico. Alzò lo sguardo e sorrise. «Allora, ho sentito che c'è qui il tuo fidanzato.»

«Non esiste un po' di privacy da queste parti?» Riempii il bollitore e lo accesi.

«Non quando le pareti sono così sottili, amica mia, no» replicò. Poi, vedendomi arrossire fino alla punta dei capelli, aggiunse prontamente: «Sto scherzando! Non ho sentito assolutamente nulla. Però, a giudicare dal colore delle tue guance, dev'essere stata una notte fantastica!».

Stavo per rispondergli per le rime quando Sam apparve sulla soglia della cucina. Nathan gli andò incontro tendendogli la mano. «Ah, il famoso Sam. È un piacere conoscerti, finalmente.»

«Piacere mio.» Restai in trepida attesa di vedere se si sarebbero disputati il ruolo di maschio alfa. Ma Nathan aveva un'indole troppo tranquilla e Sam era ancora appagato dalle ventiquattro ore di cibo e sesso a volontà. Si limitarono a stringersi la mano e a scambiare qualche parola.

«Avete in programma di uscire stasera?» chiese Nathan sorseggiando il suo frullato proteico mentre io porgevo a Sam una tazza di tè.

«Pensavamo di salire in cima al 30 Rockefeller. È una specie di missione.»

«Oh, non vorrete mica passare la vostra ultima serata insieme in mezzo a un'orda di turisti? Perché non venite con me all'Holiday Cocktail Lounge nell'East Village? Mi vedo con degli amici. Lou, tu li hai già conosciuti l'ultima volta che siamo usciti. Fanno un po' di promozione stasera. C'è sempre un bel movimento.»

Guardai Sam. Lui si strinse nelle spalle. Dissi a Nathan che potevamo fare un salto e restare per una mezz'oretta. Poi saremmo saliti sul Top of the Rock come ci eravamo proposti. Era aperto fino alle undici e un quarto.

Tre ore dopo eravamo pigiati intorno a un tavolo ingombro di bottiglie e bicchieri. Il mio cervello era un po' ottenebrato dai cocktail atterrati uno dopo l'altro davanti a noi. Avevo indossato il tubino psichedelico che mi aveva regalato Sam perché volevo dimostrargli quanto mi piacesse. Lui, nel frattempo, come fanno gli uomini quando sono in compagnia di altri uomini, aveva legato facilmente con Nathan e i suoi amici. Stavano passando in rassegna le reciproche preferenze musicali e si scambiavano aneddoti sulle disastrose esibizioni dei loro inizi.

Una parte di me sorrideva e partecipava alla conversazione, l'altra era impegnata a calcolare in quale misura avrei potuto contribuire finanziariamente per raddoppiare la frequenza delle visite di Sam rispetto a quanto avevamo pianificato. Del resto, anche lui aveva constatato quanto era bello vederci, quanto stavamo bene insieme.

Sam si alzò per offrire il giro successivo. «Prendo un paio di menu?» chiese con il solo movimento delle labbra. Io annuii. Sapevo che probabilmente avrei fatto meglio a mangiare qualcosa, se non altro per evitare di fare figuracce più tardi.

D'un tratto sentii una mano posarsi sulla mia spalla.

«Ma allora mi stai davvero perseguitando!» Josh si materializzò accanto a me con un'espressione di gioiosa sorpresa e i denti bianchi che illuminavano il suo sorriso. Mi alzai di scatto, il viso in fiamme. Mi voltai, ma Sam era al bancone del bar e ci dava le spalle. «Josh! Ciao!»

«Sai che questo è il mio secondo bar preferito, giusto?» Indossava una morbida camicia azzurra a righe con le maniche lunghe arrotolate.

«Non lo sapevo!» La mia voce era troppo alta, le parole pronunciate troppo in fretta.

«Ti credo. Vuoi un drink? Fanno un Old Fashioned qui che è favoloso.» Mi sfiorò il gomito. Io mi ritrassi come se mi fossi scottata.

«Sì, lo so. E no, grazie. Sono qui con degli amici e...» Mi voltai giusto in tempo per vedere Sam tornare indietro con un vassoio di drink e un paio di menu sotto il braccio.

«Ehi» disse lanciando una rapida occhiata a Josh prima di posare il vassoio sul tavolo. Poi si raddrizzò lentamente e lo guardò con maggiore attenzione.

Me ne stavo lì impalata, le braccia rigide lungo i fianchi. «Josh, lui è Sam, il mio... il mio fidanzato. Sam, lui è... Josh» dissi.

Sam continuava a fissare Josh come se cercasse di elaborare qualcosa. «Già» disse infine. «Avrei dovuto immaginarlo.» Guardò me e poi di nuovo Josh.

«Ragazzi, posso offrirvi un drink? Be', vedo che avete già provveduto, ma sarei felice di ordinarne altri.» Josh indicò il bar.

«No, grazie, amico» rispose Sam, che era più alto di Josh di quasi tutta la testa. «Siamo a posto così.»

Seguì un silenzio imbarazzato.

«Okay, come volete.» Josh mi guardò e annuì. «È un piacere conoscerti, Sam. Resterai qui a lungo?»

«Quanto basta.» Il sorriso di Sam non salì fino agli occhi. Non l'avevo mai visto comportarsi in modo così pungente.

«Bene, allora... Vi lascio alla vostra serata. Louisa, ci vediamo in giro. Buon proseguimento.» Alzò le mani aperte in un gesto pacificatore. Feci per parlare, ma non riuscii a pensare a nulla di sensato da dire, così lo salutai agitando goffamente le dita tremanti.

Sam si lasciò cadere sulla sedia. Lanciai un'occhiata dall'altra parte del tavolo a Nathan, il cui viso era l'immagine dell'imperturbabilità. Gli altri, ancora intenti a discutere dei prezzi dei biglietti del loro ultimo concerto, sembravano non aver notato nulla. Sam rimase assorto nei suoi pensieri. Quando finalmente alzò gli occhi, gli presi la mano, ma lui non mi restituì la stretta.

Dopo quell'incontro, l'umore non migliorò. Il bar era troppo rumoroso perché io potessi cercare di parlargli, ma per la verità non avrei nemmeno saputo cosa dirgli. Sorseggiai il mio cocktail e passai in rassegna un centinaio di giustificazioni nella mia testa. Sam beveva, annuiva e sorrideva alle battute dei ragazzi, ma notai che un tic nervoso gli faceva fremere la mascella e capii che il suo cuore era lontano. Alle dieci uscimmo dal locale e prendemmo un taxi per rientrare a casa. Lasciai che fosse lui a chiamarlo.

Salimmo con l'ascensore di servizio, come ci aveva consigliato Ilaria, e tendemmo l'orecchio prima di sgusciare nella mia stanza. Mr Gopnik sembrava essere già a letto. Sam non parlò. Andò in bagno a cambiarsi chiudendosi la porta alle spalle, la schiena rigida. Lo udii lavarsi i denti e fare i gargarismi mentre io mi infilavo a letto sentendomi in colpa e arrabbiata al tempo stesso. Si trattenne là dentro per quella che mi parve un'eternità. Quando finalmente aprì la porta, indugiò per un istante sulla soglia in boxer. Le cicatrici, ancora di un rosso livido, gli segnavano la pelle all'altezza dello stomaco. «Mi sto comportando da stronzo.»

«Sì. Sono d'accordo.»

Fece un profondo sospiro. Osservò la foto di Will, posizionata fra la sua e quella di mia sorella con Thom, immortalato mentre si stava infilando le dita nel naso. «Scusami, ma è stato uno shock. Quanto somiglia...»

«Lo so. Ma è un po' come se passassi del tempo con mia sorella e ti impressionassi per la nostra somiglianza.»

«Solo che lei non ti assomiglia.» Sollevò un sopracciglio. «Che c'è?»

«Sto aspettando che tu dica che sono di gran lunga più sexy.»

«Sei di gran lunga più sexy.»

Gettai indietro la coperta per invitarlo a venire a letto, e lui si distese accanto a me.

«Tu sei molto più carina di tua sorella. C'è una differenza abissale. Praticamente tu sei una top model.» Mi posò una mano sul fianco. Era calda e pesante. «Ma con le gambe più corte. Ti va bene così?»

Trattenni un sorriso. «Meglio. Ma sei un po' scortese riguardo alle mie gambe corte.»

«Sono bellissime gambe. Le mie gambe preferite. Le gambe delle top model, in fondo, sono... noiose.» Si spostò sopra di me. Ogni volta che lo faceva avevo la sensazione che delle piccole particelle del mio corpo si accendessero di vita e dovevo controllarmi per resistere all'istinto di dimenarmi sotto di lui. Si appoggiò sui gomiti inchiodandomi sul letto e mi guardò intensamente negli occhi mentre io cercavo di mantenere un'espressione seria anche se il mio cuore era in tumulto.

«Mi sa che hai spaventato a morte quel poveretto» dissi. «Sembrava quasi che volessi picchiarlo.»

«Perché in effetti stavo per farlo.»

«Sei un idiota, Sam Fielding.» Alzai la testa dal cuscino e lo baciai, e quando lui mi restituì il bacio, sorrideva di nuovo. Il mento era ispido di barba che non si era curato di radere.

Questa volta fu tenero. In parte perché ora eravamo consapevoli che le pareti erano sottili e che lui non avrebbe dovuto essere lì. Ma forse anche perché entrambi sentivamo di dover essere più rispettosi della sensibilità dell'altro, dopo gli eventi inaspettati della serata. Ogni volta che mi toccava, lo faceva con una sorta di reverenza. Mi disse che mi amava con una voce sommessa e dolce, guardandomi dritto negli occhi, e le sue parole si riverberarono dentro di me come piccole scosse telluriche.

Ti amo.

Ti amo.

Ti amo anch'io.

Avevamo puntato la sveglia per le cinque meno un quarto. Mi svegliai di soprassalto, strappata al sonno da quel trillo stridulo. Sam borbottò un'imprecazione buttandosi il cuscino sulla faccia e dovetti scrollarlo per farlo alzare.

Lo spinsi in bagno, aprii l'acqua e sgusciai in cucina per fare il caffè. Quando rientrai in camera, lo sentii chiudere il rubinetto della doccia. Mi sedetti sul bordo del letto e assaporai il mio caffè chiedendomi di chi fosse stata la brillante idea di bere superalcolici la domenica sera. La porta del bagno si aprì mentre mi stendevo di nuovo sui cuscini.

«Posso dare la colpa a te per quei cocktail? Ho bisogno di dare la colpa a qualcuno.» Mi pulsava la testa. La alzai e la abbassai piano. «Cosa cavolo c'era là dentro?» Mi premetti le dita sulle tempie. «Saranno stati shottini doppi. Di solito non mi sento così malridotta. Oh, accidenti. Saremmo dovuti andare al 30 Rockefeller.»

Sam non disse nulla. Ruotai la testa per poterlo vedere. Era in piedi sulla porta del bagno. «Vogliamo parlare di questo?»

«Questo cosa?»

Mi tirai su. Sam aveva l'asciugamano legato in vita e teneva in mano una scatoletta bianca rettangolare. Per una frazione di secondo pensai che stesse per regalarmi un gioiello e quasi mi venne da ridere. Ma quando mi tese la scatola, scoprii che non stava sorridendo per niente.

La afferrai. E rimasi a fissare un test di gravidanza con un'espressione incredula. La scatola era aperta e lo stick di plastica bianco all'interno era privo di involucro sterile. Lo presi in mano e una remota parte di me registrò meccanicamente che non c'erano lineette blu. Poi alzai lo sguardo su di lui, ammutolita.

Sam si lasciò cadere sul bordo del letto. «Abbiamo usato il preservativo, giusto? L'ultima volta che sono stato qui. L'abbiamo usato.»

«Che cos... Dove l'hai trovato?»

«Nel cestino. Quando ci ho buttato il rasoio.»

«Non è mio, Sam.»

«Condividi la stanza con un'altra persona?»

«No.»

«Allora come fai a non sapere di chi sia?»

«Non lo so! Ma... non è mio! Non ho fatto sesso con nessun altro!» Mentre protestavo mi resi conto che il semplice fatto di insistere che non avevo fatto sesso con nessun altro mi faceva passare per una che cercava di nascondere il fatto che aveva fatto sesso con qualcun altro. «So che può sembrare assurdo, ma non ho idea del perché quel coso si trovi nel mio bagno!»

«È per questo che mi dai sempre addosso con questa faccenda di Katie? Ti senti in colpa perché ti vedi con qualcuno? Com'è che lo chiamano? Transfert? È per questo che eri così... diversa l'altra notte?»

L'aria nella stanza fu come risucchiata. Avevo la sensazione di essere stata schiaffeggiata. Lo fissai.

«Tu pensi davvero una cosa simile? Dopo tutto quello che abbiamo passato insieme?»

Sam non disse nulla.

«Tu... tu pensi davvero che ti tradirei?»

Era pallido, tanto scioccato quanto me. «Penso solo che se sembra un'anatra e starnazza come un'anatra, be'... di solito è un'anatra.»

«Io non sono una dannata *anatra*, Sam. Sam!»

Lui voltò la testa, riluttante.

«Io non ti tradirei mai. Quel test non è mio, devi credermi.»

I suoi occhi scrutarono il mio viso.

«Non so quante volte devo dirtelo. Non è mio.»

«Stiamo insieme da poco. E buona parte del tempo l'abbiamo trascorsa separati. Io non...»

«Tu non cosa?»

«È una di quelle situazioni che... se la raccontassi agli amici al pub, mi guarderebbero con quell'aria come a dirmi: "Ehi, amico...".»

«Allora non parlarne con i tuoi maledetti amici al pub! Ascolta me, piuttosto!»

«Lo vorrei tanto, Lou!»

«E quindi dove caspita sta il problema?»

«*Quel tizio era identico a Will Traynor!*» Quella frase gli uscì di bocca come se non avesse altro posto dove andare. Si sedette. Si prese la testa fra le mani e poi ripeté piano: «Era identico a Will Traynor».

I miei occhi si erano riempiti di lacrime. Le asciugai con il palmo della mano, incurante di avere il mascara della sera prima sbavato sulle guance. Quando parlai, la mia voce era bassa e severa, non sembrava più la mia.

«Te lo ripeto ancora una volta. Non vado a letto con nessun altro. E se non mi credi... be', non so che cosa ci stai a fare qui.»

Sam non replicò, ma ebbi la sensazione che la sua risposta fluttuasse silenziosamente tra noi: "Nemmeno io". Si alzò e andò a prendere il suo borsone. Tirò fuori un paio di pantaloni e se li infilò con strattoni brevi e rabbiosi. «Devo andare.»

Non riuscii ad aggiungere nient'altro. Lo guardai sentendomi al tempo stesso annichilita e furiosa. Rimasi in silenzio mentre finiva di vestirsi e infilava il resto delle sue cose nel borsone. Poi se lo gettò in spalla, si avviò verso la porta e si voltò.

«Buon viaggio» dissi, incapace di sorridere.

«Ti chiamo quando arrivo.»

«Certo.»

Si avvicinò, si chinò e mi diede un bacio sulla guancia. Non alzai lo sguardo quando aprì la porta. Indugiò ancora un istante e poi uscì tirandosela dietro senza far rumore.

Agnes arrivò a mezzogiorno. Garry era andato a prelevarla all'aeroporto e lei era apparsa particolarmente mogia, come se fosse restia a tornare a casa. Mi salutò da dietro gli occhiali da sole con un "ciao" frettoloso e si ritirò nella sua stanza, dove rimase con la porta chiusa a chiave per le quattro ore successive. Si presentò all'ora del tè, fresca e riposata, e accennò un debole sorriso quando entrai nel suo studio portando con me i *moodboard* completati. Le illustrai i colori e i tessuti, e lei annuì distrattamente, ma mi resi conto che non aveva capito fino in fondo quello che avevo fatto. Lasciai che bevesse il suo tè e attesi che Ilaria scendesse al piano di sotto, infine chiusi la porta dello studio per avere la sua attenzione.

«Agnes» dissi con calma. «So che può sembrarti una domanda un po' strana, ma sei stata tu a buttare un test di gravidanza nel mio bagno?»

Lei sbatté le palpebre sopra la sua tazza di tè. Poi la posò sul piattino e fece una smorfia. «Oh. Quello. Sì, avevo intenzione di dirtelo.»

Sentii la rabbia montare dentro di me come un travaso di bile. «Avevi intenzione di dirmelo? Sai che il mio fidanzato l'ha visto?»

«Il tuo fidanzato è venuto a trovarti? Che tesoro! Avete passato un piacevole fine settimana?»

«Sì, finché non ha trovato il test usato nel mio bagno.»

«Ma tu gli hai detto che non era tuo, vero?»

«Sì, Agnes. Ma guarda caso gli uomini tendono a incavolarsi un po' quando trovano un test di gravidanza nel bagno della loro ragazza. Soprattutto se la ragazza in questione vive a cinquemila chilometri di distanza.»

Agnes agitò la mano come per scacciare via le mie preoccupazioni. «Oh, per amor del cielo. Se ha fiducia in te, non ci sono problemi. In fondo non l'hai tradito. Non dovrebbe essere così stupido.»

«Ma perché? Perché hai messo quel test nel mio bagno?»

Agnes si irrigidì. Guardò alle mie spalle, come per accertarsi che la porta della stanza fosse chiusa. E d'un tratto la sua espressione si fece grave. «Perché se l'avessi lasciato nel mio bagno Ilaria l'avrebbe trovato» disse seccamente. «E non posso permettere che lei lo veda.» Alzò le mani esasperata, come se io fossi clamorosamente ottusa. «Leonard è stato molto chiaro su questo punto quando ci siamo sposati. Niente figli. Abbiamo fatto un patto.»

«Davvero? Ma non è... E che succede se decidi di averne?»

Lei strinse le labbra. «Non succederà.»

«Ma... ma tu hai la mia stessa età. Come fai a esserne così sicura? Certi giorni io non riesco nemmeno a stabilire se rimanere fedele alla stessa marca di balsamo per capelli. Molte persone cambiano idea quando...»

«Io non avrò figli con Leonard, okay?» sbottò. «Basta parlare di bambini.»

Mi alzai in piedi, un po' riluttante, e lei voltò la testa di scatto con un'espressione tesa. «Mi dispiace. Mi dispiace di averti creato problemi, okay?» Si strofinò la fronte. «Mi dispiace. Ora vado a correre. Da sola.»

Quando entrai in cucina pochi minuti dopo, Ilaria stava lavorando una grande palla di impasto in una ciotola con colpi energici e regolari e non alzò nemmeno lo sguardo.

«Tu la consideri una tua amica.»

Mi bloccai con la tazza a mezz'aria mentre mi avvicinavo alla macchina del caffè.

Ilaria continuò a lavorare l'impasto con particolare vigore. «Quella *puta* arriverebbe a venderti al primo offerente pur di salvare se stessa.»

«Così non mi sei di aiuto, Ilaria» dissi. Forse fu la prima volta che osai risponderle. Riempii la tazza e mi avviai verso la porta. «E, che tu ci creda o no, tu non sai proprio tutto.»

La sentii sbuffare quando ero già a metà corridoio.

Scesi in portineria per ritirare i vestiti di Agnes e mi fermai a fare quattro chiacchiere con Ashok per provare a scacciare il cattivo umore. Ashok era sempre accomodante, sempre positivo. Parlare con lui era come schiudere una finestra su un mondo più leggero. Quando tornai su, trovai una borsina di plastica un po' stropicciata appoggiata contro la porta d'ingresso. Mi chinai per raccoglierla e, con mia grande sorpresa, scoprii che era destinata a me. O meglio a "Louisa, mi pare che si chiami così".

La portai in camera mia. Dentro, avvolta in un foglio di carta velina riciclata, c'era una sciarpa Biba vintage con una stampa di piume di pavone. La aprii e me la misi intorno al collo, ammirando la delicata lucentezza del tessuto, il modo in cui si accendeva di riflessi anche nella penombra. Profumava di chiodi di garofano e di una vecchia essenza. Poi infilai la mano in fondo alla borsa e tirai fuori un bigliettino. Nell'intestazione, in caratteri blu ariosi, spiccava il nome Margot De Witt. Sotto, una mano dalla grafia incerta aveva scritto: "Grazie per aver salvato il mio cane".

15

Da: BusyBee@gmail.com
A: MrandMrsBernardClark@yahoo.com

Ciao mamma,
sì, Halloween è davvero molto sentito qui. Ho fatto un giro a piedi nei dintorni e si respirava un'atmosfera festosa ovunque. Ho visto una sfilata di piccoli fantasmi e streghe con cestini di caramelle, seguiti a breve distanza dai genitori con le torce. Alcuni di loro si erano perfino travestiti di tutto punto. La gente si fa davvero coinvolgere, non come succede da noi, dove metà dei vicini spengono le luci o si rintanano nelle stanze sul retro per scoraggiare i bambini dal bussare alla porta. Le finestre sono decorate con zucche di plastica o fantasmini e tutti sembrano divertirsi a camuffarsi con maschere spaventose. Nessun lancio di uova, per quanto ne so.
Nel nostro palazzo, invece, non ci sono stati bambini che si sono presentati chiedendo "Dolcetto o scherzetto?". Questo non è il tipo di quartiere dove la gente bussa alla porta dei vicini. Al massimo comunicano tramite l'autista. Ma anche in quel caso, dovrebbero prima passare davanti al portiere di notte, il che è già leggermente spaventoso di per sé.
Presto ci sarà il Giorno del Ringraziamento. Non fanno neanche in tempo a rimuovere le sagome dei fantasmi che già arrivano le pubblicità del tacchino. Non so bene in che cosa consistano le celebrazioni del Ringraziamento, una gran scorpacciata, penso. La maggior parte delle feste qui sembra ridursi a questo.

Io sto bene. Mi dispiace di non aver chiamato spesso. Abbraccia il
papà e il nonno per me.
Mi mancate.
Baci,
Lou

Mr Gopnik, diventato sentimentale riguardo alle riunioni di
famiglia come spesso capita agli uomini divorziati da poco,
aveva annunciato di voler organizzare una cena del Ringraziamento con i suoi parenti più stretti, approfittando del fatto
che la sua ex moglie sarebbe andata nel Vermont con la sorella. La prospettiva di dover partecipare a questo quadretto familiare – insieme al fatto che lui continuava a lavorare diciotto
ore al giorno – fu sufficiente per far cadere Agnes in una profonda depressione.

Sam mi mandò un messaggio al suo ritorno – ventiquattro
ore dopo il suo ritorno, in realtà – dicendo che era stanco e che
era più dura di quanto pensasse. Risposi con un semplice "Sì"
perché, per la verità, ero stanca anch'io.

Continuavo ad allenarmi di buon'ora con Agnes e George.
Quando non andavo a correre, mi svegliavo nella mia cameretta con i rumori della città nelle orecchie e nella testa l'immagine
di Sam, in piedi sulla porta del bagno. Rimanevo distesa a letto, girandomi e rigirandomi, finché mi ritrovavo ingarbuglia-
ta nelle lenzuola con l'umore a terra e la giornata rovinata ancora prima di iniziare. Quando invece dovevo alzarmi presto
e infilarmi subito le scarpe da ginnastica, mi scoprivo in movimento quasi senza accorgermene, costretta a contemplare la
vita degli altri, con i muscoli delle cosce tesi, l'aria fredda che
mi penetrava nel petto, il suono del mio respiro nelle orecchie.
Mi sentivo in forma, forte, pronta a respingere qualsiasi schi-
fezza mi avrebbe riservato la giornata.

E quella settimana, di schifo, ce ne fu parecchio. La figlia di
Garry abbandonò l'università, il che lo rese di pessimo umore,
così ogni volta che Agnes scendeva dalla macchina, lui lanciava invettive contro i figli ingrati che non capivano il valore del
sacrificio o di un dollaro guadagnato con il sudore della fronte. Ilaria era in preda a una furia muta e costante a causa dei

comportamenti più bizzarri di Agnes, per esempio ordinare del cibo per poi decidere di saltare il pasto, o chiudere a chiave la sua stanza anche quando non era occupata, impedendo alla governante di riporre i suoi vestiti. "Vuole che lasci la sua biancheria intima nell'ingresso? Vuole che i suoi completini sexy siano in bella mostra sotto gli occhi del garzone del droghiere? Che cosa accidenti ha da nascondere là dentro?" diceva Ilaria.

Michael fluttuava nell'appartamento come un fantasma, con l'aria esausta e terrorizzata di chi fa due lavori contemporaneamente, e perfino Nathan aveva perso un po' della sua naturale compostezza ed era sbottato con la veterinaria giapponese quando questa aveva suggerito che il deposito inatteso lasciato dal gatto nella sua scarpa era il risultato della sua "energia negativa". "Gliela faccio vedere io l'energia negativa" aveva borbottato lui gettando le scarpe da ginnastica nella pattumiera. Quanto a Mrs De Witt, bussò alla porta due volte in una settimana per lamentarsi del pianoforte e, per tutta risposta, Agnes fece partire la registrazione di un brano intitolato *La scala del diavolo* e alzò il volume al massimo poco prima di uscire di casa. "Ligeti" disse a denti stretti controllandosi il trucco nello specchietto del portacipria mentre eravamo in ascensore e le note atonali e martellanti salivano e scendevano sopra di noi. Mandai di nascosto un messaggio a Ilaria chiedendole di spegnere lo stereo una volta che fossimo state fuori dal Lavery.

Intanto le temperature si abbassarono, i marciapiedi diventarono ancora più congestionati e gli addobbi natalizi cominciarono a insinuarsi nelle vetrine dei negozi come una vistosa e scintillante eruzione cutanea. Prenotai i biglietti del volo per l'Inghilterra con scarso entusiasmo, non sapendo più che tipo di accoglienza avrei trovato a casa. Chiamai mia sorella sperando che non mi facesse troppe domande. Non avrei dovuto preoccuparmi: era più ciarliera che mai. Mi raccontò dei progetti scolastici di Thom, dei nuovi amici che si era fatto, delle sue prodezze calcistiche. Ma quando le chiesi del suo nuovo fidanzato diventò insolitamente silenziosa.

«Hai intenzione di dirci almeno *qualcosa* su di lui? La mamma sta andando fuori di testa, sai?»

«Verrai a casa per Natale?»

«Sì.»

«Allora potrei approfittarne per fare le presentazioni. Se riesci a non comportarti come una perfetta idiota per un paio d'ore.»

«Ha già conosciuto Thom?»

«Questo weekend» disse Treena con un tono di voce un po' meno sicuro del solito. «Ho fatto in modo che non si incontrassero finora. Che succede se non funziona? Cioè, Eddie ama i bambini, ma se non...»

«Eddie!»

Lei sospirò. «Sì. Eddie.»

«Eddie. Eddie e Treena. "Eddie e Treena in cima alla collina, fanno un ruzzolone scambiandosi un B-A-C-I-O-N-E".»

«Sei proprio una bambina.»

Era tutta la settimana che non ridevo così. «Andrà tutto bene» le dissi. «E una volta fatto questo, potrai presentarlo a mamma e papà. A quel punto sarai tu quella a cui la mamma comincerà a chiedere quando sentiremo profumo di fiori d'arancio, e io potrò prendermi una vacanza dai sensi di colpa nei suoi confronti.»

«Sì, figurati. Sai che teme che tu sia diventata troppo snob per passare il Natale con loro? È convinta che non vorrai salire sul furgoncino di papà quando verrà a prenderti all'aeroporto, visto che adesso sei abituata a viaggiare in limousine.»

«È vero. Lo sono.»

«Scherzi a parte, che succede? Non mi hai detto nulla di come stanno andando le cose.»

«Amo New York» dissi con calma, come se ripetessi un mantra. «Lavoro tanto.»

«Oh, cavolo. Devo scappare. Thom si è svegliato.»

«Fammi sapere com'è andata.»

«Lo farò. A meno che non vada male, nel qual caso emigrerò senza dire una parola a nessuno per il resto della mia vita.»

«La nostra famiglia è così. Sempre reazioni equilibrate.»

Il sabato si presentò come un piatto freddo servito con un contorno di forti raffiche di vento. Non mi ero mai resa conto di quanto potesse essere brutale il vento a New York. Era come se i grattacieli incanalassero qualsiasi tipo di brezza, levigandola con forza e rapidità fino a trasformarla in qualcosa di gelido, violento e solido. Spesso avevo l'impressione di camminare in una sadica galleria del vento. Tenevo la testa bassa e il corpo a un angolo di quarantacinque gradi, e di tanto in tanto mi aggrappavo a un idrante o a un lampione. Presi la metropolitana per recarmi all'emporio di abiti vintage, mi fermai a bere un caffè per scongelarmi e comprai un cappotto zebrato al prezzo stracciato di dodici dollari. Per la verità, cercai di far passare il tempo. Non volevo tornare nella mia stanzetta silenziosa con il borbottio della tivù di Ilaria che mi arrivava dal fondo del corridoio, l'eco spettrale della presenza di Sam fra quelle mura e la tentazione di controllare le email ogni quarto d'ora. Rientrai quando era già buio ed ero stanca e infreddolita abbastanza da non sentirmi inquieta o sopraffatta da quella persistente sensazione che si prova a New York, per cui stare in casa significa perdersi qualche occasione.

Mi sedetti a guardare la televisione e pensai di scrivere un'email a Sam, ma ero ancora troppo arrabbiata per essere conciliante e non ero neppure sicura che quello che avevo da dire avrebbe migliorato le cose. Avevo preso in prestito un romanzo di John Updike dalla biblioteca di Mr Gopnik, ma parlava della complessità delle relazioni moderne e tutti i personaggi sembravano infelici o sbavavano per qualcun altro, così finii per spegnere la luce e provare a dormire.

La mattina dopo, quando scesi, trovai Meena nell'atrio. Non aveva i bambini con sé questa volta, ma era accompagnata da Ashok, che non indossava la sua solita uniforme. Rimasi un po' spiazzata nel vederlo così, in abiti civili, intento a rovistare sotto il bancone. D'un tratto mi resi conto di quanto fosse facile per i ricchi rifiutarsi di sapere qualcosa – qualsiasi cosa – di noi quando indossavamo una divisa che nascondeva la nostra personalità.

«Ehi, Miss Louisa» disse Ashok. «Avevo dimenticato il cappello. Ho dovuto fare un salto qui prima di andare in biblioteca.»

«Quella che rischia la chiusura?»

«Sì. Vuole venire con noi?»

«Sì, dài, aiutaci a salvarla, Louisa!» esclamò Meena dandomi una pacca sulla schiena con la mano coperta da una muffola. «C'è bisogno del contributo di tutti!»

In realtà ero diretta alla caffetteria, ma non avevo niente di meglio da fare e la domenica si estendeva davanti a me come una terra desolata, così accettai volentieri. Mi consegnarono un cartello con la scritta UNA BIBLIOTECA NON È SOLO LIBRI e si assicurarono che avessi berretto e guanti. «Per un'ora o due si può anche resistere, ma alla terza sei congelata» disse Meena mentre uscivamo. Era quella che mio padre avrebbe definito una donna cazzuta, una newyorkese voluttuosamente sexy, con una gran massa di capelli, che aveva sempre la battuta pronta per replicare al marito e amava sfotterlo per la sua pettinatura, il modo di trattare i bambini, le sue performance a letto. Aveva una fragorosa risata gutturale e non si faceva mettere i piedi in testa da nessuno. Ashok semplicemente la adorava. Si rivolgevano l'un l'altro con l'appellativo "baby" così sovente che ogni tanto mi veniva il sospetto che si fossero dimenticati i reciproci nomi.

Prendemmo la metropolitana in direzione nord per Washington Heights, e durante il tragitto Ashok mi raccontò che aveva accettato il lavoro di portinaio come ripiego temporaneo quando Meena era rimasta incinta la prima volta e che, non appena i bambini avessero raggiunto l'età scolare, avrebbe iniziato a guardarsi intorno alla ricerca di un impiego con orari d'ufficio, in modo da aiutare di più in casa. ("Ma la copertura sanitaria è ottima qui. È difficile rinunciarci.") Lui e Meena si erano incontrati all'università. Confessai con un pizzico di vergogna che avevo pensato si trattasse di un matrimonio combinato.

Meena esplose in una risata. «Ehi! Secondo te non avrei preteso che i miei genitori scegliessero qualcosa di meglio di lui?»

«Ieri sera però non la pensavi così, baby» ribatté Ashok.

«Perché ero concentrata sulla tivù.»

Quando finalmente risalimmo in superficie e sbucammo nella 163rd Street, mi ritrovai in una New York completamente diversa.

Gli edifici in questa zona di Washington Heights avevano un'aria esausta: negozi con ingressi sprangati e uscite di sicurezza sfondate, rivendite di alcolici, chioschi che vendevano pollo fritto e parrucchieri che esibivano in vetrina foto sbiadite dai bordi accartocciati di acconciature ormai fuori moda. Un uomo che spingeva un carrello della spesa pieno di borse di plastica ci passò davanti imprecando a bassa voce. Gruppetti di ragazzi stravaccati agli angoli delle strade si scambiavano grida di scherno, e il bordo dei marciapiedi era disseminato di sacchetti di immondizia che giacevano ammonticchiati in cumuli disordinati o vomitavano il loro contenuto sull'asfalto. Non c'era nulla della lucentezza patinata di Lower Manhattan, nulla della risoluta ambizione di cui era intrisa l'aria di Midtown. Qui l'atmosfera era impregnata di odore di fritto e di disillusione. Meena e Ashok sembravano non farci caso. Camminavano a passo spedito con le teste accostate, continuando a tenere d'occhio il cellulare per assicurarsi che la nonna non avesse problemi con i bambini. Meena si voltò verso di me e mi sorrise. Io mi guardai alle spalle, spinsi il portafoglio in fondo alla tasca interna della giacca e mi affrettai a raggiungerli.

Udimmo l'eco della protesta ancor prima di vederla, una vibrazione nell'aria che a poco a poco diventò una cantilena distinta, seppur ancora lontana. Poi svoltammo l'angolo e là, di fronte a un fuligginoso edificio di mattoni rossi, erano radunate circa centocinquanta persone che brandivano striscioni e scandivano slogan rivolgendosi a una piccola troupe di cameraman. Mentre ci avvicinavamo, Meena alzò il suo cartello e iniziò ad agitarlo in aria. «Istruzione per tutti!» urlò. «Non portate via gli spazi sicuri ai nostri bambini!» Penetrammo nella folla e ne fummo subito fagocitati. Avevo intuito che New York era una città dalle mille sfaccettature, ma ora mi rendevo conto che le uniche differenze che avevo notato si limitavano al colore della pelle, allo stile degli abiti. Qui invece c'era una gamma di persone molto diversa. C'erano donne anziane con cuffie lavorate a maglia, hipster che portavano i bambini in marsupi legati alla schiena, ragazzi di colore con le treccine e vecchie indiane in sari. Erano tutti determinati, uniti dalla volontà di raggiungere un obiettivo comune, compatti e fortemente intenzionati a far sentire la propria voce. Iniziai a scandire slogan di protesta e osservai Meena muoversi nella folla e abbracciare gli altri manifestanti con un grande sorriso sulle labbra.

«Pare che saremo al telegiornale di stasera» disse una signora anziana annuendo soddisfatta. «È l'unico modo per farsi sentire dalle autorità locali. Tutti vogliono apparire al telegiornale.»

Sorrisi.

«Ogni anno è la stessa storia, sai? Ogni anno dobbiamo lottare un po' di più perché la comunità resti unita. Ogni anno dobbiamo tenerci più stretto ciò che è nostro.»

«Io... mi dispiace, non so. Sono qui con degli amici.»
«Ma sei venuta ad aiutarci, no? È questo che conta.» Posò
una mano sul mio braccio. «Sai che mio nipote tiene un corso qui? Lo pagano per insegnare a usare il computer ad altri
ragazzi. Lo pagano per questo. Insegna anche agli adulti. Li
aiuta a inviare le domande di lavoro.» Sbatté le mani guanta-
te una contro l'altra cercando di scaldarsi. «Se il Comune decide di chiudere la biblioteca, tutta questa gente non avrà più
un posto dove andare. E i consiglieri comunali saranno i primi a lamentarsi per tutti quei giovani sbandati che affollano le
strade, puoi scommetterci. Sai come vanno queste cose.» Mi rivolse un sorriso d'intesa.

Poco oltre, davanti a me, Meena aveva di nuovo alzato in
aria il suo cartello. Ashok, accanto a lei, si chinò per salutare il
bambinetto di un amico, lo prese in braccio e lo sollevò sopra
la folla perché potesse vedere meglio. In mezzo a tutta questa gente, senza il suo berretto da portiere, sembrava un'altra
persona. Per quanto avessimo chiacchierato, in realtà l'avevo
visto solo attraverso il prisma della sua uniforme. Non mi ero
mai chiesta che vita facesse al di fuori della guardiola, come
mantenesse la sua famiglia, quanto tempo impiegasse per arrivare al lavoro o quanto venisse pagato. Scrutai la folla, che
dopo la partenza della troupe televisiva si era leggermente
calmata, e provai uno strano senso di vergogna nel constatare quanto poco avessi esplorato New York. Questa zona faceva parte della stessa città che esibiva gli scintillanti grattacieli di Midtown.

Continuammo a gridare slogan per un'altra ora. Le auto e i
furgoncini che passavano lungo la strada suonavano il clacson
in segno di solidarietà e noi rispondevamo con urla di accla-
mazione. Due bibliotecarie uscirono per offrire bevande calde
al maggior numero di persone possibile. Io non ne approfittai.
Avevo notato le cuciture strappate sul cappotto della signora
con cui avevo parlato, gli abiti sfilacciati e consunti degli altri
dimostranti. Una donna indiana e suo figlio attraversarono la
strada con grandi contenitori di alluminio pieni di *pakoras* calde e noi ci tuffammo su quelle prelibatezze ringraziandoli pro-
fusamente. «State facendo un lavoro importante» disse la donna. «Siamo noi a dovervi ringraziare.» La mia *pakora* era ripiena

di piselli e patate, abbastanza speziata da farmi annaspare in cerca d'aria, ma assolutamente deliziosa. «Ce le portano ogni settimana, che Dio li benedica» disse la vecchia scrollandosi le briciole dalla sciarpa.

Un'automobile della polizia passò lentamente due, tre volte. Il viso del poliziotto era inespressivo mentre scrutava attentamente la folla. «Ci aiuti a salvare la biblioteca, agente!» gli urlò Meena. Lui girò la testa dall'altra parte, ma il suo collega sorrise.

Poi entrai in biblioteca con Meena per usare la toilette e ne approfittai per vedere da vicino quello per cui, a quanto pareva, stavo manifestando. Era un edificio vecchio con i soffitti alti, le tubature a vista e un'atmosfera silenziosa. Le pareti erano tappezzate di manifesti che pubblicizzavano corsi per adulti, sessioni di meditazione, aiuto nella stesura dei CV e lezioni private a sei dollari all'ora. Ma soprattutto, la biblioteca era piena di gente; l'area riservata ai bambini era gremita di giovani famigliole, le postazioni informatiche brulicavano di adulti che cliccavano timorosi sulla tastiera, come se non avessero ancora preso confidenza con il mezzo e non sapessero bene cosa stavano facendo. Un gruppetto di ragazzini chiacchierava sottovoce in un angolo, alcuni leggevano, altri ascoltavano la musica con gli auricolari. Notai con stupore due addetti alla sicurezza stazionare vicino al bancone dei bibliotecari.

«Sì, c'è qualche zuffa ogni tanto. È aperta a tutti ed è gratuita, capisci?» bisbigliò Meena. «Di solito c'è di mezzo la droga. È inevitabile che ci siano degli scontri.» Scendendo le scale passammo accanto a una signora anziana. Aveva un cappello sudicio e una giacca a vento azzurra sgualcita e logora con degli strappi sulle spalle che ricordavano delle mostrine militari. Mi ritrovai a fissarla mentre si issava a fatica un gradino dopo l'altro, con le pantofole malandate che le scappavano dai piedi, stringendo una borsa da cui spuntava un libro tascabile.

Restammo fuori un'altra ora, abbastanza a lungo perché un inviato e un'altra troupe televisiva si fermassero a farci domande e a promettere che avrebbero fatto del loro meglio per far circolare la notizia. E poi, all'una, la folla cominciò a disperdersi e noi tornammo alla stazione della metropolitana. Meena e Ashok chiacchieravano animatamente delle persone che avevano appena conosciuto e delle manifestazioni in programma per la settimana dopo.

«Che cosa farete se chiude?» chiesi loro una volta saliti in metropolitana.

«Onestamente?» disse Meena spingendo indietro la bandana che le tratteneva i capelli. «Non ne ho idea. Ma è probabile che finiscano davvero per chiuderla, purtroppo. Ce n'è un'altra più attrezzata a tre chilometri da qui, dicono che potremmo portare là i nostri bambini. Perché ovviamente da queste parti tutti hanno una macchina, no? E agli anziani fa bene farsi tre chilometri a piedi con trentadue gradi all'ombra.» Alzò gli occhi al cielo. «Ma noi combatteremo fino all'ultimo, giusto?»

«È importante che la comunità abbia i suoi spazi» dichiarò Ashok gesticolando con enfasi. «C'è bisogno di luoghi dove la gente si possa incontrare, dove possa parlare, scambiarsi delle idee. Non è solo una questione di soldi, capisci? I libri ti insegnano la vita. I libri ti insegnano l'*empatia*. Ma non puoi comprarli, se con quello che guadagni riesci a malapena a sbarcare il lunario. Ecco perché quella biblioteca è una risorsa vitale! Se chiudi una biblioteca, Louisa, non cancelli soltanto un edificio, cancelli la *speranza*.»

Seguì una breve pausa di silenzio.

«Ti amo, baby» disse Meena, e gli stampò un bacio sulla bocca.

«Ti amo anch'io, baby.»

Si guardarono intensamente, e io mi scrollai delle briciole immaginarie dal cappotto cercando di non pensare a Sam.

Ashok e Meena sarebbero passati a prendere i bambini a casa della madre di lei, così mi abbracciarono e mi fecero promettere di unirmi a loro anche la settimana successiva. Io feci tappa al solito diner, dove presi un caffè e una fetta di torta. Non riuscivo a smettere di pensare alla protesta, alla gente in biblioteca, alle strade sporche e piene di buche che la circondavano. Continuavo a rivedere il cappotto lacero di quella donna anziana, così orgogliosa della piccola somma che il nipote riusciva a racimolare con il suo programma di tutoraggio. Pensai all'appassionata arringa di Ashok a favore della comunità. Ricordai com'era cambiata la mia vita quando avevo preso a frequentare la biblioteca di Stortfold, l'insistenza con cui Will mi ripeteva che "Sapere è potere".

Riflettei sul fatto che quasi ogni libro che leggevo – e ogni decisione che prendevo – potevano essere ricondotti a quel periodo. Pensai che ogni singolo dimostrante in quella folla conosceva qualcuno, o era legato a qualcuno, o aveva comprato cibo e bevande per gli altri e chiacchierato con loro, e pensai all'impeto di energia e al piacere che avevo provato nell'impegnarmi per un obiettivo condiviso.

Pensai alla mia nuova casa, un silenzioso edificio di una trentina di persone dove nessuno parlava con nessuno se non per lagnarsi di qualche lieve violazione della propria quiete e dove nessuno sembrava provare simpatia per gli altri né si prendeva il disturbo di conoscerli abbastanza bene per scoprire se si era fatto un'idea sbagliata.

Rimasi seduta a riflettere finché la torta non si raffreddò.

Una volta rientrata a casa, feci due cose. Innanzitutto scrissi un biglietto a Mrs De Witt ringraziandola per la sua bella sciarpina. Le dissi che il suo regalo mi aveva rischiarato la settimana e che, se le fosse servito aiuto con il suo carlino, sarei stata lieta di migliorare le mie conoscenze in materia di cura dei cani. Infilai il biglietto in una busta e la feci scivolare sotto l'uscio.

Bussai alla porta di Ilaria cercando di non sentirmi intimidita quando lei la aprì e mi guardò con palese sospetto. «Sono passata dalla caffetteria dove vendono quei biscotti alla cannella che ti piacciono tanto e te ne ho presi un po'. Tieni.» Le porsi il sacchetto.

Lei lo adocchiò con circospezione. «Che cosa vuoi?»

«Niente! Solo... ringraziarti per avermi aiutato con i bambini l'altro giorno. E poi, lavoriamo insieme e tutto, e...» Alzai le spalle. «Sono solo biscotti.»

Glieli avvicinai di qualche centimetro in modo che fosse obbligata a prenderli. Ilaria guardò prima il pacchetto, poi me, e temendo che volesse tirarmelo dietro, le feci un rapido cenno di saluto e tornai di corsa nella mia stanza.

Quella sera cercai su Internet il maggior numero di informazioni possibili sulla biblioteca. Lessi le notizie riguardanti i tagli al bilancio, le minacce di chiusura, le piccole storie di successo – *Teenager ringrazia la biblioteca per la sua borsa di studio* – stampai gli articoli salienti e salvai tutti i dati utili in un file.

A un quarto alle nove vidi spuntare un'email nella mia casella di posta. L'oggetto era: "SCUSA".

Lou,

è tutta la settimana che sono impegnato con l'ultimo turno e volevo scriverti avendo più di cinque minuti a disposizione e con la certezza di non incasinare ancora di più le cose. Non sono bravo con le parole. Penso che qui soltanto una parola sia davvero importante: scusa. So che non mi tradiresti mai. Sono stato un idiota anche solo a pensarlo. Il fatto è che è difficile stare così lontani e non sapere che cosa succede nella tua vita. Quando ci incontriamo è come se il volume fosse troppo alto su tutto. Non riusciamo a rilassarci e a goderci il momento.

So che questo periodo a New York è importante per te e non voglio che tu ti senta bloccata.

Scusami ancora.

Baci,

Il tuo Sam

Era la cosa più simile a una lettera che Sam mi avesse mai scritto. Fissai le sue parole per qualche istante, cercando di analizzare quello che provavo. Infine scrissi la risposta:

Lo so. Ti amo. Spero che a Natale avremo tempo di stare insieme senza ansie. Baci. Lou.

La inviai, poi risposi a un'email di mia madre e a una di Treena. Le scrissi di getto, come se avessi inserito il pilota automatico, pensando a Sam per tutto il tempo. *Sì, mamma, darò un'occhiata alle nuove foto del giardino su Facebook. Sì, so che la figlia di Bernice fa i selfie con la bocca a culo di gallina. Crede di essere seducente.*

Mi collegai al sito della banca, poi andai su Facebook e, mio malgrado, mi ritrovai a sorridere davanti all'interminabile sfilza di selfie della figlia di Bernice con la sua smorfia di gomma. Guardai le foto del nostro piccolo giardino, con le nuove sedie da esterno che mia madre aveva comprato. Poi, quasi per togliermi uno sfizio, andai sul profilo di Katie Ingram. Me ne pentii quasi immediatamente. Eccole là, in un glorioso technicolor, sette immagini caricate di recente che la immortalavano in una serata fuori tra paramedici, forse quella a cui erano diretti quando avevo chiamato Sam.

O, peggio, forse no.

C'era Katie, con una camicetta rosa scuro che sembrava di seta, il sorriso aperto, lo sguardo ammiccante mentre si sporgeva sul tavolo per dire qualcosa di importante, o con il collo in primo piano mentre buttava indietro la testa in una risata. E poi c'era Sam, leggermente più alto di tutti gli altri, con indosso la sua giacca stazzonata e una T-shirt grigia e in mano un bicchiere di quello che poteva essere un liquore al lime. In ogni scatto, il gruppo era felice e sorridente per una battuta condivisa. Sam appariva rilassato e perfettamente a suo agio. E in ogni scatto Katie Ingram era appiccicata a lui, rannicchiata sotto la sua ascella mentre erano seduti al tavolo del pub, o intenta a guardarlo con una mano leggera posata sulla sua spalla.

16

«Ho un incarico per te.» Ero seduta in un angolo del salone di un parrucchiere super trendy mentre Agnes si faceva fare il colore e la piega. Stavo guardando un servizio del notiziario locale sulla manifestazione contro la chiusura della biblioteca e mi affrettai a spegnere il telefono quando lei si avvicinò con i capelli divisi in ciocche avvolte con cura in striscioline di alluminio. Si sedette accanto a me ignorando il lavorante, che chiaramente avrebbe voluto che tornasse al suo posto.

«Devi trovarmi un piccolo pianoforte. Da spedire in Polonia.»

Lo disse con disinvoltura, come se mi avesse chiesto di andare a comprare un pacchetto di chewing-gum da Duane Reade.

«Un piccolo pianoforte.»

«Sì, un pianoforte speciale per un bambino che vuole imparare a suonare. È per la figlia di mia sorella» disse. «Deve essere di ottima qualità, però.»

«Non ci sono pianoforti in Polonia?»

«Non così buoni. Io voglio un Hossweiner & Jackson. Sono i migliori al mondo. E devi organizzare una spedizione speciale con climatizzazione, in modo che non venga danneggiato dal freddo o dall'umidità, perché potrebbero alterarne il suono. Il negozio dovrebbe essere in grado di aiutarti, comunque.»

«Mi ricordi quanti anni ha la figlia di tua sorella?»

«Quattro anni.»

«Mmh... okay.»

«E deve essere il migliore, così può sentire la differenza. Perché c'è un'enorme differenza fra i timbri. È come suonare uno Stradivari invece di strimpellare un violino da quattro soldi.»

«Certo.»

«Ma c'è un problema» disse voltando le spalle al povero lavorante che, ormai sull'orlo di una crisi di nervi dall'altra parte del salone, gesticolava indicando i suoi capelli e picchiettando un orologio immaginario sul polso. «Non voglio che l'acquisto risulti sulla mia carta di credito, perciò devi prelevare i soldi ogni settimana. Poco per volta, okay? Ne ho già un po' da parte.»

«Ma... Mr Gopnik non ti farà storie, giusto?»

«No, ma pensa che io spenda troppo per mia nipote. Non capisce. E se Tabitha lo scoprisse, distorcerebbe tutto per farmi passare per una cattiva persona. Sai com'è, Louisa. Allora, puoi farlo?» Mi guardò intensamente da sotto i suoi strati di foglietti di alluminio.

«Ehm, certo.»

«Sei meravigliosa. Sono tanto felice di avere un'amica come te.» E di colpo mi abbracciò, per cui le ciocche sbatterono contro il mio orecchio e il colorista fu costretto a correre a vedere quale danno aveva provocato la mia guancia.

Chiamai il negozio di strumenti musicali e mi feci mandare un preventivo per due tipi di pianoforti comprensivo di spese di spedizione. Dopo un attimo di shock, stampai i dati salienti e li mostrai ad Agnes.

«È un gran bel regalo!» commentai.

Lei agitò la mano come per invitarmi a proseguire.

Deglutii. «E per la spedizione bisogna aggiungere altri duemilacinquecento dollari.»

Quelle cifre mi lasciavano senza fiato. Agnes, invece, non si scompose. Si avvicinò al cassettone, lo aprì con una chiave che teneva nei jeans e tirò fuori un raffazzonato fascio di banconote da cinquanta dollari spesso come il suo braccio. «Ecco. Qui ce ne sono ottomilacinquecento. Tutte le mattine andrai al bancomat e ritirerai il resto. Cinquecento per volta. Okay?»

Non mi sentivo del tutto tranquilla all'idea di prelevare una somma così importante all'insaputa di Mr Gopnik. Ma sapevo che il legame di Agnes con la sua famiglia era molto intenso, e sapevo anche, meglio di chiunque altro, quanto si potesse desiderare di sentirsi vicini a chi era lontano. Perciò chi ero io per sollevare obiezioni su come spendesse i suoi soldi? Dopotutto, ero sicurissima che tra i suoi vestiti ce ne fosse qualcuno che, da solo, costava più di quel pianoforte.

Per i dieci giorni successivi, a un certo punto della giornata, mi recavo diligentemente allo sportello bancomat di Lexington Avenue e ritiravo il denaro, ficcandomi le banconote nel reggiseno prima di tornare indietro, pronta a difendermi da eventuali rapinatori che per fortuna non si materializzarono mai. Consegnavo i soldi ad Agnes quando eravamo sole, e lei li aggiungeva al gruzzolo che teneva chiuso a chiave nel cassettone. Infine portai l'intera somma al negozio, firmai il modulo necessario e contai le banconote a una a una davanti alla commessa esterrefatta. Il pianoforte sarebbe arrivato in Polonia in tempo per Natale.

Quella fu l'unica cosa che sembrò procurare un po' di gioia ad Agnes. Ogni settimana si faceva accompagnare nello studio di Steven Lipkott per le sue lezioni di disegno, e nel frattempo io e Garry andavamo in overdose di caffeina e zuccheri nel suo paradiso dei donuts preferito, mentre io mi sforzavo di mostrargli la mia solidarietà quando recriminava contro l'ingratitudine dei figli o elogiava i donuts con la glassa al caramello. Infine prelevavamo Agnes un paio d'ore dopo fingendo di non notare il fatto che non aveva mai una cartellina da disegno con sé.

La sua avversione per l'implacabile catena di iniziative a scopo benefico a cui doveva partecipare era cresciuta sempre di più. Aveva smesso di provare a essere gentile con le altre signore del suo entourage, mi riferì Michael bisbigliando fra un caffè e l'altro preso al volo in cucina. Si limitava a rimanere là, bellissima e imbronciata, aspettando che l'evento giungesse al termine. «In fondo non mi sento di biasimarla, visto quanto sono state stronze con lei. Ma Mr Gopnik sta andando leggermente fuori di testa. Per lui è importante avere accanto, be', se non proprio una moglie da esibire come trofeo, almeno una donna che sia disposta a sorridere ogni tanto.»

Mr Gopnik sembrava stremato dal lavoro e dalla vita in generale. Michael mi disse che aveva delle difficoltà negli affari. Una grossa operazione volta a salvare una banca in qualche paese emergente non era andata a buon fine e tutti stavano lavorando giorno e notte per cercare di risolvere la situazione. Nel frattempo – forse proprio a causa dello stress – la sua artrite si era riacutizzata, e lui e Nathan facevano delle sedute di fisiote-rapia supplementari per consentirgli di muoversi normalmen-te. Si imbottiva di pillole. Un medico passava a visitarlo priva-tamente due volte alla settimana.

«Odio questa vita» mi confidò Agnes un giorno mentre pas-seggiavamo nel parco. «Tutti questi soldi che regala Leonard, e per che cosa poi? Per riunirci quattro volte alla settimana e mangiare delle tartine rinsecchite con persone rinsecchite, in modo che quelle megere rinsecchite possano continuare a par-lare male di me.» Si interruppe per un attimo e si voltò a guar-dare il Lavery, e io mi accorsi che i suoi occhi si erano riempiti di lacrime. Abbassò la voce. «Ci sono dei giorni, Louisa, in cui ho l'impressione di non farcela più.»

«Lui ti ama» la rassicurai. Non sapevo cos'altro dire.

Si asciugò gli occhi con il palmo della mano e scosse la testa come per scrollarsi di dosso l'emozione. «Lo so.» Mi sorrise, e fu il sorriso meno convincente che io avessi mai visto. «Ma ne è passato di tempo da quando ero convinta che l'amore risol-vesse ogni cosa.»

D'impulso, mi avvicinai e la abbracciai. Mi resi conto soltan-to dopo che non avrei saputo dire se l'avevo fatto per lei o per me stessa.

Fu poco prima della cena del Ringraziamento che l'idea prese forma nella mia mente. Agnes si era rifiutata di alzarsi dal let-to per tutto il giorno, dovendo affrontare una cena a sostegno della ricerca sulla salute psichica. Sosteneva di essere troppo depressa per partecipare, evidentemente senza cogliere l'iro-nia della situazione.

Riflettei sulla mia idea giusto il tempo di bere una tazza di tè, e poi decisi che in fondo non avevo niente da perdere.

«Mr Gopnik?» Bussai alla porta del suo studio e attesi che mi invitasse a entrare.

Alzò lo sguardo e percorse la mia figura dall'alto in basso con aria stanca. Indossava un'impeccabile camicia azzurra. Cer-ti giorni provavo quasi pena per lui, un po' come potresti pro-vare pena per un orso in gabbia, ossia mantenendo un sano ri-spetto misto a timore nei suoi confronti.

«Che cosa c'è?»

«Mi... Mi dispiace disturbarla, ma ho avuto un'idea. È una cosa che penso potrebbe aiutare Agnes.»

Mr Gopnik si appoggiò allo schienale della sua poltroncina in pelle e mi fece cenno di chiudere la porta. Notai un bicchiere di cristallo sulla sua scrivania. Era presto per il suo solito brandy.

«Posso parlare apertamente?» domandai. Ero un po' nervosa.

«Prego.»

«Okay. Ecco, non ho potuto fare a meno di notare che Agnes non è... ehm, felice come potrebbe essere.»

«Per usare un eufemismo» disse lui pacatamente.

«Mi sembra che molti dei suoi problemi siano legati al fatto di essere stata sradicata dalla sua vecchia vita e di non essersi mai veramente integrata in quella nuova. Mi ha confidato di non poter trascorrere del tempo con le sue vecchie conoscenze perché non capiscono fino in fondo la sua nuova posizione, e del resto, da quello che ho visto, be', la maggior parte di quelle nuove non mi sembrano molto desiderose di accoglierla nel gruppo. Lo vedono come una specie di... tradimento.»

«Nei confronti della mia ex moglie.»

«Sì. Quindi Agnes non ha un lavoro, né un giro di amicizie che la faccia sentire parte di una comunità. E questo palazzo non rappresenta una vera e propria comunità. Lei ha il suo lavoro ed è circondato da persone che conosce da anni, che le sono affezionate e la rispettano. Ma Agnes no. Trova particolarmente pesante partecipare a tutte le iniziative benefiche in calendario. D'altro canto, so che lei tiene molto alla filantropia. Così mi è venuta un'idea.»

«La ascolto.»

«Dunque, a Washington Heights c'è una biblioteca che rischia la chiusura. Ho qui tutte le informazioni.» Spinsi la cartellina sulla scrivania. «È una biblioteca pubblica di cui usufruiscono persone diverse per nazionalità, età e background, e per gli abitanti del quartiere è fondamentale che rimanga aperta. Stanno lottando duramente per salvarla.»

«Questo è un problema di competenza dell'amministrazione comunale.»

«Be', forse. Ma ho parlato con una bibliotecaria, e lei mi ha detto che in passato hanno ricevuto delle donazioni da parte di privati che li hanno aiutati a rimanere a galla.» Mi protesi in avanti. «Se soltanto andasse a dare un'occhiata, Mr Gopnik, potrebbe constatare la situazione di persona: ci sono corsi di formazione, madri che trovano un posto caldo e sicuro per i loro bambini e persone che ce la mettono tutta per migliorare le cose. E in modo pratico. So che non è elegante come le iniziative a cui partecipate di solito – cioè, non potrà mai essere il luogo adatto per un ballo in smoking –, ma è pur sempre beneficenza, giusto? Così ho pensato che forse... forse potrebbe farsi coinvolgere. E meglio ancora, se anche Agnes fosse coinvolta potrebbe sentirsi parte di una comunità, potrebbe farlo diventare un progetto tutto suo. Voi due insieme potreste fare qualcosa di stupefacente.»

«Washington Heights, ha detto?»

«Dovrebbe andarci. È una zona molto variegata. Molto diversa da... qui. Cioè, alcune parti sono state riqualificate, ma questa è...»

«Conosco Washington Heights, Louisa.» Tamburellò con le dita sulla scrivania. «Ne ha parlato con Agnes?»

«Pensavo che fosse opportuno accennarlo a lei prima.»

Mr Gopnik avvicinò a sé la cartellina e la aprì. Guardò il primo foglio, un trafiletto di giornale con la cronaca di una delle prime manifestazioni di protesta. Il secondo era un bilancio relativo all'ultimo anno finanziario che avevo scaricato dal sito del Comune.

«Mr Gopnik, sono davvero convinta che il suo contributo potrebbe fare la differenza. Non solo per Agnes, ma per l'intera comunità.»

Fu a questo punto che mi accorsi che lui appariva distaccato, anzi, quasi infastidito dalle mie parole. Non fu un cambiamento molto evidente, solo un leggero indurirsi della sua espressione, un abbassarsi dello sguardo. E all'improvviso mi resi conto che essere benestanti probabilmente significava ricevere centinaia di richieste simili ogni giorno o suggerimenti su cosa fare delle proprie disponibilità. E che forse, con la mia proposta, avevo superato qualche confine invisibile tra dipendente e datore di lavoro.

«A ogni modo, era solo un'idea, magari nemmeno brillante. Mi dispiace se ho parlato troppo. Ora torno al lavoro. Non si senta in dovere di leggere quel materiale se è impegnato. Posso portarlo via, se...»

«Va bene così, Louisa.» Si massaggiò le tempie con gli occhi chiusi.

Indugiai, incerta se considerarmi congedata oppure no.

Poi finalmente tornò a guardarmi. «Può parlare con Agnes, per favore? Veda di scoprire se devo andare a questa cena da solo.»

«Sì, certo» risposi, e lasciai la stanza.

Alla fine Agnes partecipò alla cena di beneficenza. Non sentii alcuna discussione quando rientrarono a casa, ma la mattina dopo scoprii che lei aveva dormito nel suo studio.

Nelle due settimane che precedettero il mio ritorno a casa per le feste di Natale sviluppai una dipendenza quasi ossessiva per Facebook. Mi ritrovai a controllare il profilo di Katie Ingram mattino e sera, leggendo le conversazioni che scambiava con i suoi amici e cercando eventuali nuove foto che poteva aver postato. Un'amica le aveva chiesto se le piaceva il suo nuovo lavoro e lei aveva risposto "LO ADORO!" con una faccina ammiccante (aveva una passione irritante per le faccine ammiccanti). Un altro giorno aveva scritto un post che diceva: "Giornata tosta oggi. Ringrazio Dio per avermi dato il mio fantastico collega! #blessed".

Pubblicò un'altra foto di Sam, stavolta al volante dell'ambulanza. Stava ridendo con la mano alzata, come per negarsi all'obiettivo, e il suo viso, e l'intimità di quello scatto, la forza con cui mi catapultava nell'abitacolo con loro, mi tolsero il fiato.

Ci eravamo accordati per sentirci al telefono la sera precedente, ora di Londra, ma quando avevo chiamato lui non aveva risposto. Avevo riprovato una, due volte, senza successo. Due ore dopo, quando ormai iniziavo a preoccuparmi, ricevetti un messaggio: *Scusami, ci sei ancora?*

«Tutto bene? Problemi sul lavoro?» gli chiesi non appena mi chiamò.

Avvertii una lievissima esitazione prima della risposta. «Non esattamente.»

«Cosa intendi dire?» Ero in macchina in attesa che Agnes si facesse fare la pedicure, ed ero consapevole che, nonostante apparisse profondamente immerso nella lettura delle pagine sportive del "New York Post", Garry avrebbe potuto ascoltare la conversazione.

«Stavo aiutando Katie a sistemare una cosa.»

Ebbi un tuffo al cuore solo a sentir menzionare quel nome. «Che cosa?» Mi sforzai di mantenere un tono leggero.

«Un armadio Ikea. L'ha comprato ma non sapeva montarlo da sola, così mi sono offerto di darle una mano.»

Provai un improvviso senso di nausea. «Sei andato a casa sua?»

«Nel suo appartamento. L'ho solo aiutata con un mobile, Lou. Non ha nessun altro su cui poter contare. E abitiamo nella stessa strada.»

«Ti sei portato dietro la cassetta degli attrezzi.» D'un tratto mi ricordai che di solito veniva nel mio appartamento per fare dei lavoretti di riparazione. Era stata una delle prime cose che avevo apprezzato di lui.

«Sì, mi sono portato dietro la cassetta. E non ho fatto altro che montare un armadio Ikea.» La sua voce aveva assunto un tono esausto.

«Sam?»

«Che c'è?»

«Ti sei offerto tu di andare? O te l'ha chiesto lei?»

«Che importanza ha?»

Avrei voluto dirgli che ce l'aveva eccome, perché era ovvio che lei stava tentando di portarmelo via. Recitava a turno il ruolo della donna smarrita e bisognosa di aiuto, della ragazza divertente e festaiola, dell'amica comprensiva e dell'efficiente collega di lavoro. Quanto a Sam, o era cieco di fronte a tutto questo o, peggio, non lo era affatto. Tra le foto postate da Katie, non ce n'era una in cui non fosse abbarbicata al suo fianco come una sanguisuga con il rossetto. Talvolta mi chiedevo se sospettasse che avrei visto quelle foto, se ci provasse gusto nel sapere che la cosa mi dava fastidio, anzi, se questo in effetti rientrasse nel suo piano per fare di me una fidanzata depressa e paranoica. Non credo che gli uomini avrebbero mai capito le armi infinitamente sottili usate dalle donne per farsi la guerra.

Il silenzio che era calato fra me e Sam si fece sempre più profondo fino a trasformarsi in una voragine. Sapevo di non poter vincere. Se avessi provato a metterlo in guardia su cosa stava succedendo, sarei diventata un'arpia gelosa. Se non l'avessi fatto, lui avrebbe proseguito alla cieca fino a cadere nella trappola che lei gli aveva teso. Fino al giorno in cui, d'un tratto, si sarebbe reso conto che lei gli mancava più di quanto gli fossi mai mancata io. O avrebbe sentito la mano morbida di Katie scivolare nella sua al pub mentre lei appoggiava la testa sulla sua spalla per cercare conforto dopo una giornata pesante. Oppure avrebbero suggellato il loro legame condividendo qualche scarica di adrenalina durante un episodio che avrebbe messo a repentaglio la loro vita, e si sarebbero ritrovati a baciarsi e...

Chiusi gli occhi.

«Allora, quand'è che torni?»

«La vigilia di Natale.»

«Perfetto. Cercherò di spostare qualche turno. Sarò impegnato anche durante le feste, però. Sai com'è il mio lavoro, Lou. Non si ferma mai.»

Sospirò e fece una pausa prima di riprendere a parlare. «Ascolta. Stavo pensando. Forse sarebbe una buona idea se tu e Katie vi conosceste. Così capiresti che è una tipa a posto e che non vuole essere niente di più di una collega di lavoro.»

Sì, col cavolo.

«Bene! Mi sembra un'ottima idea» risposi.

«Penso che ti piacerà.»

«Sono sicura che sarà così.»

Come potrebbe piacermi il virus dell'Ebola. O sbucciarmi i gomiti. O mangiare quel formaggio con i vermi vivi dentro.

Sam parve sollevato. «Ho una gran voglia di averti qui con me» disse. «Resterai per una decina di giorni, vero?»

Abbassai la testa cercando di attutire un po' la mia voce. «Sam, senti... Katie vuole davvero conoscermi? È una cosa che... insomma, ne avete già parlato?»

«Certo» mi assicurò lui. E poi, vedendo che non dicevo nulla, aggiunse: «Cioè, non... Non è che abbiamo parlato di quello che è successo fra te e me o robe simili. Ma si rende conto che deve essere difficile per noi».

«Capisco.» Sentii la mia mascella contrarsi.

«Pensa che tu sia fantastica. Ovviamente le ho detto che si sbaglia.»

Scoppiai a ridere, ma credo che nemmeno il peggior attore del mondo avrebbe potuto essere meno convincente.

«Comunque, presto la conoscerai. Non vedo l'ora.»

Dopo aver chiuso la chiamata, alzai la testa e scoprii che Garry mi stava fissando nello specchietto retrovisore. I nostri occhi si incrociarono per un attimo, poi lui distolse lo sguardo.

Vivendo in una delle metropoli più vivaci del mondo, avevo iniziato a rendermi conto che il mondo da me conosciuto in realtà era molto piccolo, imperniato sulle esigenze dei Gopnik dalle sei del mattino spesso fino alla sera tardi. La mia vita era strettamente intrecciata con la loro. Proprio com'era successo con Will, avevo imparato a sintonizzarmi su ogni sbalzo d'umore di Agnes, a dedurre anche dai minimi segnali se era depressa, arrabbiata o semplicemente bisognosa di mangiare qualcosa. Ormai sapevo perfino quando doveva arrivarle il ciclo e lo annotavo sulla mia agenda personale, in modo da essere preparata a cinque giorni di emotività esasperata o di esibizioni particolarmente enfatiche al pianoforte. Sapevo come diventare invisibile nei momenti di tensione familiare o quando essere onnipresente. Diventai la sua ombra, al punto che talvolta mi sentivo quasi evanescente, utile soltanto in relazione a qualcun altro.

La mia vita prima dei Gopnik si era come allontanata, trasformandosi in qualcosa di simile a un fantasma sbiadito, vissuta attraverso qualche telefonata (quando i molteplici impegni lavorativi me lo permettevano) o sporadiche email. Non riuscii a chiamare mia sorella per due settimane e piansi quando ricevetti una lettera scritta a mano da mia madre con delle foto di lei e Thom a uno spettacolo teatrale accompagnate dalla frase: "In caso tu ti sia dimenticata che facce abbiamo".

Mi sembrava tutto un po' esagerato. Così, per compensare, anche se ero esausta, ogni weekend andavo in biblioteca con Ashok e Meena, una volta perfino da sola, quando i bambini erano malati. Migliorai nella scelta dell'abbigliamento per ripararmi dal freddo e preparai un cartello con la scritta SAPERE È POTERE!, un accenno a Will che avrei capito soltanto io. Tornavo indietro in metropolitana e poi mi spingevo fino all'East Village per prendere un caffè al Vintage Clothes Emporium e curiosare fra i nuovi capi messi in vendita da Lydia e sua sorella.

Mr Gopnik non aveva più fatto cenno alla biblioteca. Mi resi conto con lieve disappunto che nel suo ambiente la beneficenza poteva avere un significato ben diverso: donare non era sufficiente, bisognava essere visti quando lo si faceva. Gli ospedali portavano il nome dei loro benefattori sulla facciata in chiare lettere alte quasi due metri. I balli erano intitolati ai loro finanziatori. Perfino gli autobus esponevano lunghe liste di nomi sui finestrini posteriori. I Gopnik erano noti come filantropi generosi perché in società godevano di visibilità come tali. Una scalcagnata biblioteca in un quartiere degradato non offriva altrettanta gloria.

Ashok e Meena mi avevano invitato nel loro appartamento a Washington Heights per il Ringraziamento, inorriditi nel sentirmi dire che non avevo programmi per quel giorno di festa. «Non puoi passare il Ringraziamento da sola!» esclamò Ashok, e io decisi di sorvolare sul fatto che in Inghilterra alcune persone non sapevano neppure che cosa fosse. «Mia madre prepara il tacchino, ma non aspettarti che sia fatto secondo la ricetta americana» disse Meena. «Non sopportiamo quel cibo insipido. Il nostro sarà un tacchino *tandoori* a regola d'arte.»

Questa volta non mi costò fatica dire di sì a qualcosa di nuovo: anzi, ero piuttosto entusiasta. Comprai una bottiglia di champagne, un assortimento di cioccolatini sfiziosi e dei fiori per la madre di Meena, e indossai il mio abito da cocktail azzurro con le maniche di pelliccia, immaginando che un Ringraziamento indiano sarebbe stato un'occasione adatta per sfoggiarlo, o almeno un'occasione che non richiedeva un *dress code* specifico. Ilaria era presa fino al collo dai preparativi per la cena di famiglia in casa Gopnik, così decisi di uscire senza disturbarla, controllando di aver preso le istruzioni che mi aveva dato Ashok.

Percorrendo il pianerottolo, notai che la porta di Mrs De Witt era aperta. Udii il borbottio della tivù dall'interno dell'appartamento. Dean Martin era fermo nell'ingresso, a pochi passi dall'uscio, e mi fissava. Mi domandai se stesse meditando un'altra fuga verso la libertà, e poi decisi di suonare il campanello.

Mrs De Witt emerse da una stanza.

«Mrs De Witt? Credo che Dean Martin voglia andare a fare una passeggiata.» Il cane si voltò e zampettò verso la sua padrona. Lei si appoggiò al muro. Aveva un'aria fragile e stanca.

«Può chiudere la porta, cara? Temo di averla solo accostata.»

«Certo. Buon Ringraziamento, Mrs De Witt.»

«Ah, è oggi? L'avevo scordato.» Sparì di nuovo nella stanza, seguita dal cane, e io chiusi la porta d'ingresso. Non l'avevo mai vista ricevere visite e provai un moto di tristezza al pensiero che avrebbe passato quella giornata da sola.

Mi stavo allontanando quando Agnes si presentò sul pianerottolo in tenuta da fitness. Sembrava stupita di vedermi. «Dove stai andando?»

«A cena.» Non volevo dire con chi. Non sapevo come avrebbero reagito i condomini se avessero scoperto che i membri del personale di servizio si frequentavano a loro insaputa. Lei mi guardò inorridita.

«Ma tu non puoi andare, Louisa. Ci sarà la famiglia di Leonard al gran completo. Non posso farcela da sola. Gli ho detto che saresti stata presente anche tu.»

«Oh, davvero? Ma...»

«Devi rimanere.»

Lanciai un'occhiata verso la porta. Mi sentii mancare.

E poi lei abbassò la voce e mi implorò: «Ti prego, Louisa. Tu sei mia amica. Ho bisogno di te».

Telefonai ad Ashok per avvisarlo del cambiamento di programma. La mia unica consolazione fu che, visto il lavoro che faceva, capì al volo la situazione. «Mi dispiace, credimi» sussurrai. «Mi sarebbe tanto piaciuto venire.»

«No, devi restare. Ehi, Meena mi sta gridando che ti metterà da parte un po' di tacchino. Te lo porterò io domani... Sì, baby, gliel'ho detto! Dice di scolarti tutto il loro vino costoso. Okay?»

Per un attimo mi sentii sull'orlo delle lacrime. Mi ero immaginata una serata piena di risatine di bimbi, cibo delizioso e buonumore. Invece sarei diventata di nuovo un'ombra, un silenzioso oggetto di scena in una stanza gelida.

I miei timori erano giustificati.

Alla cena del Ringraziamento parteciparono altri tre membri della famiglia Gopnik. Il fratello era una versione più anziana, grigia e sbiadita di Mr Gopnik e, a quanto capii, lavorava in ambito legale. Forse era a capo del Dipartimento di giustizia statunitense. Aveva portato con sé la madre che, costretta su una sedia a rotelle, si rifiutò di togliersi la pelliccia per l'intera serata e continuò a lagnarsi ad alta voce perché non riusciva a sentire cosa dicevano gli altri. Erano accompagnati dalla cognata di Mr Gopnik, un'ex violinista che pareva aver goduto di una certa notorietà. Fu l'unica persona che si diede la pena di chiedermi chi fossi. Salutò Agnes con due baci e quel tipo di sorriso formale che poteva essere rivolto a chiunque.

Completava il gruppo Tab, che arrivò in ritardo con l'aria di chi aveva passato l'intero tragitto in taxi a discutere animatamente al telefono di quanto avrebbe preferito essere altrove. Pochi minuti dopo il suo arrivo ci accomodammo in sala da pranzo, una stanza attigua al soggiorno principale, dominata da un lungo tavolo ovale di mogano.

È inutile dire che la conversazione era forzata. Gli uomini si misero subito a parlare di restrizioni legali nel paese in cui Mr Gopnik operava al momento, e le rispettive mogli si scambiarono qualche domanda ingessata, come due persone che simulano una conversazione mentre stanno imparando una lingua straniera.

«Come stai, Agnes?»

«Bene, grazie. E tu, Veronica?»

«Molto bene. Ti trovo in splendida forma. Il tuo vestito è davvero carino.»

«Grazie. Anche tu stai bene.»

«Ho sentito che sei stata in Polonia. Se non sbaglio, Leonard ha detto che sei andata a trovare tua madre.»

«Sì, due settimane fa. È stato bello vederla, grazie.»

Seduta fra Tab e Agnes, notai che quest'ultima beveva troppo vino bianco mentre Tab trafficava col cellulare con un'aria fra l'annoiato e l'insofferente, alzando di tanto in tanto gli occhi al cielo. Sorbii la mia vellutata di zucca e salvia e, tra un cenno di approvazione e un sorriso, cercai di non pensare con nostalgia all'appartamento di Ashok e al gioioso caos che vi regnava. Ero tentata di chiedere a Tab di raccontarmi qualcosa della sua settimana – qualsiasi cosa, pur di tener viva quella conversazione stentata –, ma aveva biascicato così tanti commenti acidi sull'orrore di ritrovarsi a tavola insieme ai membri dello "staff" che non ne ebbi il coraggio.

Ilaria servì un piatto dopo l'altro con estrema professionalità. "La *puta* polacca non cucina, così qualcuno per colpa sua è costretto a rinunciare ai festeggiamenti per il Ringraziamento" mugugnò dopo. Aveva allestito un vero e proprio banchetto a base di tacchino, patate arrosto e una varietà di contorni che non avevo mai visto cucinati in quel modo ma che, sospettai, mi avrebbero procurato all'istante un diabete di tipo 2: pasticcio di patate dolci con guarnitura di marshmallows, fagiolini con miele e bacon, zucca gratinata con pancetta e una spruzzata di sciroppo d'acero, *cornbread* al burro e carote saltate con miele e spezie. C'erano anche i *popovers* – la versione americana dello Yorkshire pudding – e li sbirciai di nascosto per vedere se anche loro erano irrorati con qualche sciroppo.

Naturalmente solo gli uomini mostrarono di gradire il menu. Tab si limitò a giocherellare con il cibo nel piatto. Agnes mangiò qualche fetta di tacchino e quasi nient'altro. Io assaggiai un po' di tutto, felice di avere qualcosa da fare e di constatare che Ilaria non mi sbatteva più i piatti davanti. Anzi, un paio di volte mi guardò di sottecchi come per esprimere solidarietà per la situazione imbarazzante in cui mi trovavo. Gli uomini continuavano a parlare di affari, inconsapevoli o incuranti del gelo polare che regnava all'estremità opposta del tavolo.

Ogni tanto il silenzio veniva rotto dalla vecchia signora Gopnik, che chiedeva se qualcuno poteva passarle le patate o ripeteva ad alta voce per la quarta volta che cosa accidenti aveva combinato la cuoca con le carote, al che i commensali le rispondevano all'unisono, sollevati di avere qualcosa su cui concentrarsi, per quanto assurdo fosse.

«Il suo è un abito insolito, Louisa» osservò Veronica dopo un silenzio particolarmente prolungato. «Di grande impatto. L'ha comprato a Manhattan? Non si vedono molte maniche di pelliccia di questi tempi.»

«Grazie. L'ho comprato nell'East Village.»

«È un Marc Jacobs?»

«Oh, no. È vintage.»

«Vintage» ripeté Tab con un sorrisetto sprezzante.

«Che cosa ha detto?» chiese la vecchia signora Gopnik gridando.

«Sta parlando del vestito della ragazza, mamma» le spiegò il fratello di Mr Gopnik. «Dice che è vintage.»

«Vintage cosa?»

«Che cos'hai contro il vintage, Tab?» intervenne Agnes in tono freddo.

Io mi feci piccola piccola sulla mia sedia.

«È una parola senza senso, non trovi? In sostanza è solo un altro modo per dire "di seconda mano". Un modo per camuffare qualcosa facendolo passare per quello che non è.»

Avrei voluto dirle che "vintage" significava molto più di quello, ma non sapevo come spiegarmi, e per giunta avevo il sospetto di non essere autorizzata a farlo. Desideravo soltanto che la conversazione proseguisse su altri binari.

«Credo che il vintage vada per la maggiore di questi tempi» osservò Veronica, rivolgendosi direttamente a me con l'abilità di un diplomatico. «Ma naturalmente io sono troppo vecchia per capire le tendenze dei giovani d'oggi.»

«E troppo gentile per dire certe cose» mormorò Agnes.

«Scusa?» disse Tab.

«Oh, ora ti scusi?»

«Volevo dire: che cosa hai detto?»

Mr Gopnik alzò lo sguardo dal piatto. I suoi occhi guizzarono dalla moglie alla figlia.

«Io non capisco perché devi essere così scortese con Louisa. Lei è mia ospite qui, anche se fa parte dello staff. E tu ti metti a criticare come è vestita.»

«Io non sono stata affatto scortese. Ho semplicemente affermato un dato di fatto.»

«Ecco la maleducazione al giorno d'oggi. *Dico le cose come stanno. Sono soltanto sincera.* Il linguaggio dei prepotenti. Sappiamo tutti come vanno queste cose.»

«Come mi hai definita?»

«Agnes, tesoro.» Mr Gopnik allungò il braccio e posò una mano sulla sua.

«Che cosa stanno dicendo?» chiese la signora Gopnik. «Chiedetegli di parlare più forte.»

«Ho detto che Tab è stata molto scortese con la mia amica.»

«Lei non è una tua amica, santo cielo! È la tua *assistente retribuita.* Anche se temo sia il massimo dell'amicizia che puoi permetterti al momento.»

«Tab!» la redarguì suo padre. «Questa è una cattiveria.»

«Be', è la verità. Nessuno vuole avere a che fare con lei. Non puoi fingere di non vederlo, è così ovunque andiamo. Sai che la nostra famiglia è diventata uno zimbello, papà? Tu sei un cli-

233

ché. Lei è un esempio lampante di arrampicatrice sociale. E per cosa, poi? Sappiamo tutti qual è il suo piano.»

Agnes prese il tovagliolo dal grembo e lo appallottolò. «Il mio piano? E quale sarebbe il mio piano?»

«Quello di qualsiasi altra immigrata che sgomita per fare quattrini. In qualche modo sei riuscita a convincere papà a sposarti. Ora di sicuro cercherai di farti mettere incinta e di sfornare un paio di bambini e poi, nel giro di cinque anni, chiederai il divorzio. E così sarai sistemata per tutta la vita. *Boom!* Niente più massaggi. Solo shopping da Bergdorf Goodman, un autista personale e pranzi con la tua congrega di streghe polacche fino alla fine dei tuoi giorni.»

Mr Gopnik si sporse sul tavolo. «Tabitha, ti proibisco di usare la parola "immigrata" in senso spregiativo in questa casa. I tuoi bisnonni erano immigrati. Tu stessa sei una discendente di immigrati...»

«Non *quel* genere di immigrati.»

«Che cosa vuoi dire?» sbottò Agnes con le guance in fiamme.

«Devo parlare chiaro? Ci sono quelli che raggiungono i propri obiettivi con il duro lavoro, e quelli che lo fanno mentendo sul loro...»

«Come te?» urlò Agnes. «Come te, che vivi di un fondo fiduciario a quasi venticinque anni? Che non hai mai alzato un dito in tutta la tua vita? Io dovrei prendere esempio da te? Almeno io so cosa significa lavorare sodo...»

«Sì. Mettersi a cavalcioni sui corpi nudi di uomini sconosciuti. *Gran bel lavoro*, complimenti!»

«Adesso basta!» Mr Gopnik era balzato in piedi. «Ti sbagli, Tabitha, ti sbagli di grosso. Esigo che tu chieda scusa.»

«Perché? Perché la guardo senza buonismo? Papà, mi spiace dirtelo, ma sei completamente cieco se non riesci a inquadrare questa donna per quello che è realmente.»

«No. Sei tu che hai torto!»

«Quindi lei non vorrà mai avere figli? Ha ventotto anni, papà. Svegliati!»

«Che cosa stanno dicendo?» chiese la vecchia signora Gopnik alla nuora con voce querula. Veronica le sussurrò qualcosa all'orecchio. «Ma ha parlato di uomini nudi. L'ho sentita.»

«Non che siano affari tuoi, Tabitha, ma non ci saranno altri bambini in questa casa. Io e Agnes ci siamo accordati su questo punto prima del matrimonio.»

Tab fece una smorfia. «Oooh. *Vi siete accordati.* Come se questo avesse un qualche valore. Una donna come lei prometterebbe qualsiasi cosa pur di farsi mettere un anello al dito! Papà, detesto dovertelo dire, ma sei un inguaribile ingenuo. Nel giro di un anno o due ci sarà qualche piccolo "incidente" e lei ti convincerà...»

«Non ci sarà nessun incidente!» Mr Gopnik sbatté la mano sul tavolo così forte che i bicchieri tintinnarono.

«Come fai a esserne così sicuro?»

«Perché ho fatto una vasectomia, dannazione!» Tornò a sedersi. Gli tremavano le mani. «Due mesi prima che ci sposassimo. Al Mount Sinai. Con il pieno consenso di Agnes. Sei soddisfatta ora?»

La stanza sprofondò nel silenzio. Tab fissava suo padre con la bocca spalancata.

La vecchia fece correre lo sguardo da sinistra a destra e poi, scrutando il figlio, disse: «Leonard ha subito un'appendicectomia?».

Un lieve ronzio cominciò a farsi sentire nei recessi della mia mente. Come in lontananza, udii Mr Gopnik insistere perché sua figlia si scusasse, e vidi lei spingere indietro la sedia e andarsene rifiutandosi di farlo. Vidi Veronica scambiarsi un'occhiata con suo marito e poi bere una lunga, sfinita sorsata del suo drink.

Infine guardai Agnes, che fissava muta il suo piatto in cui il tacchino con miele e pancetta si stava raffreddando. E mentre Mr Gopnik allungava una mano per stringere la sua, sentii il cuore pulsarmi forte nelle orecchie.

Lei non mi guardò.

17

Tornai in Inghilterra il 22 dicembre, carica di regali e con indosso il mio nuovo cappotto vintage zebrato che, come avrei scoperto in seguito, subì strani e deleteri danni causati dal sistema di ricircolo dell'aria sul Boeing 767 e, quando sbarcai a Heathrow, ormai puzzava come un cadavere equino.

In realtà avrei dovuto lasciare New York non prima della vigilia di Natale, ma Agnes aveva insistito perché anticipassi la partenza, dal momento che lei avrebbe fatto una puntata in Polonia per far visita alla madre malata, ed era inutile che io rimanessi in città a far nulla quando potevo stare con la mia famiglia. Mr Gopnik aveva provveduto a pagare il costo del cambio del biglietto. Dopo la cena del Ringraziamento, Agnes era stata sia estremamente carina sia distante con me. In cambio, io mi ero mostrata professionale e disponibile. Talvolta mi girava la testa per la massa di informazioni scottanti che conteneva. Ma poi pensavo alle parole che mi aveva detto Garry in autunno, quando ero appena arrivata in città: "Non vedo niente, non sento niente, dimentico tutto".

Era successo qualcosa nelle settimane prima di Natale, qualcosa che aveva rischiarato il mio umore. Forse ero semplicemente sollevata alla prospettiva di lasciare questa famiglia disfunzionale. O forse lo shopping natalizio aveva riportato alla luce il gusto del divertimento nella relazione fra me e Sam che era rimasto sepolto. Dopotutto, quando era stata l'ultima volta in cui avevo avuto un uomo a cui comprare un regalo di Natale? Negli ultimi due anni del nostro fidanzamento, Patrick si era limitato a inviarmi delle email con link ad attrezzature sportive di suo gradimento ("Lascia stare la confezione regalo, amore, così se per caso volessi restituirli è già tutto a posto"), quindi non avevo dovuto fare altro che premere un tasto. Non avevo mai trascorso un Natale con Will. Ora invece mi trovavo da Saks, fianco a fianco con altre persone a caccia di regali, cercando di immaginare il mio fidanzato con maglioni di cashmere che mi accostavo al viso, morbide camicie a quadri che amava indossare in giardino e spessi calzettoni di REI. Comprai dei giocattoli per Thom e sfiorai il picco glicemico olfattivo non appena misi piede nel negozio M&M's di Times Square. Comprai degli articoli di cancelleria per Treena da McNally Jackson e una bella giacca da camera per il nonno da Macy's. Sentendomi in vena di scialacquare, visto che avevo speso pochissimo nei mesi precedenti, comprai un braccialettino per mia madre da Tiffany e una radio a manovella per papà da usare nel suo capanno.

E poi, quasi sull'onda di un ripensamento, comprai una calza per Sam e la riempii di regalini: un dopobarba, dei chewing-gum particolari, dei calzini e un portabirra a forma di donna in pantaloncini di jeans. Infine tornai nel negozio di giocattoli e acquistai alcuni mobili in miniatura per una casa di bambola: un letto, un tavolo con le sue sedie, un divano e i sanitari da bagno. Incartai il tutto e scrissi sul biglietto: "Finché quella vera non sarà finita". Trovai un minuscolo kit di pronto soccorso e aggiunsi anche quello, meravigliandomi della minuzia con cui erano stati riprodotti i dettagli. E d'un tratto il Natale mi apparve reale ed eccitante, e la prospettiva di passare quasi dieci giorni lontana dai Gopnik e dalla metropoli mi sembrò di per sé un grande regalo.

Arrivai in aeroporto pregando silenziosamente che i miei acquisti non avessero spinto il mio bagaglio oltre il limite di peso consentito. L'addetta al check-in prese il mio passaporto e mi invitò a sollevare la valigia e a metterla sulla bilancia, poi guardò lo schermo aggrottando le sopracciglia.

«C'è qualche problema?» chiesi vedendola dare un'occhiata al documento e poi voltarsi come per controllare qualcosa. Calcolai mentalmente quanto avrei dovuto pagare per il superamento del peso.

«Oh, no, signorina. Lei non dovrebbe essere in questa coda.»

«Sta scherzando.» Mi sentii mancare alla vista della fila che si andava allungando dietro di me. «Be', dove dovrei essere allora?» «Lei viaggia in business class.»

«In business?»

«Sì, signorina. È stata promossa alla classe superiore. Doveva fare il check-in laggiù. Ma non c'è problema, posso provvedere io da qui.»

Scossi la testa. «Oh, non credo che...»

E poi udii il trillo di un messaggio.

Dovresti essere all'aeroporto ormai! Spero che questa sorpresa renda il tuo ritorno a casa un po' più piacevole. È un regalino da parte di Agnes. Arrivederci all'anno nuovo, collega! Michael

Cercai di riscuotermi dalla sorpresa. «D'accordo, grazie» dissi. Guardai la mia enorme valigia sparire lungo il nastro trasportatore e rimisi il telefono in borsetta.

L'aeroporto era congestionato, ma sull'aereo, in business class, tutto era calmo e tranquillo, una piccola oasi di autocompiacimento collettivo lontana dal caos prenatalizio che regnava fuori. Una volta salita a bordo, studiai il contenuto della trousse in dotazione con il nécessaire per il volo notturno, mi infilai i calzini e cercai di non parlare troppo con il mio vicino di posto, che alla fine si mise la mascherina sugli occhi e si isolò. Ebbi solo un piccolo intoppo con il sedile reclinabile quando mi rimase incastrata la scarpa nel poggiapiedi, ma lo steward fu gentilissimo e mi mostrò come liberarla. Mangiai l'anatra con glassa allo sherry e una fetta di torta al limone, e ringraziai lo staff che continuava a riempirmi di attenzioni. Poi, dopo aver guardato due film, mi resi conto che avrei dovuto provare a dormire un po'. Ma era difficile prendere sonno quando tutto di quel viaggio era così piacevole. Era esattamente il tipo di esperienza che avrei descritto in una delle email indirizzate alla mia famiglia, se non che, pensai con le farfalle nello stomaco, stavolta l'avrei raccontato a tutti di persona.

Quella che stava tornando a casa era una Louisa Clark diversa. Così aveva detto Sam, e io avevo deciso di crederci. Ero più sicura di me, più professionale, tutt'altra cosa rispetto alla ragazza di sei mesi prima, triste, tormentata e fisicamente a pezzi. Pensai alla faccia di Sam quando mi avrebbe visto arrivare a sorpresa, proprio come aveva fatto lui con me. Mi aveva mandato una copia della sua tabella dei turni per le due settimane successive, in modo che io potessi organizzare le visite ai miei genitori, e avevo calcolato che avrei potuto lasciare i bagagli nel mio vecchio appartamento, passare qualche ora con mia sorella, poi andare a casa di Sam e aspettarlo fino al suo rientro.

Questa volta, pensai, sarebbe andato tutto per il verso giusto. Avevamo un lasso di tempo ragionevole da passare insieme. E ci saremmo assestati in una sorta di routine, senza traumi né malintesi. I primi tre mesi erano sempre i più difficili. Mi tirai su il plaid fino al collo e, già troppo in là sull'Atlantico perché fosse utile, cercai invano di dormire, con lo stomaco chiuso e la mente che vorticava mentre fissavo la lucina palpitante dell'aereo muoversi lentamente sullo schermo pixelato davanti a me.

Giunsi nel mio appartamento poco dopo l'ora di pranzo e aprii il portoncino trafficando un po' con le chiavi. Treena era al lavoro, Thom era ancora a scuola, e la coltre grigia che copriva Londra era squarciata dalle scintillanti luminarie e dalle note di celeberrimi canti natalizi che si diffondevano dai negozi. Salii le scale del mio vecchio palazzo respirando il familiare profumo di deodorante per ambienti dozzinale e della tipica umidità londinese, poi aprii la porta di casa, lasciai cadere a terra la valigia e tirai un grosso sospiro.

Casa. O qualcosa che le somigliava.

Attraversai l'ingresso liberandomi del cappotto ed entrai in soggiorno. Ero un po' intimorita al pensiero di tornare qui e di ricordare i mesi in cui ero sprofondata nella depressione, bevevo troppo e detestavo quelle stanze vuote che sembravano rappresentare un rimprovero autoinflitto per non essere riuscita a salvare l'uomo che mi aveva regalato quell'appartamento. Un appartamento che, me ne accorsi immediatamente, non era più lo stesso: in quei tre mesi era stato completamente rivoluzionato. Le stanze, un tempo spoglie e tristi, erano piene di colori, con i disegni di Thom appesi ovunque alle pareti. C'erano cuscini ricamati sul divano, una poltroncina imbottita, tende e mensole stipate di DVD. La cucina traboccava di sacchetti di cibarie e di stoviglie nuove. Una ciotola di Coco Pops abbandonata su una tovaglietta arcobaleno lasciava intuire una colazione frettolosa.

Aprii la porta dell'ex stanza degli ospiti – ora di Thom – e sorrisi davanti ai poster dei calciatori e al piumino con i personaggi dei cartoni animati. C'era un armadio nuovo pieno dei suoi vestiti. Poi raggiunsi la mia vecchia camera da letto – ora di Treena – e trovai una trapunta aggrovigliata, una nuova libreria e una veneziana. Continuava a essere piuttosto sguarnita in fatto di vestiti, ma Treena aveva aggiunto una sedia e uno specchio, e il tavolino era ingombro di creme idratanti, spazzole e cosmetici, segno che mia sorella doveva essere diventata irriconoscibile nei pochi mesi in cui ero stata via. L'unico elemento che mi confermava che si trattava della sua stanza erano i libri sul comodino: *Guida Tolley alle detrazioni fiscali* e *Introduzione alla gestione del libro paga*.

Sapevo che era dovuto alla stanchezza, ma mi sentivo comunque disorientata. Era così che si era sentito Sam quando era venuto a trovarmi la seconda volta? Gli ero sembrata al tempo stesso familiare e diversa?

Avevo gli occhi annebbiati di stanchezza e l'orologio interno impazzito. Mancavano ancora tre ore prima del ritorno di Treena e Thom. Mi rinfrescai il viso, mi tolsi le scarpe e mi coricai sul divano con un sospiro, lasciando che i rumori del traffico londinese passassero lentamente in secondo piano.

Mi svegliai sentendo una mano appiccicaticcia che mi dava dei colpetti sulla guancia. Sbattei le palpebre cercando di scacciarla via, ma avevo un peso che mi gravava sul petto. Si mosse. La mano continuava a schiaffeggiarmi. E poi aprii gli occhi e mi trovai a fissare quelli di Thom, chino su di me.

«Zia Lou! Zia Lou!»

«Ehi, Thom» gemetti.

«Che cosa mi hai portato?»

«Lasciale almeno aprire gli occhi, prima.»

«Mi stai schiacciando le tette, Thom. Ahi.»

Quando finalmente si spostò, mi tirai su e sbirciai mio nipote che ora saltellava sul posto, impaziente di ricevere il suo regalo.

«Che cosa mi hai portato?»

Mia sorella mi diede un bacio sulla guancia accompagnato

da una stretta sulla spalla. Aveva un profumo costoso e mi tirai leggermente indietro per vederla meglio. Era truccata. Un trucco vero, delicatamente sfumato, invece di quell'unico eyeliner blu che aveva trovato in allegato a una rivista nel 1994 e che teneva in un cassetto della scrivania, pronto per essere usato nelle grandi occasioni di qui ai prossimi dieci anni.

«Ce l'hai fatta, allora. Non hai preso l'aereo sbagliato e non sei finita a Caracas. Io e papà avevamo fatto una specie di scommessa.»

«Cretina!» Le presi la mano e la trattenni fra le mie un po' più a lungo di quanto ci aspettassimo. «Wow. Come siamo carine!»

Lo era davvero. I capelli, che con il nuovo taglio le arrivavano alle spalle, erano acconciati in onde morbide invece di essere raccolti in una frettolosa coda di cavallo. Questo, la camicetta di ottima fattura e il mascara le davano un aspetto incantevole.

«Be', è lavoro, in realtà. Bisogna fare anche questo sforzo nella City.» Si voltò dall'altra parte mentre lo diceva, perciò non le credetti.

«Devo proprio conoscere questo Eddie» dissi. «È chiaro che sta avendo più influenza su di te di quanta non ne abbia mai avuta io.»

Treena riempì il bollitore e lo accese. «Questo perché ti sei sempre vestita come una a cui hanno regalato un buono da due sterline per un mercatino di beneficenza e decide di fare spese pazze.»

Fuori si stava facendo buio. Il mio cervello, che ancora risentiva del jet-lag, d'un tratto registrò che cosa significava. «Oh, caspita. Che ora è?»

«È ora che mi dai i miei regali?» Thom si piazzò davanti a me e sfoderò il suo sorriso sdentato con le mani giunte in preghiera.

«Hai tutto il tempo» disse Treena. «Ti resta ancora un'ora prima che Sam smonti dal turno, quindi puoi fare con comodo. Thom, zia Lou ti darà quello che ti ha portato da New York quando avrà bevuto una tazza di tè e trovato il suo deodorante. A proposito, come cavolo mi spieghi quel cappotto a righe che hai mollato nell'ingresso? Puzza come un pesce marcio.»

Ora sì che mi sentivo a casa.

«Okay, Thom» dissi. «Potrebbe esserci qualche anticipo sui regali di Natale in quella borsa blu. Portala qui.»

Ci vollero una doccia e un ritocco al trucco per sentirmi di nuovo umana. Indossai una minigonna argentata, un dolcevita nero e delle scarpe scamosciate con la zeppa che avevo comprato all'emporio, e completai il tutto con la sciarpina Biba di Mrs De Witt e una spruzzatina di Papillons Extrême, il profumo che Will mi aveva convinto a comprare e che mi faceva sempre sentire sicura di me.

Quando mi apprestai a uscire, Thom e Treena stavano mangiando. Mi avevano offerto un po' di pasta con pomodoro e formaggio, ma avevo lo stomaco chiuso e il mio orologio biologico era ancora sballato.

«Mi piace quella cosa che ti sei fatta agli occhi, molto seducente» dissi a Treena.

Lei fece una smorfia. «Te la senti di guidare? Non ci vedi nemmeno bene.»

«Non è lontano. E comunque ho fatto un pisolino e mi sono ricaricata.»

«E per che ora conti di tornare? Questo nuovo divano-letto è spaziale, nel caso volessi farci un pensierino. Materasso a molle fatto a regola d'arte. Niente a che vedere con quella robaccia in memory foam alta cinque centimetri che avevi tu.»

«Spero di non aver bisogno del divano-letto per un paio di giorni» ribattei con un ampio sorriso.

«Che cos'è quello?» Thom ingoiò il suo boccone e indicò il pacchetto che tenevo sotto il braccio.

«Ah, questa? È una calza di Natale. Sam lavora il 25 e lo vedrò soltanto alla sera, così ho pensato di portargli qualcosa da fargli trovare quando si sveglierà.»

«Mmh. Non chiedere di vedere cosa c'è dentro, Thom.»

«Non c'è niente che non potrei regalare anche al nonno. È solo una trovatina divertente.»

Treena mi fece l'occhiolino. Sì, l'occhiolino. In cuor mio ringraziai Eddie per essere riuscito nel miracolo.

«Mandami un messaggio dopo, okay? Solo per sapere se devo mettere la catenella.»

Li salutai entrambi con un bacio veloce e mi diressi verso la porta.

«Non scoraggiarlo con quel cazzo di accento americano che ti ritrovi!» mi urlò dietro Treena. Le mostrai il dito medio. «Non

dimenticare di tenere la sinistra alla guida! E non metterti quel cappotto che puzza di sgombri!»
La sentii ridere mentre mi tiravo dietro la porta.

Negli ultimi tre mesi mi ero spostata a piedi, in taxi o facendomi scarrozzare da Garry nella grande limousine nera. Perciò riabituarmi a stare al volante della mia piccola utilitaria, con la frizione che slittava e le briciole di biscotti sparse sul sedile del passeggero, mi richiese una sorprendente dose di concentrazione. Mi immisi negli ultimi strascichi del traffico dell'ora di punta, accesi la radio e cercai di ignorare il cuore che mi martellava nel petto, non so se per la paura di guidare o per l'ansia di rivedere Sam.

Il cielo era scuro, le strade, addobbate di luminarie natalizie, erano affollate di gente in giro a fare shopping, e le mie spalle tese si rilassarono man mano che, tra una frenata e una sterzata, mi inoltrai nei sobborghi di Londra. I marciapiedi si trasformarono in cigli erbosi e la folla si diradò fino a sparire del tutto, tranne qualcuno che intravedevo dietro le finestre illuminate mentre passavo. Infine, poco dopo le otto, quando raggiunsi la stradina buia di Sam, rallentai e procedetti a passo d'uomo scrutando davanti a me per accertarmi di essere nel posto giusto.

Il vagone ferroviario sembrava splendere in mezzo al campo immerso nell'oscurità, gettando una luce dorata sull'erba e sul terreno fangoso attraverso i finestrini. Riuscii appena a scorgere la moto di Sam all'estremità del recinto, infilata nel piccolo riparo dietro la siepe. Aveva perfino messo una ragnatela di lucine natalizie sul biancospino accanto alla porta. Mi sentivo a casa.

Mi fermai nella piazzola, spensi i fari e mi soffermai a contemplare la scena. Poi, seguendo un impulso improvviso, presi il telefono e scrissi:

Non vedo l'ora di essere lì con te. Non manca molto ormai! Un bacio.

Attesi. Qualche istante dopo mi arrivò la risposta.

Anch'io. Buon viaggio. Baci.

Sorrisi. Poi scesi dalla macchina, accorgendomi troppo tardi che avevo parcheggiato su una pozzanghera, quindi l'acqua fredda e fangosa mi inzuppò immediatamente le scarpe. «Oh, grazie, Universo» sussurrai. «Bella mossa.»

Mi calai in testa il berretto di Babbo Natale che avevo scelto con tanta cura, presi la calza per Sam dal sedile del passeggero e accostai piano la portiera, chiudendola a chiave manualmente in modo che il *bip* della chiusura elettronica non rivelasse la mia presenza.

Mentre mi dirigevo verso la porta in punta di piedi con le scarpe che affondavano nella fanghiglia, mi tornò alla mente la prima volta che ero venuta qui, quando, zuppa per un acquazzone improvviso, avevo finito per indossare i vestiti di Sam mentre i miei si asciugavano nel piccolo bagno dall'aria carica di vapore. Era stata una serata straordinaria in cui avevo avuto l'impressione che Sam mi avesse liberato da tutte le barriere che la morte di Will aveva costruito intorno a me. Ebbi un improvviso flashback che mi riportò al nostro primo bacio, alla sensazione dei suoi calzettoni morbidi sui miei piedi gelati, e fui attraversata da un brivido caldo.

Aprii il cancelletto notando con un certo sollievo che, dall'ultima volta che ero stata qui, Sam aveva costruito un vialetto rudimentale di lastroni di pietra che conduceva al vagone. In quel momento passò un'auto, e nel fascio di luce che gettò sul terreno circostante scorsi la casa in costruzione, con il tetto ormai terminato e le finestre già montate. Nell'unico vano dove ancora mancavano gli infissi vidi sventolare appena una tela cerata azzurra che d'un tratto mi diede la sconcertante impressione di qualcosa di reale, di un luogo dove un giorno avremmo potuto vivere insieme.

Feci qualche altro passo in punta di piedi e mi fermai proprio davanti alla porta. Un delizioso profumo di cibo si spandeva dallo spiraglio di una finestra aperta: un pasticcio di carne, forse, qualcosa di succulento a base di pomodoro con una punta di aglio. Avvertii inaspettatamente il morso della fame. Sam non mangiava mai pasta precotta o fagioli in scatola: cucinava tutto partendo da zero, come se provasse piacere a fare le cose con metodo. Poi alzai lo sguardo e lo vidi – ancora con la divisa indosso e uno strofinaccio gettato sulla spalla – chinarsi sui fornelli per occuparsi di una padella, e per un brevissimo istante, mentre me ne stavo lì immobile, al buio, inosservata, mi sentii perfettamente calma. Udivo il vento frusciare tra gli alberi, il lieve chiocciare delle galline rinchiuse nel pollaio, il distante brusio del traffico diretto in città. Avvertivo il freddo pungente sulla pelle e un brivido di trepida attesa per il Natale. Tutto era possibile. Era questo che avevo imparato negli ultimi mesi. La vita poteva essere stata complicata, ma alla fine c'eravamo solo io e l'uomo che amavo, e la sua casa, e la prospettiva di trascorrere una serata felice insieme. Presi un respiro assaporando il pensiero, feci un passo avanti e posai la mano sulla maniglia della porta.

E poi la vidi.

Attraversò la carrozza dicendo qualcosa che non capii, poiché la voce era attutita dal vetro. Aveva i capelli raccolti e dei morbidi ricci che le incorniciavano il viso. Indossava una T-shirt da uomo – di Sam? – e teneva in mano una bottiglia di vino. Vidi Sam scuotere la testa. E poi, mentre lui si affaccendava ai fornelli, lei gli si avvicinò da dietro e gli posò le mani sulla nuca massaggiandogli i muscoli con piccoli movimenti circolari dei pollici in un gesto che sembrava carico di familiarità. Le sue unghie erano dipinte di un rosa acceso. Me ne stavo là, impietrita, con il respiro bloccato nel petto, quando Sam piegò la testa all'indietro e chiuse gli occhi, come se volesse arrendersi a quelle piccole mani invadenti.

Poi si voltò a guardarla, sorridendo con la testa piegata di lato, e Katie indietreggiò, sorridendo a sua volta e alzando un bicchiere.

Non vidi nient'altro. Il cuore mi pulsava così forte nelle orecchie che pensai di essere sul punto di svenire. Barcollai all'indietro, poi mi voltai e presi a correre lungo il vialetto con il respiro affannoso e i piedi gelati nelle scarpe bagnate. Nonostante la mia macchina fosse parcheggiata a cinquanta metri dalla carrozza, udii la cascatella di risate di Katie echeggiare attraverso la finestra aperta come il suono di un bicchiere che andava in frantumi.

Restai in macchina nel parcheggio dietro casa mia finché non ebbi la certezza che Thom fosse andato a letto. Non potevo nascondere quello che provavo, né potevo sopportare di spiegare tutto a Treena davanti a lui. Ogni tanto alzavo lo sguardo in attesa che la finestra della sua camera si illuminasse. Quando, dopo circa mezz'ora, ridiventò buia, spensi il motore e indugiai per un po', lasciando che il lieve ticchettio si attenuasse e poi svanisse definitivamente, insieme a tutti i sogni che avevo accarezzato.

Non avrei dovuto essere sorpresa. Perché mai? Katie Ingram aveva messo le carte in tavola fin dall'inizio. Quello che più mi aveva sconvolto era che Sam l'aveva assecondata nel suo gioco. Non l'aveva ignorata. Aveva risposto al mio messaggio e poi le aveva cucinato una cenetta e si era lasciato massaggiare il collo, e quel gesto poteva preludere a... che cosa?

Ogni volta che me li figuravo insieme mi ritrovavo a stringermi le braccia intorno allo stomaco, piegata in due, come se mi avessero presa a pugni. Non riuscivo a togliermi dalla mente l'immagine di loro due. Il modo in cui Sam si era abbandonato alla pressione delle sue dita. Il modo in cui lei aveva riso, sicura di sé, con aria beffarda, come se reagisse a una battuta che conoscevano soltanto loro.

La cosa più strana era che non riuscivo a piangere. Quello che provavo era più grande del dolore. Ero intontita, il mio cervello turbinava di domande – "Da quanto tempo?", "Fino a che punto?", "Perché?" – e poi mi ritrovavo di nuovo piegata in due, nauseata, con la voglia di vomitare tutto, questa nuova consapevolezza, questa terribile mazzata, questo dolore, questo dolore, questo dolore.

Non ricordo quanto tempo rimasi là, ma intorno alle dieci salii lentamente le scale ed entrai in casa. Speravo che Treena fosse andata a letto, invece era in pigiama, con la tivù sintonizzata sul telegiornale e il portatile in grembo. Stava sorridendo a qualcosa che vedeva sullo schermo e sobbalzò quando aprii la porta.

«Gesù, mi hai fatto prendere un colpo. Lou?» Posò il portatile da una parte. «Lou? Oh, no...»

È sempre la dolcezza che ti dà il colpo di grazia. Mia sorella, una donna che trovava il contatto fisico tra adulti più fastidioso di una seduta dal dentista, mi strinse tra le sue braccia, e da un punto collocato nella parte più profonda di me cominciai a piangere versando grosse lacrime ansanti miste a muco. Piansi come non avevo più pianto dopo la morte di Will, esplodendo in singhiozzi convulsi che contenevano la morte dei miei sogni e la terribile prospettiva di dover affrontare mesi di dolore straziante. Poi io e Treena ci lasciammo cadere sul divano e io affondai il viso nella sua spalla e la strinsi forte, e questa volta mia sorella appoggiò la testa contro la mia e non mi lasciò andare.

18

Né Sam né i miei genitori si aspettavano di vedermi prima della vigilia di Natale, perciò per i due giorni successivi fu facile rimanere nascosta nel mio appartamento londinese e fingere di non esserci. Non ero pronta a vedere nessuno. Non ero pronta a parlare con nessuno. Quando Sam mi scrisse, lo ignorai, confidando nel fatto che avrebbe pensato che stavo correndo come una disperata da una parte all'altra di New York. Mi ritrovai a leggere e rileggere i suoi due messaggi – *Che cosa vorresti fare alla vigilia? Messa di mezzanotte? O sarai troppo stanca?* e *Ci vediamo a Santo Stefano?* – meravigliandomi che quest'uomo, il più integerrimo e onesto che avessi mai conosciuto, fosse diventato così sfacciatamente bravo a mentirmi.

In quei due giorni, quando Thom era in casa, mi dipingevo un sorriso in faccia, ripiegavo il divano-letto mentre lui chiacchierava davanti alla sua colazione e scappavo a farmi una doccia subito dopo. Non appena se ne andava, tornavo a distendermi sul divano e me ne stavo là a guardare il soffitto con le lacrime che scendevano o a rimuginare con distacco sulle molteplici occasioni in cui evidentemente avevo frainteso la realtà.

Mi ero buttata a capofitto in una relazione con Sam perché stavo ancora piangendo la perdita di Will? L'avevo mai conosciuto realmente? Dopotutto, vediamo ciò che vogliamo vedere, specialmente quando siamo accecati dall'attrazione fisica. Si era comportato in quel modo a causa di Josh? A causa del test di gravidanza di Agnes? Doveva per forza esserci un motivo? Non mi fidavo più della mia capacità di giudizio per esprimermi.

Per una volta, Treena non mi assillò esortandomi ad alzarmi dal letto o a fare qualcosa di costruttivo. Scuoteva la testa, incredula, e imprecava contro Sam quando Thom non poteva sentirla. Perfino in quei momenti, nonostante fossi sprofondata nell'infelicità, non potevo fare a meno di riflettere sull'incredibile capacità di Eddie di instillare in mia sorella qualcosa di simile all'empatia.

Non mi disse nemmeno una volta che c'era da aspettarselo, visto che vivevo a migliaia di chilometri di distanza, o che dovevo aver fatto qualcosa per spingerlo nelle braccia di Katie Ingram, o che comunque era inevitabile. Mi ascoltò quando le raccontai come si erano svolti gli eventi che avevano portato a quella sera e si assicurò che mangiassi, mi lavassi e mi vestissi regolarmente. E, nonostante non fosse una gran bevitrice, mi portò a casa due bottiglie di vino dichiarando che potevo anche concedermi un paio di giorni di autocommiserazione (ma aggiunse che, se avessi vomitato, avrei dovuto ripulire tutto da sola).

Per la vigilia di Natale ormai ero diventata un guscio duro, un carapace, una statua di ghiaccio. Ero consapevole che prima o poi avrei dovuto parlargli, ma non ero ancora pronta. Né sapevo se lo sarei mai stata.

«Che cos'hai intenzione di fare?» mi chiese Treena, seduta sull'asse del water mentre io facevo il bagno. Non avrebbe visto Eddie fino al giorno di Natale, e si stava applicando uno smalto rosa pallido sulle unghie dei piedi in preparazione all'incontro, anche se non l'avrebbe mai ammesso apertamente. Intanto, in soggiorno, Thom guardava la televisione a un volume assordante e saltellava su e giù dal divano in preda a una specie di frenesia prenatalizia.

«Pensavo di dirgli semplicemente che ho perso il volo. E che parleremo dopo Natale.»

Lei fece una smorfia di disapprovazione. «Non è meglio che gli parli subito? Non crederà mai a questa scusa.»

«Non mi importa cosa crede in questo momento. Desidero soltanto passare il Natale con la mia famiglia senza scenate melodrammatiche.» Mi lasciai scivolare sott'acqua e non udii Treena gridare a Thom di abbassare il volume.

In effetti Sam non mi credette. Il suo messaggio diceva: *Che cosa? Come puoi aver perso l'aereo?*

L'ho perso e basta, risposi. *Ci vediamo a Santo Stefano.*

Mi accorsi troppo tardi che non avevo aggiunto nessun "Baci" a fine messaggio. Seguì un lungo silenzio, e poi, per tutta risposta, mi arrivò una sola parola: *Okay.*

Partimmo per Stortfold sull'auto di Treena, con Thom che saltellò sul sedile posteriore per l'intera ora e mezza di tragitto. Ascoltammo le canzoncine natalizie alla radio e parlammo poco. Eravamo a un paio di chilometri dalla città quando ringraziai mia sorella per la sua discrezione, e lei mi sussurrò che non era un riguardo nei miei confronti: Eddie non aveva ancora conosciuto mamma e papà, perciò anche lei era nervosa e nauseata al pensiero del Natale che ci aspettava.

«Andrà tutto bene» le dissi. Il sorriso che mi fece non era molto convincente. «Andiamo, a loro è piaciuto perfino quel ragioniere con cui uscivi all'inizio dell'anno. E per dirla tutta, Treen, sei single da così tanto tempo che potresti anche portare a casa chiunque tranne Attila il Flagello di Dio e loro ne sarebbero contenti.»

«Bene, questa teoria sta per essere messa alla prova.»

Prima che potessi aggiungere altro, Treena accostò e io mi controllai gli occhi che erano ancora piccoli come piselli per il gran piangere che avevo fatto. Non appena scesi dalla macchina, mia madre scattò dalla porta come un velocista ai blocchi di partenza e corse lungo il vialetto. Mi gettò le braccia al collo stringendomi così forte che potevo sentire il battito del suo cuore.

«Ma guardati!» esclamò allontanandomi per poi attirarmi di nuovo a sé. Mi scostò una ciocca di capelli dal viso, poi si rivolse a mio padre che ci osservava dal gradino con le braccia conserte, sorridendo. «Guarda che meraviglia, Bernard! Guarda come sta bene! Oh, sapessi quanto ci sei mancata! Sei dimagrita? Sembri più magra. E hai l'aria stanca. Devi mangiare qualcosa. Vieni dentro. Scommetto che non ti hanno nemmeno servito la colazione su quell'aereo. Ho sentito dire che ormai sono solo uova liofilizzate.»

Abbracciò Thom e, senza neppure dare a mio padre il tempo di fare un passo verso di me, afferrò le mie borse e ripercorse il vialetto facendoci cenno di seguirla.

«Ciao, tesoro» disse papà dolcemente. Mi gettai fra le sue braccia e, quando si strinsero intorno a me, finalmente mi lasciai andare a un sospiro liberatorio.

Il nonno non era riuscito ad arrivare fin sulla soglia. Aveva avuto un altro piccolo ictus e faceva fatica a stare in piedi o a camminare, perciò trascorreva quasi tutto il giorno sulla sua poltrona con lo schienale rigido in soggiorno. ("Non volevamo farti preoccupare" mi bisbigliò la mamma.) Era vestito di tutto punto con camicia e pullover per l'occasione e quando entrai mi sorrise con la bocca un po' storta. Sollevò una mano tremante e io lo abbracciai, notando che sembrava molto più piccolo.

Del resto, tutto mi sembrava più piccolo. La casa dei miei genitori, per esempio, con la sua carta da parati ventennale, i quadri scelti non tanto per ragioni estetiche quanto perché ci erano stati regalati da persone a noi care o perché coprivano delle magagne sulle pareti, i mobili un po' rabberciati e il tinello dove le sedie urtavano il muro se le tiravi troppo indietro e il lampadario pendeva a pochi centimetri dalla testa di mio padre. Mi scoprii a fare paragoni con il grandioso appartamento dei Gopnik, con le sue centinaia di metri quadri di pavimenti lucidi, i suoi alti soffitti decorati, la chiassosa distesa di Manhattan appena fuori dalla porta. Pensavo che avrei trovato conforto stando a casa mia.

Invece mi sentivo un po' persa, come se all'improvviso avessi capito che, in quel momento, non appartenevo a nessuno dei due luoghi.

Consumammo una cena leggera a base di roast beef, patate, Yorkshire pudding e zuppa inglese, giusto una cosina che la mamma aveva "rimediato" prima del grande pranzo dell'indomani. Papà teneva il tacchino nel capanno degli attrezzi perché non c'era stato verso di farlo entrare nel frigorifero, e ogni mezz'ora usciva per controllare che non fosse finito nelle grinfie di Houdini, il gatto dei vicini. Mia madre ci fece un resoconto dettagliato delle varie tragedie che si erano abbattute sui nostri vicini di casa: «Be', questo naturalmente è successo prima che a Andrew venisse il fuoco di sant'Antonio. Mi ha fatto vedere la sua pancia, per poco non ho vomitato la colazione, e ho detto a Dymphna di tenere le gambe sollevate prima che nasca il bambino. Se devo essere sincera, le sue vene varicose sembrano una mappa delle strade provinciali delle Chilterns. Ah, ti ho detto che il padre di Mrs Kemp è morto? È quello che si è fatto quattro anni di galera per rapina a mano armata per poi scoprire che era stato quel tizio dell'ufficio postale che portava lo stesso parrucchino». E andò avanti di questo passo, senza interruzione.

Fu soltanto quando cominciò a ritirare i piatti che papà, accostandosi a me, disse: «Lo vedi quanto è nervosa?».

«Nervosa per cosa?»

«Per te. Per tutti i tuoi successi. Aveva quasi paura che non volessi stare con noi, che avresti passato il Natale con il tuo ragazzo e saresti tornata direttamente a New York.»

«E perché avrei dovuto fare una cosa simile?»

Lui si strinse nelle spalle. «Non so. Temeva che ci avresti snobbato, pensa che la famiglia ormai ti stia stretta. Le ho detto che era un'assurdità. Non fraintendermi, tesoro. È tremendamente orgogliosa di te. Stampa tutte le tue foto e le raccoglie in un album che poi mostra ai vicini annoiandoli a morte. Ti dirò, annoia a morte anche me, e io sono un tuo parente!» Mi fece un gran sorriso e mi diede una stretta sulla spalla.

Per un attimo mi vergognai per aver progettato di trascorrere con Sam gran parte del tempo che avrei avuto a disposizione. Avevo semplicemente pensato di lasciare che fosse mia madre a occuparsi del Natale, della famiglia e del nonno, come avevo sempre fatto.

Lasciai Treena e Thom con mio padre e portai il resto delle stoviglie in cucina, dove mi trattenni a lavare i piatti con la mamma in un tranquillo silenzio. Dopo qualche minuto lei si voltò a guardarmi. «Hai l'aria sbattuta, tesoro. È colpa del jet-lag?»

«Un po'.»

«Siediti con gli altri. Ci penso io qui.»

Mi imposi di raddrizzare le spalle. «No, mamma. Sono mesi che non ci vediamo. Perché non mi racconti un po' di cose? Come va la scuola serale? E cosa dice il medico della salute del nonno?»

La serata si trascinò senza scosse mentre la televisione borbottava nell'angolo della stanza e la temperatura saliva, finché non finimmo tutti in uno stato semicomatoso ad accarezzarci la pancia come donne incinte, cosa che succedeva puntualmente dopo le cenette leggere di mia madre. Al pensiero che l'indomani si sarebbe ripetuta la stessa scena il mio stomaco si rivoltò leggermente per protesta. Lasciammo il nonno a sonnecchiare sulla sua poltrona e andammo alla messa di mezzanotte. In chiesa, circondata da persone che conoscevo da quando ero piccola e che mi salutavano sorridendo e dandomi un colpetto di gomito, cantai gli inni che ricordavo e mimai gli altri con il solo movimento delle labbra, cercando di non pensare a cosa stesse facendo Sam in quel preciso istante, il che succedeva più o meno centodiciotto volte al giorno. Di tanto in tanto Treena, seduta all'estremità opposta del banco, incrociava il mio sguardo e mi rivolgeva un timido sorriso di incoraggiamento, che io le restituivo come a dire "Tutto bene, tranquilla", anche se non era affatto così. Quando tornammo indietro, fu un sollievo rifugiarmi nella mia vecchia stanzetta-ripostiglio. Forse fu perché mi trovavo nella casa della mia infanzia, o perché ero stremata da tre giorni di intense emozioni, fatto sta che dormii sodo per la prima volta da quando ero arrivata in Inghilterra.

Mi accorsi vagamente di Treena che si svegliava alle cinque del mattino, di un tramestio confuso e poi delle urla di papà che rimproverava Thom dicendogli che eravamo ancora in piena notte, porca miseria, e che se non tornava subito a letto avrebbe detto a quel cavolo di Babbo Natale di venirsi a riprendere tutti quei cavolo di regali. E quando infine mi svegliai, la mamma stava posando una tazza di tè sul mio comodino avvertendomi che, se volevo vestirmi, stavano per iniziare ad aprire i regali. Erano le undici e un quarto.

Presi in mano la sveglietta, strabuzzai gli occhi e la scossi.

«Ne avevi bisogno» disse lei dandomi una carezza sulla testa, e poi uscì per andare a controllare i cavolini di Bruxelles.

Scesi venti minuti dopo sfoggiando un maglione spiritoso con la renna e il naso che si illuminava. L'avevo comprato da Macy's sapendo che a Thom sarebbe piaciuto. Tutti gli altri erano già vestiti e avevano già fatto colazione. Li salutai con un bacio, augurai loro Buon Natale, accesi e spensi il naso della mia renna e distribuii i doni cercando di non pensare all'uomo a cui erano destinati un maglione di cashmere e una morbidissima camicia di flanella a quadri che languivano in fondo alla mia valigia.

Oggi non avrei pensato a lui, mi dissi con fermezza. Il tempo da trascorrere con la mia famiglia era prezioso e non l'avrei rovinato abbandonandomi alla tristezza.

I miei regali furono accolti con grandi feste, forse perché, venendo da New York, erano ancor più allettanti, anche se ero certa che da Argos avrei potuto trovare più o meno le stesse cose. «Direttamente da New York!» esclamava mia madre ammirata ogni volta che ne veniva spacchettato uno, finché Thom si mise a farle il verso e Treena alzò gli occhi al cielo. Naturalmente il regalo che riscosse il maggior successo fu il meno costoso: una palla di neve di plastica trasparente che avevo comprato in una bancarella per turisti a Times Square. Ero quasi sicura che entro la fine della settimana il liquido contenuto all'interno sarebbe silenziosamente gocciolato nel cassettone di Thom.

In cambio ricevetti:

– un paio di calzini da parte del nonno (al 99% di probabilità scelti e acquistati dalla mamma);

– delle saponette profumate da papà (vedi sopra);

– una cornicetta d'argento completa di foto di famiglia ("Così puoi portarci con te ovunque andrai" disse mia madre. Commento di papà: "Perché diamine dovrebbe farlo? Se n'è andata a New York proprio per non averci più tra le scatole".);

– un aggeggio per togliersi i peli dalle narici ("Non guardarmi così. Ti stai avvicinando a quell'età" mi disse Treena);

– il disegno di un albero di Natale accompagnato da una poesia. Messo alle strette, Thom ammise che non era tutta opera sua. ("La maestra ha detto che non incollavamo le decorazioni al posto giusto, così li ha fatti tutti lei e noi ci abbiamo messo i nostri nomi.")

Ricevetti un regalo anche da Lily. L'aveva consegnato il giorno prima, quando era passata da casa nostra a farci gli auguri mentre era diretta in montagna con sua nonna ("Mi sembra che stia bene, Lou. Anche se mi è parso di capire che stia riducendo a uno straccio Mrs Traynor"). Si trattava di un anello vintage con un'enorme pietra verde su una montatura d'argento che mi andava perfettamente al mignolo. Io le avevo mandato un paio di orecchini d'argento a forma di manette, che, mi aveva assicurato la commessa super trendy di un negozio di SoHo, erano l'ideale per una teenager. Soprattutto una teenager apparentemente incline a farsi fare piercing in posti quantomeno insoliti.

Mentre il nonno era sul punto di assopirsi, io ringraziai tutti e sorrisi, convinta di aver dato l'impressione di una persona che si stava godendo la giornata. Ma mia madre intuì che c'era dell'altro sotto.

«Va tutto bene, tesoro? Mi sembri mogia.» Versò sulle patate una cucchiaiata di grasso d'oca e fece un passo indietro mentre il condimento sfrigolava sprigionando una rabbiosa nebbiolina di schizzi. «Oh, guarda che belle. Saranno gustose e croccanti.»

«Sì, sto bene.»

«È sempre per via del jet-lag? Ronnie, quello che abita tre numeri più in là, ha detto che quando è tornato dalla Florida gli ci sono volute tre settimane per smettere di andare a sbattere contro i muri.»

«È più o meno così, infatti.»

«Non posso credere di avere una figlia sotto effetto del jet-lag. Sono l'invidia di tutti al circolo, sai?»

Alzai gli occhi di scatto. «Ci siete tornati?»

Dopo che Will si era tolto la vita, i miei genitori, biasimati di riflesso per la mia decisione di assecondarlo nei suoi propositi, avevano subito l'ostracismo dei membri del circolo di cui facevano parte da anni. Era una delle tante cose per cui mi sentivo in colpa.

«Sì. Tanto per cominciare Marjorie si è trasferita a Cirencester: lei era la pettegola numero uno. E poi Stuart, quello che ha l'autofficina, ha invitato papà ad andare a fare una partita a biliardo. Così, in modo informale. E le cose si sono sistemate.» Alzò le spalle. «Sai, ormai sono passati due anni da quella faccenda. La gente ha altro a cui pensare.»

"La gente ha altro a cui pensare." Non so perché, ma quella dichiarazione innocente mi fece salire un nodo in gola. Mentre cercavo di respingere l'improvvisa ondata di dolore, la mamma infilò la teglia di patate nel forno. Richiuse lo sportello con un colpetto soddisfatto e poi si voltò verso di me sfilandosi i guanti.

«Oh, quasi dimenticavo. È successa una cosa stranissima stamattina. Ha chiamato il tuo fidanzato chiedendo come ci eravamo organizzati per domani e se ci dispiaceva se veniva a prenderti lui all'aeroporto.»

Mi sentii raggelare. «Che cosa?»

La mamma alzò il coperchio da una padella che rilasciò uno sbuffo di vapore e lo mise di nuovo giù. «Gli ho detto che doveva essersi confuso perché eri già qui, e lui ha risposto che avrebbe fatto un salto più tardi. Mi sa che quei turni gli fanno perdere il senso del tempo. Ho sentito qualcosa in proposito alla radio, dicevano che lavorare di notte può avere pessimi effetti sul cervello. Dovresti parlargliene.»

«Cosa... Quando dovrebbe arrivare?»

Lanciò un'occhiata all'orologio. «Mmh... mi pare che abbia detto che finiva a metà pomeriggio e che sarebbe partito subito. Tutta quella strada il giorno di Natale! A proposito, hai già conosciuto l'uomo misterioso di Treena? Hai notato come si veste negli ultimi tempi?» Si voltò verso la porta, e con la voce piena di stupore sussurrò: «Sembra quasi che stia diventando una persona normale».

Rimasi in allerta per tutta la durata del pranzo di Natale, all'apparenza calma, ma sussultando intimamente ogni volta che qualcuno passava davanti a casa nostra. Ogni boccone delle pietanze che aveva cucinato mia madre si trasformava in polvere nella mia bocca. Ogni barzelletta di dubbio gusto che mio padre trovava sui bigliettini dei petardi e leggeva ad alta voce era fuori dalla mia portata. Non riuscivo a mangiare né a sentire nulla, e nemmeno a provare emozioni. Ero chiusa sotto una campana di vetro di tormentosa attesa. Lanciai un'occhiata a Treena, ma anche lei sembrava preoccupata, e mi resi conto che stava aspettando con ansia l'arrivo di Eddie. "Cosa c'è di tanto difficile?" pensai con una punta di amarezza. Almeno il suo uomo non la tradiva. Almeno lui *desiderava* stare con lei.

Iniziò a piovere. Le gocce picchiavano rabbiosamente sui vetri delle finestre e il cielo si era oscurato adattandosi al mio umore. La nostra casetta, decorata con fili d'argento e bigliettini di auguri spruzzati di brillantini, mi si chiuse intorno facendomi sentire al tempo stesso incapace di respirare e terrorizzata da qualsiasi elemento esterno. Di tanto in tanto vedevo gli occhi di mia madre scivolare verso di me, come se volesse chiedermi che cosa stava succedendo, ma non disse nulla e io non mi offrii di spiegarglielo.

La aiutai a sparecchiare la tavola e le raccontai – in modo convincente, mi parve – delle gioie di vedersi consegnare la spesa a domicilio a New York, e poi, quando finalmente udimmo il campanello, le mie gambe diventarono di gelatina.

Lei si voltò a guardarmi. «Stai bene, Louisa? Sei pallida come un lenzuolo.»

«Ti spiego dopo, mamma.»

Mi fissò con aria severa, poi il suo viso si addolcì. «Io sono qui.» Mi spostò una ciocca di capelli dietro l'orecchio. «Qualunque sia il problema, io sono qui.»

Sam era fermo sulla soglia con un morbido pullover blu cobalto che non gli avevo mai visto. Mi domandai chi glielo avesse regalato. Mi rivolse un mezzo sorriso, ma non chinò il capo per baciarmi, né mi strinse fra le sue braccia come aveva fatto nei nostri precedenti incontri. Ci scambiammo uno sguardo diffidente.

«Vuoi entrare?» chiesi con un tono stranamente formale.

«Grazie.»

Lo precedetti lungo lo stretto corridoio, attesi che salutasse i miei genitori attraverso la porta del soggiorno e poi lo condussi in cucina, chiudendo la porta alle nostre spalle. Avvertivo acutamente la sua presenza, come se entrambi fossimo carichi di elettricità.

«Ti va una tazza di tè?»

«Certo. Bella maglia.»

«Oh, grazie.»

«Hai... lasciato il naso acceso.»

«Giusto.» Lo spensi subito per evitare che qualcosa potesse alleggerire la tensione tra noi.

Si sedette a tavola senza staccare gli occhi da me e notai che il suo corpo era in qualche modo troppo ingombrante per le sedie della nostra cucina. Intrecciò le mani e le posò davanti a sé, come un candidato in attesa di sostenere un colloquio di lavoro. Dal soggiorno sentivo papà che rideva di qualche battuta del film e la vocetta stridula di Thom che voleva sapere cosa ci fosse di tanto divertente. Mi affaccendai a preparare il tè, ma continuavo a sentire lo sguardo di Sam bruciare sulla mia schiena.

«Allora» esordì quando gli porsi la tazza e mi sedetti «sei qui.»

In quel momento rischiai di cedere. Guardando il suo bel viso, le spalle larghe, le mani che stringevano delicatamente la tazza, mi balenò in testa un pensiero: "Non potrei sopportare di perderlo".

Ma poi mi ritrovai su quel gradino gelido, rividi le dita sottili di Katie sul suo collo, mi parve di sentire ancora i piedi ghiacciati nelle scarpe bagnate, e mi imposi di restare fredda e determinata.

«Sono tornata due giorni fa» dissi.

Una brevissima esitazione. «Okay.»

«Pensavo di farti una sorpresa. Giovedì sera.» Grattai una macchia sulla tovaglia. «Ma a quanto pare la sorpresa me l'hai fatta tu.»

Vidi la consapevolezza affiorare a poco a poco sul suo viso: un leggero accigliarsi, lo sguardo sempre più distante e poi il debole abbassarsi delle palpebre quando capì cosa poteva essere accaduto. «Lou, non so che cosa tu abbia visto, ma...»

«Ma cosa? "Non è come pensi"?»

«Be', solo in un certo senso.»

Fu come un pugno in pieno viso.

«Non arriviamo a questo, Sam.»

Lui alzò lo sguardo.

«So bene quello che ho visto. Se provi a convincermi che non è come penso, vorrò crederti così disperatamente che potrei farlo davvero. E se c'è una cosa che ho capito in questi due giorni è che questo... questo non mi fa bene. Non fa bene a nessuno dei due.»

Sam posò la tazza. Si passò la mano sul viso e distolse lo sguardo. «Io non sono innamorato di lei, Lou.»

«Non mi importa niente di quello che provi per lei.»

«Bene, ma io voglio che tu lo sappia. Sì, avevi ragione su Katie. Può darsi che io abbia frainteso i segnali. È davvero interessata a me.»

Scoppiai in una risata amara. «E tu sei interessato a lei.»

«Non so che cosa dire. So solo che sei tu la persona che ho sempre in mente. Sei tu la prima persona a cui penso quando mi sveglio la mattina. Il fatto è che non sei...»

«Non sono qui, vero? Non rinfacciarmelo. Non *osare* rinfacciarmelo. Sei stato tu a dirmi di andare. *Sei stato tu a dirmi di andare.*»

Restammo in silenzio per qualche istante. Mi ritrovai a osservare le sue mani, con quelle nocche escoriate che, pur sembrando così dure e forti, erano capaci di tanta tenerezza. Fissai insistentemente la macchia sulla tovaglia.

«Sai, Lou, pensavo che sarei stato bene da solo. In fondo, sono stato solo per tanto tempo. Ma tu hai aperto una crepa dentro di me.»

«Oh, quindi adesso la colpa è mia.»

«Non sto dicendo questo!» sbottò. «Sto solo cercando di spiegarti. Sto dicendo... sto dicendo che non sto più bene da solo. Dopo la morte di mia sorella non volevo più provare niente per nessuno, okay? Avevo spazio per occuparmi di Jake, ma per nessun altro. Avevo il mio lavoro, la mia casa costruita a metà e le mie galline, e mi andava bene così. Semplicemente... tiravo avanti con quello che avevo. E poi sei arrivata tu che sei caduta da quel maledetto terrazzo, e fin dalla primissima volta in cui ti sei aggrappata alla mia mano ho sentito qualcosa cedere dentro di me. All'improvviso avevo qualcuno con cui non vedevo l'ora di parlare. Qualcuno che capiva cosa provavo. Che capiva davvero, fino in fondo. Passavo davanti a casa tua e sapevo che alla fine di una giornata di merda avrei potuto fare un salto da te e sentirmi meglio. E sì, so che c'erano dei problemi fra noi, ma era come se, nel profondo, ci fosse qualcosa di *giusto*, capisci?»

Teneva la testa china sul suo tè, la mascella serrata.

«E poi, proprio quando eravamo vicini, più vicini di quanto mi fossi mai sentito con un altro essere umano, tu sei... te ne sei semplicemente *andata*. E per me è stato come... come se qualcuno mi avesse fatto un regalo, come se con una mano mi avesse donato una chiave che mi apriva un mondo per poi strapparmela via con l'altra.»

«Allora perché mi hai lasciato andare?»

La sua voce esplose nella stanza. «Perché... Perché sono fatto così, Lou! Non sono il tipo di uomo che insiste per farti restare. Non sono il tipo di uomo che vuole impedirti di vivere le tue avventure, di crescere e di fare tutto quello che stai facendo laggiù. Io non sono così!»

«No, tu sei il tipo di uomo che rimorchia un'altra non appena la sua fidanzata si allontana! E la va a cercare nello stesso distretto!»

«*Quartiere*. Si dice quartiere, Dio santo! Sei in Inghilterra!»

«Già, e non hai idea di quanto vorrei non esserci.»

Sam distolse lo sguardo da me. Era chiaro che stava cercando di trattenersi. Oltre la porta della cucina, anche se in soggiorno la tivù era ancora accesa, ebbi l'impressione che ci fosse un gran silenzio.

Dopo qualche istante dissi pacatamente: «Non posso farlo, Sam».

«Non puoi fare cosa?»

«Non posso continuare a preoccuparmi di Katie Ingram e dei suoi tentativi di seduzione, perché qualsiasi cosa sia successa quella sera, ho capito cosa voleva *lei*, anche se non so cosa volessi tu. Questa storia mi sta facendo impazzire e mi rende triste, e quel che è peggio...» deglutii a fatica «... è che mi spinge a odiarti. E non riesco a capacitarmi di essere arrivata a questo punto in soli tre mesi.»

«Louisa...»

Udimmo bussare con discrezione alla porta. Apparve il viso di mia madre. «Non vorrei disturbarvi, ma vi dispiace se preparo un tè al volo? Il nonno ha la gola secca.»

«Certo.» Restai voltata dall'altra parte.

Lei si affrettò a riempire il bollitore dandoci la schiena. «Stanno guardando un film sugli alieni. Per niente natalizio. Una volta il giorno di Natale mandavano in onda *Il mago di Oz* o *Tutti insieme appassionatamente* o qualcosa da guardare insieme, in famiglia. Ora ci sono solo sciocchezze, è tutto un *bang*, *bum*, un gran fischiare di pallottole, e io e il nonno non capiamo una parola di quello che dicono.»

Mia madre, chiaramente mortificata per averci interrotto, andò avanti a parlare a ruota libera, tamburellando nervosamente con le dita sul piano di lavoro mentre aspettava che l'acqua bollisse. «Sapete che non abbiamo nemmeno sentito il discorso della Regina? Il papà l'ha registrato con quel vecchio aggeggio. Ma guardarlo dopo non è la stessa cosa, non vi pare? È bello guardarlo quando lo guardano tutti gli altri. Povera donna, costretta in quelle videocassette finché tutti quanti non hanno finito di vedere gli alieni o i cartoni animati. Dopo sessant'anni e passa di onorato servizio – da quanto tempo è sul trono? –, il minimo che si dovrebbe fare è starla a sentire quando fa la sua parte. Per quanto, come sostiene tuo padre, il mio scrupolo è ridicolo, perché molto probabilmente ha registrato il discorso settimane fa. Sam, gradisci una fetta di torta?»

«Per me no, grazie, Josie.»

«Lou?»

«No, grazie, mamma.»

«Allora vi lascio.» Sorrise imbarazzata, posò sul vassoio una crostata alla frutta delle dimensioni della ruota di un trattore e si affrettò a uscire dalla stanza. Sam si alzò e chiuse la porta dietro di lei.

Restammo in silenzio ascoltando il ticchettio dell'orologio della cucina. L'aria era carica di tensione. Mi sentivo schiacciata dal peso delle cose non dette fra noi.

Sam bevve una lunga sorsata di tè. Volevo che se ne andasse. Eppure sarei morta se l'avesse fatto.

«Mi dispiace» disse alla fine. «Per l'altra sera. Non ho mai voluto... Be', ti sei fatta un'idea sbagliata.»

Scossi la testa. Non riuscivo più a parlare.

«Non ci sono andato a letto. Se non vuoi sentire nient'altro, devi almeno sapere questo.»

«Avevi detto...»

Sam alzò gli occhi.

«Avevi detto... che nessuno mi avrebbe più fatto del male. L'hai detto tu. Quando sei venuto a New York.» La mia voce emerse a fatica da un punto imprecisato in fondo al petto. «Non ho mai pensato, nemmeno per un attimo, che saresti stato tu a farmene.»

«Louisa...»

«Credo sia meglio che tu te ne vada.»

Si alzò pesantemente ed esitò per qualche istante con entrambe le mani appoggiate sul tavolo. Non riuscivo a guardarlo. Non riuscivo a veder sparire per sempre dalla mia vita quel viso che amavo tanto. Si raddrizzò, emise un profondo sospiro e distolse lo sguardo.

Poi tirò fuori un pacchettino dalla tasca e lo posò sul tavolo. «Buon Natale» disse. E si avviò verso la porta.

Lo seguii lungo il corridoio, undici lunghi passi, fino ad arrivare sotto il portico. Non potevo guardarlo negli occhi o sarei stata perduta. L'avrei supplicato di restare, gli avrei promesso di rinunciare al mio lavoro, l'avrei implorato di cambiare il suo, di non vedere più Katie Ingram. Sarei diventata patetica, il tipo di donna che compativo. Il tipo di donna che lui non aveva mai voluto.

Rimasi immobile con le spalle rigide, limitandomi a guardare i suoi stupidi piedi enormi. Un'auto si fermò. Una portiera sbatté da qualche parte lungo la strada. Un uccellino cinguettò in lontananza. E io continuai a restare immobile, chiusa nel mio dolore, in un momento interminabile che si rifiutava testardamente di finire.

E poi, improvvisamente, Sam si avvicinò e le sue braccia si chiusero intorno a me. Mi strinse a sé, e in quell'abbraccio sentii tutto quello che avevamo rappresentato l'uno per l'altro, l'amore e la sofferenza, la totale assurdità di tutta quella situazione. E il mio viso, affondato nella sua spalla, si accartocciò.

Non so per quanto tempo restammo così. Probabilmente solo pochi secondi. Ma il tempo sembrò fermarsi, dilatarsi, sparire. Eravamo soltanto io e lui e questo orribile sentimento morto che mi attraversava dalla testa ai piedi, come se volesse trasformarmi in pietra.

«No, non toccarmi» dissi quando non riuscii a sopportare oltre il suo contatto. La mia voce uscì strozzata, come se non fosse la mia, e lo respinsi lontano da me.

«Lou...» mi sentii chiamare.

Solo che non era la voce di Sam. Era quella di mia sorella.

«Lou, potresti... Scusami, puoi spostarti un po', per favore? Devo passare.»

Sbattei le palpebre, sorpresa, e mi voltai. Treena, con le braccia alzate, stava cercando di insinuarsi fra noi e lo stipite della porta per uscire. «Scusate» disse. «Devo solo...»

Sam mi lasciò andare piuttosto bruscamente e si allontanò a grandi passi, le spalle abbassate e rigide, indugiando solo un istante davanti al cancello che si apriva. Non si voltò indietro.

«Sta arrivando il ragazzo di Treena?» domandò mia madre alle mie spalle. Si liberò del grembiule e si ravviò i capelli con un unico movimento fluido. «Lo aspettavamo per le quattro. Non ho nemmeno un filo di rossetto... Tutto a posto?»

Treena mi guardò e, attraverso il velo delle lacrime, riuscii appena a intravedere il suo viso quando mi rivolse un piccolo sorriso speranzoso. «Mamma, papà, vi presento Eddie» disse.

E una giovane donna di colore, con un vestitino corto a fiori, ci salutò con un esitante cenno della mano.

19

A conti fatti, per distogliervi dal dolore di aver perso il secondo grande amore della vostra vita, posso raccomandarvi caldamente una sorella che fa coming out il giorno di Natale, soprattutto se la partner in questione è una giovane donna di colore di nome Edwina.

La mamma nascose il suo shock iniziale con una profusione di affettuose premure nei confronti dell'ospite e la promessa di preparare una buona tazza di tè. Guidò Eddie e Treena in soggiorno interrompendosi solo un attimo per lanciarmi un'occhiata che, se lei fosse stata il tipo che dice le parolacce, avrebbe significato: "Cosa cazzo sta succedendo?", poi imboccò il corridoio e andò in cucina. Thom uscì dal salotto gridando «Eddie!», le buttò le braccia al collo, attese scalpitando di ricevere il suo regalo e dopo averlo scartato corse via felice con una nuova scatola di Lego.

Papà, completamente ammutolito, si limitò a fissare la scena che si stava svolgendo davanti ai suoi occhi, come se fosse piombato di colpo in un sogno allucinogeno. Notai l'espressione di Treena, insolitamente ansiosa, avvertii il crescente senso di panico nell'aria e capii che dovevo agire. Mormorai a mio padre di chiudere la bocca, poi feci un passo avanti e tesi la mano alla nostra ospite. «Eddie!» esclamai. «Ciao! Sono Louisa. Mia sorella ti avrà senz'altro raccontato il peggio di me.»

«In realtà mi ha raccontato solo cose meravigliose» disse lei. «Vivi a New York, vero?»

«Prevalentemente.» Speravo che il mio sorriso non apparisse troppo forzato.

«Ho abitato a Brooklyn per due anni dopo l'università. Mi manca ancora.»

Si sfilò il cappotto color bronzo e aspettò che Treena lo sistemasse sui nostri appendiabiti stracarichi. Era minuta, una bambolina bruna di porcellana con i lineamenti più squisitamente simmetrici che avessi mai visto e due occhi a mandorla dalle lunghissime ciglia nere. Chiacchierò amabilmente mentre ci dirigevamo in soggiorno – troppo educata, forse, per registrare il malcelato shock dei miei genitori – e si chinò per stringere la mano al nonno, il quale le rivolse il suo sorriso sghembo e tornò subito a concentrarsi sulla televisione.

Non avevo mai visto mia sorella così. Era come se io e i miei genitori fossimo appena stati presentati a due estranee, anziché a una. C'era Eddie – impeccabilmente cortese, interessante, impegnata, che ci guidava con grazia attraverso le acque increspate della conversazione – e poi c'era la Nuova Treena, con un'espressione appena insicura, il sorriso un poco fragile, la mano che di tanto in tanto si allungava sul divano e stringeva quella della sua fidanzata, come per cercare rassicurazione. A papà scese la mascella di almeno sette centimetri quando notò quel gesto per la prima volta, al che la mamma gli conficcò ripetutamente il gomito nelle costole finché lui non si riprese e chiuse la bocca.

«Allora, Edwina!» esclamò mia madre versando il tè. «Treena ci ha detto... ehm... davvero poco di te. Come... Come vi siete incontrate?»

Eddie sorrise. «Gestisco un negozio di arredamento d'interni vicino a casa di Katrina e lei è venuta un paio di volte per comprare cuscini e tessuti e abbiamo iniziato a chiacchierare. Siamo andate prima a bere un drink insieme, poi al cinema e... sa come succede, abbiamo scoperto di avere molte cose in comune.»

Mi ritrovai ad annuire cercando di capire che cosa potesse avere in comune mia sorella con l'elegante e levigata creatura che mi stava di fronte.

«Cose in comune! Che bello! Eh, sì, le cose in comune sono una gran cosa. E... da dove vieni... Oh, cielo. Non intendevo dire...»

«Da dove vengo? Blackheath. Lo so, è raro che chi vive nella zona sud di Londra si sposti a nord. I miei genitori si sono trasferiti a Borehamwood quando sono andati in pensione tre anni fa. Quindi io sono un po' una rarità: una londinese vissuta sia a nord sia a sud.» Guardò Treena con aria divertita, come se quella fosse una battuta che condividevano soltanto loro, poi tornò a rivolgersi a mia madre. «Voi siete sempre vissuti qui?»

«I miei genitori lasceranno Stortfold soltanto nella bara» sentenziò mia sorella.

«Speriamo il più tardi possibile!» esclamai.

«Sembra una bella cittadina. Capisco perché volete restare qui» disse Eddie porgendo il piatto a mia madre. «Questa torta è deliziosa, Mrs Clark. L'ha fatta con le sue mani? Mia madre ne fa una al rum e sostiene che bisogna far macerare la frutta nel liquore per tre mesi perché ne assorba tutto l'aroma.»

«Katrina è *gay*?» chiese d'un tratto papà.

«È veramente buona, mamma» disse Treena. «L'uvetta è... davvero... morbida.»

Papà fece scorrere lo sguardo su noi quattro. «Alla nostra Treena piacciono le ragazze? E nessuno dice niente? Pensate solo a sparare cavolate su cuscini e *torte*?»

«Bernard» lo riprese mia madre.

«Forse dovrei concedervi un po' di tempo per parlare» disse Eddie.

«No, rimani qui, Eddie.» Treena guardò Thom, tutto preso dalla tivù, e disse: «Sì, papà. Mi piacciono le donne. O almeno, mi piace Eddie».

«Treena potrebbe essere *gender fluid*» osservò nervosamente mia madre. «È così che si dice? I ragazzi della scuola serale mi dicono che molti di loro non sono né carne né pesce, oggigiorno. Esiste uno spectrum. O uno speculum. Non ricordo mai quale dei due.»

Papà sbatté le palpebre, allibito.

La mamma bevve un sorso di tè così rumorosamente che fu quasi imbarazzante.

«Be', per quanto mi riguarda» dissi quando Treena ebbe smesso di darle dei colpetti sulla schiena per aiutarla a deglutire «trovo fantastico che qualcuno voglia frequentare Treena. E per "qualcuno" intendo chiunque. Insomma, chiunque abbia occhi e orecchie e cuore e sostanza.» Mia sorella mi indirizzò un'occhiata piena di sincera gratitudine.

«Da ragazza hai sempre preferito portare i jeans» rifletté mia madre asciugandosi la bocca con il tovagliolo. «Forse avrei dovuto farti indossare più vestitini.»

«Non è una questione di jeans, mamma. Magari di geni.»

«Be', di sicuro non è una cosa diffusa in famiglia» si affrettò a puntualizzare papà. «Senza offesa, Edwina.»

«Si figuri, Mr Clark.»

«Sono gay, papà. Sono gay, sono più felice che mai, e come scelgo di essere felice sono solo affari miei, ma vorrei tanto che tu e la mamma foste felici per me, perché io lo sono. E, cosa più importante, spero che Eddie rimanga nella mia vita e in quella di Thom molto a lungo.» Treena guardò Eddie, che le rispose con un sorriso rassicurante.

Seguì un lungo silenzio.

«Non ci hai mai detto nulla» disse papà con tono accusatorio. «Non ti sei mai comportata da gay.»

«Perché, come si comporta una persona gay?» lo incalzò Treena.

«Be', da gay. Tanto per dire... non ci avevi mai portato a casa una ragazza prima.»

«Non ho mai portato a casa nessuno prima. A parte Sundeep. Quel ragioniere. E a te non piaceva perché non amava il calcio.»

«Io amo il calcio» intervenne Eddie, incoraggiante.

Papà fissò il suo piatto per un lungo istante. Infine sospirò e si strofinò gli occhi con entrambi i palmi. Quando smise, sembrava un po' intontito, come se qualcuno l'avesse risvegliato bruscamente dal sonno. La mamma lo osservava con uno sguardo intenso e l'ansia scritta a caratteri cubitali sul viso.

«Eddie. Edwina. Mi dispiace fare la figura del vecchio bacucco. Non sono omofobo, davvero, ma...»

«Oddio» mormorò Treena. «C'è un "ma".»

Lui scosse il capo. «Ma probabilmente dirò comunque la cosa sbagliata e offenderò qualcuno, perché sono solo un uomo dalle idee antiquate che non capisce il linguaggio moderno e come vanno le cose al giorno d'oggi... Mia moglie commenterà così. Detto questo, perfino io so che l'unica cosa che conta alla lunga è che le mie due ragazze siano felici. E se tu, Eddie, rendi felice Treena come Sam rende felice la nostra Lou, allora tanto meglio. Sono molto lieto di conoscerti.»

Si alzò in piedi e tese la mano oltre il tavolino, e dopo una brevissima esitazione Eddie si protese e la strinse.

«Bene. Ora assaggiamo un po' di quella torta.»
La mamma fece un lieve sospiro di sollievo e prese il coltello.
E io mi sforzai di sorridere, dopodiché lasciai in fretta la stanza.

Esiste una gerarchia ben precisa della sofferenza inflitta al nostro cuore. L'ho capito. All'apice c'è la morte della persona che ami. Non esiste nessun'altra situazione in grado di suscitare maggiore sconvolgimento e piena partecipazione: visi affranti, mani amorevoli che ti danno una stretta sulla spalla. "Oddio, mi dispiace tanto." Dopo, probabilmente, viene l'essere abbandonati per qualcun altro – il tradimento, la cattiveria delle due persone coinvolte – che ispira dichiarazioni indignate di solidarietà. "Oh, dev'essere stato un duro colpo per te." Potremmo aggiungere la separazione forzata, gli ostacoli religiosi, una grave malattia. Ma la frase "Ci siamo lasciati perché vivevamo in due continenti diversi", pur essendo vera, è improbabile che susciti qualcosa in più di una presa d'atto, di un pragmatico stringersi nelle spalle. "Già, sono cose che succedono."
Notai quella reazione, benché ammantata di affettuosa preoccupazione, nelle parole con cui mia madre e mio padre accolsero la notizia. "Caspita, è un vero peccato. Ma c'era da aspettarselo" mi dissero, e io mi sentii ferita in un modo che non saprei descrivere: "Che cosa significa 'C'era da aspettarselo'? IO LO AMAVO!".
Il giorno di Santo Stefano scivolò via in un lento susseguirsi di ore tristi. Dormii un sonno agitato, felice che la distrazione creata da Eddie mi permettesse di non essere al centro dell'attenzione. Rimasi a lungo nella vasca da bagno, poi mi sdraiai sul letto della mia vecchia cameretta e mi asciugai le lacrime sperando che nessuno le notasse. Mia madre mi portò una tazza di tè evitando di parlare troppo dell'inebriante felicità di mia sorella.
Era una cosa bella da vedere. O almeno lo sarebbe stata, se non avessi avuto il cuore spezzato. Osservavo Treena e Eddie stringersi le mani di nascosto sotto il tavolo mentre la mamma ci serviva la cena, commentare qualcosa con le teste accostate su una rivista o guardare la televisione con i piedi che si sfioravano. Thom si infilava fra loro due con la sicurezza di chi gode di un amore incondizionato, del tutto incurante di sapere da chi gli arriva. Una volta superata l'enorme sorpresa, tutto mi

parve acquistare perfettamente senso: in compagnia di questa donna, Treena era felice e rilassata come non mai. Mi lanciava occhiate fugaci, timide e vagamente trionfanti nel contempo, e io le rispondevo con dei sorrisi che mi auguravo non apparissero falsi com'erano in realtà.

Perché tutto ciò che avvertivo era un secondo gigantesco vuoto che aveva preso il posto del mio cuore. Senza la rabbia che mi aveva tenuto su nelle ultime quarantotto ore, mi sentivo svuotata. Sam se n'era andato, e in pratica ero stata io a mandarlo via. Se per gli altri la fine della mia relazione poteva sembrare comprensibile, per me non aveva alcun senso.

Nel pomeriggio, mentre i miei parenti sonnecchiavano sul divano (avevo dimenticato quanto tempo si passasse nella mia famiglia a parlare di cibo, mangiare o digerire), mi alzai e andai a fare una passeggiata fino al castello. Era deserto, a parte una donna vivace con una giacca a vento che portava a spasso il cane e che mi rivolse uno sbrigativo cenno di saluto con il capo, come per rifuggire da un'eventuale conversazione. Salii sui bastioni e mi sedetti su una panchina da dove si vedevano il labirinto e la parte sud di Stortfold, lasciando che la brezza pungente mi arrossasse la punta delle orecchie e che i piedi si raffreddassero, e ripetendo a me stessa che non mi sarei sempre sentita così triste. Pensai a Will, a tutti i pomeriggi che avevamo trascorso al castello, a come ero riuscita a sopravvivere alla sua morte, e tentai di convincermi che questo nuovo dolore fosse meno intenso: non avrei affrontato mesi di tristezza così profonda da farmi provare una leggera nausea. Non avrei pensato a Sam. Non avrei pensato a lui con quella donna. Non avrei ceduto alla tentazione di curiosare su Facebook. Sarei tornata a New York, alla mia eccitante vita piena di stimoli, e una volta lontana migliaia di chilometri da lui quelle parti di me che sentivo scottate, distrutte, alla fine sarebbero guarite. Forse non eravamo stati quello che avevo creduto. Forse l'intensità del nostro primo incontro – chi poteva resistere al fascino di un paramedico, dopotutto? – ci aveva spinto a credere che quell'intensità fosse la nostra. Forse avevo soltanto bisogno di qualcuno che mi aiutasse a smettere di soffrire per Will. Forse la nostra era stata una relazione di ripiego e mi sarei sentita meglio prima di quanto pensassi.

Mi ripetevo queste considerazioni come un mantra, ma una parte di me si rifiutava caparbiamente di ascoltare. E alla fine, quando mi stancai di fingere che sarebbe andato tutto bene, chiusi gli occhi, mi presi la testa fra le mani e scoppiai a piangere. In un castello deserto, in un giorno in cui tutti gli altri si godevano il calore di casa, mi lasciai attraversare dal dolore e singhiozzai senza inibizioni né il timore di essere scoperta. Piansi come non avrei potuto fare nella piccola casa di Renfrew Road né una volta tornata dai Gopnik, con un misto di rabbia e tristezza, in una specie di emorragia emotiva.

«Stronzo» imprecai con la testa appoggiata sulle ginocchia. «Sono stata via soltanto tre mesi...»

La mia voce aveva un suono strano, quasi strozzato. E come Thom, che aveva l'abitudine di guardarsi allo specchio mentre piangeva per poi piangere ancora più forte, l'eco di quelle parole era così triste e spietatamente definitiva che mi spinse a singhiozzare in modo persino più disperato. «Accidenti a te, Sam. Accidenti a te per avermi fatto pensare che valesse la pena di rischiare.»

«Allora, posso sedermi anch'io oppure è un party di autocommiserazione privato?»

Alzai la testa di scatto. Davanti a me c'era Lily, imbacuccata in un enorme parka nero e una sciarpa rossa, le braccia incrociate sul petto e l'aria di chi era rimasta lì a studiarmi per un bel po' di tempo. Mi rivolse un ampio sorriso, come se vedermi ridotta in quello stato fosse quasi divertente, e attese mentre riacquistavo il controllo.

«Be', immagino che non ci sia bisogno di chiederti che cosa sta succedendo nella tua vita» disse dandomi un pugno sul braccio.

«Come facevi a sapere che ero qui?»

«Ero passata da casa tua per salutarti, visto che sono tornata dalla montagna due giorni fa e non ti sei nemmeno scomodata a chiamarmi.»

«Scusami» biascicai. «È stata...»

«È stata dura perché Sexy Sam ti ha scaricato. Colpa di quella strega bionda?»

Mi soffiai il naso e la fissai.

«Sono stata qualche giorno a Londra prima di Natale. Sono passata dalla stazione delle ambulanze per fare un saluto a Sam e lei era là, appiccicata a lui come una muffa.»

Tirai su con il naso. «Puoi dirlo forte.»

«Dio, sì. Volevo avvisarti, ma poi ho pensato: a che serve? Non è che da New York tu potessi fare qualcosa al riguardo. Ah. Quanto sono stupidi gli uomini, però. Come ha fatto a non vedere *oltre*?»

«Oh, Lily, mi sei mancata.» Non mi ero resa conto di quanto, fino a quel momento. La figlia di Will, in tutta la sua gloria di adolescente volubile. Si sedette accanto a me e io mi appoggiai alla sua spalla, come se l'adulta fosse lei. Fissammo lo sguardo in lontananza. Riuscivo appena a intravedere Granta House, la casa di Will.

«Cioè, solo perché lei è carina e ha le tette grosse e la bocca di una pornostar abituata a fare pompini...»

«Okay, basta così.»

«Comunque, io non piangerei più se fossi in te» concluse saggiamente. «Primo, perché per nessun uomo ne vale la pena. Lo dice perfino Katy Perry. E poi perché quando piangi i tuoi occhi diventano piccoli piccoli. Diciamo piccoli come... pasticchette di LSD.»

Non potei fare a meno di scoppiare a ridere.

Lily si alzò in piedi e mi tese una mano. «Su, torniamo a casa tua. Non c'è niente di aperto il giorno di Santo Stefano, e il nonno, Della e la Principessina Che Non Sbaglia Mai mi stanno facendo uscire di testa. Devo ancora ammazzare ventiquattr'ore prima che la nonna venga a prendermi. Bleah! Mi hai lasciato una striscia di muco sulla giacca? Oh, sì! Ora tiri via tutto.»

Una volta a casa mia, davanti a una tazza di tè, Lily mi aggiornò sulle notizie che nelle email aveva trascurato. Era felice della sua nuova scuola, ma non aveva ancora ingranato con lo studio come invece avrebbe dovuto fare ("Salta fuori che rimanere indietro nel programma ha un suo peso. Il che è molto irritante sul fronte dell'io-te-l'avevo-detto"). Le piaceva vivere con sua nonna a tal punto che si sentiva autorizzata a sfotterla nel modo che riservava a tutte le persone a cui voleva davvero bene, con umorismo e una sorta di allegro sarcasmo. La nonna era così irragionevole quando la criticava per aver dipinto di nero le pareti di camera sua. E non le lasciava prendere la macchina, anche se Lily sapeva guidare perfettamente e voleva solo portarsi avanti prima di iniziare le lezioni di scuola guida.

Era quando parlava di sua madre che la sua positività finiva per appannarsi. Tanya aveva finalmente lasciato suo marito – "come volevasi dimostrare" –, ma l'architetto che abitava in fondo alla strada, e che lei si era messa in testa di far diventare il suo futuro compagno, si era tirato indietro rifiutandosi di lasciare la moglie. Ora lei viveva una vita di dolorosa isteria in un alloggio in affitto in Holland Park con i gemelli, barcamenandosi attraverso una sfilza di tate filippine che, nonostante uno stupefacente livello di sopportazione, raramente erano abbastanza tolleranti da sopravvivere alle bizze di Tanya Houghton-Miller per più di un paio di settimane.

«Non avrei mai pensato di provare pena per quei mocciosi, ma è così» disse Lily. «Ah, ho proprio bisogno di una sigaretta. Sai che sento la necessità impellente di fumare solo quando parlo di mia madre? Non serve Freud per trarre le conclusioni, vero?»

«Mi dispiace, Lily.»

«Non importa. Io sto bene. Vivo con la nonna e vado a scuola. I melodrammi di mia madre non mi toccano più di tanto ormai. Certo, continua a lasciarmi lunghi messaggi in segreteria frignando o rimproverandomi di essere un'egoista perché non torno a vivere con lei, ma a me non importa.» Parve attraversata da un brivido. «A volte penso che se fossi rimasta con lei sarei diventata una squilibrata.» Mi tornò alla mente la ragazza che si era presentata alla porta di casa mia molti mesi prima – ubriaca, infelice, isolata – e provai un moto di soddisfazione al pensiero che, accogliendola, avevo aiutato la figlia di Will a costruire una buona relazione con sua nonna.

Mia madre andava e veniva riempiendo il vassoio di fette di prosciutto, formaggi e sformati caldi, e sembrava contenta che Lily fosse con noi, specialmente quando lei, con la bocca piena, le fece un resoconto dettagliato degli avvenimenti di Granta House. Secondo Lily, Mr Traynor non era molto felice. Della, la sua nuova moglie, stava affrontando la maternità come una sfida e ricopriva la bimba di attenzioni, allarmandosi e piagnucolando ogni volta che la piccola strillava. Cosa che, praticamente, succedeva in continuazione.

«Il nonno trascorre gran parte del tempo rintanato nel suo studio, e questo la rende ancora più nervosa. Ma quando cerca di aiutarla, lei gli urla contro accusandolo di fare tutto nel modo sbagliato. "Steven! Non tenerla così! Steven! Le hai messo il golfino al rovescio, non vedi?" Io l'avrei già mandata a quel paese, ma lui è troppo buono.»

«Appartiene a una generazione che non ha dimestichezza con i bambini» disse mia madre gentilmente. «Credo che il padre di Lou non abbia mai cambiato un pannolino in vita sua.»

«Mi chiede sempre della nonna, così gli ho raccontato che ha un nuovo compagno.»

«Mrs Traynor ha un corteggiatore?» Gli occhi di mia madre si spalancarono diventando tondi come piattini.

«No, certo che no. Dice che si sta godendo la sua libertà. Ma non c'è bisogno che lui lo sappia, no? Gli ho detto che un distinto signore brizzolato con una Aston Martin e ancora tutti i suoi capelli passa a prenderla due volte alla settimana e che non so come si chiama ma che è bello vedere la nonna di nuovo così felice. Si capisce benissimo che lui vorrebbe farmi altre domande, ma davanti a Della non osa, così si limita ad annuire e a sorridere con quel sorriso stentato, e alla fine dice "Molto bene" e torna a rifugiarsi nel suo studio.»

«Lily!» esclamò la mamma. «Non puoi raccontare bugie simili!»

«Perché no?»

«Be', perché non è vero!»

«Un sacco di cose nella vita non sono vere. Babbo Natale, per esempio, ma scommetto che ne avete comunque parlato a Thom. Il nonno ha scelto di stare con un'altra donna. Buon per lui, e per la nonna, se pensa che lei faccia qualche mini-vacanza a Parigi con un pensionato ricco e attraente. E comunque non si parlano mai, quindi che c'è di male?»

Quanto a logica, il suo discorso era piuttosto convincente. Lo capii perché la bocca della mamma si mosse, come quando stuzzichi con la lingua un dente che balla, ma alla fine lei non riuscì a uscirsene con nessuna motivazione che dimostrasse che Lily aveva torto.

«Comunque» concluse Lily «ora è meglio che vada. Cena in famiglia. Uh-uh-uh.»

Fu a questo punto che Treena e Eddie rientrarono dal parco

giochi con Thom. Notai l'improvviso sguardo di malcelata ansia di mia madre e pensai: "Oh, Lily, non dire niente di sgradevole". Feci le presentazioni. «Eddie, questa è Lily. Lily, Eddie. Lily è la figlia dell'uomo per cui lavoravo, Will. Eddie è...»

«La mia ragazza» disse Treena.

«Oh. Forte.» Lily strinse la mano a Eddie, poi tornò a rivolgersi a me. «Allora. Sto ancora tentando di convincere la nonna a portarmi a New York. Dice che finché farà così freddo è meglio di no e che se ne riparlerà in primavera. Perciò preparati a prenderti qualche giorno libero. Aprile si può considerare primavera, no? Sei pronta?»

«Non vedo l'ora» risposi. Di fianco a me, la mamma tirò un sospiro di sollievo.

Lily mi abbracciò forte e poi scese di volata i gradini dell'ingresso. E mentre la guardavo allontanarsi, invidiai la vitalità dei giovanissimi.

20

Da: BusyBee@gmail.com
A: KatrinaClark@scottsherwinbarker.com

Bellissima foto, Treen! Davvero. Mi è piaciuta quasi quanto le quattro
di ieri, ma la mia preferita rimane quella che mi hai spedito martedì:
voi tre al parco. Sì, Eddie ha degli occhi davvero incantevoli. Tu sembri
decisamente felice. E io sono contenta per te.
Quanto all'altro punto: penso che sia un filino prematuro incorniciarne
una e mandarla a mamma e papà, però senti, valuta tu.
Un bacione a Thommo.
L.
P.S. Sto bene. Grazie per avermelo chiesto.

Al mio ritorno, New York era immersa in una di quelle bufere
di neve che si vedono nei telegiornali, dove le macchine sono
sepolte fino al tetto, i bambini vanno in slitta sulle strade generalmente invase dal traffico e perfino i meteorologi non riescono a celare del tutto la loro allegria infantile. I grandi viali erano sgombri in ottemperanza alle disposizioni del sindaco, e gli
spazzaneve arrancavano lungo le arterie principali facendo la
spola come gigantesche bestie da soma.
    Normalmente sarei stata euforica di fronte a una nevicata
simile, ma il mio fronte meteorologico personale era grigio e
umido e gravava su di me come una cappa gelida che succhia-
va via gioia da ogni evento.
    Non avevo mai avuto il cuore spezzato prima di allora, al-

meno non a causa di una persona ancora in vita. Avevo lasciato Patrick con la consapevolezza che la nostra relazione era diventata un'abitudine per entrambi, come un paio di scarpe che non ti piacciono realmente ma che porti comunque perché non vuoi darti la pena di comprarne uno nuovo. E quando Will era morto avevo pensato che non avrei mai più provato nulla.

Ora scoprii che non era di grande conforto sapere che la persona che amavi e che avevi perduto respirava ancora. Il mio cervello, da quel piccolo organo sadico che era, insisteva nel farmi pensare ripetutamente a Sam nell'arco della giornata. Che cosa stava facendo? Che cosa stava pensando? Era con lei? Era dispiaciuto per quello che era successo fra noi? Aveva pensato a me? Scambiavo con lui una decina di silenziosi battibecchi al giorno, e ne uscivo perfino vincente, in qualche caso. Poi interveniva la mia parte razionale e mi dicevo che era inutile pensarci. Quel che era fatto, era fatto. Ero tornata in un altro continente. Il futuro dell'uno era a migliaia di chilometri da quello dell'altro.

E poi, di tanto in tanto, la mia parte leggermente maniacale si intrometteva con una sorta di ottimismo forzato ripetendomi: "Posso essere chiunque io voglia! Non sono legata a nessuno! Posso andare ovunque nel mondo senza sentirmi combattuta!". Capitava spesso che per qualche minuto queste tre sfaccettature del mio io sgomitassero per farsi spazio nella mia mente. Era una specie di esistenza schizofrenica che mi lasciava completamente esausta.

Ma le tenni a bada. Andavo a correre con George e Agnes all'alba, senza rallentare quando mi faceva male il petto e i polpacci bruciavano come attizzatoi arroventati. Correvo da una stanza all'altra anticipando le necessità di Agnes, andavo in aiuto di Michael quando lo vedevo particolarmente oberato di lavoro, e pelavo le patate insieme a Ilaria ignorandola quando esprimeva la sua insofferenza. Un giorno mi offrii perfino di dare una mano ad Ashok a spalare la neve dal marciapiede – qualsiasi cosa, per evitare di restare seduta a riflettere sulla mia vita – al che lui mi chiese se ero pazza e se avevo intenzione di fargli perdere il lavoro.

Josh mi mandò un messaggio tre giorni dopo il mio ritorno, mentre Agnes sceglieva delle scarpe in un negozio di calzature per bambini e parlava in polacco con sua madre all'altro capo della linea cercando di capire quale misura avrebbe dovuto acquistare e se la sorella avrebbe approvato. Sentii vibrare il cellulare e abbassai lo sguardo.

Ehi, Louisa Clark I. È un po' che non ci sentiamo. Spero che tu abbia passato un buon Natale. Ci prendiamo un caffè insieme?

Restai a fissare il display. Non avevo più motivo di rifiutare il suo invito, ma in un certo senso mi sembrava ingiusto. Ero ancora troppo scottata, i miei sensi erano ancora troppo focalizzati su un uomo distante oltre cinquemila chilometri.

Ciao Josh. Sono un po' presa in questo momento (Agnes mi sta facendo sgobbare parecchio!), ma presto ci vedremo. Spero che tu stia bene. Baci, L.

Non ricevetti risposta e, inspiegabilmente, ci rimasi male.

Garry caricò in macchina le borse dello shopping e subito dopo il cellulare di Agnes squillò. Lo tirò fuori dalla borsetta e vi lanciò un'occhiata. Guardò prima fuori dal finestrino, poi me. «Mi ero dimenticata di avere una lezione di disegno. Dobbiamo andare a East Williamsburg.»

Era lampante che si trattava di una bugia. D'un tratto mi venne in mente la terribile cena del Ringraziamento con la rivelazione di Mr Gopnik, e cercai di non farlo trapelare dalla mia espressione. «Annullo la lezione di pianoforte, allora» dissi pacatamente.

«Sì. Garry, ho una lezione di disegno. L'avevo dimenticata.»

Senza dire una parola, Garry mise in moto la limousine.

Garry e io restammo in silenzio nel parcheggio con il motore acceso al minimo per proteggerci dal freddo rigido dell'esterno. Ero furiosa con Agnes per aver scelto proprio questo pomeriggio per una delle sue "lezioni di disegno", perché per me significava rimanere da sola con i miei pensieri, un gruppo di ospiti sgraditi che si rifiutavano di togliere il disturbo. Mi misi gli auricolari e ascoltai della musica allegra. Presi l'iPad e organizzai il resto della settimana di Agnes. Giocai tre partite di Scarabeo online con mia madre. Risposi a un'email di Treena che mi chiedeva se ritenevo opportuno che Eddie partecipasse con lei a una cena di lavoro o se era prematuro. (Le dissi di procedere pure.) Osservai il cielo pesante di nubi che promettevano neve e mi domandai se ne sarebbe caduta altra prima di sera. Garry

guardò un programma comico sul suo tablet, ridacchiando insieme alle risate preregistrate, con il mento piantato sul petto.
«Ti va un caffè?» gli proposi, avendo esaurito le unghie da rosicchiare. «Intanto Agnes ci metterà un secolo, no?»
«Nah. Il dottore mi ha detto che devo andarci piano con i donuts. E sai che cosa succede se entriamo in quel posto dove li fanno buoni.»
Tirai un filo allentato dei miei pantaloni. «Potremmo giocare agli indovinelli.»
«Mi stai prendendo in giro?»
Mi abbandonai sul sedile con un sospiro. Ascoltai il resto del programma comico che stava guardando Garry, e poi il suo respiro pesante che andò rallentando fino ad assumere un ritmo regolare, interrotto di tanto in tanto da una russatina discreta. Il cielo aveva iniziato a farsi buio assumendo un'ostile tonalità grigio ferro. Ci sarebbero volute ore per tornare a casa con quel traffico. E poi squillò il telefono.
«Louisa? È con Agnes? Pare che abbia il cellulare spento. Può passarmela, per favore?»
Guardai fuori dal finestrino, verso il punto in cui la luce dello studio di Steven Lipkott disegnava un rettangolo giallo sulla neve grigia.
«Ehm... si sta... si sta provando degli abiti, Mr Gopnik. Faccio un salto nei camerini e le dico di richiamarla immediatamente.»
Il portone al piano terra era tenuto aperto da due latte di pittura, come se fosse in corso la consegna di un corriere. Salii di volata i gradini di cemento e percorsi altrettanto rapidamente il corridoio fino a raggiungere lo studio. Mi fermai davanti alla porta chiusa con il cuore in gola. Abbassai lo sguardo sul telefono, poi lo alzai al soffitto. Non volevo entrare. Non volevo avere la prova inconfutabile di ciò che avevo intuito alla cena del Ringraziamento. Accostai l'orecchio alla porta cercando di capire se era meglio bussare, sentendomi invadente, come se fossi io a essere in fallo. Ma udii soltanto musica e voci ovattate.
Così mi feci coraggio, bussai, e un paio di secondi dopo provai ad aprire la porta. Steven Lipkott e Agnes erano in piedi in fondo alla stanza, intenti a osservare delle tele accatastate contro la parete. Lui aveva una mano posata sulla sua spalla, e con l'altra, che teneva una sigaretta, indicava uno dei dipinti più

piccoli. Nella stanza aleggiava odore di fumo e di trementina, con un lieve sentore di acqua di colonia.

«Senti, perché non mi porti qualche altra foto?» stava dicendo. «Se ti sembra che questo non la rappresenti appieno, forse dovremmo...»

«Louisa!» Agnes si voltò di scatto e alzò il palmo di una mano, come a volermi allontanare.

«Scusate» dissi mostrando il telefono. «È... È Mr Gopnik. Non riesce a contattarti.»

«Non dovevi entrare qui! Perché non hai bussato?» Agnes era sbiancata.

«L'ho fatto. Mi dispiace. Non avevo altro modo per...» Fu mentre indietreggiavo verso la porta che mi cadde l'occhio sulla tela che stavano osservando. Una bambina con i capelli biondi e gli occhi grandi, voltata di profilo, come se fosse sul punto di scappare via. E all'improvviso mi fu tutto inequivocabilmente chiaro: la depressione, le conversazioni fiume con la madre, i continui acquisti di giocattoli e scarpine...

Steven si chinò per prendere il quadro. «Ascolta, tienilo pure se vuoi. Pensaci su e...»

«*Stai zitto*, Steven!» Lui trasalì, come se non capisse che cosa aveva provocato la reazione di Agnes. Ma questo non fece altro che confermare ciò che sospettavo.

«Ci vediamo giù» dissi e, senza far rumore, mi chiusi la porta alle spalle.

Tornammo nell'Upper East Side in silenzio. Agnes chiamò Mr Gopnik e si scusò dicendo che non si era accorta di avere il telefono spento... Era un difetto di fabbricazione, si spegneva sempre senza preavviso, doveva decisamente procurarsene un altro. "Sì, tesoro. Stiamo tornando. Sì, lo so..."

Non mi guardò in faccia. Per la verità, neppure io osavo guardarla. La mia mente era in fermento, intenta a creare collegamenti fra gli eventi degli ultimi mesi e ciò che avevo appena scoperto.

Quando finalmente arrivammo a casa, restai discosta di qualche passo rispetto a lei mentre attraversavamo l'ingresso, ma davanti all'ascensore Agnes si fermò, fissò il pavimento, infine si voltò di nuovo verso la porta. «Okay. Vieni con me.»

Eravamo sedute al bar di un hotel di lusso, uno di quelli dove immaginavo che ricchi uomini d'affari mediorientali intrattenessero i loro clienti e allontanassero il conto con un annoiato gesto della mano senza neppure degnarlo di uno sguardo. La sala era pressoché deserta. Ci eravamo sistemate in un séparé d'angolo un po' in penombra in attesa di essere servite. Il cameriere depositò con sussiego due vodka tonic sul tavolo insieme a una ciotolina di lucide olive verdi, cercando invano di catturare l'attenzione di Agnes.

«È mia figlia» disse lei di botto quando il cameriere si fu allontanato.

Bevvi un sorso del mio drink. Era terribilmente forte e ne fui felice. Era utile avere qualcosa su cui concentrarsi.

«È mia.» La sua voce era dura, quasi furiosa. «Vive con mia sorella in Polonia. Sta bene – era così piccola quando sono partita che ricorda appena di aver vissuto con la sua mamma – e mia sorella è felice perché non può avere figli, però mia madre è molto arrabbiata con me.»

«Ma...»

«Non l'ho raccontato a Leonard quando ci siamo conosciuti, okay? Ero così... così felice che uno come lui fosse interessato a me. Non ho pensato neanche per un minuto che ci saremmo messi insieme. Era un sogno, capisci? Mi dicevo: vivrò questa piccola avventura e poi, quando scadrà il mio permesso di lavoro, tornerò in Polonia e ricorderò questo incontro per sempre. E dopo è successo tutto così in fretta, lui lascia la moglie per me e io non so come dirglielo. Ogni volta che lo vedo, mi ripeto: "Questo è il momento, questo è il momento giusto...", e poi quando siamo insieme mi spiega che non vuole altri figli. *"Ho chiuso."* Sente di aver fatto un casino con la sua famiglia e non vuole peggiorare le cose con una famiglia allargata, fratellastri, sorellastre e così via. Mi ama, ma la faccenda dei bambini è una condizione molto importante per lui. Perciò come facevo a dirglielo?»

Mi protesi in avanti per essere certa che nessuno potesse sentirmi. «Ma... stai facendo una stronzata colossale, Agnes. Tu hai già una figlia!»

«E come faccio a parlargliene adesso, dopo due anni? Pensi che non mi vedrà come una donna da poco? Pensi che non vedrà questa cosa come un terribile, terribile inganno? Mi sono messa in un pasticcio più grande di me, Louisa. Lo so.» Sorseggiò il suo drink.

«Penso continuamente, *continuamente*, a come sistemare questa cosa. Ma non c'è niente da sistemare. Gli ho mentito. Per lui la fiducia è tutto. Non mi perdonerebbe mai. Perciò è semplice. Così come stiamo, lui è felice, io sono felice. Posso mantenere tutti. Sto cercando di convincere mia sorella a venire a vivere a New York, così potrei vedere Zofia ogni giorno.»

«Ma senti terribilmente la sua mancanza, vero?»

La sua mascella si contrasse. «Sto provvedendo al suo futuro.» Parlava come se leggesse una lista mentale ripetuta più volte. «Prima la nostra famiglia non aveva molto. Ora mia sorella vive in una bella casa, con quattro camere da letto, tutto nuovo. Una zona molto bella. Zofia andrà nelle migliori scuole in Polonia, suonerà il pianoforte, avrà tutto.»

«Ma non sua madre.»

D'un tratto i suoi occhi si velarono di lacrime. «No. O lascio Leonard, o lascio mia figlia. Vivere senza di lei è la mia... la mia... Oh, come si dice?... La mia penitenza.» La sua voce si incrinò.

Bevvi un sorso di vodka tonic. Non sapevo che altro fare. Entrambe fissammo i nostri bicchieri.

«Non sono una persona cattiva, Louisa. Amo Leonard. Lo amo moltissimo.»

«Lo so.»

«Pensavo che forse, una volta sposati, avrei potuto dirglielo. Lui sarebbe rimasto un po' sconvolto all'inizio, ma poi l'avrebbe superato. Avrei potuto fare avanti e indietro dalla Polonia, no? Oppure lei sarebbe venuta a stare da noi per un periodo. Ma le cose sono diventate così... così complicate. La sua famiglia mi odia. Ti immagini che cosa succederebbe se scoprissero dell'esistenza di Zofia? Ti immagini che cosa succederebbe se Tabitha lo sapesse?»

Potevo immaginarlo.

«Io lo amo. So che pensi molte cose di me. Ma io lo amo davvero. È un uomo buono. A volte faccio fatica ad andare avanti perché lui lavora tanto e nel suo ambiente nessuno mi considera... e io mi sento sola, e forse... non sempre mi comporto perfettamente, ma all'idea di stare lontana da lui mi sento persa. Leonard è veramente la mia anima gemella. L'ho capito fin dal primo giorno.»

Tracciò un disegno sul tavolo con un dito esile. «Ma poi penso a mia figlia, che per i prossimi dieci, quindici anni crescerà senza di me e io... io...»

Emise un sospiro tremante abbastanza forte da attirare l'attenzione del barman. Rovistai nella mia borsetta e, non trovando un fazzoletto, le passai il tovagliolino del cocktail. Quando alzò lo sguardo notai un'espressione dolce sul suo viso. Un'espressione che non le avevo mai visto prima, raggiante di amore e tenerezza.

«È così bella, Louisa. Ha quasi quattro anni ed è molto intelligente, sai? È sveglia. Conosce i giorni della settimana e sa indicare i vari Stati sul mappamondo e sa anche cantare. Sa dove si trova New York. Sa tracciare una linea sulla carta geografica fra Cracovia e New York senza che nessuno glielo abbia mai insegnato. E ogni volta che vado a trovarla si aggrappa a me e dice: "Perché devi andare, mamma? Non voglio che vai via". E un pezzettino del mio cuore si spezza... Oddio, è straziante... A volte preferirei non vederla nemmeno, perché quando devo lasciarla è... è...» Agnes si concentrò sul suo drink e alzò meccanicamente la mano per asciugarsi le lacrime che cadevano silenziose sul tavolino lucido.

Le passai un altro tovagliolo. «Agnes» dissi dolcemente «non so per quanto tempo puoi tenere in piedi questa situazione.»

Lei si tamponò gli occhi e chinò la testa. Quando la rialzò, era impossibile dire che aveva pianto. «Noi siamo amiche, giusto? Buone amiche.»

«Certo.»

Si voltò a dare un'occhiata, poi si sporse sul tavolo e mi disse: «Io e te siamo entrambe immigrate. Sappiamo che è difficile trovare il proprio posto in questo mondo. Tu vuoi migliorare la tua vita, e così lavori sodo in un paese che non è il tuo, ti fai una nuova vita, dei nuovi amici, trovi un nuovo amore. Riesci a diventare una persona nuova! Ma non è mai una cosa semplice, tutto ha un costo.»

Deglutii e scacciai la bruciante, rabbiosa immagine di Sam nel suo vagone ferroviario.

«Questo lo so, non si può avere tutto. E noi immigrati lo sappiamo meglio di chiunque altro. Hai sempre un piede in due scarpe. Non puoi mai essere felice fino in fondo perché, dal momento in cui lasci il tuo paese, sei diviso in due, e ovunque vai una metà di te è sempre alla ricerca dell'altra. Questo è il prezzo che dobbiamo pagare, Louisa. Questo è il nostro valore.»

Bevve un sorso di vodka, poi un altro. Infine prese un respiro profondo e scrollò le mani sul tavolo, come per liberarsi dell'eccesso di emozioni attraverso i polpastrelli. Poi riprese a parlare, stavolta con un tono severo. «Non devi dirglielo. Non devi dirgli quello che hai visto oggi.»

«Agnes, non credo che tu possa tacere questa cosa per sempre. È troppo grossa. È...»

Allungò una mano e la posò sul mio braccio. Le sue dita si chiusero intorno al mio polso con una presa ferma. «Ti prego. Siamo amiche, non è vero?»

Deglutii.

In fin dei conti, non ci sono veri e propri segreti fra ricchi. Solo persone pagate per custodirli. Salii le scale con questo nuovo fardello che mi pesava sul cuore. Pensai a una bambina da qualche parte nel mondo, che aveva tutto tranne la cosa che più desiderava, e a una donna che probabilmente provava le stesse sensazioni, anche se iniziava a rendersene conto soltanto ora. Pensai di chiamare mia sorella – l'unica persona con cui avrei potuto discutere di questa situazione – ma, ancora prima di parlarle, sapevo quale sarebbe stato il suo giudizio. Avrebbe preferito farsi tagliare un braccio piuttosto che abbandonare Thom in un altro paese.

Pensai a Sam e ai patti che facciamo con noi stessi per giustificare le nostre scelte. Quella sera rimasi nella mia stanza finché, tormentata dai pensieri che aleggiavano cupi e ossessivi nella mia testa, tirai fuori il cellulare e scrissi:

Ehi, Josh, quell'offerta è sempre valida? Ma per qualcosa di forte invece di un caffè?

La risposta si annunciò con un cicalino vivace nel giro di trenta secondi:

Dimmi solo dove e quando, Louisa.

21

Alla fine mi accordai con Josh per vederci in un pub senza pretese nei pressi di Times Square. Era un locale lungo e stretto, con le pareti tappezzate di fotografie di pugili e il pavimento appiccicaticcio. Indossavo un paio di jeans neri e mi ero raccolta i capelli in una coda di cavallo. Nessuno alzò gli occhi mentre passavo davanti ad avventori di mezza età e foto autografate di pesi mosca e di uomini con il collo più largo della testa.

Josh era seduto a un tavolino in fondo al pub con indosso una cerata marrone scuro, una di quelle che ti metti per dare l'impressione di abitare in campagna. Quando mi vide mi rivolse un sorriso spontaneo e contagioso, e per un attimo mi rallegrai che, in un mondo insopportabilmente confuso, esistesse qualcuno senza troppi problemi che era contento di vedermi.

«Come va?» Si alzò in piedi e sembrò sul punto di abbracciarmi, ma qualcosa – forse le circostanze del nostro ultimo incontro – lo frenò. Preferì sfiorarmi il braccio.

«Ho avuto una brutta giornata. Una brutta settimana, in realtà. E ho proprio bisogno di una faccia amica con cui condividere un paio di drink. E, indovina un po', il tuo è stato il primo nome che ho tirato fuori dal mio cilindro di conoscenze newyorkesi!»

«Che cosa vuoi bere? Tieni presente che qui fanno più o meno sei drink.»

«Un vodka tonic?»

«Sono quasi sicuro che sia fra quelli in lista.»

Tornò pochi minuti dopo con una birra in bottiglia per sé e un vodka tonic per me. Mi ero tolta il cappotto e mi sentivo stranamente agitata a stare seduta davanti a lui.

«Allora... raccontami un po' di questa tua settimana di fuoco. Che cosa è successo?»

Bevvi un sorso del mio drink, che andò ad aggiungersi fin troppo facilmente a quello che avevo bevuto nel pomeriggio. «Ho... ho scoperto una cosa oggi. Una cosa che mi ha un po' sfasato. Non posso dirti niente di più, non perché non mi fidi di te, ma perché è così clamorosa che coinvolgerebbe molte persone. E non so proprio come comportarmi.» Mi agitai sulla sedia. «Credo di dover semplicemente assimilare la faccenda ed evitare che mi provochi un'indigestione. Ha senso quello che dico? Perciò speravo di vederti per bere qualcosa insieme e sentirti raccontare un po' della tua vita, una vita senza grossi, oscuri segreti, ammesso che tu non abbia grossi, oscuri segreti, per ricordare a me stessa che la vita può essere bella e normale, ma non voglio che tu mi spinga a farmi parlare della mia. Se per caso dovesse capitarmi di abbassare le difese e cose del genere.»

Josh si appoggiò una mano sul cuore. «Louisa, non voglio sapere niente del tuo segreto. Sono solo felice di vederti.»

«Davvero, se potessi te lo direi.»

«Non ho alcuna curiosità riguardo a questo gigantesco segreto che potrebbe sconvolgere la vita di più persone. Con me sei al sicuro.» Bevve un sorso di birra e mi scoccò quel suo sorriso perfetto, e per la prima volta dopo due settimane mi sentii un pochino meno sola.

Due ore dopo, il bar era surriscaldato e affollato di gente in tripla fila al bancone: turisti esausti attirati dall'offerta di birre a tre dollari e clienti abituali stipati in quello spazio ristretto con gli occhi puntati sulla tivù nell'angolo per seguire un incontro di pugilato. Urlarono all'unisono per un rapido montante ed esplosero in un boato quando il loro pugile preferito finì alle corde con la faccia pesta e stravolta. Josh era l'unico uomo presente nel locale che non si era fatto coinvolgere dal clima di eccitazione generale. Rimase tranquillo davanti alla sua bottiglia di birra, con gli occhi fissi nei miei.

Dal canto mio, io ero semisdraiata sul tavolo e gli stavo raccontando diffusamente della visita di Treena e Edwina il giorno di Natale, una delle poche storie che potevo legittimamente condividere con lui, insieme a quella dell'ictus del nonno, dell'acquisto del pianoforte a coda (gli dissi che era per la nipote di Agnes) e – per non sembrare troppo depressa – del mio gradito passaggio alla business class nel volo da New York a Londra. Non ricordo quanti bicchieri di vodka tonic avessi bevuto fino a quel momento – Josh tendeva a farli apparire prodigiosamente davanti a me ancora prima che mi accorgessi di aver finito quello precedente –, ma una parte remota di me era consapevole che la mia voce aveva acquistato un tono strano e cantilenante che saliva e scendeva, non sempre in sintonia con quello che stavo dicendo.

«Be', interessante, no?» commentò quando arrivai alla parte del discorso di mio padre sulla felicità. Può essere che avessi caricato un po' troppo il racconto trasformandolo in qualcosa di simile a un film ispirato a una storia vera. Nella mia ultima versione papà era praticamente diventato Atticus Finch che fa la sua arringa conclusiva davanti alla corte in *Il buio oltre la siepe*.

«È normale» proseguì Josh. «Desidera soltanto la felicità di sua figlia. Quando mio cugino Tim ha fatto coming out con mio zio, lui non gli ha parlato, diciamo, per un anno almeno.»

«Sono così felici, quelle due» dissi allungando le braccia sul tavolo per sentire il fresco sulla pelle e cercando di non badare al fatto che era appiccicoso. «È una cosa bellissima. Davvero.» Bevvi un altro sorso di vodka tonic. «Le guardo e mi si riempie il cuore di gioia perché, sai, Treena è sola da un sacco di tempo, ma sinceramente... sarebbe carino se si mostrassero un tantino meno raggianti ed estatiche quando sono insieme. Per esempio, se la smettessero di guardarsi *sempre* negli occhi. O di scambiarsi quei sorrisetti segreti che sottintendono battute e allusioni tutte loro. O quelli che lasciano intuire che hanno appena fatto sesso ed è stato fantastico. In più, Treena potrebbe smetterla di mandarmi foto di loro due insieme. O messaggi per informarmi di tutte le cose stupefacenti che dice o fa Eddie. Il che, in sostanza, corrisponde a tutto ciò che dice o fa.»

«Oh, andiamo. Stanno insieme da poco, giusto? Sono cose che si fanno, quando si è innamorati.»

«Io non le ho mai fatte. Tu sì? Sul serio, io non ho mai mandato a nessuno delle foto in cui baciavo il mio ragazzo. Se avessi mandato a Treena una foto in cui ci facevamo le coccole, lei avrebbe reagito come se avesse visto la foto di un pene. Voglio dire, è la stessa persona che fino a poco tempo fa trovava *disgustosa* qualsiasi manifestazione di affetto.»

«Allora è la prima volta che si innamora davvero. E sarà lieta di ricevere una foto di te e del tuo fidanzato, felici da far schifo.» Sembrava che mi stesse prendendo in giro. «Magari non la foto di un pene, però.»

«Tu pensi che io sia una persona orribile.»

«Non penso che tu sia una persona orribile. Solo un pochino... su di giri.»

Gemetti. «Lo so. Sono una persona orribile. Non le sto chiedendo di non essere felice, solo di essere un po' più sensibile nei confronti di chi... potrebbe non essere...» Mi mancavano le parole.

Josh si era messo comodo sulla sedia e mi stava osservando.

«Ex fidanzato» dissi con la voce leggermente incrinata. «Ormai è un ex fidanzato.»

Josh inarcò le sopracciglia. «Wow. Sono state due settimane facili facili, direi.»

«Oh, sì.» Appoggiai la fronte sul tavolo. «Non puoi neanche immaginare.»

Ero conscia del silenzio imbarazzato che era sceso fra di noi. Per un attimo presi in considerazione l'idea di schiacciare un bel pisolino seduta stante. Si stava così bene. Il vociare dell'incontro di boxe si era smorzato. La mia fronte era appena umida. E poi sentii la mano di Josh sulla mia. «Okay, Louisa. Credo sia ora di andarcene di qui.»

Salutai educatamente tutte le persone simpatiche che incrociai mentre ci avviavamo all'uscita, battendo il cinque con tutte quelle che riuscii a intercettare sulla mia traiettoria (alcuni sembrarono mancare la mia mano... idioti!). Per qualche motivo, Josh continuava a scusarsi ad alta voce. Forse li aveva urtati camminando. Quando, arrivati alla porta, mi mise addosso il cappotto, fui colta da un attacco di ridarella perché non riusciva a infilarmi le braccia nelle maniche, e alla fine scoprii che lo aveva fatto al contrario, come se avessi addosso una camicia di forza. «Ci rinuncio» si arrese a un certo punto. «Lascialo così.» Sentii qualcuno urlare: «La prossima volta aggiungi un goccio d'acqua, lady!».

«Io *sono* una lady!» esclamai. «Una lady inglese! Sono Louisa Clark I, non è vero, Joshua?» Mi voltai a guardarli e gettai i pugni in aria. Ero rasente alla parete con le fotografie e muovendomi me ne feci cadere qualcuna addosso.

«Ce ne andiamo, ce ne andiamo» disse Josh al barman alzando le mani. Qualcuno si mise a gridare. Lui continuava a scusarsi con tutti. Gli dissi che non sempre chiedere scusa era una buona cosa. Me l'aveva insegnato Will. Dovevi tenere la testa alta.

E un attimo dopo uscimmo nell'aria pungente. Poi, senza neanche accorgermene, inciampai in qualcosa, sbattei le ginocchia per terra e mi ritrovai sul marciapiede ghiacciato. Imprecai.

«Oh, accidenti» esclamò Josh sorreggendomi saldamente con un braccio intorno alla vita. «Penso che ti serva un po' di caffè.»

Aveva un profumo così buono. Lo stesso profumo di Will, costoso, di quelli che potresti trovare nel reparto uomo di un grande magazzino di lusso. Avvicinai il naso al suo collo e respirai forte mentre barcollavamo lungo il marciapiede. «Hai un buon profumo.»

«Grazie.»

«Molto costoso.»

«Buono a sapersi.»

«Potrei darti una leccatina.»

«Se ti fa sentire meglio...»

Gli passai la lingua sul collo. Il sapore del suo dopobarba non era buono quanto il profumo, ma era bello, in un certo senso, leccare qualcuno. «Mi fa sentire meglio, sì» dissi, un po' sorpresa. «Molto meglio, in effetti.»

«Oooh-kay. Questo è il posto migliore per prendere un taxi.» Josh si contorse un po' per mettersi di fronte a me e mi posò le mani sulle spalle. Intorno a noi Times Square era accecante e vertiginosa, un rutilante circo di luci al neon, con le sue immagini gigantesche che incombevano su di me esercitando una straordinaria forza seduttiva. Mi voltai lentamente e alzai gli occhi verso le luci sentendomi sul punto di cadere. Presi a ruotare su me stessa finché non si confusero, poi vacillai. Sentii le mani di Josh che mi afferravano.

«Posso metterti su un taxi che ti riporti a casa, perché penso che tu abbia bisogno di dormirci su. Oppure andiamo a casa mia a piedi e ti faccio buttare giù un po' di caffè. Scegli tu.» Era l'una passata, eppure Josh dovette gridare per sovrastare il vociare delle persone intorno a noi. Era così attraente con la camicia e la giacca elegante. Così curato e impeccabile. Mi piaceva moltissimo. Mi voltai fra le sue braccia e lo guardai sbattendo le palpebre. Non sarebbe stato male se avesse smesso di ondeggiare.

«È molto carino da parte tua» disse.

«Ho detto quello che pensavo a voce alta?»

«Sì.»

«Scusa. Comunque è la verità. Sei di una bellezza sconvolgente. Una bellezza americana. Come un divo del cinema. Josh?»

«Sì?»

«Credo di dovermi sedere. Ho la testa un po' in giostra.» Stavo per cadere a terra quando mi sentii sollevare un'altra volta.

«Eccoci qua.»

«Vorrei davvero dirti quella cosa. Ma non posso dirtela.»

«Allora non dirmela.»

«Tu capiresti. So che capiresti. Sai... tu somigli tanto a una persona che ho amato. Amato davvero. Lo sapevi? Gli somigli moltissimo.»

«Be'... mi fa piacere.»

«Già. Era di una bellezza sconvolgente. Proprio come te. Bello come un divo del cinema... L'ho già detto questo? Lui è morto. Ti ho detto che è morto?»

«Mi dispiace per la tua perdita. Ma penso che sia meglio andarcene di qui.» Mi accompagnò per due isolati, poi chiamò un taxi e, un po' a fatica, mi fece salire a bordo. Mi sforzai di mettermi dritta sul sedile posteriore e mi aggrappai alla sua manica. Era metà dentro e metà fuori dall'abitacolo.

«Dove la porto, signora?» chiese l'autista voltandosi.

Guardai Josh. «Puoi rimanere con me?»

«Certo. Dove andiamo?»

Notai lo sguardo sospettoso del tassista nello specchietto retrovisore. La tivù integrata nello schienale del suo sedile era accesa a tutto volume e il pubblico di uno studio televisivo esplose in un applauso. Fuori, tutti si misero a suonare il clacson contemporaneamente. Le luci erano troppo intense. D'un tratto New York era diventata troppo rumorosa, troppo tutto. «Non so. A casa tua?» dissi. «Non posso tornare. Non ancora.» Lo guardai e mi venne voglia di piangere. «Sono confusa, capisci?»

Josh inclinò la testa di lato. Aveva un'espressione gentile. «Louisa Clark, non so perché, ma la cosa non mi sorprende.»

Appoggiai la testa sulla sua spalla e sentii il suo braccio scivolare dolcemente intorno a me.

Mi svegliai con il trillo acuto e insistente di un telefono. Il sollievo impagabile nel sentirlo cessare, poi la voce di un uomo che parlava piano. Il gradito, amaro profumo del caffè. Mi voltai cercando di sollevare la testa dal cuscino. Il dolore pulsante alle tempie era così intenso e implacabile che mi sfuggì un piccolo suono animalesco, come il guaito di un cane a cui hanno appena schiacciato la coda in una porta. Chiusi gli occhi, presi un respiro profondo e poi li riaprii.

Quello non era il mio letto.

E non era il mio letto neppure quando li riaprii per la terza volta.

Questo fatto incontrovertibile bastò per indurmi a tentare nuovamente di sollevare la testa, stavolta ignorando il dolore martellante abbastanza a lungo da prendere coscienza. No, non era decisamente il mio letto. E non era la mia stanza. A dire il vero, era una stanza che non avevo mai visto prima. Notai gli abiti – abiti maschili – piegati con cura sullo schienale di una sedia, il televisore nell'angolo, la scrivania e l'armadio, e mi accorsi di una voce che si stava avvicinando. E poi la porta si aprì e vidi entrare Josh, vestito di tutto punto, con una tazza in mano e il telefono premuto contro l'orecchio. Incrociò il mio sguardo, alzò un sopracciglio e posò la tazza sul comodino continuando a parlare.

«Sì, c'è stato un intoppo in metropolitana. Prendo un taxi e sono lì fra venti minuti... Certo. Non c'è problema... No, ci sta già lavorando lei.»

Mi tirai su, e nel farlo scoprii che indossavo una T-shirt da uomo. Ci volle qualche istante perché le implicazioni di questa scoperta penetrassero nella mia mente, e sentii una vampa di calore salire da un punto imprecisato del petto.

«No, ne abbiamo già parlato ieri. Ha preparato le carte, è tutto pronto.»

Lui si voltò dall'altra parte mentre io tornavo a stendermi tirandomi il piumino fino al collo. Indossavo le mutandine. Era già qualcosa.

«Okay, perfetto. Sì, a pranzo va bene.» Josh chiuse la telefonata e si infilò il cellulare in tasca. «Buongiorno! Stavo giusto per ordinare un contorno di analgesici. Vuoi che te ne prenda un paio? Purtroppo devo andare.»

«Andare?» Avevo la bocca amara, secca, come se fosse stata cosparsa di un velo di cipria. La aprii e la chiusi un paio di volte producendo un lieve schiocco disgustoso.

«Al lavoro. È venerdì.»

«Oddio. Che ore sono?»

«Le sette meno un quarto. Devo scappare, sono già in ritardo. Ce la fai a sbrigartela da sola?» Rovistò in un cassetto e tirò fuori un blister che posò sul comodino accanto a me. «Tieni. Queste dovrebbero aiutarti.»

Mi scostai i capelli dal viso. Erano leggermente umidi di sudore e sorprendentemente arruffati. «Che... che cosa è successo?»

«Ne parleremo dopo. Ora bevi il caffè.»

Obbedii e ne bevvi un sorso. Era forte e corroborante. Avevo come l'impressione che me ne sarebbero serviti altri sei. «Perché ho addosso la tua T-shirt?»

Josh sorrise. «Era per il balletto.»

«Il balletto?» Avvertii una fitta allo stomaco.

Si chinò e mi diede un bacio sulla guancia. Profumava di sapone, di pulito, di limone e di tutte queste cose insieme. Ero consapevole che da parte mia stavo emanando ondate calde di sudore, alcol e vergogna. «È stata una serata divertente. Ehi, tira forte la porta quando te ne vai, okay? A volte non si chiude bene. Ti chiamo dopo.»

Si fermò a salutare sulla soglia, dopodiché si voltò e se ne andò, tastandosi le tasche come per accertarsi di non aver dimenticato nulla.

«Aspetta! Dove mi trovo?» gli gridai un attimo dopo, ma lui se n'era già andato.

Mi trovavo a SoHo, scoprii poi. A un gigantesco e rabbioso ingorgo stradale di distanza da dove avrei dovuto essere. Presi la metropolitana da Spring Street alla 59th Street cercando di non sudare nella camicetta sgualcita del giorno prima e ringraziando il cielo per aver avuto quel briciolo di pietà da non farmi indossare gli abiti con i lustrini che di solito sfoggiavo la sera.

Non avevo mai afferrato fino in fondo il significato dell'aggettivo "lercio" fino a quella mattina. Non ricordavo quasi nulla della sera precedente. E quel poco che ricordavo mi tornava alla mente sotto forma di flashback sgradevoli e scottanti.

Io seduta per terra in mezzo a Times Square.

Io che leccavo il collo di Josh. (Sì, gli avevo davvero leccato il collo.)

Cos'era quell'allusione al ballo?

Se non fossi stata costretta ad aggrapparmi disperatamente ai sostegni della metropolitana, mi sarei presa la testa fra le mani. Invece chiusi gli occhi, mi lasciai strattonare da una stazione all'altra e mi scansai per evitare gli zaini dei turisti e i pendolari nervosi, isolati dal resto del mondo con le cuffie nelle orecchie, e cercai con tutte le mie forze di non vomitare.

"Pensa solo ad arrivare alla fine di questa giornata" mi dissi. Se c'era una cosa che mi aveva insegnato la vita, era che le risposte sarebbero arrivate abbastanza presto.

Stavo giusto aprendo la porta della mia stanza quando mi apparve davanti Mr Gopnik. Indossava ancora la tuta da ginnastica – cosa insolita per lui, dopo le sette – e quando mi vide alzò una mano, come se mi stesse cercando da un po'. «Ah. Louisa.»

«Mi dispiace, io...»

«Vorrei parlarle nel mio studio. Subito.»

Certo che vuole parlarmi, pensai. Certo. Si voltò e percorse il corridoio a ritroso. Rivolsi uno sguardo angosciato alla mia stanza, che conteneva i miei vestiti puliti, il deodorante e il dentifricio. Sentivo l'impellente bisogno di un secondo caffè. Ma Mr Gopnik non era il tipo di uomo che si poteva far aspettare.

Diedi un'occhiata al mio cellulare, poi mi affrettai a seguirlo.

Quando entrai nel suo studio, lo trovai seduto alla scrivania ad aspettarmi. «Mi dispiace tanto per i dieci minuti di ritardo. Di solito sono puntuale. Dovevo soltanto...»

Mr Gopnik aveva un'espressione impenetrabile. Agnes era seduta sulla poltroncina imbottita accanto al tavolino, anche lei in abbigliamento sportivo. Nessuno dei due mi invitò ad accomodarmi. D'un tratto captai qualcosa nell'atmosfera che mi fece sentire terribilmente sobria.

«È... è tutto a posto?»

«Spero che possa dirmelo lei. Questa mattina ho ricevuto una telefonata dal mio account manager.»

«Il suo cosa?»

«La persona che gestisce le mie operazioni bancarie. Mi chiedevo se lei potesse spiegarmi questo.»

Spinse un foglio verso di me. Era un estratto conto con il saldo oscurato. Avevo la vista un po' appannata, ma una cosa era ben visibile: una serie di cifre – cinquecento dollari al giorno – sotto la voce "prelievi di contanti".

Fu allora che notai l'espressione di Agnes. Si fissava ostinatamente le mani, la bocca tesa in una linea sottile. Il suo sguardo guizzò verso di me e si allontanò subito. Io restai immobile mentre un rivolo di sudore mi colava lungo la schiena.

«Il mio collaboratore mi ha fatto notare una cosa molto interessante. Pare che nell'imminenza del Natale sia stata prelevata una notevole somma di denaro dal nostro conto corrente cointestato. I prelievi sono stati effettuati quotidianamente da uno sportello bancomat nelle vicinanze per un ammontare modesto, forse con l'intento di non destare sospetti. Se n'è accorto perché esistono dei software anti-frode pensati per individuare anomalie nelle modalità d'uso delle nostre carte, e questi prelievi sistematici sono stati segnalati come inconsueti. Ovviamente la cosa era un po' preoccupante, così ho chiesto spiegazioni ad Agnes, la quale mi ha assicurato di non avere niente a che fare con questo fatto increscioso. Quindi ho pregato Ashok di fornirmi i filmati delle telecamere a circuito chiuso per i giorni incriminati, poi i responsabili della sicurezza hanno incrociato i dati con gli orari dei prelievi ed è emerso, Louisa» e a questo punto Mr Gopnik mi guardò dritto negli occhi «che l'unica persona che sia entrata e uscita dal Lavery a quell'ora è stata lei.»

Spalancai gli occhi.

«Ora, potrei anche rivolgermi alle banche interessate e chiedere le registrazioni relative agli orari dei prelevamenti, ma preferirei non sollevare un caso. Perciò volevo sapere se lei può spiegarmi che cosa sta succedendo. E perché sono stati sottratti quasi diecimila dollari dal nostro conto corrente.»

Guardai Agnes, ma lei continuava a sfuggire il mio sguardo.

La mia bocca era ancora più secca di quanto non fosse stata al mio risveglio.

«Dovevo fare dello... shopping natalizio. Per Agnes.»

«Ha una carta apposita per questo scopo. Che mostra chiaramente in quali negozi è stata e le permette di fornire le ricevute di tutti gli acquisti. Cosa che, mi riferisce Michael, lei finora ha fatto. Ma i pagamenti in contanti... sono molto meno trasparenti. Ha gli scontrini di questi acquisti?»

«No.»

«E può dirmi che cosa ha acquistato?»

«Io... no.»

«Allora dov'è finito quel denaro, Louisa?»

Non riuscivo a parlare. Deglutii. E poi dissi: «Non lo so».

«Non lo sa?»

«Io... non ho rubato nulla.» Mi sentii avvampare.

«Allora Agnes sta mentendo?»

«No.»

«Louisa, Agnes sa che sarei pronto a esaudire tutti i suoi desideri. Per essere sincero, potrebbe spendere dieci volte tanto in un solo giorno e io non batterei ciglio. Quindi non avrebbe alcuna ragione di prelevare di nascosto dal bancomat più vicino. Perciò torno a chiederle: che cosa ha fatto di quel denaro?»

Ero in preda al panico e mi sentivo il viso in fiamme. Agnes alzò lo sguardo su di me. Il suo volto era una supplica silenziosa.

«Louisa?»

«Forse... potrei averlo preso io.»

«*Potrebbe* averlo preso lei?»

«Per fare acquisti. Non per me, però. Può controllare in camera mia. Può controllare il mio conto corrente.»

«Ha speso diecimila dollari in acquisti. Acquisti di cosa?»

«Be', solo... cianfrusaglie.»

Mr Gopnik abbassò la testa per un attimo, come per cercare di controllare la sua irritazione.

«Cianfrusaglie» ripeté lentamente. «Louisa, lei è consapevole che lavorare in questa casa è una questione di fiducia.»

«Certo, Mr Gopnik. E prendo il mio compito molto seriamente.»

«Lei ha accesso ai meccanismi più riservati della gestione domestica. Le sono state affidate chiavi e carte di credito, ed è a conoscenza delle nostre abitudini quotidiane. Ed è ben retribuita per questo, perché sappiamo che si tratta di una posizione di responsabilità, e confidiamo che lei non tradisca la nostra fiducia.»

«Mr Gopnik, io amo questo lavoro. Non farei mai...» Lanciai un'occhiata disperata ad Agnes, ma lei continuava a tenere gli occhi bassi. Notai che si stringeva una mano con l'altra conficcando le unghie alla base del pollice.

«Davvero non mi sa dire che fine hanno fatto quei soldi?»

«Io... non li ho rubati.»

Mr Gopnik mi guardò per un lungo istante, come se aspettasse qualcosa, e poiché non gli arrivò nulla, la sua espressione si indurì. «Sono profondamente deluso, Louisa. So che Agnes le è molto affezionata e sostiene che lei le è stata di grande aiuto, ma non posso tenere in casa mia una persona di cui non mi fido.»

«Leonard...» iniziò Agnes, ma lui la interruppe alzando una mano.

«No, tesoro. Ci sono già passato una volta. Mi dispiace, Louisa, ma il nostro rapporto di lavoro termina qui con effetto immediato.»

«Che... che cosa?»

«Ha un'ora di tempo per liberare la sua stanza. Lascerà un recapito a Michael, che la contatterà per quanto le spetta. Colgo l'occasione per ricordarle la clausola di riservatezza del suo contratto. I dettagli di questa conversazione resteranno fra noi. Spero che lei concordi sul fatto che questa decisione va a beneficio suo, oltre che nostro.»

Agnes era sbiancata. «No, Leonard. Non puoi farlo.»

«Non intendo discuterne oltre. Devo andare in ufficio. Louisa, la sua ora decorre da questo momento.»

Si alzò in piedi e restò in attesa che io lasciassi la stanza.

Uscii dallo studio con la testa che girava. Michael mi aspettava fuori, e mi ci vollero alcuni secondi per capire che non era là per accertarsi che stessi bene, ma per scortarmi nella mia stanza. E che, d'ora in poi, non avrei più goduto della fiducia di nessuno in quella casa.

Percorsi il corridoio in silenzio, vagamente consapevole della faccia esterrefatta di Ilaria, ferma sulla soglia della cucina, e dell'accesa discussione che si stava svolgendo dall'altra parte dell'appartamento. Non vidi Nathan. Sotto lo sguardo attento di Michael, tirai fuori la valigia da sotto il letto e iniziai a raccogliere freneticamente le mie cose e a ficcarle dentro alla rinfusa, con la sensazione di lottare contro un orologio capriccioso. La mia mente ronzava di domande. Lo shock e l'oltraggio erano mitigati dall'ansia di non dimenticare nulla. Avevo lasciato dei vestiti in lavanderia? Dov'erano le mie scarpe da ginnastica? E poi, venti minuti dopo, avevo finito. Tutti i miei effetti personali erano stipati in una valigia, una sacca e una grande borsa scozzese.

«Bene, questa la prendo io» disse Michael afferrando il trolley quando mi vide lottare per far passare i tre bagagli dalla porta. Capii immediatamente che era un gesto di pura efficienza più che un atto di gentilezza.

«iPad?» disse. «Cellulare di servizio? Carta di credito?» Glieli consegnai insieme alle chiavi, e lui mise tutto in tasca.

Attraversai il corridoio, incredula per quello che stava succedendo. Ilaria era ancora in piedi sulla soglia della cucina con il grembiule legato in vita e le mani grassocce strette dinanzi a sé. Quando le passai davanti, la guardai con la coda dell'occhio, aspettandomi che mi insultasse in spagnolo o che mi rivolgesse il tipo di sguardo inceneritore che le donne della sua età riservano ai presunti ladri. Invece fece un passo avanti e mi toccò la mano senza dire una parola. Michael distolse lo sguardo, come se non avesse visto nulla. E poi mi ritrovai sulla porta di casa.

Lui mi passò il trolley.

«Addio, Louisa» disse con un'espressione imperscrutabile. «Buona fortuna.»

Uscii. E l'enorme porta di mogano si chiuse inesorabilmente alle mie spalle.

Rimasi nel diner per due ore, completamente sconvolta. Non riuscivo a piangere. Non riuscivo a provare rabbia. Mi sentivo annichilita. Dapprima pensai che Agnes avrebbe sistemato le cose. Avrebbe trovato il modo di convincere suo marito che si sbagliava. Dopotutto eravamo amiche, no? Così aspettai che Michael mi raggiungesse, leggermente imbarazzato, pronto a riportare i miei bagagli al Lavery. Guardai il cellulare sperando di leggervi un messaggio che dicesse: *Louisa, c'è stato un terribile malinteso.* Ma quel messaggio non arrivò.

Quando mi resi conto che probabilmente non sarebbe mai arrivato, pensai di rientrare in Inghilterra, ma farlo avrebbe causato uno sconvolgimento nella vita di Treena: l'ultima cosa di cui avevano bisogno lei e Thom era che io ripiombassi a casa e li facessi sloggiare dall'appartamento. Né potevo tornare dai miei. Non solo per la prospettiva deprimente di ristabilirmi a Stortfold, ma anche perché sarei morta se fossi stata costretta a tirare i remi in barca per la seconda volta con un fallimento alle spalle: la prima, per essere caduta dal terrazzo del mio appartamento ubriaca, la seconda, per essere stata licenziata in tronco e aver perso un lavoro che amavo.

Senza contare che, naturalmente, non avrei più potuto andare a stare da Sam.

Indugiai a lungo con la tazza del caffè tra le dita ancora tremanti e mi resi conto che effettivamente mi ero tagliata fuori dalla mia stessa vita. Presi in considerazione l'idea di chiamare Josh, ma non mi sembrava corretto chiedergli se poteva ospitarmi, dato che non ero nemmeno sicura che quello della sera prima fosse stato un vero primo appuntamento.

E quand'anche avessi trovato un alloggio, che cosa avrei fatto? Ero disoccupata. Non sapevo se Mr Gopnik avesse facoltà di revocare il mio permesso di lavoro. Forse era valido solo finché lavoravo per lui?

Ma la cosa peggiore era che ero ossessionata dal modo in cui mi aveva guardato, dall'espressione di profonda delusione e di leggero disprezzo che mi aveva rivolto quando non ero riuscita a fornirgli una spiegazione convincente. La sua tacita approvazione era stata una delle tante piccole soddisfazioni della mia vita a New York: il fatto che un uomo di tale statura pensasse che stessi svolgendo un buon lavoro aveva accresciuto la fiducia in me stessa, facendomi sentire capace e professionale come non mi era più capitato da quando mi occupavo di Will. Avrei tanto voluto chiarirmi con lui, riconquistarmi la sua benevolenza, ma come potevo farlo? Rivedevo il viso di Agnes, i suoi occhi sbarrati, imploranti. Mi avrebbe chiamata, vero? Perché non l'aveva ancora fatto?

«Vuoi un'aggiunta, cara?» mi chiese una cameriera di mezza età dai capelli color mandarino che teneva in mano la caraffa del caffè. Lanciò un'occhiata ai miei bagagli, come se avesse già visto quella scena un milione di volte. «Sei appena arrivata in città?»

«Non esattamente.» Cercai di sorridere, ma mi uscì una specie di smorfia.

Mi versò il caffè e chinandosi mi sussurrò: «Mia cugina gestisce un ostello a Bensonhurst, se non hai un posto dove andare. Ci sono dei biglietti da visita vicino alla cassa. Non è granché, ma è economico e pulito. Ti conviene non aspettare troppo a chiamare, capisci cosa intendo? I posti vanno via in fretta». Mi appoggiò fugacemente una mano sulla spalla e passò a occuparsi del cliente successivo.

Quel piccolo atto di gentilezza mi fece quasi crollare. Per la prima volta mi sentii sopraffatta, schiacciata dalla consapevolezza di essere sola in una città che non era più accogliente per me. Non sapevo cosa fare, ora che dai ponti che mi legavano a due continenti diversi sembravano levarsi solo densi sbuffi di fumo nero. Cercai di immaginarmi mentre spiegavo quello che era accaduto ai miei genitori, ma ancora una volta mi ritrovai a scontrarmi con l'insormontabile muro del segreto di Agnes. Potevo parlarne anche soltanto con una persona senza che la verità venisse lentamente alla luce? I miei genitori si sarebbero sentiti talmente indignati mettendosi nei miei panni che non mi sarei meravigliata se mio padre avesse telefonato a Mr Gopnik giusto per chiarirgli le idee su sua moglie e le sue bugie. E se Agnes avesse negato tutto? Ripensai alle parole di Nathan: in fin dei conti, noi eravamo semplici dipendenti, non amici di queste persone. E se lei avesse mentito sostenendo che quei soldi li avevo rubati? Questo non avrebbe peggiorato le cose?

Forse per la prima volta da quando ero arrivata a New York, avrei voluto non essere mai partita. Indossavo ancora i vestiti della sera prima, stropicciati e maleodoranti, e questo mi faceva stare ancora peggio. Tirai su con il naso e me lo pulii con un tovagliolino di carta fissando la tazza di caffè. Intanto a Manhattan la vita continuava a scorrere, indifferente, frenetica, ignorando i detriti che si accumulavano nella grondaia. "Che cosa devo fare, Will?" pensai, sentendo un enorme groppo chiudermi la gola.

E come una risposta arrivata al momento giusto, il mio cellulare segnalò un messaggio.

Che cosa cavolo sta succedendo? Chiamami, Clark.

Era di Nathan. E, mio malgrado, sorrisi.

Nathan disse che era assolutamente da escludere che io andassi in uno schifoso ostello in casa del diavolo con il pericolo di imbattermi in stupratori, spacciatori e Dio sa cos'altro. Avrei dovuto pazientare fino alle sette e mezzo, quando quei dannati Gopnik sarebbero usciti per la loro dannata cena, e farmi trovare all'entrata di servizio, dopodiché insieme avremmo pensato a cosa cavolo fare. I primi tre messaggi erano infarciti di una buona dose di imprecazioni.

Quando lo raggiunsi, la sua rabbia non era sbollita, cosa alquanto insolita per lui.

«Proprio non capisco. È come se ti avessero scaricato. Come se avessero adottato un subdolo codice omertoso. Michael non ha voluto dirmi nient'altro se non che si trattava di una "questione di disonestà". Io gli ho detto che non ho mai conosciuto una persona più onesta di te in tutta la mia vita, cazzo, e che devono farsi vedere da uno bravo. Che cosa è successo?»

Mi aveva condotto nella sua stanza all'estremità del ballatoio di servizio e aveva chiuso la porta alle nostre spalle. Era tale il mio sollievo nel vederlo che avrei voluto abbracciarlo. Non lo feci, però. Pensai che forse avevo abbracciato abbastanza uomini nelle ultime ventiquattro ore.

«Dio santo, che gente! Ti va una birra?»

«Volentieri.»

Aprì due lattine e me ne passò una, poi si sedette sulla sua poltrona. Io mi appollaiai sul letto e bevvi un sorso.

«Be'... allora?»

Feci una smorfia. «Non posso dirti nulla, Nathan.»

Inarcò le sopracciglia più o meno fino al soffitto. «Anche tu? Oh, accidenti. Non dirmi che...»

«Certo che no. Non ruberei nemmeno una bustina di tè ai Gopnik. Ma se ti dicessi quello che è successo veramente, sarebbe... sarebbe un disastro. Per altre persone che vivono in questa casa... È complicato.»

Lui si accigliò. «Che cosa? Mi stai dicendo che ti sei presa la colpa per qualcosa che non hai fatto?»

«In un certo senso.»

Nathan appoggiò i gomiti sulle ginocchia e scosse la testa. «Non è giusto.»

«Lo so.»

«Qualcuno deve parlare. Sai che lui stava per chiamare la polizia?»

Rimasi a bocca aperta.

«Sì. Lei l'ha convinto a non farlo, ma Michael ha detto che ne sarebbe stato capace, visto che era fuori di sé. Qualcosa che ha a che fare con il bancomat?»

«Io non c'entro niente, Nathan.»

«Lo so, Clark. Come criminale faresti schifo. La peggior bugiarda che io abbia mai visto.» Bevve un sorso di birra. «Dannazione. Sai, io amo il mio lavoro. Mi piace lavorare per queste famiglie altolocate. E mi piace il vecchio Gopnik. Ma ogni tanto è come se volessero ricordartelo, capisci? Che in fondo sei sacrificabile. Non importa se ti ripetono che sei un amico, quanto sei bravo, o quanto dipendano da te, *blablabla*; nel momento in cui non gli servi più o hai fatto qualcosa che non gli va, *bang*. Sei fuori. La correttezza va a farsi benedire.»

Era il pensiero più lungo che gli avessi sentito esprimere da quando ero arrivata a New York.

«Detesto tutto questo, Lou. Anche da quel poco che so, è chiaro che ti hanno fregato. E la cosa mi fa schifo.»

«È complicato.»

«Complicato?» Mi guardò dritto negli occhi, scosse di nuovo la testa e bevve una lunga sorsata di birra. «Amica mia, sei una persona migliore di me.»

Stavamo per andare a prendere un takeaway al ristorante cinese, ma mentre Nathan si infilava la giacca per uscire, udimmo bussare alla porta. Ci scambiammo un'occhiata inorridita e lui mi fece cenno di nascondermi in bagno. Io entrai chiudendomi piano la porta alle spalle. Ero appiattita contro il portasciugamani quando mi arrivò una voce familiare.

«Clark, tutto a posto. È Ilaria» disse Nathan un attimo dopo.

Ilaria indossava il grembiule e teneva in mano una casseruola con il coperchio. «Per te. Vi ho sentito parlare.» Me la porse direttamente. «Ti ho preparato una cosa. Hai bisogno di mangiare. È il pollo come piace a te, con la salsa piccante.»

«Sei una grande!» disse Nathan dandole una manata sulla schiena. Lei vacillò in avanti, poi riprese l'equilibrio e posò la casseruola sul tavolo.

«L'hai fatto apposta per me?»

Alzai lo sguardo. Ilaria stava incalzando Nathan premendogli una mano sul petto. «So che non ha fatto quello che dicono loro. Lo so bene. So un mucchio di cose che succedono qui dentro.» Si picchiettò il naso con l'indice. «Oh, sì.»

Sollevai leggermente il coperchio della casseruola. Ne uscì un profumo delizioso. All'improvviso mi resi conto che non avevo quasi toccato cibo per tutto il giorno. «Grazie, Ilaria. Non so che cosa dire.»

«Dove andrai adesso?»

«Non ne ho idea.»

«Be', di sicuro non in quel lurido ostello di Bensonhurst» disse Nathan. «Puoi rimanere qui per un paio di notti in attesa di trovare una sistemazione. Chiuderemo la porta a chiave. Tu non dirai nulla, vero, Ilaria?»

Lei lo guardò con aria quasi risentita, come se fosse assurdo fare una domanda del genere.

«Ha insultato la tua amica per tutto il pomeriggio, come neanche ti immagini» disse Nathan. «Dice che ti ha tradito. Per cena ha preparato un piatto a base di pesce che odiano entrambi. Ti garantisco che oggi ho imparato un bel po' di parolacce nuove.»

Ilaria borbottò qualcosa a denti stretti. Riuscii soltanto a cogliere la parola *puta*.

La poltrona era troppo piccola per Nathan e lui era troppo all'antica per permettere che fossi io a dormirci, così ci accordammo per dividerci il letto matrimoniale con una barriera di cuscini in mezzo per proteggerci da eventuali contatti accidentali durante la notte. Non so chi dei due fosse più a disagio. Nathan fece sfoggio di grande correttezza nel farmi andare in bagno per prima, assicurandosi che avessi chiuso bene la porta, e attese che fossi sotto le coperte prima di emergere dalle sue abluzioni. Indossava una T-shirt e i pantaloni di un pigiama di co-

tone a righe, e quando mi apparve in quella *mise* non sapevo
bene dove guardare.
«È un po' strano, eh?» disse infilandosi a letto.
«Ehm, sì.» Non so se fosse per via dello shock, della stanchezza o semplicemente della piega surreale che avevano preso gli
eventi, ma cominciai a ridacchiare, una ridarella nervosa che
presto si trasformò in pianto. E, quasi senza accorgermene, mi
ritrovai a singhiozzare, raggomitolata su me stessa in un letto
che non era il mio, con la testa fra le mani.
«Su, su, piccola.» Era evidente che Nathan si sentiva imbarazzato ad abbracciarmi mentre eravamo a letto insieme. Continuò a darmi dei colpetti sulla spalla, proteso verso di me. «Andrà tutto bene.»
«Com'è possibile? Sono senza lavoro, senza un tetto e ho perso l'uomo che amavo. Non avrò neppure delle referenze perché
Mr Gopnik mi ritiene una ladra, e non so più a quale paese ap-
partengo.» Mi pulii il naso sulla manica. «Ho di nuovo incasi-
nato tutto e non capisco perché mi do ancora la pena di cercare di essere qualcosa in più rispetto a quella che ero, visto che
ogni volta che ci provo finisce in un disastro.»
«Sei solo stanca. Si aggiusterà tutto, vedrai.»
«Come con Will?»
«Oh... Quella era una cosa completamente diversa. Andiamo...» A quel punto Nathan mi attirò dolcemente sulla sua spalla. Piansi fino a non avere più lacrime e poi, proprio come aveva detto lui, stremata dagli avvenimenti della giornata – e della
notte precedente – sprofondai nel sonno.

Quando mi svegliai otto ore dopo, mi ritrovai sola nella stanza di Nathan. Mi ci vollero un paio di minuti per capire dov'e-
ro, ma poi gli eventi del giorno prima mi tornarono alla mente
di colpo. Indugiai ancora un po' sotto il piumino, rannicchiata
in posizione fetale, domandandomi pigramente se avrei potuto restare così per un anno o due finché la mia vita non si fosse riassestata da sola.
Controllai il telefono: due chiamate perse e una serie di messaggi di Josh che sembravano essere arrivati in blocco la sera
prima sul tardi.

Ehi, Louisa, spero che tu stia bene. Oggi al lavoro continuavo a pensare al tuo balletto e scoppiavo a ridere da solo! Che serata! J.

Tutto bene? Volevo solo essere sicuro che fossi riuscita a tornare a casa e non avessi schiacciato un altro pisolino in Times Square ;-) J.

Okay. Sono le dieci e mezzo passate. Immagino che tu sia già andata a letto per smaltire la sbornia. Spero di non averti offeso. Stavo solo scherzando. Chiamami. Baci.

Quella serata, con l'incontro di boxe e le luci scintillanti di Times Square, mi sembrava appartenere a una vita precedente. Scesi dal letto, mi feci una doccia, mi vestii e sistemai le mie cose in un angolo del bagno. Limitavano lo spazio, certo, ma pensai che fosse più sicuro, nell'eventualità che un membro della famiglia Gopnik capitasse da quelle parti e facesse capolino nella stanza di Nathan.

Gli mandai un messaggio chiedendogli quando pensava che fosse prudente uscire, e lui mi rispose con un sintetico: *ORA. Sono entrambi nello studio.* Così sgattaiolai fuori dall'appartamento, scesi le scale di servizio e sfrecciai davanti ad Ashok con gli occhi bassi. Stava parlando con un fattorino. Vidi la sua testa girarsi di scatto e udii il suo «Ehi! Louisa!», ma io mi ero già allontanata.

Manhattan era gelida e grigia, uno di quei giorni tetri in cui le particelle di ghiaccio sembrano sospese nell'aria, il freddo ti penetra nelle ossa e si vedono soltanto gli occhi e di tanto in tanto qualche naso. Camminavo a testa bassa con il berretto calato sulle orecchie, senza sapere nemmeno dove stavo andando. Alla fine decisi di tornare nel solito diner, dicendomi che tutto appare migliore dopo colazione. Mi sedetti a un tavolo da sola osservando i pendolari che si muovevano con una meta precisa e mi costrinsi a ingoiare un muffin perché era la cosa meno cara e più sostanziosa del menu, cercando di ignorare il fatto che era spugnoso e insapore. Alle dieci meno venti arrivò un messaggio. Michael. Il cuore mi balzò in gola.

Ciao Louisa. Mr Gopnik ti liquiderà a fine mese la somma che ti spetta per il mancato preavviso. Da quel momento in poi la tua copertura assicurativa sanitaria verrà a cessare. Il tuo permesso di soggiorno, invece, resta valido. Sono sicuro che ti renderai conto che questo va ben oltre ciò che era tenuto a fare, data la tua violazione del contratto, ma Agnes è intervenuta in tuo favore. Cordiali saluti, Michael

«Che gentile» borbottai. *Grazie per la comunicazione*, digitai in risposta. Lui non andò oltre.

E poi il cellulare suonò di nuovo.

Okay, Louisa. A questo punto temo davvero di aver fatto qualcosa che ti ha urtato. O forse ti sei persa tornando in Central Park? Per favore, chiamami. J.

Mi incontrai con Josh nei pressi del suo ufficio, uno di quei grattacieli di Midtown così alti che se sei sul marciapiede e guardi in su hai l'impressione di perdere l'equilibrio e di cadere all'indietro. Mi venne incontro a passo deciso con una morbida sciarpa grigia intorno al collo, e quando balzai giù dal muretto sul quale mi ero seduta si affrettò a raggiungermi e mi strinse in un abbraccio.

«Non posso crederci. Ah, accidenti, ma tu stai gelando. Andiamo a prendere qualcosa di caldo.»

Ci rifugiammo in un fumoso e caotico taco bar a due isolati di distanza dove si riversava un flusso costante di impiegati e i camerieri urlavano gli ordini. Gli raccontai quello che mi era capitato solo per sommi capi, come avevo fatto con Nathan. «Non posso proprio dirti di più, ma ti assicuro che non ho rubato niente. Non lo farei mai. Non ho mai rubato nulla. Be', a parte una volta quando avevo otto anni. Mia madre tira fuori quell'episodio di tanto in tanto quando vuole ricordarmi che ho rischiato di diventare una criminale.» Abbozzai un sorriso.

Josh si rabbuiò. «Quindi questo significa che dovrai lasciare New York?»

«Non so ancora esattamente che cosa farò, ma non posso certo aspettarmi che i Gopnik mi forniscano delle referenze, e non so davvero come mantenermi qui. Voglio dire, non ho un lavoro e gli alberghi di Manhattan sono un tantino fuori dalla mia portata...» Avevo cercato online gli affitti in zona e leggendo i prezzi avevo quasi sputato il mio caffè. La stanzetta per cui avevo nutrito sentimenti così contrastanti quando mi ero trasferita dai Gopnik si rivelò essere abbordabile soltanto se si disponeva di uno stipendio da dirigente. Non c'era da stupirsi se quello scarafaggio non aveva voluto sloggiare.

«Ti sarebbe d'aiuto se ti ospitassi a casa mia?»

Alzai lo sguardo dai miei tacos.

«Solo temporaneamente. Non deve essere una convivenza tra fidanzati. Ho un divano-letto in salotto. Ma è probabile che tu non te lo ricordi.» Mi rivolse un debole sorriso. Avevo dimenticato con quanta sincera disponibilità gli americani fossero disposti ad aprirti le porte di casa loro. Contrariamente agli inglesi, che buttano lì un invito salvo poi eclissarsi in men che non si dica se accetti prendendoli in parola.

«È davvero gentile da parte tua, Josh, ma non farebbe che complicare le cose. Forse dovrei tornare a casa, almeno per ora. Finché non salta fuori un'altra opportunità di lavoro.»

Josh fissò il suo piatto. «Pessimo tempismo, eh?»

«Già.»

«E io che non vedevo l'ora di godermi qualche altro balletto.»

Feci una smorfia. «Oddio. Ancora con questa storia. A proposito... volevo chiederti, che cosa è successo veramente l'altra notte?»

«Davvero non ti ricordi?»

«Ho solo qualche flash di Times Square. Rammento vagamente di essere salita su un taxi.»

Josh inarcò le sopracciglia. «Uh-uh! Oh, Louisa Clark. Sarei tentato di farti penare un po', ma non è successo niente. *Di quel tipo*, intendo. A parte che leccarmi il collo sembra essere la tua specialità.»

«Ma non avevo i vestiti addosso quando mi sono svegliata.»

«Perché hai insistito per toglierteli durante la tua performance. Una volta arrivati a casa mia, hai dichiarato di voler esprimere quello che era successo negli ultimi giorni attraverso la danza a corpo libero, dopodiché hai cominciato a spogliarti, un pezzo dopo l'altro, dall'ingresso al soggiorno, mentre io ti seguivo raccogliendoli man mano.»

«Mi sono spogliata?»

«E anche in modo molto intrigante. Con... sventolii ammiccanti.»

Ebbi un'improvvisa visione di me che mi contorcevo sinuosamente, una gamba che spuntava maliziosa da dietro una tenda, la sensazione del vetro freddo della finestra sul fondoschiena. Non sapevo se ridere o piangere. Con le guance in fiamme, mi coprii il viso con le mani.

«Devo dire che come ubriaca sei molto spiritosa.»

«E... quando siamo arrivati in camera da letto?»

«Oh, a quel punto eri già rimasta in biancheria intima. E poi ti sei messa a cantare una canzoncina strampalata, mi pare che c'entrasse un certo Molahonkey o qualcosa del genere. E alla fine ti sei addormentata di colpo, rannicchiata sul pavimento. Così ti ho infilato una T-shirt e ti ho messo a letto. E io ho dormito sul divano.»

«Mi dispiace tanto. E grazie.»

«È stato un piacere.» Sorrise, e i suoi occhi brillarono. «Di solito ai miei appuntamenti non mi diverto neppure la metà.»

Abbassai lo sguardo. «Sai, in questi ultimi giorni mi sento costantemente sul punto di piangere o ridere, e in questo momento mi verrebbe quasi voglia di fare entrambe le cose.»

«Ti fermi da Nathan stasera?»

«Credo di sì.»

«Okay. Bene, ma non prendere decisioni affrettate. Lasciami fare qualche telefonata prima di prenotare il biglietto. Vedo se c'è una posizione aperta da qualche parte.»

«Pensi davvero che potrebbe esserci?» Era sempre così sicuro di sé. Era una delle cose che più mi ricordavano Will.

«Qualcosa c'è sempre. Ti chiamo dopo.»

E a quel punto mi diede un bacio. Lo fece con tanta disinvoltura che quasi non mi accorsi di cosa stava succedendo. Si protese in avanti e mi baciò sulle labbra come se l'avesse fatto milioni di volte prima, come se fosse la conclusione naturale di tutti i nostri appuntamenti a pranzo. Poi, senza neanche darmi il tempo di rimanere di stucco, lasciò andare le mie dita e si riavvolse la sciarpa intorno al collo. «Okay. Ora devo andare. Ho due riunioni importanti nel pomeriggio. Su con la vita, mi raccomando.» Mi rivolse il suo sorriso perfetto e fulminante e tornò in ufficio, lasciandomi sull'alto sgabello di plastica con la bocca semiaperta.

Non dissi a Nathan cos'era successo. Gli mandai un messaggio chiedendogli se potevo rientrare a casa, e lui mi rispose che i Gopnik sarebbero usciti alle sette, perciò avrei fatto meglio ad aspettare fino alle sette e un quarto. Camminai al freddo e feci un'altra tappa al diner, e quando finalmente tornai al

Lavery scoprii che Ilaria mi aveva lasciato un po' di minestra in un thermos e due di quelle focaccine morbide che gli americani chiamano biscotti. Nathan aveva un appuntamento con una ragazza quella sera e quando mi svegliai la mattina dopo era già andato al lavoro. Mi aveva scritto un biglietto dicendomi che sperava che stessi bene e che potevo restare. L'unico problema era che, a quanto pareva, russavo un pochino.

Avevo passato mesi a desiderare di avere più tempo libero. Ora che ce l'avevo, scoprii che la città non era un luogo accogliente se non avevi denaro da buttare. Lasciai il Lavery quando mi parve prudente e camminai per le strade finché mi si gelarono le dita dei piedi, poi presi una tazza di tè da Starbucks facendomelo durare per un paio d'ore e sfruttando il wi-fi gratuito per spulciare gli annunci di lavoro. Non c'erano molte possibilità per una persona priva di referenze, a meno che non avessi esperienza nel campo della ristorazione.

Ora che la mia vita non comportava più trascorrere pochi minuti all'aria aperta fra un atrio riscaldato e una calda limousine, cominciai a vestirmi a strati. Indossavo un maglione blu da pescatore, una salopette e un paio di stivali pesanti con i collant e i calzini sotto. Niente di elegante, ma quella ormai non era più la mia priorità.

Pranzai in una catena di fast food dove gli hamburger costavano poco e nessuno avrebbe notato una cliente solitaria che centellinava una focaccina per avere il pretesto di restare per un altro paio d'ore. I grandi magazzini erano un deprimente tabù, dal momento che non potevo più spendere soldi, ma c'erano dei bagni decenti e il wi-fi gratuito. Andai per due volte al negozio di vestiti vintage, dove le ragazze, pur mostrandosi dispiaciute per me, si scambiarono gli sguardi leggermente tesi di chi teme che gli venga chiesto un favore. «Se sentite di qualche opportunità di lavoro, soprattutto nel vostro settore, potreste farmi sapere?» dissi quando ormai avevo esaurito gli scaffali in cui curiosare.

«Tesoro, riusciamo a stento a pagare l'affitto, altrimenti ti prenderemmo con noi al volo.» Lydia soffiò un anello di fumo verso il soffitto come a esprimere solidarietà, e lanciò un'occhiata a sua sorella, che lo cacciò via sventolando una mano.

«Così fai puzzare tutti i vestiti. Comunque domanderemo in

giro» mi assicurò Angelica. Dal tono in cui lo disse, capii che non ero la prima persona ad aver fatto quella richiesta.

Mi trascinai fuori dal negozio con il morale sotto i tacchi. Non sapevo cosa fare della mia vita. Non c'era un posto tranquillo dove sostare per un po', dove studiare la prossima mossa da compiere. A New York se non avevi soldi eri considerato un profugo, un ospite indesiderato ovunque ti trattenessi troppo a lungo. Forse, pensai, era ora di ammettere la sconfitta e di comprare il biglietto di ritorno.

E poi mi venne un'idea.

Presi la metropolitana fino a Washington Heights e scesi a qualche minuto a piedi dalla biblioteca. Finalmente, dopo giorni, ebbi l'impressione di trovarmi in un luogo familiare, pronto ad accogliermi. Questo sarebbe stato il mio rifugio, il trampolino di lancio per un nuovo futuro. Salii i gradini di pietra. Al primo piano trovai un computer libero. Mi lasciai cadere sulla sedia, presi un bel respiro e, per la prima volta dopo la débâcle a casa Gopnik, chiusi gli occhi e attesi che i miei pensieri si depositassero.

Sentii parte della tensione accumulata sciogliersi e scivolare via dalle mie spalle, e con le conversazioni sussurrate della gente in sottofondo mi lasciai fluttuare in un mondo lontano dal caos e dall'affanno che imperversavano fuori. Non so se fosse semplicemente la gioia di trovarmi circondata dai libri e dal silenzio, ma qui mi sentivo uguale agli altri, quasi invisibile, un cervello, una tastiera, una delle tante persone che cercavano informazioni.

E, per la prima volta, mi ritrovai a domandarmi cosa fosse successo. Agnes mi aveva tradito. I mesi di lavoro presso i Gopnik d'un tratto assunsero i contorni di un delirio febbrile, un tempo fuori dal tempo, uno strano ammasso confuso di limousine e interni lussuosi, un mondo sul quale mi era stato aperto un sipario che poi si era richiuso bruscamente.

Questa biblioteca, invece, era reale. Questa biblioteca, mi dissi, era il posto in cui avrei potuto venire ogni giorno in attesa di elaborare una strategia. Qui avrei trovato i gradini per costruire una nuova scala verso l'alto.

"Sapere è potere, Clark."

«Signora?»

Aprii gli occhi e mi trovai davanti un addetto alla sicurezza. Si chinò per guardarmi bene in faccia. «Non può dormire qui dentro.»

«Come dice?»

«Non può dormire qui dentro.»

«Non stavo dormendo» protestai indignata. «Stavo pensando.»

«Allora pensi con gli occhi aperti, d'accordo? Altrimenti sarò costretto a chiederle di andarsene.» Si voltò e si allontanò mormorando qualcosa nel suo walkie-talkie. Mi ci volle qualche istante per capire il reale significato di quelle parole. Due persone sedute al tavolo vicino mi fissarono e poi distolsero subito lo sguardo. Mi sentii avvampare. Notai le occhiate imbarazzate degli altri utenti della biblioteca. Guardai i miei vestiti, la mia salopette di jeans con gli stivali foderati di pile e il berretto di lana. Non proprio un abbigliamento da grande magazzino di lusso, ma neanche da centro di accoglienza.

«Ehi! Non sono una senzatetto!» gridai all'uomo della sicurezza che mi voltava le spalle. «Ho manifestato per difendere questo posto! Signore! NON SONO UNA SENZATETTO!» Due donne interruppero la loro tranquilla conversazione, e una di loro inarcò un sopracciglio.

E poi la realtà mi apparve in tutta la sua cruda chiarezza: lo ero.

22

Cara Ma,

scusa se è un po' che non mi faccio sentire. Stiamo lavorando senza sosta su questo affare con i cinesi e spesso rimango in piedi tutta la notte per giostrarmi tra i diversi fusi orari. Se ti sembro un po' troppo stanco è perché lo sono. Ho ottenuto il bonus, il che è positivo (ne manderò una bella fetta a Georgina, così potrà comprarsi l'auto che desidera), ma nelle ultime settimane mi sono reso conto di non stare più bene qui.

Non che non mi piaccia lo stile di vita, e sai che il duro lavoro non mi ha mai spaventato. È solo che mi mancano troppe cose dell'Inghilterra. Mi manca lo humour. Mi manca il pranzo della domenica. Mi mancano gli accenti inglesi, quelli non fasulli almeno (non sai quanta gente qui parla in modo più affettato di Sua Maestà). Mi piace poter fare una capatina a Parigi, Barcellona o Roma nel weekend. E la condizione dell'espatriato è piuttosto noiosa. In quella vasca dei pesci rossi che è il mondo della finanza, alla fine ti imbatti sempre nelle stesse facce, che tu sia a Nantucket o a Manhattan. So che sei convinta che io sia attratto da un certo tipo di donne, ma qui la situazione è quasi comica: capelli biondi, taglia 36, guardaroba identici, vanno tutte a lezione di Pilates...

Bene, venendo al dunque: ti ricordi Rupe? Il mio vecchio amico della Churchill? Dice che c'è una posizione aperta nella sua azienda. Il suo capo verrà qui fra un paio di settimane e vorrebbe vedermi. Se tutto va bene, potrei tornare in Inghilterra prima di quanto ti aspetti.

Ho amato New York. Ma ogni cosa ha il suo tempo, e io credo di aver avuto il mio.

Con affetto,
Will

Nei giorni successivi risposi ad alcuni annunci di lavoro su Craigslist, ma la gentile signora che cercava una tata mi sbatté il telefono in faccia non appena sentì che non avevo referenze, e i posti da cameriera erano già esauriti. Quello da commessa nel negozio di scarpe era ancora disponibile, ma il titolare mi disse che il compenso orario sarebbe stato di due dollari più basso rispetto a quanto annunciato a causa della mia inesperienza nella vendita al dettaglio, e calcolai che avrei raggranellato una somma appena sufficiente per coprire il costo dei trasferimenti. Trascorrevo le mattine nel diner e i pomeriggi nella biblioteca di Washington Heights, che era silenziosa e calda, e dove nessuno, a parte quell'unico addetto alla sicurezza, mi guardava come se fossi ubriaca e potessi mettermi a cantare o a fare pipì in un angolo da un momento all'altro.

Ogni due o tre giorni pranzavo con Josh nel bar nei pressi del suo ufficio e lo aggiornavo su come procedeva la mia ricerca di un lavoro, sforzandomi di ignorare il fatto che accanto a lui, sempre così impeccabile e intraprendente, mi sentivo sempre di più una sfigata sciatta che saltava dal divano di una casa all'altro. "Si sistemerà tutto, Louisa. Tieni duro" mi ripeteva, e prima di lasciarmi mi dava un bacio, come se, in qualche modo, avessimo già concordato di essere una coppia. Non riuscivo a soffermarmi su cosa significasse questo, insieme a tutto il resto a cui dovevo pensare, così mi limitai a ripetermi che tutto sommato non era una cosa *brutta*, come invece era gran parte della mia vita, e quindi per il momento la questione poteva essere accantonata. Inoltre Josh aveva sempre un buon sapore di menta.

Non potevo restare in camera con Nathan ancora per molto. La mattina precedente mi ero svegliata con il suo braccio vigoroso buttato su di me e qualcosa di duro che premeva contro il mio fondoschiena. La barriera di cuscini, a quanto pareva, aveva ceduto trasformandosi in un mucchio confuso ai nostri piedi. Io mi ero irrigidita e avevo cercato di divincolarmi con cautela dalla sua presa inconsapevole, e lui aveva aperto gli occhi, mi aveva guardato ed era saltato giù dal letto come se fosse stato punto, tenendosi un cuscino davanti all'inguine. "Oh, cavolo. Non intendevo... Non stavo cercando di..."

"Non so di cosa stai parlando!" l'avevo rassicurato buttandomi una felpa sulla testa. Non potevo guardarlo in caso si fosse...

Lui aveva saltellato da un piede all'altro. "Stavo solo... Non mi ero reso conto che... Oh, cavolo!"

"Non importa! Dovevo alzarmi comunque!" Mi ero rifugiata di volata nel suo minuscolo bagno e vi ero rimasta per dieci minuti con le guance in fiamme, sentendolo sbattere contro i mobili mentre si vestiva. Quando ero rientrata nella stanza, se n'era già andato.

Dopotutto, che senso aveva insistere a restare? Avrei potuto dormire in quella stanza per un altro paio di notti al massimo. Sembrava che il meglio che potessi aspettarmi altrove, ammesso che fossi stata abbastanza fortunata da trovare un'alternativa, fosse un salario minimo e un appartamento in condivisione infestato di scarafaggi e cimici del letto. Almeno, se fossi tornata a casa avrei potuto dormire sul mio divano. Forse Treena e Eddie erano abbastanza innamorate da desiderare di andare a vivere per conto loro e io avrei potuto riprendere possesso del mio appartamento. Cercai di non pensare a come mi sarei sentita a tornare in quelle stanze vuote, nel luogo dove ero stata fino a pochi mesi prima, per non parlare della vicinanza con la sede di lavoro di Sam. Ogni sirena che avrei sentito passare sarebbe stata un amaro promemoria di ciò che avevo perduto.

Aveva iniziato a piovere, ma avvicinandomi al Lavery rallentai e alzai lo sguardo verso le finestre dei Gopnik da sotto il mio berretto di lana. Notai che le luci erano ancora accese, anche se Nathan mi aveva detto che sarebbero usciti per qualche evento di gala. La loro vita procedeva tranquilla e scorrevole, come se io non fossi mai esistita. Forse Ilaria era lassù, intenta a passare l'aspirapolvere o a raccogliere mugugnando le riviste che Agnes aveva abbandonato sui cuscini del divano. I Gopnik – e questa città – mi avevano fagocitato per poi sputarmi fuori. Nonostante tutte le sue parole gentili, Agnes si era liberata di me con la stessa naturalezza con cui una lucertola si libera della sua pelle, senza neppure voltarsi per lanciarmi un'ultima occhiata.

"Se non fossi mai venuta qui" pensai con un moto di rabbia "magari avrei avuto ancora una casa. E un lavoro. Se non fossi mai venuta qui, avrei avuto ancora Sam."

Quel pensiero non fece che peggiorare il mio malumore. Curvai le spalle e mi infilai le mani gelide in tasca, preparandomi a tornare alla mia sistemazione temporanea, ossia una stanza in cui dovevo sgusciare furtivamente, con un letto da condividere con una persona terrorizzata all'idea di toccarmi. La mia vita era diventata ridicola, un brutto scherzo che si ripeteva all'infinito. Mi sfregai gli occhi sentendo la pioggia fredda sulla pelle. Avrei prenotato il biglietto la sera stessa e sarei tornata a casa con il primo volo disponibile. Me ne sarei fatta una ragione e avrei ricominciato da capo. In fondo non avevo altra scelta.

"Ogni cosa a suo tempo."

Fu in quel momento che scorsi Dean Martin. Era fermo sulla passatoia che conduceva all'ingresso del palazzo, rabbrividendo leggermente senza il suo solito cappottino, e si guardava intorno come per decidere dove dirigersi. Feci un passo avanti e sbirciai nell'androne, ma il portiere di notte stava riordinando dei pacchi ed evidentemente non l'aveva notato. Non c'era traccia di Mrs De Witt da nessuna parte. Così avanzai rapidamente, mi chinai e raccolsi il cane prima che avesse il tempo di capire cosa stessi facendo. Tenendolo a distanza di sicurezza mentre si dibatteva, corsi dentro e salii le scale di servizio per riportarlo alla sua padrona, facendo un cenno al portiere quando gli passai davanti.

Mi trovavo al Lavery per un valido motivo, ma arrivai sul pianerottolo con il cuore in gola: se i Gopnik fossero tornati all'improvviso e mi avessero visto, Mr Gopnik avrebbe concluso che ero lì per qualche losco motivo? Mi avrebbe accusato di violazione di proprietà privata? Quell'accusa sarebbe stata valida anche se ero sul pianerottolo? Erano queste le domande che mi ronzavano in testa mentre Dean Martin continuava a dimenarsi come un dannato e cercava di mordermi le braccia.

«Mrs De Witt?» sussurrai, guardandomi alle spalle con cautela. La porta del suo appartamento era socchiusa ed entrai alzando un po' la voce. «Mrs De Witt? Il suo cane è di nuovo scappato.» Sentivo la televisione in fondo al corridoio e feci qualche passo avanti.

«Mrs De Witt?»

Non ricevendo risposta, chiusi piano la porta e depositai Dean Martin sul pavimento, desiderosa di non trattenerlo un attimo più del dovuto. Lui si allontanò immediatamente dirigendosi verso il soggiorno.

«Mrs De Witt?»

Per prima cosa vidi la sua gamba che sporgeva dalla poltroncina. Mi ci volle qualche istante per rendermi conto della scena che avevo davanti agli occhi. Mi precipitai verso il corpo disteso a terra e mi inginocchiai accostando subito l'orecchio alla sua bocca. «Mrs De Witt?» dissi. «Riesce a sentirmi?»

Respirava. Ma il suo viso era di un pallore bluastro. Mi domandai da quanto tempo fosse là.

«Mrs De Witt? Si svegli! Oddio... si svegli!»

Corsi in giro per casa alla ricerca di un telefono. Era nell'ingresso, posato su un tavolino insieme ad alcuni elenchi telefonici. Composi il 911 e spiegai la situazione all'operatore.

«Sta arrivando una squadra, signora» mi disse una voce. «Può rimanere con la paziente e far entrare i soccorritori?»

«Sì, sì, sì. Ma è molto anziana e debole, e sembra svenuta. Per favore, fate presto!» Mi affrettai a prendere una trapunta dalla sua stanza e la coprii cercando di ricordare quello che mi aveva detto Sam a proposito del soccorso agli anziani in caso di cadute. Uno dei rischi più grossi era l'accentuata sensibilità al freddo quando giacevano a terra scoperti per ore. E Mrs De Witt sembrava fredda come il marmo, anche se il riscaldamento centralizzato era al massimo nell'intero edificio. Mi sedetti sul pavimento accanto a lei e presi la sua mano gelida nelle mie, accarezzandola piano, cercando di farle capire che c'era qualcuno con lei. E all'improvviso un pensiero mi attraversò la mente: se fosse morta, mi avrebbero accusata? Mr Gopnik avrebbe testimoniato che ero una criminale, dopotutto. Per un attimo fui sfiorata dall'idea di scappare, ma non potevo lasciare sola quella povera vecchia.

Mentre ero in preda a questo tormentato groviglio di pensieri, lei aprì un occhio.

«Mrs De Witt?»

Sbatté le palpebre come se cercasse di capire cosa fosse accaduto.

«Sono Louisa, la sua dirimpettaia. Sente male da qualche parte?»

«Non so... Il... Il polso...» disse debolmente.

«L'ambulanza sta arrivando. Vedrà che starà meglio. Andrà tutto bene.»

Mi rivolse uno sguardo vuoto, sforzandosi di mettermi a fuo-

co e di dare un senso a quello che le stavo dicendo. Poi, con aria preoccupata, chiese: «Dov'è Dean Martin? Dov'è il mio cane?».
Scrutai la stanza. Il cagnolino era seduto in un angolo, pancia all'aria, tutto preso a ispezionarsi rumorosamente i genitali. Quando sentì pronunciare il suo nome, alzò la testa e si rimise prontamente su quattro zampe. «È qui. Sta bene.»
Mrs De Witt, sollevata, chiuse di nuovo gli occhi. «Ti occuperai di lui se dovrò andare in ospedale? Perché dovrò andare all'ospedale, vero?»
«Sì, certo.»
«C'è una cartellina sul comodino in camera da letto. Devi consegnarla ai medici.»
«Non c'è problema. Lo farò.»
Chiusi le mie mani intorno alle sue e mentre Dean Martin mi osservava sospettoso dalla soglia – be', osservava me e il caminetto – aspettammo in silenzio che arrivassero i soccorsi.

Accompagnai Mrs De Witt in ospedale lasciando Dean Martin nell'appartamento perché era vietato trasportare animali sull'ambulanza. Dopo aver sbrigato le pratiche e averla vista sistemata in reparto, rientrai al Lavery assicurandole che avrei badato al cane e sarei tornata il mattino dopo per farle sapere come stava. I suoi occhietti azzurri si riempirono di lacrime mentre, con voce gracchiante, mi impartiva istruzioni sul cibo, le passeggiate, le preferenze e le avversioni del suo piccolo amico, finché un paramedico la fece smettere dichiarando che aveva bisogno di riposare.
Presi la metropolitana per tornare nella Fifth Avenue, sentendomi nel contempo stanca morta e vibrante di adrenalina. Entrai in casa con la chiave che la stessa Mrs De Witt mi aveva consegnato. Dean Martin mi aspettava all'ingresso, ben piantato sulle quattro zampe, con il suo piccolo corpo tozzo che irradiava sospetto.
«Buonasera, giovanotto! Sei pronto per la cena?» gli domandai come se fossi una sua vecchia amica e non qualcuno che si aspettasse vagamente di perdere un pezzo di polpaccio. Gli passai davanti con ostentata sicurezza e mi diressi in cucina, dove cercai di decifrare gli appunti riguardanti la corretta quantità di pollo e di croccantini che mi ero scribacchiata sul dorso della mano.

Misi il cibo nella ciotola e la spinsi verso di lui con il piede. «Ecco qua. Buon appetito!»

Il cane mi fissò con i suoi occhi astiosi e ribelli e la fronte aggrottata per la preoccupazione.

«Pappa! Gnam!»

Continuò a fissarmi.

«Non hai ancora fame, eh?» dissi. Lo scansai e uscii dalla cucina. Dovevo capire dove avrei dormito quella notte.

L'appartamento di Mrs De Witt era più o meno la metà di quello dei Gopnik, ma questo non significava che fosse piccolo. Era composto da un ampio soggiorno con finestre alte fino al soffitto che si affacciavano su Central Park, e mobili con decorazioni in bronzo e vetro fumé che sembravano risalire al periodo dello Studio 54. C'era una sala da pranzo più tradizionale, stipata di pezzi antichi il cui spesso strato di polvere indicava che non veniva usata da generazioni, una cucina in formica e melammina, un ripostiglio e quattro camere da letto, compresa quella padronale, dotata di un bagno e di uno spogliatoio adiacenti. I servizi erano ancora più vecchi di quelli dei Gopnik e sputacchiavano imprevedibili torrenti d'acqua. Esplorai l'appartamento con quella peculiare, silenziosa reverenza che si prova nel trovarsi nella casa disabitata di una persona che non si conosce molto bene.

Quando raggiunsi la camera da letto principale, mi fermai un attimo sulla soglia per prendere fiato. Tre pareti e mezzo erano interamente occupate da vestiti ordinatamente disposti sugli stender, appesi ad attaccapanni imbottiti e coperti da custodie di plastica. Lo spogliatoio era un tripudio di colori e stoffe intervallato da ripiani carichi di pile di borsette, cappelliere e scarpe coordinate. Seguii lentamente il perimetro della stanza facendo scorrere le dita sui tessuti e fermandomi di tanto in tanto per tirare leggermente una manica o scostare una gruccia per vedere meglio un abito.

E non c'erano soltanto queste due stanze. Mentre il carlino mi trotterellava dietro con aria diffidente, curiosai nelle altre due camere da letto e scoprii file e file di abiti, tailleur pantalone, cappotti e boa, conservati in lunghi armadi climatizzati. Le etichette portavano nomi come Givenchy, Biba, Harrods e Macy's, le calzature erano di Saks Fifth Avenue e Chanel. C'erano marchi che non conoscevo – francesi, italiani, perfino russi – e abiti di epoche diverse: tailleurini dalle linee essenziali alla Jackie Kennedy, morbidi caftani, severe giacche con le spalle squadrate. Sbirciando nelle scatole trovai cappellini a tamburello e turbanti, enormi occhiali da sole con la montatura di giada e delicati fili di perle. Non erano disposti secondo un ordine particolare, perciò mi limitai a tuffarmici dentro, tirando fuori i vari pezzi a caso, sollevando fogli di carta velina, tastando le stoffe, soppesandole, aspirandone i profumi un po' stantii, sollevando un abito qua e là per ammirarne il taglio e la fantasia.

Sullo spazio di muro ancora libero sopra gli scaffali, notai dei bozzetti di abiti incorniciati, copertine di riviste degli anni Cinquanta e Sessanta con modelle sorridenti e ossute che sfoggiavano camicioni psichedelici o vestitini dalle finiture assolutamente perfette. Credo di essere rimasta là dentro per un'ora prima di rendermi conto che non avevo ancora individuato un altro letto. Ma nella quarta stanza lo trovai, sommerso da capi spaiati: uno stretto letto a una piazza, forse risalente agli anni Cinquanta con un'elaborata testata in noce e il guardaroba e il comò nello stesso stile. Qui c'erano altri quattro stender, come quelli essenziali che si vedono nei salottini prova, e accanto a essi, scatole e scatole di accessori, bigiotteria, cinture e sciarpe. Ne spostai alcune con cautela e mi distesi sul letto sentendo il materasso cedere immediatamente sotto il mio peso, come fanno i materassi ormai sfondati, ma non mi importava. Avrei praticamente dormito in un guardaroba. Per la prima volta da giorni scordai di essere depressa.

Almeno per una notte, avrei vissuto nel Paese delle Meraviglie.

Il mattino dopo diedi da mangiare a Dean Martin e lo portai a fare una passeggiata, cercando di non sentirmi offesa dal fatto che percorse la Fifth Avenue in tutta la sua lunghezza camminando di sghimbescio, con un occhio costantemente fisso su di me, come se si aspettasse qualche trasgressione da parte mia. Poi mi recai all'ospedale, ansiosa di riferire a Mrs De Witt che il suo bambino stava bene, anche se sembrava sempre pronto all'attacco. Decisi di non dirle che l'unico modo per convincerlo a mangiare era stato grattugiare un po' di parmigiano sulla sua colazione.

Quando entrai nella stanza fui sollevata nel vedere che aveva riacquistato un colorito più umano, benché apparisse stranamente scialba senza il solito trucco e i capelli freschi di messa in piega. I medici avevano accertato che si era fratturata il polso e doveva essere operata, dopodiché sarebbe rimasta in ospedale per circa una settimana a causa di quelle che chiamarono genericamente "complicazioni". Quando rivelai che non ero un familiare, si rifiutarono di dirmi di più.

«Puoi occuparti di Dean Martin?» mi chiese lei con il viso corrugato dall'ansia. Era chiaramente la sua preoccupazione principale da quando era stata ricoverata. «Magari potrebbero permetterti di fare un salto per dargli una controllatina durante il giorno. Pensi che Ashok possa portarlo fuori? Si sentirà terribilmente solo. Non è abituato a stare senza di me.»

Mi ero chiesta se fosse il caso o meno di dirle la verità. Ma di verità ce n'era ben poca in quel palazzo ultimamente, e io volevo che tutto venisse fatto alla luce del sole.

«Mrs De Witt» iniziai. «Devo dirle una cosa. Io... Io non lavoro più per i Gopnik. Mi hanno licenziata.»

La sua testa si infossò leggermente nel cuscino. Sillabò la parola come se non le fosse familiare. «*Licenziata?*»

Deglutii. «Sono convinti che abbia rubato del denaro. Tutto quello che posso dirle è che non è vero. Ma penso che sia giusto informarla, in caso decidesse di voler fare a meno del mio aiuto.»

«Bene» disse lei debolmente, poi ripeté: «Bene.»

Restammo in silenzio.

Strinse gli occhi. «Ma tu non l'hai fatto.»

«No, non ho rubato niente.»

«Hai un altro lavoro?»

«No, signora. Ne sto cercando uno.»

«Gopnik è un pazzo» disse scuotendo la testa. «Dove vivi ora?»

Distolsi lo sguardo. «Ehm... io... be', in realtà dormo nella stanza di Nathan al momento. Ma non è l'ideale. Noi non siamo... sa com'è, legati sentimentalmente. E ovviamente i Gopnik non sono al corrente che...»

«Bene, allora possiamo pensare a una sistemazione che faccia comodo a entrambe. Hai voglia di occuparti del mio cane? E magari continuare la ricerca di un posto di lavoro dalla mia parte del pianerottolo? Almeno finché non rientro a casa?»

«Oh, Mrs De Witt, mi farebbe molto piacere.» Non riuscii a nascondere il mio sorriso.

«Dovrai dedicarti a lui meglio di quanto tu abbia fatto in passato, naturalmente. Ti darò delle istruzioni. Sono sicura che sia terribilmente turbato.»

«Farò tutto quello che mi dirà.»

«E dovrai venire qui ogni giorno per farmi sapere come sta. È molto importante.»

«Certo.»

Stabilito questo, Mrs De Witt parve abbandonarsi a una piacevole sensazione di sollievo. Chiuse gli occhi. «Non c'è peggior stupido di un vecchio stupido» mormorò. Non so se si riferisse a Mr Gopnik, a se stessa o a qualcuno di completamente diverso, così attesi finché non si assopì e poi tornai nel suo appartamento.

Per tutta la settimana mi presi cura di quell'irascibile carlino di sei anni dagli occhi spiritati portandolo a spasso quattro volte al giorno e grattugiandogli il parmigiano sulla colazione. Dopo un po' lui perse l'abitudine di piantarsi sull'uscio di ogni stanza in cui entravo e di fissarmi con la fronte corrugata, come se si aspettasse che io facessi qualcosa di indicibile. Preferiva sdraiarsi qualche metro più in là ansimando leggermente. Mi incuteva ancora un certo timore, ma mi faceva anche un po' pena: l'unica persona che amava era sparita all'improvviso e non c'era niente che io potessi fare per assicurargli che la sua padrona sarebbe tornata presto a casa.

In un certo senso era bello vivere in quel palazzo senza sentirsi una criminale. Ashok, che era stato assente per qualche giorno, ascoltò il mio racconto della piega che avevano preso gli eventi reagendo prima con sgomento, poi con sdegno e infine con sollievo. «Accidenti, è stata una fortuna che tu abbia trovato il cane! Se si fosse allontanato, nessuno avrebbe scoperto che la signora era caduta.» Rabbrividì in modo melodrammatico. «Quando tornerà a casa, passerò da lei tutti i giorni per assicurarmi che stia bene.»

Ci scambiammo un'occhiata.

«Niente la renderebbe più furiosa» dissi.

«Già, non lo sopporterebbe» concordò lui, e tornò al suo lavoro.

317

Nathan finse di essere dispiaciuto di riavere la sua stanza tutta per sé e portò fuori le mie cose con una sollecitudine quasi indecente per "risparmiarmi un viaggio" di poco più di cinque metri. Probabilmente voleva soltanto essere sicuro che me ne andassi veramente. Posò le mie borse a terra e curiosò nell'appartamento di Mrs De Witt, meravigliandosi davanti a quelle pareti piene di vestiti. «Quanti stracci!» esclamò. «Sembra il negozio di abiti di seconda mano più grande del mondo. Cavoli, non vorrei essere nei panni dell'impresa incaricata di sgombrarlo quando la vecchia tirerà le cuoia.» Io continuai a sorridere senza farmi impressionare. Nathan riferì l'accaduto a Ilaria, che il giorno dopo bussò alla mia porta per avere notizie di Mrs De Witt e per chiedermi di portarle dei muffin che aveva preparato con le sue mani. «Il cibo degli ospedali fa schifo» sentenziò dandomi dei colpetti sul braccio, e se ne andò a passo spedito prima che Dean Martin potesse arrivare ai suoi polpacci.

Udii Agnes suonare il pianoforte all'altra estremità del pianerottolo, prima un bel brano tranquillo e malinconico, poi qualcosa di appassionato e furioso. Pensai alle innumerevoli occasioni in cui Mrs De Witt si era presentata alla nostra porta chiedendo a gran voce di far cessare quello strazio. Questa volta la musica si interruppe bruscamente senza l'intervento della vecchia signora quando Agnes sbatté con rabbia le mani sulla tastiera. Ogni tanto sentivo delle voci alterate, e ci vollero alcuni giorni per convincere il mio corpo che il mio livello di adrenalina non doveva necessariamente alzarsi con quei toni, e che i Gopnik non avevano più nulla a che fare con me.

Mi imbattei in Mr Gopnik solo una volta, nell'ingresso principale. Dapprima non mi vide, poi si voltò a guardarmi, già pronto a obiettare sulla mia presenza nel palazzo. Per tutta risposta, io alzai il mento e sollevai la mano che teneva l'estremità del guinzaglio di Dean Martin. «Sto aiutando Mrs De Witt con il suo cane» dissi con tutta la dignità a cui riuscii a fare appello. Lui lanciò un'occhiata a Dean Martin, contrasse la mascella e si allontanò fingendo di non avermi sentita. Michael, al suo fianco, mi guardò di sottecchi, poi tornò a concentrarsi sul suo cellulare.

Josh venne da me il venerdì sera dopo il lavoro con un takeaway e una bottiglia di vino. Era ancora in giacca e cravatta. Aveva lavorato fino a tardi per tutta la settimana. Lui e un collega si stavano contendendo una promozione, perciò restava in ufficio anche quattordici ore al giorno e prevedeva di doverci andare anche il sabato. Curiosò in giro per casa lanciando un'occhiata perplessa all'arredamento. «Be', la dog-sitter era una possibilità che non avevo certo preso in considerazione per te» osservò mentre Dean Martin lo tallonava guardingo. Esplorò lentamente il soggiorno prendendo in mano il posacenere in onice e la scultura di una sinuosa donna africana e posandoli di nuovo al loro posto, poi esaminò attentamente le cornici dorate alle pareti.

«Non era in cima alla lista dei miei lavori preferiti» dissi. Disseminai una scia di croccantini fino alla camera da letto in modo da rinchiudervi dentro il cane e lasciarlo lì finché non si fosse calmato. «Ma per ora va benissimo così.»

«Quindi come stai?»

«Meglio!» risposi dirigendomi in cucina. Volevo dimostrare a Josh che ero qualcosa in più rispetto alla disoccupata malconcia e saltuariamente brilla con cui si era accompagnato la settimana precedente, così avevo indossato un vestito nero in stile Chanel con il colletto e i polsini bianchi e le mie Mary Jane in finto coccodrillo verde smeraldo, e avevo stirato i capelli in un caschetto lucido e ordinato.

«Stai molto bene così» disse lui seguendomi. Posò la bottiglia e la borsa sul bancone della cucina e mi si avvicinò finché il suo viso venne a trovarsi a pochi centimetri dal mio. «E non sei più una senzatetto. Il che è sempre una buona cosa.»

«Temporaneamente, almeno.»

«Questo vuol dire che bazzicherai da queste parti ancora per un po'?»

«Chi lo sa?»

Era talmente vicino che quasi mi sfiorava. Ebbi un improvviso ricordo sensoriale di me che affondavo il viso nel suo collo una settimana prima.

«Stai arrossendo, Louisa Clark.»

«Questo perché mi stai praticamente addosso.»

«Ti faccio questo effetto?» disse lui a voce bassa e inarcando un sopracciglio. Si avvicinò ancora fino ad appoggiare le mani sul piano di lavoro, ai lati dei miei fianchi.

«A quanto pare sì» risposi, ma mi uscì quasi come un colpo di tosse. Poi lui posò le sue labbra sulle mie e mi baciò. Mi baciò, e io indietreggiai contro i mobiletti della cucina e chiusi gli occhi, assaporando la sua bocca che sapeva di menta, la sensazione leggermente strana dei nostri corpi che si toccavano, l'insolito contatto delle sue mani che si chiudevano intorno alle mie. Mi domandai se sarebbe stato così baciare Will prima dell'incidente. E subito dopo pensai che non avrei mai più baciato Sam. E poi pensai al fatto che forse era di cattivo gusto sognare di baciare altri uomini quando ne avevo davanti uno molto carino che lo stava facendo in quel preciso istante. Tirai un po' indietro la testa e lui si fermò e mi guardò dritto negli occhi, cercando di valutare che cosa significasse la mia esitazione.

«Scusami» dissi. «È ancora... è troppo presto. Tu mi piaci molto, ma...»

«Ma tu e il tuo ragazzo vi siete appena lasciati.»

«Sam.»

«Che è palesemente un idiota. E non abbastanza in gamba per te.»

«Josh...»

Abbassò il capo e appoggiò la fronte contro la mia. Io non gli lasciai andare la mano.

«È solo che... È tutto un po' complicato, ecco. Mi dispiace.»

Chiuse gli occhi per un attimo, poi li riaprì. «Mi diresti se sto sprecando il mio tempo, giusto?»

«No, non stai sprecando il tuo tempo. Ma... sono passate appena due settimane.»

«Però sono successe davvero un sacco di cose in queste due settimane.»

«Be', allora chissà dove saremo fra altre due.»

«Hai detto "saremo".»

«Sì, l'ho detto.»

Josh annuì, come se la mia risposta l'avesse soddisfatto. «Sai» aggiunse quasi parlando fra sé «ho una sensazione su noi due, Louisa Clark. E io non sbaglio mai su queste cose.»

Poi, prima che io potessi replicare, mi lasciò la mano e si avvicinò ai pensili, aprendo e chiudendo le antine alla ricerca dei piatti. Quando si voltò, aveva un sorriso smagliante stampato in faccia. «Che dici, mangiamo qualcosa?»

Scoprii molte cose su Josh quella sera. Mi raccontò della sua infanzia a Boston e della sua potenziale carriera da giocatore di baseball, cui era stato costretto a rinunciare perché suo padre, un intraprendente uomo d'affari mezzo irlandese, era convinto che lo sport non gli avrebbe assicurato un reddito costante nel tempo. La madre, di professione avvocato, diversamente dalle sue colleghe aveva continuato a lavorare quando lui era piccolo, e ora che lei e il marito erano entrambi in pensione stavano cercando di abituarsi a questa stretta convivenza. Ma la cosa, a quanto pare, li stava mettendo a dura prova. «Siamo una famiglia di gente che non sa stare ferma, capisci? Perciò papà ha già accettato un incarico dirigenziale al golf club e mia madre lavora come tutor nel liceo locale. Farebbero qualsiasi cosa pur di non dover stare a casa da soli a guardarsi negli occhi.» Aveva due fratelli, entrambi più grandi di lui: uno gestiva una concessionaria Mercedes appena fuori Weymouth, nel Massachusetts, e l'altro era contabile, come mia sorella. Erano una famiglia unita, tutti molto competitivi, e Josh aveva detestato i suoi fratelli con la rabbia impotente dell'ultimogenito vessato finché loro non se n'erano andati di casa e lui, sentendosi rodere da un dolore inaspettato, aveva scoperto che gli mancavano moltissimo. «Mia madre dice che era dovuto al fatto che avevo perso il mio metro di valutazione, capisci? Il parametro in base al quale giudicavo ogni cosa.»

Entrambi i suoi fratelli erano sposati ormai, con due figli ciascuno. La famiglia si riuniva per le vacanze, e tutte le estati affittavano la stessa casa a Nantucket. Quando era adolescente la cosa lo infastidiva, ma adesso, a ogni anno che passava, si ritrovava ad aspettare quel momento con sempre più trepidazione.

«È fantastico. I bambini, le passeggiate, la barca... Dovresti venire» disse inforcando con noncuranza un *char siu bao* e cacciandoselo in bocca. Chiacchierava senza alcun imbarazzo, un uomo abituato a far girare le cose come voleva lui.

«A una riunione di famiglia? Pensavo che i newyorkesi fossero dediti a frequentazioni poco impegnative.»

«Be', sì. L'ho fatto anch'io. Ma non sono un newyorkese DOC.» Sembrava gettarsi a capofitto in qualsiasi esperienza. Lavorava come un pazzo, lottava per ottenere una promozione e andava in palestra prima delle sei del mattino. Giocava a baseball con la squadra dell'ufficio e stava pensando di offrirsi volontario per insegnare in un liceo, come faceva sua madre, ma temeva che i suoi impegni di lavoro gli avrebbero impedito di mantenere un orario regolare. Era il classico uomo intriso del sogno americano, come un bastoncino di zucchero con il ripieno al caramello: lavoravi sodo, raggiungevi il successo e restituivi tutto ciò che la vita ti aveva dato. Mi sforzai di non continuare a fare paragoni con Will. Lo ascoltavo, per metà ammirata e per metà esausta.

Delineò un quadro del suo futuro: un appartamento nel Greenwich Village, e magari una casa di villeggiatura negli Hamptons, se fosse riuscito a portare i suoi bonus al livello desiderato. Voleva una barca. Voleva dei bambini. Voleva andare in pensione presto. Voleva arrivare a possedere un milione di dollari prima dei trent'anni. Sottolineò diversi punti della sua chiacchierata agitando le bacchette in aria o alternando le espressioni "Dovresti venire!" e "Ti piacerebbe", e io mi sentii lusingata, ma soprattutto felice, perché questo significava che non si era offeso per la mia reticenza di poco prima.

Se ne andò alle dieci e mezzo, visto che il mattino dopo doveva alzarsi alle cinque. Ci fermammo nell'ingresso davanti alla porta mentre Dean Martin ci teneva d'occhio poco discosto da noi.

«Quindi riusciamo a incastrare un pranzo? Tra il cane, l'ospedale e tutto il resto?»

«Potremmo vederci una di queste sere?»

«Potremmo vederci una di queste sere?» ripeté lui facendomi il verso, dolcemente. «Quanto mi piace il tuo accento inglese.»

«Io non ho nessun accento» protestai. «Semmai ce l'hai tu.»

«E mi fai ridere. Non sono molte le ragazze che mi fanno ridere.»

«Ah, solo perché non hai incontrato quelle giuste.»

«Oh, io penso di sì, invece.» Smise di parlare e alzò gli occhi al cielo, come se tentasse di trattenersi dal fare qualcosa. E poi sorrise, forse rendendosi conto di quanto risultassero ridicoli due adulti vicini ai trent'anni che si sforzavano di non baciarsi sull'uscio. E fu quel sorriso a farmi capitolare.

Alzai la mano e gliela posai sulla nuca, molto delicatamente. Poi mi misi in punta di piedi e lo baciai. Mi dissi che era inutile rimuginare su qualcosa che ormai era finito. Mi dissi che due settimane erano senz'altro sufficienti per prendere una decisione, specialmente quando non avevi visto l'altra persona per mesi ed eri comunque stata praticamente single. Mi dissi che dovevo voltare pagina.

Josh non ebbe alcuna esitazione. Mi restituì il bacio facendo scorrere piano le mani lungo la mia schiena e spingendomi contro il muro finché mi trovai piacevolmente bloccata contro di lui. Mi baciò, e io mi imposi di smettere di pensare e di abbandonarmi semplicemente a quella sensazione, al suo corpo poco familiare, più esile e un po' più segaligno di quello che avevo conosciuto, all'intensità della sua bocca sulla mia. Questo affascinante giovanotto americano. Eravamo entrambi un po' storditi quando ci staccammo per riprendere fiato.

«Se non me ne vado subito...» disse facendo un passo indietro, e sbatté più volte le palpebre strofinandosi la nuca.

Sorrisi. Sospettavo di avere il rossetto sbavato su tutta la faccia. «Hai la sveglia presto. Ci sentiamo domani.» Aprii la porta e, dopo avermi dato un ultimo bacio sulla guancia, Josh uscì sul pianerottolo.

Quando la richiusi, Dean Martin mi stava ancora fissando. «Be', che c'è?» dissi. «Sono single.»

Lui abbassò la testa, si voltò e si avviò in cucina con aria disgustata.

23

Da: BusyBee@gmail.com
A: MrandMrsBernardClark@yahoo.com

Ciao mamma,
mi fa piacere che tu e Maria abbiate preso un buon tè da Fortnum and
Mason il giorno del suo compleanno. Anche se sì, sono d'accordo con
te, quella cifra è UN FURTO per un pacchetto di biscotti e sono sicura
che entrambe sareste capaci di farne di migliori a casa. I tuoi sono
molto leggeri. Già, la toilette del teatro lasciava molto a desiderare.
Sicuramente, data la sua esperienza da addetta ai lavori, Maria ha un
occhio allenato per cose del genere. Sono contenta che qualcuno sia
attento alle tue... esigenze igieniche.
Qui tutto bene. A New York fa freddino, ma lo sai, ho l'abbigliamento
adatto per ogni occasione! C'è qualcosa in ballo per quanto riguarda
il lavoro, ma spero che tutto si sistemi prima di sentirci la prossima
volta. Sì, mi sono messa il cuore in pace riguardo a Sam. Sono cose
che capitano, in fondo.
Mi spiace per il nonno. Spero che quando starà meglio tu possa
riprendere la scuola serale.
Mi mancate tutti. Da morire.
Con tanto amore,
Lou

P.S. Forse è meglio se d'ora in poi ci sentiamo via mail tramite Nathan,
perché in questo momento abbiamo dei problemi con la posta.

Mrs De Witt lasciò l'ospedale dieci giorni dopo sbattendo gli occhi alla luce eccessivamente violenta dell'esterno, con il polso destro imprigionato in un'ingessatura che sembrava troppo pesante per la sua ossatura fragile. Tornammo a casa in taxi. Ashok le andò incontro sul marciapiede e la aiutò a salire i gradini lentamente. Per una volta lei non lo aggredì, né lo cacciò via in malo modo, anzi, camminò con cautela, come se l'equilibrio non fosse più qualcosa di scontato. Le avevo portato i vestiti che mi aveva chiesto – un tailleur pantalone celeste di Céline anni Settanta, una camicetta di un giallo tenue e un basco di lana rosa polvere – senza dimenticare i cosmetici che avevo trovato sulla sua toeletta. Mi ero seduta sul bordo del suo letto di ospedale per aiutarla a truccarsi, perché aveva detto che i suoi tentativi con la mano sinistra la facevano sembrare un'ubriaca che aveva bevuto tre cocktail per colazione.

Dean Martin, euforico, le saltellò intorno annusandole le caviglie e alzò la testa a guardare prima lei, poi me, con uno sguardo eloquente, come a dirmi che me ne potevo pure andare. Anche se in realtà, a quel punto, io e il cane avevamo raggiunto una sorta di tregua. Lui mangiava quello che gli preparavo e mi si rannicchiava in grembo ogni sera, e penso che avesse perfino iniziato ad apprezzare il passo leggermente più brioso e la maggiore estensione delle nostre passeggiate, perché cominciava a muovere freneticamente la coda ogni volta che mi vedeva prendere il guinzaglio.

Mrs De Witt era pazza di gioia nel rivederlo, sempre che la gioia potesse manifestarsi con una serie di lagnanze sulla mia ovvia, maldestra gestione delle cure che avrei dovuto riservargli, o con il fatto che nell'arco di dodici ore l'avesse giudicato sia sovrappeso sia deperito, e con un'interminabile litania di scuse sommesse per averlo lasciato in mani inadeguate come le mie. «Povero piccolo. Sei rimasto solo con un'estranea, vero? Non si è presa cura di te come si deve, non è così? È tutto passato. La mamma è tornata ora. È tutto a posto.»

Mrs De Witt era visibilmente felice di essere di nuovo a casa; io invece non potevo negare di essere nervosa. Sembrava aver bisogno di una straordinaria quantità di pillole – anche secondo gli standard americani – tanto che mi domandai se non soffrisse di una qualche forma di osteoporosi, perché quei farmaci erano davvero troppi per la semplice frattura di un polso. Ne parlai con Treena, la quale mi disse che in Inghilterra le avrebbero prescritto un paio di antidolorifici e consigliato di non sollevare pesi, e rise di cuore.

Ma Mrs De Witt, me ne resi conto subito, aveva risentito parecchio di quel ricovero in ospedale che l'aveva resa ancora più fragile. Era pallida e tossiva ripetutamente, e i suoi abiti confezionati su misura, ormai troppo abbondanti, le ricadevano informi intorno al corpo. Quando le preparai la pasta al forno, la giudicò deliziosa, ma ne assaggiò quattro o cinque forchettate e si rifiutò di mangiarne di più. «Il mio stomaco si è chiuso in quel postaccio, probabilmente per sottrarsi a quel cibo terribile.»

Le ci volle mezza giornata per riacquistare piena confidenza con il suo appartamento. Si muoveva pian piano da una stanza all'altra per ricordare ogni dettaglio e assicurarsi che tutto fosse al suo posto, mentre io mi sforzavo di non interpretare questo suo comportamento come un modo per controllare che non avessi rubato nulla. Poi finalmente si sedette sulla sua poltroncina imbottita ed emise un profondo sospiro. «Non immagini quanto sia bello essere di nuovo a casa.» Lo disse come se avesse seriamente temuto di non tornarci più. Poi si assopì. E per l'ennesima volta pensai al nonno e a quanto fosse fortunato ad avere mia madre che si prendeva cura di lui.

Mrs De Witt era chiaramente troppo debole per essere lasciata sola, e sembrava non avere nessuna fretta di vedermi andare via. Così, pur senza esserci accordate al riguardo, rimasi a casa sua. La aiutavo a lavarsi e a vestirsi, le cucinavo qualcosa di caldo e portavo a spasso Dean Martin più volte al giorno. Verso la fine di quella settimana, scoprii che mi aveva fatto un po' di spazio nella quarta camera da letto spostando libri e vestiti uno per volta per liberarmi un comodino e uno scaffale dove riporre le mie cose. Mi appropriai del bagno degli ospiti strofinandolo per bene e facendo scorrere l'acqua dai rubinetti finché non diventò trasparente. Poi, con discrezione, cominciai a pulire quelle zone del bagno e della cucina che iniziavano a sfuggire alla sua vista annebbiata.

La accompagnavo all'ospedale per le visite di controllo e la aspettavo fuori con Dean Martin finché non mi chiedeva di andare a prenderla. Le fissai un appuntamento dal parrucchiere e attesi mentre i suoi sottili capelli d'argento tornavano a essere acconciati in onde ordinate, una piccola attenzione che sembrò procurarle maggior beneficio di qualsiasi cura medica avesse ricevuto. La aiutavo a truccarsi e a trovare le diverse paia di occhiali sparse per casa. Lei mi ringraziava per l'aiuto con l'enfasi che si potrebbe riservare a un ospite di riguardo.

Consapevole che, avendo vissuto per anni da sola, avrebbe potuto sentire il bisogno di avere i suoi spazi, presi l'abitudine di uscire e restare fuori per qualche ora. Andavo in biblioteca a cercare le offerte di lavoro, ma non avevo più l'assillo di qualche tempo prima e, per la verità, non c'era niente che volessi fare realmente. Quando rientravo, di solito la trovavo che dormiva, o seduta sulla sua poltroncina a guardare la tivù. «Eccoti qui» diceva tirandosi su dritta, come se fossimo nel bel mezzo di una conversazione già avviata. «Mi chiedevo dove fossi sparita. Vorresti essere così gentile da accompagnare Dean Martin a fare una passeggiatina? Ha l'aria un po' corrucciata...»

Il sabato partecipavo con Meena alle manifestazioni di protesta per salvare la biblioteca. Il numero dei partecipanti si era ridotto ormai, e il futuro della biblioteca non dipendeva più soltanto dal supporto pubblico, ma da un'azione legale finanziata con un *crowdfunding*. Nessuno sembrava riporre molte speranze in questa eventualità. A ogni modo, noi continuavamo la nostra battaglia, sempre meno congelati via via che passavano le settimane, agitando i cartelli malconci e accettando con gratitudine le bevande calde e gli spuntini offerti dai vicini e dai negozianti della zona. Imparai a individuare i volti noti: la nonna che avevo incontrato la prima volta, che si chiamava Martine e che ora mi accoglieva con un abbraccio e un ampio sorriso, più una manciata di altre persone che mi salutavano con un cenno della mano o con un semplice "ciao", tra cui l'addetto alla sicurezza, la donna che preparava le *pakoras*, la bibliotecaria con i capelli vaporosi. Non rividi più, invece, la vecchia con il cappotto malconcio.

Vivevo nell'appartamento di Mrs De Witt da tredici giorni quando mi imbattei in Agnes. Dato che eravamo vicine di casa, mi sembrava sorprendente che non fosse successo prima. Pioveva a dirotto e indossavo un vecchio impermeabile di nylon di Mrs De Witt – un modello anni Settanta giallo e arancione disseminato di vivaci fiori tondi – e Dean Martin sfoggiava un cappottino con cappuccio che mi suscitava un'allegra risata ogni volta che lo guardavo. Stavamo percorrendo il corridoio, con me che ridacchiavo nel vedere quel musetto rincagnato spuntare da sotto il cappuccio, quando mi fermai di colpo davanti all'ascensore. Le porte si aprirono e ne emerse Agnes, seguita da una giovane donna con i capelli raccolti in una coda di cavallo e un iPad in mano. Si bloccò e mi fissò per un attimo mentre qualcosa di indefinibile attraversò il suo volto, qualcosa che poteva essere imbarazzo, o delle scuse mute, o perfino una furia repressa nel vedermi lì: era difficile dirlo. I suoi occhi incrociarono i miei. Aprì la bocca come per parlare, ma poi strinse le labbra e mi passò davanti facendo finta di niente, con la sua lucida chioma bionda che ondeggiava sulle spalle e la ragazza che le trotterellava dietro.

Rimasi a guardare mentre la porta si chiudeva con un colpo enfatico. Avevo le guance in fiamme come un innamorato respinto.

Ebbi un flashback di noi due che ridevamo nel ristorante asiatico.

"Noi siamo amiche, giusto?"

E poi presi un respiro profondo, richiamai il cagnolino per allacciargli il collare e uscimmo sotto la pioggia.

Alla fine furono le ragazze del negozio di abiti vintage a offrirmi un lavoretto retribuito. Stava per arrivare un carico di vestiti dalla Florida – diversi guardaroba interi – e avevano bisogno di un paio di mani in più per esaminare ogni capo prima di metterlo in vendita, attaccare bottoni mancanti e accertarsi che tutto ciò che veniva esposto fosse lavato e stirato a vapore in tempo utile per una fiera di abbigliamento vintage prevista per la fine di aprile. (I capi che non erano stati rinfrescati erano i più comuni fra i resi.) La paga corrispondeva al minimo salariale, ma la compagnia era piacevole, il caffè gratis e mi avrebbero praticato uno sconto del 20% su qualsiasi acquisto. Il mio desiderio di comprare vestiti nuovi era diminuito insieme alla mancanza di un tetto sulla testa, ma accettai volentieri e, quando ebbi la certezza che Mrs De Witt fosse abbastanza stabile sulle gambe da portare fuori Dean Martin almeno fino in fondo all'isolato e tornare da sola, presi l'abitudine di recar-

mi al negozio ogni martedì alle dieci del mattino e di passare
l'intera giornata nel retro rassettando, cucendo e chiacchierando con le ragazze durante le pause sigaretta che si susseguiva-
no ogni quarto d'ora o giù di lì.

Margot – ormai mi aveva proibito di chiamarla ancora Mrs De
Witt: "Vivi in casa mia, santo cielo!" – mi ascoltò attentamente
quando le raccontai del mio nuovo lavoro, e poi mi chiese che
cosa usassi per riparare gli abiti. Le descrissi l'enorme scatola di plastica piena di vecchi bottoni e di cerniere, ma aggiunsi
che c'era un tale caos che spesso non riuscivo a trovare l'abbi-
namento giusto e raramente arrivavo a scovare tre bottoni dello stesso tipo. Lei si alzò a fatica dalla poltrona e mi fece cenno
di seguirla. Ultimamente non la lasciavo un attimo perché era
un po' malferma sulle gambe e spesso sbandava da una parte, come una nave che viaggia con il carico sbilanciato in mare
aperto. Ma riuscì a reggersi in piedi appoggiando la mano al
muro per trovare stabilità.

«Sotto quel letto, cara. No, là. Ci sono due casse. Sì, quelle.»
Mi inginocchiai e riuscii faticosamente a tirare fuori quelle pesanti scatole di legno. Sollevando il coperchio, scoprii che tra-
boccavano di bottoni, cerniere, nastri e frange disposti in file.
C'erano ganci e occhielli, chiusure di ogni tipo, tutte ben separate e con tanto di etichetta, bottoni marinari in ottone, botton-
cini cinesi foderati di seta colorata, e altri in osso e madreperla
cuciti su piccole strisce di cartoncino. Nel cuscinetto che fun-
geva da coperchio c'erano ciuffi di spilli, aghi di varie dimensioni e fili di seta avvolti intorno a piccoli rocchetti. Feci scorrere le dita su quel tesoro con una certa reverenza.

«Queste scatole sono un regalo per il mio quattordicesimo
compleanno. Me le fece spedire mio nonno da Hong Kong. Se
ti trovi in difficoltà, puoi attingere qui dentro. Una volta staccavo i bottoni e le cerniere dai vestiti che non portavo più, così,
sai, se perdi il bottone di un abito a cui tieni e non ha il ricam-
bio, qui hai a disposizione una scorta di chincaglieria.»

«Ma non ti servono?»

Margot fece un gesto vago con la mano buona. «Oh, le mie
dita ormai sono troppo impacciate per cucire. Il più delle volte
non riesco neppure a fare un occhiello. E oggigiorno sono poche le persone che si danno la pena di fare delle piccole ripa-

razioni: preferiscono buttare via i vestiti o andarsi a comprare qualche straccio in uno di quegli orribili discount. Prendili pure, cara. Mi farebbe piacere sapere che sono utili a qualcuno.»

Così, per fortuna e forse anche un po' per volontà, ora avevo due lavori che amavo. E con questi trovai una specie di appagamento. Ogni martedì sera portavo a casa alcuni capi in una sacca portabiancheria scozzese e, mentre Margot sonnecchiava o guardava la televisione, io staccavo accuratamente tutti i bottoni da ogni abito e ne attaccavo un nuovo set che poi le mostravo per avere la sua approvazione.

«Te la cavi bene con il cucito» osservò lei una sera, dopo aver abbandonato la visione della *Ruota della fortuna* per scrutare i miei punti con gli occhiali. «Pensavo che fossi una frana come lo sei in tutto il resto.»

«Il cucito era più o meno l'unica materia in cui riuscivo bene a scuola.» Lisciai la giacca che tenevo in grembo e feci per piegarla.

«Era lo stesso per me» disse lei. «A tredici anni mi cucivo già tutti i vestiti da sola. Mia madre mi mostrò come realizzare un cartamodello e io imparai subito. Rimasi conquistata. Ero ossessionata dalla moda.»

«Di cosa ti occupavi, Margot?» Posai il mio lavoro.

«Ero fashion editor di "Ladies' Look". È una rivista che non esiste più, non è riuscita ad arrivare agli anni Novanta. Ma è stata protagonista del mondo della moda per trent'anni o forse più, e io sono stata fashion editor per una buona parte di quel periodo.»

«È la rivista delle cornici? Quelle appese?»

«Sì, quelle sono le mie copertine preferite. Sono piuttosto sentimentale e ne ho conservate alcune.» La sua espressione si addolcì per un attimo e lei inclinò la testa di lato e mi indirizzò uno sguardo complice. «Era un lavoro prestigioso all'epoca, sai? L'editore non era molto propenso ad avere delle donne in posizioni di spicco, ma il caporedattore delle pagine di moda era un tizio terribile, e il mio direttore – un uomo meraviglioso, Mr Aldridge – obiettò che avere un vecchio parruccone che portava ancora la giarrettiera per reggere i calzini a dettare i canoni del vestire non avrebbe funzionato con le nostre giovani lettrici. Era convinto che io avessi occhio per queste cose, così mi promosse, e questo è quanto.»

«Quindi è per questo che hai tutti quei bei vestiti.»

«Be', non ho certo sposato un riccone.»

«Ah, sei stata sposata?»

Margot abbassò gli occhi e si pizzicò qualcosa sul ginocchio. «Santo cielo, quante domande fai! Sì, mi sono sposata con un uomo adorabile. Terrence. Lavorava nell'editoria. Ma morì nel 1962, tre anni dopo il matrimonio.»

«Non hai mai desiderato dei figli?»

«Ho avuto un figlio, cara, ma non con mio marito. È questo che volevi sapere?»

Arrossii. «No. Voglio dire, non così. Io... ah, accidenti... cioè, avere dei bambini è... non credevo che...»

«Smettila di agitarti, Louisa. Mi innamorai della persona sbagliata quando ero ancora in lutto per la morte di mio marito e rimasi incinta. Ebbi il bambino, ma questo suscitò un certo scandalo, e alla fine risultò meglio per tutti affidarlo ai miei genitori nel Westchester.»

«Dov'è ora?»

«Ancora nel Westchester. Per quanto ne so.»

Rimasi interdetta. «Non lo frequenti?»

«L'ho fatto, in passato. Lo vedevo ogni fine settimana e durante le vacanze fino alla sua adolescenza. Ma a quel punto lui cominciò ad avere un atteggiamento ostile nei miei confronti perché era convinto che io non fossi il tipo di madre che avrei dovuto essere. Sono stata costretta a fare una scelta, capisci? All'epoca se ti sposavi o avevi dei figli non potevi continuare a lavorare. E io scelsi il lavoro. Sinceramente sapevo che sarei morta se l'avessi lasciato. E Frank, il mio capo, mi sostenne in questa scelta.» Sospirò. «Purtroppo mio figlio non mi ha mai perdonato davvero.»

Seguì un lungo silenzio.

«Mi dispiace tanto.»

«Già. Anche a me. Ma quel che è fatto è fatto, è inutile rivangare il passato.» Fu presa da un accesso di tosse, così le versai un bicchiere d'acqua e glielo porsi. Mi indicò un boccettino di pillole che teneva sulla credenza e ne deglutì una. Poi tornò a sistemarsi sulla poltrona come una gallina che si è appena arruffata le penne.

«Come si chiama?» chiesi quando si fu ripresa.

«Ancora domande... Frank Junior.»

«Quindi suo padre era...»

«... il mio capo, sì. Frank Aldridge. Era molto più maturo di me ed era sposato, e temo che sia stato questo l'altro grosso motivo di rancore di mio figlio nei miei confronti. È stata dura per lui a scuola. La gente la pensava in modo diverso su queste cose, allora.»

«Quand'è stata l'ultima volta che l'hai visto? Tuo figlio, intendo.»

«Sarà stato... il 1987, credo. L'anno in cui si è sposato. Lo scoprii a cose fatte e gli scrissi una lettera dicendogli quanto fossi ferita per non essere stata invitata alla cerimonia, e lui mi rispose senza mezzi termini che da tempo ormai non avevo più alcun diritto a essere coinvolta in qualsiasi cosa avesse a che fare con la sua vita.»

Restammo in silenzio per un attimo. Il suo viso era perfettamente immobile ed era impossibile capire a cosa stesse pensando o addirittura se fosse tornata a concentrarsi sulla tivù. Non sapevo che cosa dirle. Non sapevo trovare le parole adatte per parlare di una ferita così grande. Ma poi lei si voltò verso di me.

«Ed è finita così. Mia madre morì un paio di anni dopo, e lei era il mio ultimo punto di contatto con lui. Talvolta mi chiedo come stia, non so nemmeno se sia ancora vivo e se abbia avuto dei figli. Gli ho scritto per un po'. Ma nel corso degli anni credo di essermi rassegnata al riguardo. Aveva ragione, naturalmente. Non avevo nessun diritto su di lui, davvero, né su qualsiasi cosa riguardasse la sua vita.»

«Ma era pur sempre tuo figlio» sussurrai.

«Lo era, ma io non mi sono mai veramente comportata da madre, no?»

Emise un sospiro tremante. «Ho avuto una bella vita, Louisa. Amavo il mio lavoro e ho collaborato con persone meravigliose. Ho visitato Parigi, Milano, Berlino, Londra, ho viaggiato molto di più rispetto alle mie coetanee... Mi sono goduta il mio splendido appartamento e degli ottimi amici. Non devi dispiacerti per me. Ah, tutte queste sciocchezze sulle donne che possono avere tutto. Non l'abbiamo mai avuto e non l'avremo mai. Siamo sempre noi a dover compiere le scelte difficili. Ma c'è una grande consolazione nel fare semplicemente qualcosa che ti piace.»

Riflettemmo entrambe su queste considerazioni. Poi Margot

appoggiò con forza il palmo delle mani sulle ginocchia. «Ascolta, mia cara, mi aiuteresti ad andare in bagno? Sono un po' stanca e sarà meglio che vada a letto.»

Quella sera rimasi sveglia pensando al racconto di Margot. Pensai anche ad Agnes e al fatto che queste due donne, che vivevano a pochi metri di distanza, entrambe avvolte da un particolare tipo di tristezza, in un altro mondo avrebbero potuto consolarsi a vicenda. Pensai al fatto che per qualsiasi cosa una donna desiderasse fare nella propria vita sembrava esserci un alto prezzo da pagare, a meno che non si limitasse a mirare basso. Ma questo lo sapevo già, non è vero? La scelta di venire qui mi era costata cara. Spesso, nel cuore della notte, mi capitava di evocare la voce di Will che mi esortava a non essere ridicola e malinconica e a riflettere piuttosto su tutti gli obiettivi che avevo raggiunto. Distesa al buio, contavo sulle dita i miei traguardi. Avevo una casa, per il momento, almeno. Avevo un lavoro retribuito. Ero ancora a New York e mi ero fatta degli amici. Avevo perfino una nuova relazione, anche se talvolta mi chiedevo come avevo fatto a finirci dentro. Potevo davvero dire che avrei voluto fare le cose in modo diverso?

Ma era la vecchia signora che dormiva nella stanza accanto la persona a cui stavo pensando quando finalmente presi sonno.

C'erano quattordici trofei sportivi in bella mostra su uno scaffale della casa di Josh, quattro dei quali grandi come la mia testa, conquistati in tornei di football americano, baseball e atletica leggera, e perfino una coppa più piccola vinta in una gara di ortografia. Ero già stata a casa sua, ma soltanto adesso, sobria e senza fretta, riuscii a osservare l'ambiente circostante e a valutare l'entità dei suoi successi. C'erano foto di Josh in tenuta sportiva, immortalato nel momento dei suoi trionfi, con le braccia sulle spalle dei compagni di squadra, e quei denti perfetti in quel suo sorriso perfetto. Pensai a Patrick e alla moltitudine di riconoscimenti appesi alle pareti del suo appartamento, e mi stupii davanti all'esigenza tipicamente maschile di esibire le testimonianze dei propri successi come un pavone sempre pronto a fare la ruota.

Sobbalzai quando Josh chiuse la telefonata. «Ho ordinato qualcosa da asporto» disse. «Con tutto quello che ho da fare in uf-

ficio, non ho proprio tempo per pensare ad altro in questo momento. Ma è il miglior ristorante coreano a sud di Koreatown.»
«Non importa» replicai. Non avevo avuto altre esperienze di
cucina coreana per poter fare paragoni. Volevo solo godermi il
piacere di passare la serata con lui. Mentre camminavo verso la
fermata della metropolitana diretta a sud, avevo assaporato la
novità di andare a Downtown Manhattan senza dover lottare
contro venti siberiani, neve alta e una gelida pioggia torrenziale.

E l'appartamento di Josh non era affatto la gabbia per conigli
che mi aveva descritto, a meno che il coniglio in questione non
avesse deciso di traslocare in un loft situato in una zona che un
tempo ospitava gli atelier di molti artisti, mentre ora era il quartier
generale di quattro diversi punti vendita Marc Jacobs, intervalla-
ti da gioiellerie artigianali, caffetterie esclusive e boutique dove i
clienti venivano accolti da uomini con gli auricolari alle orecchie.

Era un trionfo di muri intonacati e parquet in legno di quercia, con un tavolo di marmo in stile modernista e un divano di
pelle logora. Qualche ornamento sparso qua e là e qualche mobile scelto con gusto suggerivano che tutto era stato accuratamente pensato, scovato e acquistato, forse grazie all'opera di
un abile arredatore d'interni.

Josh mi aveva regalato dei fiori, un delizioso mazzo di gia-
cinti e fresie. «Per cosa sono questi?»

Lui alzò le spalle mentre mi faceva entrare. «Li ho visti tornando dal lavoro e ho pensato che ti sarebbero piaciuti.»

«Wow. Grazie.» Ne aspirai profondamente il profumo. «Questa è la cosa più carina che mi sia capitata da secoli.»

«I fiori? O me?» Alzò un sopracciglio.

«Be', devo dire che sei *abbastanza* carino.»

Avevo dimenticato che gli americani non apprezzano l'iro-
nia. Sembrava mortificato.

«Sei meraviglioso. E lo sono anche i fiori.»

La sua bocca si spianò in un ampio sorriso e mi baciò. «Tu sei
la cosa più bella che mi sia capitata da secoli» disse dolcemente staccandosi da me. «Ho la sensazione di aver sempre aspettato te, Louisa.»

«Ci siamo conosciuti solo in ottobre.»

«Ah, ma viviamo nell'epoca della gratificazione immediata.
E siamo nella città dove tutto ciò che vuoi l'hai ottenuto ieri.»

Sentirsi desiderata come sembrava desiderarmi Josh mi dava una strana energia. Non sapevo nemmeno cosa avessi fatto per meritarlo. Avrei voluto chiedergli che cosa vedeva in me, ma sospettavo che avrei fatto la figura della ragazza insicura e bisognosa di attenzioni, così cercai di capirlo in altri modi.

«Parlami delle altre donne che hai frequentato» dissi dal divano mentre lui si affaccendava nell'angolo cucina tirando fuori piatti, bicchieri e posate. «Com'erano?»

«A parte quelle che ho rimorchiato su Tinder? Intelligenti, carine, quasi sempre di successo...» Si chinò per tirare fuori dal fondo del mobiletto una bottiglia di salsa di pesce. «Ma vuoi la verità? Esageratamente egocentriche, direi. Tipo che non potevano andare in giro senza essere perfettamente truccate, o avevano una crisi di nervi in piena regola se i capelli non erano a posto, e tutto doveva essere postato su Instagram, o fotografato o documentato sui social network e presentato sotto la luce migliore. Compresi gli appuntamenti con me. Come se non potessero mai abbassare la guardia.»

Si raddrizzò con le bottiglie in mano. «Preferisci la salsa piccante? O quella di soia? Ho avuto una ragazza che controllava a che ora mi alzavo al mattino e puntava la sveglia mezz'ora prima per potersi sistemare i capelli e truccarsi. In modo che io non la vedessi mai se non perfetta. Anche se questo significava alzarsi, che so, alle quattro e mezzo.»

«Okay. Allora ti avverto, io non sono proprio quel tipo di ragazza.»

«Questo lo so, Louisa. Ti ho messo io a letto.»

Mi tolsi le scarpe con un calcio e piegai le gambe sotto di me. «Be', sarai rimasto colpito dal fatto che ci mettessero tanto impegno per piacerti.»

«Sì, ma può essere anche un po' snervante. Hai la sensazione di non sapere... di non sapere mai cosa ci sia veramente sotto. Con te, invece, è tutto trasparente. Sei quella che sei.»

«Dovrei prenderlo come un complimento?»

«Certo. Tu sei come le ragazze con cui sono cresciuto. Sei sincera.»

«I Gopnik non la pensano così.»

«Che vadano affanculo.» Il suo tono era insolitamente brusco. «Sai, ci ho riflettuto. Tu puoi dimostrare di non aver fatto quello di cui ti accusano, giusto? Perciò dovresti denunciarli per licenziamento senza giusta causa, diffamazione e danni morali e...»

Scossi la testa.

«Sul serio. Gopnik conta sulla sua reputazione di persona perbene e vecchio stampo, un uomo d'affari da sempre impegnato nella beneficenza, ma ti ha licenziato in tronco per *nulla*, Louisa. Tu hai perso il lavoro e la casa senza preavviso né liquidazione.»

«Pensava che fossi una ladra.»

«Sì, ma probabilmente sapeva di non essere nel giusto fino in fondo, altrimenti avrebbe chiamato la polizia. Considerato chi è, scommetto che c'è qualche avvocato disposto a trattare questa causa con la clausola "niente vittoria, niente parcella".»

«Davvero. Va bene così. Le azioni legali non rientrano nel mio stile.»

«Sì, certo. Tu sei troppo buona. Sei molto *inglese* in questo.»

Suonarono alla porta. Josh alzò un dito, come a dire che avremmo ripreso la conversazione. Sparì nello stretto corridoio e lo udii pagare il fattorino mentre io finivo di preparare la tavola.

«E sai una cosa?» continuò portando il sacchetto in cucina. «Anche se tu non avessi prove, sono sicuro che Gopnik pagherebbe una bella somma per impedire che la faccenda finisca sui giornali. Pensa che cosa potrebbe significare per te. Ricordiamoci che fino a un paio di settimane fa dormivi sul pavimento della stanza di un tuo amico.» (Non gli avevo detto che in realtà condividevo il letto con Nathan.)

«Potrebbe fruttarti una discreta somma per pagare la cauzione di un alloggio in affitto. Caspita, se poi trovassi un buon avvocato, potresti addirittura comprarti un appartamento. Sai quanti soldi ha Gopnik? Fai conto che lui è *notoriamente* ricco. In una città di persone decisamente ricche.»

«Josh, so che lo dici a fin di bene, ma io voglio solo dimenticare questa brutta storia.»

«Louisa, tu...»

«*No*.» Posai il palmo delle mani sul tavolo. «Non farò causa a nessuno.»

Josh esitò un istante, probabilmente frustrato dalla sua incapacità di convincermi ad andare fino in fondo, poi si strinse nelle spalle e sorrise. «Okay, va bene. È ora di cena! Non hai allergie particolari, vero? Prendi un po' di pollo. Tieni. Ti piacciono le melanzane? Fanno un *chili* di melanzane che è la fine del mondo.»

Quella notte andai a letto con Josh. Non ero ubriaca né vulnerabile e non avevo un disperato desiderio di stare con lui. Volevo semplicemente che la mia vita tornasse a essere normale. Avevamo mangiato e bevuto e riso e chiacchierato fino a tarda notte, poi lui aveva tirato le tende e abbassato le luci ed era sembrata una progressione naturale, o almeno non avevo visto una ragione per non farlo. Era così bello. Aveva una pelle priva di imperfezioni e gli zigomi pronunciati, e i capelli morbidi e castani conservavano qualche tocco dorato anche dopo il lungo inverno. Ci baciammo sul divano, prima dolcemente e poi con passione crescente. Lui si liberò della camicia e io della mia e mi costrinsi a concentrarmi su quest'uomo stupendo e premuroso, questo principe di New York, e non su quel guazzabuglio di cose su cui tendeva a focalizzarsi la mia immaginazione, e sentii il desiderio crescere dentro di me come un lontano amico rassicurante finché non fui in grado di escludere tutto il resto e di abbandonarmi alla sensazione di lui sopra di me e poi, più tardi, dentro di me.

Dopo, mi baciò teneramente, mi chiese se ero stata bene e mormorò che doveva dormire un paio d'ore, e io rimasi là cercando di non far caso alle lacrime che inspiegabilmente sgorgavano dall'angolo dei miei occhi finendo nelle orecchie.

Cosa mi aveva detto Will? Dovevo vivere l'attimo. Dovevo cogliere le opportunità quando si presentavano. Dovevo essere il tipo di persona che diceva sì. Se avessi respinto Josh, non me ne sarei pentita per sempre?

Mi voltai piano in quel letto che non mi era familiare e studiai il profilo di Josh addormentato, il naso dritto e perfetto e la bocca che mi ricordava quella di Will. Pensai a tutte le ragioni per cui Will lo avrebbe approvato. Potevo perfino immaginarli insieme, a ridere l'uno dell'altro, con una vena competitiva nelle loro battute. Avrebbero potuto essere amici. O nemici. Erano fin troppo simili.

Forse era destino che io stessi con quest'uomo, pensai, anche se il percorso era strano e un po' inquietante. Forse era Will che era tornato da me. E con questo pensiero, mi asciugai gli occhi e caddi in un breve sonno agitato.

24

Da: BusyBee@gmail.com
A: KatClark1@yahoo.com

Cara Treen,
so che pensi che sia troppo presto, ma che cosa mi ha insegnato
Will? Che abbiamo solo una vita. E tu sei felice con Eddie, giusto?
Perciò perché non posso esserlo anch'io? Quando conoscerai Josh
mi capirai, ne sono sicura.
Questo per dirti che tipo di uomo è: ieri siamo andati nella miglior
libreria di Brooklyn e mi ha comprato un bel po' di tascabili che
secondo lui potevano piacermi, poi all'ora di pranzo mi ha portato in
un elegante ristorante messicano sulla East 46th e mi ha convinto ad
assaggiare dei tacos di pesce – non fare smorfie, erano assolutamente
deliziosi. Poi mi ha detto che voleva farmi vedere una cosa (no, non
quello). Siamo andati a piedi fino alla stazione di Grand Central
Terminal, ed era affollata, come al solito, e io ho pensato: "Okay, questo
è un po' strano, andiamo a fare una gita?", poi mi ha detto di stare
ferma nell'angolo dell'arco accanto all'Oyster Bar. Gli ho praticamente
riso in faccia. Pensavo che stesse scherzando. Ma lui ha insistito, mi
ha detto di fidarmi di lui.
Perciò mi metto lì, con la testa nell'angolo di questo imponente
arco in mattoni, mentre i pendolari vanno e vengono intorno a me,
cercando di non sentirmi una cretina, e voltandomi vedo che lui si sta
allontanando. Ma poi si ferma in diagonale sul lato opposto al mio,
forse a quindici metri di distanza, si gira verso la parete, nasconde la
faccia nell'angolo e all'improvviso, al di sopra del rumore, del caos e

dello sferragliare dei treni, sento la sua voce mormorarmi qualcosa nell'orecchio, come se fosse accanto a me: "Louisa Clark, sei la ragazza più adorabile di tutta New York".

Treen, è stata una vera magia. Alzo lo sguardo e Josh si volta e mi sorride, e io non ho idea di come sia successo, ma poi lui si avvicina, mi prende fra le braccia e mi bacia lì davanti a tutti, e qualcuno ci fa un fischio di approvazione. È stata davvero la cosa più romantica che mi sia mai capitata.

Perciò sì, sto andando avanti. E Josh è fantastico. Sarebbe bello se tu potessi essere felice per me.

Dai un bacione a Thom.

L.

Le settimane passavano e New York, come faceva per molte altre cose, si buttava a capofitto nella primavera alla velocità della luce, con scarsa gradualità e molto rumore. Il traffico si fece più intenso, le strade più affollate, e ogni giorno il reticolo intorno al nostro isolato diventava sempre più una cacofonia di suoni e di attività che non si smorzava se non nel cuore della notte. Smisi di mettermi il berretto e i guanti per partecipare alle manifestazioni contro la chiusura della biblioteca. Il cappottino imbottito di Dean Martin fu lavato e messo via. Il parco si coprì di un manto verde. Nessuno accennò al fatto che dovessi andarmene.

Margot, al posto di un compenso in denaro per le mie mansioni di badante, insistette per regalarmi una tale quantità di vestiti che dovetti smettere di esprimere ammirazione per qualche capo davanti a lei per timore che si sentisse in dovere di offrirmene altri. Con il passare delle settimane, riflettei sul fatto che quella donna poteva anche condividere l'indirizzo con i Gopnik, ma le analogie fra loro finivano lì. Lei tirava avanti, come avrebbe detto mia madre, spaccando il centesimo in quattro.

«Fra le spese mediche e quelle condominiali, non so dove pensano che io possa trovare i soldi per comprarmi da mangiare» protestò quando le porsi un'altra lettera consegnata a mano dall'amministratore. Sulla busta c'era scritto: APRIRE – AZIONE LEGALE PENDENTE. Margot arricciò il naso e la posò in cima a una pila di altre comunicazioni sulla credenza, dove sarebbe rimasta per le due settimane successive a meno che non l'avessi aperta io.

Si lamentava spesso delle spese di manutenzione ordinaria, che ammontavano a migliaia di dollari al mese, e sembrava aver raggiunto un punto in cui aveva semplicemente deciso di ignorarle perché non c'era nient'altro che potesse fare.

Mi disse di aver ereditato l'appartamento da suo nonno, un tipo avventuroso, l'unica persona della sua famiglia a non credere che la vita di una donna dovesse ruotare esclusivamente intorno al marito e ai figli. «Mio padre era furioso per essere stato scavalcato. Non mi parlò per anni. Mia madre tentò di mediare per trovare un accordo, ma ormai erano già subentrati... altri problemi.» Sospirò.

Faceva la spesa in un minimarket della zona che praticava prezzi da turisti, perché era uno dei pochi posti dove poteva recarsi a piedi. Misi fine a questa consuetudine cominciando ad andare due volte alla settimana in un supermercato Fairway sulla East 86th Street dove mi rifornivo dello stretto necessario per una cifra pari a un terzo di quello che spendeva lei prima.

Se non cucinavo io, Margot non mangiava quasi nulla di sano, ma in compenso comprava ottimi tagli di carne per Dean Martin o gli faceva bollire del pesce bianco nel latte "perché favoriva la sua digestione".

Credo che ormai si fosse abituata alla mia compagnia. Inoltre era così instabile sulle gambe che avevamo capito entrambe che non avrebbe più potuto cavarsela da sola. Mi domandavo quanto tempo occorresse a una persona della sua età per superare lo shock di un intervento chirurgico. Mi domandavo anche che cosa avrebbe fatto se non ci fossi stata io.

«Che cosa farai?» chiesi indicando il plico di bollette.

«Oh, le ignorerò» disse con un gesto noncurante. «Mi separerò da questo appartamento solo nella bara. Non ho un posto dove andare e nessuno a cui lasciarlo, e quel ladro di Ovitz lo sa. Penso che se ne stia lì buono buono ad aspettare che io muoia per poi rivendicare diritti con la scusa del mancato pagamento delle spese e fare una fortuna vendendolo a qualche pezzo grosso dell'e-commerce o a un odioso amministratore delegato come quel pazzo che abita dall'altra parte del pianerottolo.»

«Magari potrei darti una mano io, che ne dici? Ho qualche

risparmio del periodo in cui lavoravo per i Gopnik. Cioè, solo per cercare di tamponare la situazione per un paio di mesi. Sei stata così gentile con me.»

Margot esplose in una risata sgangherata. «Cara ragazza, non potresti far fronte nemmeno alle spese condominiali del mio bagno di servizio.»

Continuò a ridere talmente di cuore che cominciò a tossire fino a doversi sedere. Ma quando andò a letto diedi una sbirciatina alla lettera. Ed espressioni come "morosità nei pagamenti", "palese violazione degli obblighi condominiali" e "ingiunzione di sfratto" mi fecero pensare che Mr Ovitz non sarebbe stato così caritatevole – o paziente – come sembrava aspettarsi Margot.

Continuavo a portare a spasso Dean Martin quattro volte al giorno, e durante quelle passeggiate al parco cercavo di pensare a cosa avrei potuto fare per Margot. L'idea che potesse essere sfrattata era terrificante. L'amministratore non avrebbe preso un provvedimento così drastico ai danni di una donna anziana convalescente. Di certo gli altri residenti si sarebbero opposti, mi dissi. Ma poi ricordai con quanta rapidità mi aveva silurato Mr Gopnik, e quanto le vite degli inquilini che abitavano in quel palazzo fossero del tutto separate. Non ero nemmeno sicura che qualcuno si sarebbe accorto dell'assenza di un vicino di casa.

Mi trovavo nella Sixth Avenue a curiosare nella vetrina di un grossista di abbigliamento intimo quando mi balenò un'idea. Le ragazze dell'emporio non vendevano capi Chanel e Yves St Laurent, ma l'avrebbero fatto se avessero potuto procurarseli, o comunque conoscevano senz'altro qualche agenzia interessata all'acquisto. Margot possedeva un gran numero di abiti firmati, cose che, ne ero sicura, i collezionisti avrebbero pagato fior di quattrini. C'erano delle borsette che, da sole, dovevano valere migliaia di dollari.

Presentai le due ragazze a Margot con il pretesto di andare a fare un giro. Le dissi che era una bella giornata e che avremmo dovuto approfittarne per allungare le nostre consuete passeggiate, perché un po' d'aria fresca l'avrebbe aiutata a rimettersi in forze. Lei mi rispose di non essere ridicola, che a Manhattan non si respirava aria fresca dal 1937, ma salì sul taxi senza fare troppe storie e, con Dean Martin in grembo, raggiungemmo l'East Village. Non appena arrivate, Margot guardò la facciata di cemento dell'emporio con aria accigliata, come se le avessero chiesto di entrare in un mattatoio.

«Che cosa si è fatta alle braccia?» chiese a Lydia fermandosi davanti alla cassa a osservarla. Lydia indossava una camicetta verde smeraldo con le maniche a sbuffo che lasciavano scoperte tre carpe koi giapponesi, rispettivamente arancione, giada e blu, disegnate con cura sulla pelle.

«Oh, i miei tatuaggi. Le piacciono?» Lydia spostò la sigaretta nell'altra mano e sollevò il braccio verso la luce.

«Se volessi somigliare a uno scaricatore di porto, forse.»

Condussi Margot in un'altra zona del negozio. «Ecco, Margot. Vedi, gli abiti vintage sono suddivisi in diverse aree a seconda dei decenni. Per esempio, quelli degli anni Sessanta vanno qui, e laggiù ci sono quelli degli anni Cinquanta. È un po' come nel tuo appartamento.»

«Non c'è niente del genere nel mio appartamento.»

«Intendo dire che vendono vestiti come i tuoi. È un settore molto redditizio al giorno d'oggi.»

Margot tirò la manica di una camicetta di nylon e diede un'occhiata all'etichetta dall'alto dei suoi occhiali. «La linea di Amy Armistead è orrenda. Non ho mai potuto sopportare quella donna. O anche Les Grandes Folies. I loro bottoni si staccavano sempre. Straccetti da quattro soldi.»

«Ci sono dei vestiti veramente speciali qui dietro, nelle custodie di plastica.» Mi diressi verso il reparto degli abiti da sera, dov'era esposto il meglio dell'abbigliamento femminile. Tirai fuori un Saks Fifth Avenue turchese con l'orlo e i polsini decorati di perline e me lo appoggiai davanti sorridendo.

Margot lo studiò, poi voltò il cartellino del prezzo e fece una smorfia. «Chi diavolo pagherebbe questa cifra?»

«La gente che ama gli abiti di buon gusto» rispose Lydia, che nel frattempo si era materializzata alle nostre spalle. Masticava rumorosamente un chewing-gum e notai che gli occhi di Margot si stringevano impercettibilmente ogni volta che le mascelle di Lydia si toccavano.

«Davvero esiste un mercato per questi vestiti?»

«Un buon mercato» dissi. «Soprattutto per quelli in ottimo stato come i tuoi. Tutti gli outfit di Margot sono stati accurata-

ne che un magico ago da rammendo stesse pian piano ricucendo insieme le diverse parti della mia vita.

Mrs Traynor, con le sue buone maniere da diplomatico, fu deliziosa con Margot. Le due donne trovarono un terreno comune su cui chiacchierare, spaziando dalla storia di quel particolare edificio a quella di New York in generale. In quell'occasione vidi un'altra Margot: sagace, preparata, animata dalla nuova compagnia. Si scoprì che Mrs Traynor era venuta qui in luna di miele nel 1978, e insieme iniziarono a rievocare ristoranti, gallerie d'arte e mostre dell'epoca. Mrs Traynor parlò della sua carriera da magistrato e Margot discusse delle politiche aziendali degli anni Settanta, ed entrambe risero di gusto, come se noi giovani proprio non potessimo capire. Mangiammo un'insalata e una piccola porzione di pesce avvolto nel prosciutto. Margot assaggiò un po' di tutto e fece scivolare il resto da una parte, lagnandosi di non avere più speranza di riempire nessuno dei suoi vecchi vestiti.

Lily, nel frattempo, si era avvicinata a me chiedendomi quali fossero i luoghi che non comportavano la presenza di persone anziane né alcuna forma di arricchimento culturale.

«La nonna ha intasato questi quattro giorni di pallosissima roba istruttiva. Ha previsto una visita al MoMA e ai giardini botanici e cose simili, il che va bene, *bla bla*, se ti piacciono queste cose, ma io vorrei tanto andare in giro per locali, sbronzarmi e fare shopping. Voglio dire, siamo a New York!»

«Ho già parlato con Mrs Traynor. Ti porterò un po' in giro domani mentre lei si vede con una sua cugina.»

«Sul serio? Grazie a Dio. Quest'estate andrò in campeggio in Vietnam. Te l'ho già detto? Voglio comprarmi degli shorts di jeans decenti. Qualcosa che possa mettere per settimane senza preoccuparmi di lavarli. E magari un giubbotto vintage da motociclista. Qualcosa di bello vissuto.»

«Con chi vai? Un amico?» Inarcai un sopracciglio.

«Mi sembra di sentir parlare la nonna.»

«Allora?»

«Il mio ragazzo.» E poi, mentre aprivo la bocca per indagare oltre, aggiunse: «Ma non ti dirò niente di lui».

«Perché? Sono felice che tu abbia un ragazzo. È una bella notizia.» Abbassai la voce. «Sai, l'ultima persona che ha fatto la

misteriosa come te è stata mia sorella. E in sostanza nascondeva il fatto che stava per fare coming out.»

«Io non farò niente del genere. Non ho intenzione di mettermi a frugare nell'aiuola di nessuna signorina. Bleah.»

Cercai di non ridere. «Lily, non devi tenerti tutto dentro.
Noi vogliamo solo che tu sia felice. Ci fa piacere se ci fai le tue
confidenze.»

«La nonna è al corrente delle mie confidenze, come le chiami tu, in modo alquanto pittoresco.»

«Allora perché non mi vuoi dire niente? Pensavo che noi due
potessimo parlare di tutto!»

Lily aveva l'espressione rassegnata di chi veniva messo alle
corde. Fece un sospiro teatrale e posò forchetta e coltello. Mi
guardò come se si stesse preparando a un attacco frontale. «Perché si tratta di Jake.»

«Jake?»

«Il Jake di Sam, sì.»

Il ristorante sembrò fermarsi lentamente intorno a me. Mi
stampai in faccia un sorriso forzato. «Okay... Wow!»

Lily mi guardò imbronciata. «Sapevo che avresti reagito così.
Senti, è successo e basta. E non è che parliamo di te in continuazione. L'ho incontrato per caso un paio di volte... Sai, ci eravamo conosciuti alla festa d'addio di quel deprimente gruppo di
elaborazione del lutto che frequentavi, ci siamo trovati e ci siamo piaciuti, tutto qui. Cioè, capiamo bene le rispettive situazioni, perciò l'estate prossima partiremo insieme all'avventura. Niente di serio.»

Mi girava la testa. «Mrs Traynor l'ha già incontrato?»

«Sì. Lui viene da noi e io vado a casa sua.» Sembrava quasi sulla difensiva.

«Perciò vedi spesso...»

«Suo padre. Cioè, vedo anche Sam Ambulanza, sì, ma soprattutto vedo suo padre. Che è un tipo a posto, anche se è ancora
un po' depresso e mangia un quintale di torte alla settimana,
cosa che preoccupa molto Jake. In parte è proprio per questo
che vogliamo lasciarci tutto alle spalle per un po'. Solo per sei
settimane o giù di lì.»

Lily continuava a parlare, ma nella mia mente si era insinua-
to un lieve ronzio che mi impediva di capire fino in fondo cosa

stesse dicendo. Non volevo sapere niente di Sam, neppure indirettamente. Non volevo sapere che, a migliaia di chilometri di distanza, le persone che amavo giocavano alla famiglia felice senza di me. Non volevo sapere nulla della felicità di Sam, né di Katie con la sua bocca sensuale, o di come vivessero insieme nella sua nuova casa, in un rifugio di passione e un groviglio di divise identiche.

«Allora, dimmi. Com'è il tuo nuovo ragazzo?» mi chiese.

«Josh? Josh! È fantastico. Davvero fantastico.» Posai forchetta e coltello ai lati del piatto. «Semplicemente... da sogno.»

«Quindi che cosa sta succedendo? Devo vedere qualche foto di voi due insieme. Non sai quanto mi dà sui nervi che tu non sia né su Facebook né su Instagram. Non hai una sua foto sul cellulare?»

«No» risposi, e lei arricciò il naso come se la mia fosse una risposta completamente inadeguata.

Non era la verità. Ne avevo un paio di noi due insieme scattate una settimana prima in un ristorante panoramico pop-up. Ma non volevo che Lily scoprisse che Josh era praticamente identico a suo padre. L'avrebbe scombussolata o, ancora peggio, sentirglielo dire apertamente avrebbe scombussolato me.

«Allora, quand'è che leviamo le tende da questa camera mortuaria? Potremmo anche lasciare le vecchie qui a finire il loro pranzo, no?» disse Lily dandomi una gomitata. Margot e Mrs Traynor erano ancora immerse in una fitta conversazione. «Ti ho detto che ho stuzzicato ben bene il nonno riguardo allo spasimante immaginario della nonna? Gli ho fatto credere che sarebbero partiti per una vacanza alle Maldive e che la nonna era andata da Rigby & Peller per rifornirsi di nuova biancheria intima. Ti giuro che stava per scoppiare a piangere e dichiarare che la ama ancora. La cosa mi fa *morire* dalle risate.»

Per quanto volessi bene a Lily, ero felice che, a parte il pomeriggio dedicato allo shopping, il fitto programma di arricchimento culturale stabilito da Mrs Traynor per i giorni successivi ci lasciasse poco tempo da passare insieme. La sua presenza in città – e la sua inaspettata vicinanza alla vita di Sam – aveva creato una vibrazione nell'aria che non sapevo come dissipare. Era un bene che Josh fosse talmente preso dal lavoro da non notare se fossi giù di morale o distratta. Ma Margot se ne accorse e una sera, quando la sua amata *Ruota della fortuna* finì e io mi alzai per portare fuori Dean Martin per l'ultima passeggiata della sera, mi chiese senza troppi giri di parole che cosa mi turbasse.

Glielo spiegai. Non riuscivo a vedere un motivo per non farlo.

«Ami ancora quell'altro» concluse.

«Parli come mia sorella» replicai. «No. È solo... È solo che l'ho amato tanto, capisci? Ed è finita così male che pensavo che stare qui e vivere una vita diversa mi avrebbe isolato da tutto quel dolore. Non guardo più i social network. Non voglio tenere d'occhio nessuno. Eppure le informazioni sul tuo ex alla fine riescono sempre a raggiungerti. Ed è come se non riuscissi a concentrarmi finché Lily è qui, perché ora lei è entrata a far parte della vita di Sam.»

«Forse dovresti semplicemente riprendere i contatti con lui, cara. Sembra che tu abbia ancora delle cose da dire.»

«Non ho niente da dirgli» replicai, sempre più infervorata. «Ce l'ho messa tutta, Margot. Gli ho mandato delle email, gli ho telefonato. Sai che non mi ha scritto nemmeno una lettera? In tre mesi? Gli avevo chiesto di farlo perché mi sembrava un modo carino per restare in contatto e scoprire nuove cose l'uno dell'altro, qualcosa che avrebbe aumentato il desiderio di parlarci, che ci avrebbe fatto ricordare il periodo trascorso da separati e lui... lui non ci ha nemmeno provato.»

Margot rimase in silenzio a guardarmi, le mani strette intorno al telecomando.

Raddrizzai le spalle. «Ma va bene così, sai? Perché io ho voltato pagina. E Josh è eccezionale. Voglio dire, è bello ed è gentile, ha un lavoro fantastico ed è ambizioso... Oh, è *molto* ambizioso. Farà strada, ne sono sicura. Ha degli obiettivi che intende raggiungere: comprare una casa, fare carriera e alla fine restituire quello che ha ricevuto. Capisci? Vuole restituire anche se non ha ancora niente da restituire!»

Mi sedetti. Dean Martin era davanti a me, confuso. «E ha l'assoluta certezza di voler stare con me. Senza se e senza ma. Mi considera la sua fidanzata fin dal nostro primo appuntamento. E so bene quanti seduttori seriali ci siano in questa città. Sai quanto questo mi faccia sentire fortunata?»

Margot annuì.

Mi alzai di nuovo. «Perciò non mi importa un accidenti di Sam. In fondo, ci conoscevamo appena quando sono venuta qui. Se non fosse che entrambi avevamo bisogno con urgenza di assistenza medica, probabilmente non ci saremmo neppure messi insieme. Anzi, ne sono sicura. Ed era evidente che io non ero la donna giusta per lui, altrimenti mi avrebbe aspettato, non credi? Perché è questo che si fa di solito. Perciò, tutto sommato, va benissimo così. Anzi, sono davvero felice di come sono andate le cose. Va tutto bene. Tutto bene.»

Seguì un breve silenzio.

«Pare proprio di sì» osservò Margot piano.

«Sono davvero felice.»

«Lo vedo, cara.» Mi guardò per un attimo, poi piazzò le mani sui braccioli della sua poltroncina. «Bene. Ora potresti portare questo povero cane a fare una passeggiata? Ha gli occhi fuori dalle orbite.»

25

Mi ci vollero due sere per rintracciare il nipote di Margot. Josh era preso dal lavoro e Margot si ritirava quasi sempre alle nove, perciò una sera mi sedetti sul pavimento davanti alla porta d'ingresso – l'unico posto dove potevo scroccare la connessione wi-fi dei Gopnik – e iniziai a cercare il figlio di Margot su Google, provando prima con Frank De Witt, e poi, non ottenendo risultati con quel nome, con Frank Aldridge Junior. Non c'era nessuno che potesse essere lui, a meno che non si fosse trasferito in un'altra parte del paese, ma anche in quel caso, le date e le nazionalità di tutti gli uomini che risultavano sotto quel nome non corrispondevano.

La seconda sera, sull'onda di un'intuizione improvvisa, cercai il cognome da sposata di Margot in qualche vecchio documento custodito nel comò della sua stanza. Trovai un bigliettino per la messa di suffragio di Terrence Weber, così provai a cercare Frank Weber e mi resi conto, con una certa malinconia, che Margot aveva registrato il figlio con il nome del suo amato marito, morto anni prima che il bambino nascesse. E che, qualche tempo dopo, era tornata al suo cognome da nubile – De Witt – e si era completamente reinventata.

Frank Weber Junior era un dentista che viveva in una località chiamata Tuckahoe, nella contea di Westchester. Trovai un paio di riferimenti a lui su LinkedIn e Facebook attraverso sua moglie, Laynie. La notizia eclatante era che i due avevano un figlio, Vincent, poco più giovane di me. Lavorava a Yonkers presso un centro di formazione no-profit per bambini svantaggiati e fu lui a decidere per me. Forse Frank Weber Junior era troppo arrabbiato per riallacciare i rapporti con sua madre, ma che male ci sarebbe stato nel provarci con Vincent? Trovai il suo profilo, presi un bel respiro, gli inviai un messaggio e attesi.

Josh si ritagliò una pausa dal suo interminabile tour di manovre per ottenere un avanzamento di carriera e pranzò con me al noodle bar annunciandomi che il sabato ci sarebbe stato un "family day" aziendale al Loeb Boathouse e che gli sarebbe piaciuto portarmi con lui.

«Dovrei andare in biblioteca per la manifestazione.»

«Non ha senso che continui a partecipare, Louisa. Stare là con un drappello di poveracci che urlano alle auto che passano non cambierà nulla.»

«D'altronde, non è che io faccia proprio parte della famiglia» ribattei, lievemente risentita.

«Quasi, però. Dài! Sarà una giornata fantastica. Sei mai stata al Boathouse? È splendido. Certo che la mia azienda sa come organizzare un evento. Sei sempre nella fase del "dire di sì", giusto? Quindi devi dire di sì» concluse con gli occhi da cucciolo implorante. «Di' di sì, Louisa, ti prego.»

Era irresistibile e lo sapeva. Sorrisi, rassegnata. «Okay. Sì.»

«Grandioso! Pare che l'anno scorso ci fossero costumi da sumo gonfiabili e gente che faceva la lotta rotolando sull'erba, e poi c'erano gare di famiglia e giochi organizzati. Ti piacerà di sicuro.»

«Sembra esaltante» dissi. Sentir parlare di giochi organizzati aveva per me la stessa attrattiva di un pap test obbligatorio. Ma me lo stava chiedendo Josh, e sembrava così felice all'idea che io lo accompagnassi che non ebbi il coraggio di dirgli di no.

«Ti prometto che non dovrai fare la lotta con i miei colleghi. Semmai potresti ritrovarti a fare la lotta con me, dopo» disse, poi mi baciò e se ne andò.

Controllai la mia casella di posta elettronica per tutta la settimana, ma non c'era nulla, a parte un messaggio di Lily che mi chiedeva se conoscessi il posto migliore dove facevano tatuaggi ai minorenni, un saluto cordiale da parte di qualcuno che, a quanto pareva, era stato mio compagno di scuola ma che io non ricordavo affatto, e un'email di mia madre che mi mandava una gif di un gatto sovrappeso che parlava con un bambino di due anni e un link a un gioco chiamato Farm Fun Fandango.

«Sei sicura di riuscire a cavartela da sola, Margot?» chiesi mentre infilavo le chiavi e il portafoglio in borsetta. Indossavo una tutina bianca dei primi anni Ottanta con le spalline di lamé dorato che mi aveva prestato lei. Quando mi vide, unì i palmi davanti al petto ed esclamò: «Oh, ti sta divinamente! Credo che tu abbia più o meno le stesse misure che avevo io alla tua età. Avevo un seno abbondante, sai? Terribilmente fuori moda negli anni Sessanta e Settanta, ma tant'è.»

Preferii non dirle che ci voleva tutta la mia buona volontà per non far esplodere le cuciture, ma aveva ragione: da quando mi ero trasferita da lei avevo perso qualche chilo, soprattutto a causa dei miei tentativi di cucinarle cibi sani dal punto di vista nutrizionale. Mi sentivo a mio agio con quell'abbigliamento e feci una giravolta per farmi ammirare. «Hai preso le pillole?»

«Certo. Non preoccuparti, cara. Significa che non tornerai più tardi?»

«Non so. Comunque porterò Dean Martin a fare un giro prima di andarmene. Non si sa mai.» Indugiai un istante mentre prendevo il guinzaglio. «Margot? Perché l'hai chiamato Dean Martin? Non te l'ho mai chiesto.»

Dal tono della sua risposta capii che la mia era una domanda idiota. «Perché Dean Martin era l'uomo più irresistibile del mondo, e lui è il cane più irresistibile del mondo, naturalmente.»

Il cagnetto aspettava ubbidiente, roteando i suoi occhi sporgenti e strabici al di sopra della lingua penzoloni.

«Sono stata stupida a chiederlo» dissi, e uscii.

«Ma guarda qui che spettacolo!» esclamò Ashok accompagnando il suo commento con un fischio di approvazione mentre io e Dean Martin scendevamo di corsa l'ultima rampa di scale. «Disco diva!»

«Ti piace?» domandai improvvisando qualche passo di danza davanti a lui. «Era di Margot.»

«Davvero? Quella donna è piena di sorprese.»

«Puoi tenerla d'occhio, per favore? È più traballante del solito oggi.»

«Ho messo da parte una busta da consegnarle, perciò ho una scusa per bussare alla sua porta alle sei.»

«Sei un tesoro.»

Durante la nostra corsetta fino al parco, Dean Martin fece quello che fanno i cani quando escono per una passeggiata, e io svolsi il mio compito di dog-sitter con un sacchetto e una buona dose di brividi di disgusto mentre i passanti mi fissavano con l'aria esterrefatta di chi vede una ragazza con una tutina di lamé correre con un cane esagitato e un sacchettino pieno di cacca in mano. Quando rientrai al Lavery, con Dean Martin che uggiolava felice intorno ai miei piedi, mi imbattei in Josh nell'androne. «Ehi, ciao» dissi dandogli un bacio. «Due minuti, okay? Faccio un salto su, mi lavo le mani e prendo la borsetta.»

«Prendi la borsetta?»

«Sì!» Lo fissai. «Dovrò pur portare una borsetta, no?»

«Intendevo... Non ti cambi?»

Abbassai gli occhi sulla mia tutina. «Mi sono già cambiata.»

«Tesoro, se vieni vestita così a questo evento aziendale si chiederanno tutti se sei tu l'attrazione.»

Mi ci volle qualche istante per capire che non stava scherzando. «Non ti piace?»

«Oh, sì. Sei uno schianto. Solo che fa un po' troppo... drag queen, non credi? Noi siamo un'azienda di gente seria e compassata. Cioè, le altre mogli e fidanzate avranno un tubino o dei pantaloni bianchi. Insomma, un abbigliamento casual chic, capisci?»

«Oh.» Mi sforzai di non sentirmi delusa. «Scusami. Non sono ancora entrata nello spirito dei dress code americani. Okay. Okay. Aspettami qui, faccio in un attimo.»

Salii i gradini due alla volta e irruppi nell'appartamento gettando il guinzaglio verso Margot, che si era alzata dalla poltrona per prendere qualcosa e ora mi seguiva nel corridoio sostenendosi alla parete con il suo braccio esile.

«Cos'è questa fretta indiavolata? Mi sembra che sia entrato in casa un branco di elefanti.»

«Devo cambiarmi.»

«Cambiarti? Perché?»

«Non sono presentabile, a quanto pare.» Passai rapidamente in rassegna il mio guardaroba. Tubini? L'unico tubino che avevo era quello psichedelico che mi aveva regalato Sam, e indossarlo per uscire con Josh mi sembrava una specie di tradimento.

«Secondo me stavi benissimo» disse Margot un po' risentita.

«Oh, sì. Le stava una favola.» Josh, che mi aveva seguito su per le scale, era apparso sull'uscio di casa. «Solo che... vorrei che si parlasse di lei per le ragioni giuste.» Rise. Margot non si associò.

Rovistai tra i miei vestiti, gettandone alcuni sul letto finché trovai il mio blazer blu scuro in stile Gucci e un abitino di seta a righe. Me lo infilai dalla testa e calzai le mie Mary Jane verdi.

«Che ne dici di questo?» chiesi, presentandomi nell'ingresso mentre mi ravviavo i capelli.

«Splendido!» rispose Josh, visibilmente sollevato. «Okay. Andiamo.»

«Non chiuderò la porta a chiave, cara» mi mormorò Margot mentre mi affrettavo a seguire Josh, che era già uscito. «Sai com'è, in caso tu voglia tornare.»

Grazie alla sua posizione, il Loeb Boathouse era una bellissima location riparata dal caos che regnava intorno a Central Park, con ampie finestre che offrivano una vista panoramica del lago luccicante sotto il sole del pomeriggio. Era affollata di uomini con eleganti pantaloni chino e donne con acconciature fresche di parrucchiere e, come aveva anticipato Josh, si presentava come un mare di colori pastello e di pantaloni bianchi.

Presi una coppa di champagne dal vassoio offerto da un cameriere e osservai Josh che girava per la sala salutando calorosamente diversi uomini che sembravano fatti con lo stampino, con i loro tagli di capelli scolpiti, le mascelle squadrate e la dentatura perfetta. Per un attimo mi tornarono alla mente gli eventi a cui avevo partecipato con Agnes: ero ripiombata nell'altra faccia di New York che conoscevo, ben lontana dal mondo fatto di negozi di abbigliamento vintage, maglioni con le palline di naftalina e caffè scadente in cui ero stata immersa negli ultimi tempi. Bevvi un lungo sorso di champagne e decisi di godermi la giornata.

Josh apparve accanto a me. «Niente male, vero?»

«Sì, è bellissimo.»

«Meglio che stare nell'appartamento di una vecchia signora tutto il pomeriggio, ti pare?»

«Be', non penso che...»

«Sta arrivando il mio capo. Okay, farò le presentazioni. Stammi vicino. Mitchell!»

Josh alzò il braccio e l'uomo si avvicinò a passo lento, con al fianco una brunetta statuaria dal sorriso stranamente fisso. Forse era questo che succedeva alla tua faccia quando eri costretto a essere sempre gentile con tutti.

«Ti stai divertendo?»

«Moltissimo, signore» rispose Josh. «Una location davvero incantevole. Posso presentarle la mia fidanzata? Lei è Louisa Clark, dall'Inghilterra. Louisa, ti presento Mitchell Dumont. È il capo di Fusioni e Acquisizioni.»

«Inglese, eh?» Sentii l'enorme mano dell'uomo chiudersi sulla mia e stringerla con vigore.

«Sì, io...»

«Bene. Bene.» Poi tornò a rivolgersi a Josh. «Allora, giovanotto, mi dicono che stai facendo faville nel tuo reparto.»

Josh non riuscì a nascondere la soddisfazione. Sulla sua faccia si allargò un sorriso. Il suo sguardo guizzò verso di me e poi verso la donna che mi stava accanto, e mi resi conto che si aspettava che facessi conversazione con lei. Nessuno si era dato la pena di presentarci. Con un gesto paterno, Mitchell Dumont posò un braccio intorno alle spalle di Josh e lo condusse pochi passi più in là.

«Allora...» dissi. Sollevai le sopracciglia e le abbassai di nuovo.

Lei mi rivolse il suo sorriso ingessato.

«Mi piace molto il suo vestito» osservai, ricorrendo al commento universale che si scambiano due donne quando non hanno assolutamente nulla da dirsi.

«Grazie. Carine, le sue scarpe» ribatté, ma lo disse con un tono che faceva intendere che non le riteneva affatto carine. Scrutò la sala, chiaramente alla disperata ricerca di qualcun altro con cui parlare. Le era bastato dare un'occhiata al mio look per rendersi conto di essere di gran lunga superiore a me a livello economico.

Non c'era nessun altro nei paraggi, così riprovai. «Viene qui spesso? Al Loeb Boathouse, intendo.»

«Si dice "Lobe"» mi corresse lei.

«Lobe?»

«Lei l'ha pronunciato "Lerb". È "Lobe".»

Guardai le sue labbra perfettamente truccate e carnose in maniera sospetta, che continuavano a ripetere quella parola, e mi venne voglia di scoppiare a ridere. Bevvi un sorso di champagne per trattenermi. «Quindi viene spesso al Lerb Berthouse?» ripetei senza riuscire a frenarmi.

«No» rispose lei. «Anche se una mia amica ha organizzato qui il ricevimento di nozze l'anno scorso. È stato un matrimonio strepitoso.»

«Non stento a *cvedevlo*. E lei di cosa si occupa?»

«Sono casalinga.»

«Casalinga! Anche mia *madve* lo è.» Bevvi un'altra sorsata. «*Occupavsi* della casa è *davvevo gvatificante*.» Vidi Josh con lo sguardo concentratissimo sul viso del suo capo, e mi ricordò mio nipote Thom quando supplicava mio padre di dargli un po' delle sue patatine.

La mia interlocutrice aveva assunto un'espressione vagamente preoccupata, almeno nella misura in cui una persona incapace di muovere le sopracciglia potesse esprimere preoccupazione. Una bolla di risatine aveva iniziato a gorgogliare nel mio petto e implorai qualche divinità invisibile di tenerla sotto controllo.

«Maya!» Con una punta di sollievo nella voce, Mrs Dumont (almeno dedussi fosse lei la persona con cui avevo parlato) fece un cenno a una donna che si stava dirigendo verso di noi, con una silhouette perfetta fasciata in un tubino color menta. Attesi mentre si scambiavano un bacio sfiorandosi appena le guance.

«Sei semplicemente stupenda.»

«Anche tu. Adoro quel vestito.»

«Oh, ce l'ho da tanto tempo. E tu sei troppo gentile. Dov'è quel tesoro di tuo marito? Sempre in giro a parlare di affari?»

«Be', sai com'è fatto Mitchell.» A quel punto Mrs Dumont non poté più ignorare la mia presenza. «Lei è la fidanzata di Joshua Ryan. Mi deve scusare, non ho sentito bene il suo nome. C'è un chiasso infernale qui dentro.»

«Louisa» dissi.

«Che bel nome. Io sono la dolce metà di Jeffrey. Conosce Jeffrey dell'ufficio Vendite e Marketing?»

«Chi non conosce Jeffrey?» le fece eco Mrs Dumont.

«Oh, Jeffrey...» ripetei scuotendo la testa. Poi annuii. Poi scossi di nuovo la testa.

«E lei di cosa si occupa?»

«Di cosa mi occupo?»

«Louisa lavora nella moda.» Josh era apparso al mio fianco. «Be', ha senz'altro uno stile molto personale. Io amo gli inglesi, e tu, Mallory? Sono così *interessanti* nelle loro scelte.»

Seguì un breve silenzio, mentre tutti assimilavano le mie scelte in termini di abbigliamento.

«Louisa sta per iniziare una collaborazione con il "Women's Wear Daily".»

«Oh, davvero?» disse Mallory Dumont.

«Ah, sì?» esclamai sbigottita. «Sì, certo.»

«Dev'essere elettrizzante. È una rivista meravigliosa. Devo trovare mio marito. Vi prego di scusarmi.» Con un altro sorriso insipido, Mrs Dumont si allontanò sui suoi tacchi vertiginosi, seguita da Maya.

«Perché hai detto questa cosa della rivista di moda?» domandai prendendo un'altra coppa di champagne. «Perché suona meglio di "faccio la badante a una vecchia signora"?»

«No. Perché... perché hai l'aria di una che potrebbe lavorare nel campo della moda.»

«Sei ancora a disagio per come sono vestita?» Guardai le due signore con i loro abiti molto simili. D'un tratto pensai a come dovesse sentirsi Agnes in occasioni del genere, alla miriade di modi sottili che riesce a trovare una donna per far sapere a un'altra che è fuori posto.

«Stai benissimo. Ma è più facile spiegare la tua... la tua particolare... la tua sensibilità unica se pensano che lavori nella moda. Che in fondo è un po' quello che già fai.»

«Io sono felicissima di quello che faccio, Josh.»

«Ma vorresti entrare in questo settore, no? Non puoi accudire una vecchia per sempre. Senti, te l'avrei raccontato dopo. Mia cognata Debbie conosce una tizia che lavora nell'ufficio marketing di "Women's Wear Daily". Ha detto che chiederà se ci sono delle posizioni aperte per gente senza esperienza. Sembra piuttosto fiduciosa di poter fare qualcosa per te. Che ne pensi?» Era raggiante, neanche mi avesse regalato il Sacro Graal.

Bevvi un sorso di champagne. «Bello!»

«Infatti. Entusiasmante, non credi?» Continuava a guardarmi con le sopracciglia alzate.

«Certo!» esclamai alla fine.

Josh mi diede una stretta alla spalla. «Sapevo che ti avrebbe fatto piacere. Bene, torniamo fuori ora. Tra poco ci saranno le gare. Vuoi un'acqua tonica? Credo sia meglio non farci vedere mentre approfittiamo troppo dello champagne. Dammi qua, faccio io.» Posò il mio bicchiere vuoto sul vassoio di un cameriere di passaggio e uscimmo all'aria aperta, sotto il sole.

Data l'eleganza dell'occasione e la spettacolarità della location, avrei davvero dovuto godermi le due ore successive. Avevo detto sì a una nuova esperienza, dopotutto. Ma in realtà mi sentivo sempre più a disagio in mezzo a quelle coppie di successo. Non riuscivo a tener dietro al ritmo della conversazione, così, quando venivo coinvolta in un gruppo a caso, finivo per fare la figura della muta o della stupida. Josh si muoveva da una persona all'altra come un missile manageriale guidato, assumendo un'espressione interessata e zelante a ogni sosta ed esibendo i suoi modi sempre cortesi e decisi. Mi ritrovai a osservarlo e a domandarmi ancora una volta che cosa diavolo potesse trovare in una come me. Non avevo nulla in comune con queste donne dalla luminosa carnagione color pesca e dagli abiti inguacibili che raccontavano di vacanze alle Bahamas e tate impossibili da gestire. Seguivo Josh nella sua scia, continuando a mentire riguardo alla mia promettente carriera nel mondo della moda, sorridendo senza parlare e concordando che "sì, sì è molto bello e grazie", "oh, sì, gradirei un altro flûte di champagne", e sforzandomi di non notare le sopracciglia di Josh che si alzavano e si abbassavano.

«Bella giornata, vero? Si sta divertendo?»

Una giovane donna con un caschetto di capelli fulvi così lucidi che quasi potevo specchiarmici si era materializzata accanto a me, mentre Josh rideva fragorosamente per la battuta di un uomo più maturo che indossava una camicia azzurrina e gli immancabili pantaloni chino.

«Oh, sì, molto. Grazie.» Ormai ero diventata bravissima a sorridere senza dire assolutamente nulla.

«Felicity Lieberman. Lavoro due scrivanie più in là rispetto a Josh. Sta andando alla grande.»

Le strinsi la mano. «Louisa Clark. Sì, certo.» Feci un passo indietro e bevvi un sorso del mio drink.

«Nel giro di un paio d'anni diventerà socio, ne sono certa. Voi due state insieme da molto?»

«Ehm, in realtà no. Ma ci conosciamo da parecchio tempo.»
La donna sembrava in attesa che io aggiungessi qualcosa.
«Be', eravamo solo amici prima.» Avevo bevuto troppo e mi
ritrovai a parlare più del dovuto. «A dire il vero, stavo con un'altra persona, ma io e Josh continuavamo a incontrarci per caso.
Sai, lui dice che stava aspettando proprio me. O meglio, stava
aspettando che io e il mio ex ci lasciassimo. Quindi è iniziato
tutto in modo piuttosto romantico. E poi sono successe un sacco di cose e... *bang!* Improvvisamente ci siamo trovati coinvolti
in una vera relazione. Sai come vanno queste cose.»
«Oh, sì. Sa essere molto persuasivo, il nostro Josh.»
Avvertii qualcosa nella sua risata che mi scombussolò. «Persuasivo?» dissi dopo una breve esitazione.
«Ti ha portato nella Galleria dei Sospiri?»
«Portato dove?»
Probabilmente lei colse il mio sguardo sciocco. Si piegò verso di me. «*Felicity Lieberman, sei la ragazza più adorabile di tutta
New York.*» Lanciò un'occhiata a Josh e poi fece marcia indietro. «Oh, non fare quella faccia. Non è stata una cosa impegnativa. E Josh è davvero interessato a te. Parla continuamente di
te in ufficio. Fa proprio sul serio. Accidenti, però, questi uomini, con tutti i loro giochini. Sono terribili, vero?»
Mi sforzai di ridere. «Già.»
Dopo il discorso autocelebrativo di Mr Dumont, quando ormai le coppie avevano iniziato ad andarsene a casa, mi trovai
a cedere alle prime avvisaglie di un'emicrania da sbornia. Josh
mi teneva aperta la portiera del taxi, ma io gli dissi che preferivo tornare a piedi.
«Non vuoi venire da me? Potremmo mangiare un boccone
insieme.»
«Sono stanca. E Margot ha un appuntamento domattina» risposi sbrigativamente. Mi facevano male le guance per tutti i
sorrisi falsi che avevo distribuito.
I suoi occhi cercarono i miei. «Sei arrabbiata con me.»
«Non sono arrabbiata con te.»
«Sei arrabbiata con me per quello che ho detto sul tuo lavoro.» Mi prese la mano. «Louisa, non intendevo turbarti, tesoro.»
«Ma volevi che io fossi qualcun altro. Mi ritenevi inferiore
a loro.»

«No. Io penso che tu sia straordinaria. Solo che potresti fare meglio, perché hai così tante potenzialità e...»

«Non dirlo, okay? Non parlare di potenzialità. È una parola che indica un atteggiamento di superiorità e suona come un insulto e... Insomma, non voglio che la usi quando parli con me. Mai. Intesi?»

«Caspita!» Josh si guardò alle spalle, forse per accertarsi che non ci fossero colleghi che assistevano alla scena. Mi prese per il gomito. «Okay. Mi dici che cosa sta succedendo?»

Mi fissai i piedi. Non volevo dire nulla, ma non riuscii a trattenermi. «Quante?»

«Quante cosa?»

«A quante donne hai fatto quel giochino? Quello nella Galleria dei Sospiri?»

Josh restò di sasso. Alzò gli occhi al cielo e si scostò leggermente. «Felicity.»

«Già, Felicity.»

«Okay, non sei stata l'unica. Ma è una cosa carina, no? Ho pensato che ti sarebbe piaciuta. Credimi, volevo solo farti sorridere.»

Eravamo fermi davanti alla portiera del taxi mentre il tassametro ticchettava, e l'autista lanciò un'occhiata allo specchietto retrovisore, in attesa.

«E ti ho fatto sorridere, giusto? È stato un bel momento. Non è così?»

«Ma tu avevi già vissuto quel momento. Con un'altra persona.»

«Oh, andiamo, Louisa. Sono l'unico uomo a cui hai mai detto delle parole dolci? Per cui ti sei vestita elegante? Con cui hai fatto l'amore? Non siamo adolescenti. Abbiamo un passato alle spalle.»

«E delle strategie ben collaudate, pure.»

«Sei ingiusta.»

Inspirai a fondo. «Mi dispiace. Non è solo per la faccenda della Galleria dei Sospiri. Trovo questi eventi un po' complicati. Non sono abituata a fingere di essere quella che non sono.»

Gli tornò il sorriso e la sua espressione si addolcì. «Ehi, ce la farai. Sono tutte brave persone, una volta che le conosci. Anche le ragazze che ho frequentato.» Cercò di sorridere.

«Se lo dici tu.»

«Andremo a una partita di softball la prossima volta. È un evento un po' meno impegnativo. Ti piacerà.»

Abbozzai un sorriso.

Lui si protese in avanti e mi baciò. «Pace?» chiese.

«Pace.»

«Sicura che non vuoi tornare con me?»

«Devo controllare Margot. In più ho mal di testa.»

«È colpa di tutto quello che ti sei scolata! Bevi molta acqua. Probabilmente sei disidratata. Ci sentiamo domani.» Mi baciò, salì in auto e chiuse la portiera. Mi salutò con la mano mentre io me ne stavo là a guardare, poi diede due colpetti sul vetro di protezione e il taxi partì.

Quando entrai nell'ingresso del Lavery, guardai l'orologio e rimasi sorpresa nel vedere che erano soltanto le sei e mezzo. Il pomeriggio sembrava essere durato diversi decenni. Mi tolsi le scarpe, provando l'inarrivabile piacere che solo una donna conosce quando le dita rattrappite possono finalmente affondare in un tappeto morbido, e salii fino all'appartamento di Margot a piedi nudi tenendo in mano ciondoloni quello strumento di tortura. Mi sentivo stanca e infastidita in un modo che non riuscivo a spiegare, come se mi avessero chiesto di giocare a un gioco di cui non capivo le regole. C'erano stati momenti in cui avrei voluto trovarmi da qualsiasi altra parte. E continuavo a pensare a Felicity Lieberman e al suo: "Ti ha portato nella Galleria dei Sospiri?".

Appena entrata in casa, mi chinai per salutare Dean Martin, che mi venne incontro nell'ingresso saltellando. Il suo musetto schiacciato era così felice del mio ritorno che mi riuscì difficile rimanere imbronciata. Mi sedetti per terra e lasciai che mi facesse le feste saltellando intorno a me e cercando di leccarmi la faccia con la sua linguetta rosa, finché non mi tornò il sorriso.

«Sono io, Margot» gridai.

«Be', non mi aspettavo certo George Clooney» mi arrivò come tutta risposta. «Il che è un gran peccato. Com'erano le mogliettine perfette? Il giovanotto è già riuscito a convertirti?»

«È stato un pomeriggio piacevole, Margot» mentii. «Erano tutti molto gentili.»

«È andata male, eh? Ti dispiace prendermi un bicchierino di vermouth, se ti capita di passare in cucina, cara?»

«Cosa cavolo è il vermouth?» mormorai al cane, ma lui si sedette e cominciò a grattarsi un orecchio con la zampa posteriore.

«Prendine uno anche per te, se vuoi» aggiunse Margot. «Mi sa che hai bisogno di un goccetto.»

Mi stavo rialzando in piedi quando squillò il cellulare. Ebbi un attimo di sgomento: probabilmente era Josh, e io non ero affatto pronta a parlargli. Ma poi diedi un'occhiata al display e vidi che era il numero di casa. Accostai il telefono all'orecchio.

«Papà?»

«Louisa? Oh, grazie al cielo ti ho trovato.»

Controllai l'ora. «Va tutto bene? È notte fonda lì da voi.»

«Tesoro, ho una brutta notizia da darti. Si tratta del nonno.»

26

In memoria di Albert John Compton, "Nonno"

Le esequie si terranno nella parrocchia di St Mary and All Saints
di Stortfold Green il 23 aprile alle ore 12.30.

Siete tutti invitati al rinfresco che verrà servito dopo la cerimonia
al pub Laughing Dog di Pinemouth Street.

Niente fiori, ma sono gradite donazioni al Fondo per i fantini
infortunati.

"I nostri cuori sono vuoti,
ma abbiamo avuto il privilegio di averti amato."

Tornai a casa tre giorni dopo, in tempo per il funerale. Preparai dei piatti per Margot e li surgelai in modo da garantirle una decina di giorni di pasti regolari, lasciai istruzioni ad Ashok affinché facesse una scappata nel suo appartamento almeno una volta al giorno con un pretesto qualunque per accertarsi che stesse bene e gli dissi che, in caso contrario, non volevo tornare una settimana dopo con il rischio di trovare altri problemi. Spostai una delle sue visite di controllo in ospedale, passai a ritirare le sue prescrizioni, mi assicurai che le lenzuola fossero pulite e che Dean Martin avesse abbastanza cibo, e pagai Magda, una dog-sitter professionista, perché venisse a prendersi cura di lui due volte al giorno. Raccomandai a Margot di non licenziarla subito dopo la prima passeggiata. Avvisai le ragazze del negozio della mia assenza. Incontrai Josh un paio di volte e lasciai che mi accarezzasse i capelli e mi dicesse che gli dispiaceva e che ricordava bene come si era sentito quando aveva perso suo nonno. Quando finalmente salii in aereo, mi resi conto che le mille attività con cui mi ero tenuta occupata in realtà non erano state altro che un modo per sfuggire alla realtà di ciò che era appena accaduto.

Il nonno non c'era più.

Un altro ictus, mi spiegò papà. I miei genitori erano seduti in cucina a chiacchierare mentre il nonno guardava le corse, e quando mia madre era andata a chiedergli se voleva dell'altro tè l'aveva trovato assopito. Si era spento in modo silenzioso e tranquillo, tanto che era passato un quarto d'ora prima che si rendessero conto che non stava semplicemente dormendo.

«Sembrava così rilassato, Lou» continuò papà mentre tornavamo dall'aeroporto sul suo furgoncino. «Aveva la testa voltata da una parte e gli occhi chiusi, come se stesse facendo un pisolino. Voglio dire, che Dio l'abbia in gloria, nessuno di noi avrebbe mai voluto perderlo, ma non ti pare il modo migliore per lasciare questo mondo? Sulla tua poltrona preferita, in casa tua, con la tua fedele televisione accesa. Non aveva neppure scommesso su quella corsa, quindi non è andato nell'aldilà amareggiato per aver dovuto rinunciare alla vincita.»

Ero intontita. Soltanto quando seguii mio padre in casa e vidi la poltroncina del nonno vuota riuscii a convincermi che era proprio vero. Non l'avrei mai più rivisto, non avrei mai più sentito la sua vecchia schiena curva sotto le dita mentre lo abbracciavo, non gli avrei mai più preparato una tazza di tè, né interpretato i suoi silenzi o scherzato con lui perché barava al Sudoku.

«Oh, Lou.» La mamma mi venne incontro in corridoio e mi attirò a sé.

La abbracciai sentendo le sue lacrime scendere sulla mia spalla mentre papà, dietro di lei, le dava dei colpetti sulla schiena mormorando: «Su, su, amore. Va tutto bene. Va tutto bene», come se, ripetendolo più volte, potesse diventare vero.

Per quanto amassi il nonno, talvolta mi ero chiesta in termini astratti se, quando se ne fosse andato, mia madre si sarebbe in un certo senso liberata dalla responsabilità di doversi occupare di lui. La sua vita era stata legata così saldamente e così a lungo a quella di suo padre che era riuscita a ritagliarsi solo dei brevi momenti per sé. Negli ultimi mesi, quando la salute del nonno era diventata ancora più precaria, aveva perfino dovuto rinunciare alla sua amata scuola serale.

Ma mi sbagliavo. Era distrutta, costantemente sull'orlo del pianto. Si rimproverava di non essere stata in soggiorno quando lui se n'era andato, le venivano gli occhi lucidi alla vista delle sue cose e continuava a tormentarsi chiedendosi se avrebbe potuto fare di più. Era irrequieta, si sentiva persa senza qualcuno di cui prendersi cura. Si alzava in piedi e subito dopo tornava a sedersi, sprimacciava i cuscini del divano, controllava l'orologio in attesa di qualche appuntamento inesistente. Quando la disperazione prendeva il sopravvento, si metteva a pulire in modo maniacale togliendo della polvere invisibile dal battiscopa o strofinando i pavimenti fino a screpolarsi le nocche. Una sera ci sedemmo intorno al tavolo della cucina mentre papà era al pub – in teoria per definire gli ultimi dettagli del rinfresco dopo il funerale – e lei buttò nel lavandino la quarta tazza di tè che aveva preparato per forza d'abitudine per un uomo che non c'era più, dopodiché si lasciò sfuggire di bocca le domande che la ossessionavano da quando suo padre era morto.

«E se avessi potuto fare qualcosa? Se l'avessimo portato in ospedale per altri accertamenti? Forse avrebbero rilevato il rischio di recidive» si chiese torcendosi il fazzoletto fra le mani.

«Ma sono tutte cose che hai fatto. L'hai accompagnato a milioni di visite.»

«Ti ricordi quella volta che si è spazzolato due pacchetti di Digestive al cioccolato? Potrebbe essere stato quello il colpo di grazia. Oggi lo zucchero è il nemico numero uno, lo dicono tutti. Avrei dovuto metterli su un ripiano più alto. Non avrei dovuto lasciarlo avvicinare a quei maledetti dolci...»

«Non era un bambino, mamma.»

«Avrei dovuto insistere per fargli mangiare le verdure. Ma era dura, sai? Non puoi imboccare un adulto con il cucchiaino. Oh, Signore, senza offesa. Voglio dire, con Will ovviamente era diverso...»

Posai la mia mano sulla sua e guardai il suo viso contrarsi in una smorfia disperata. «Nessuno avrebbe potuto amarlo di più, mamma. Nessuno avrebbe potuto prendersi cura del nonno meglio di te.»

Per la verità, la sua sofferenza mi metteva a disagio. Era troppo simile a quella che avevo provato io, e non molto tempo prima. Guardavo alla sua tristezza con diffidenza, come se fosse contagiosa, e mi scoprii a cercare delle scuse per starle lontana, tentando di tenermi occupata per non dover assorbire a mia volta quel dolore.

Quella sera, mentre mamma e papà esaminavano delle carte dell'avvocato, io entrai nella camera del nonno. Era esattamente come l'aveva lasciata, con il letto fatto, una copia del "Racing Post" sulla sedia e due corse per il pomeriggio seguente cerchiate con la biro blu.

Mi sedetti sul bordo del letto e feci scorrere l'indice sui ricami del copriletto di ciniglia. Sul comodino c'era una fotografia di mia nonna negli anni Cinquanta, con i capelli acconciati in onde sinuose, il sorriso aperto e fiducioso. Di lei avevo solo ricordi sbiaditi. Ma mio nonno era stato un punto fermo della mia infanzia, prima nella villetta lungo la strada (io e Treena correvamo da lui a prendere le caramelle il sabato pomeriggio mentre mia madre ci aspettava al cancello), e poi, negli ultimi quindici anni, in una stanza a casa nostra, con quel suo sorriso dolce e un po' tremulo che scandiva le mie giornate, una presenza costante in soggiorno con il suo giornale e la sua tazza di tè.

Pensai alle storie che ci aveva raccontato quando eravamo piccole sul periodo trascorso in marina (quelle sulle isole deserte popolate di scimmie e palme da cocco forse non erano del tutto vere). Pensai al French toast che faceva friggere nella padella annerita – l'unica cosa che sapeva cucinare – e alle barzellette che, quando ero ancora piccolissima, raccontava alla nonna facendola ridere fino alle lacrime. E poi pensai ai suoi ultimi anni, quando lo trattavo un po' come se facesse parte del mobilio. Non gli avevo scritto. Non l'avevo chiamato. Avevo dato per scontato che ci sarebbe stato finché l'avessi voluto. Ci era rimasto male? Avrebbe desiderato parlarmi?

Non gli avevo nemmeno dato un ultimo saluto.

E in quel momento mi tornarono alla mente le parole di Agnes: noi che ci eravamo allontanate da casa avremmo sempre avuto il cuore diviso a metà. Posai la mano sul copriletto. E finalmente piansi.

Il giorno del funerale, quando scesi al pianterreno, trovai la mamma che puliva furiosamente in previsione della visita di chi avrebbe partecipato alle esequie, anche se, per quanto ne sapevo, nessuno sarebbe passato da casa nostra. Mio padre era seduto al tavolo con l'aria di chi si trovava ad affrontare una situazione più grande di lui, cosa non insolita quando gli capitava di parlare con mia madre in quei giorni. «Non c'è bisogno che ti trovi un lavoro, Josie. Non c'è bisogno che tu faccia nulla.»

«Be', sento la necessità di impiegare il mio tempo.» La mamma si tolse il golfino, lo piegò con cura e lo appoggiò sullo schienale della sedia. Infine si inginocchiò per arrivare a un invisibile batuffolo di polvere dietro un mobiletto. Mio padre spinse un piatto e un coltello verso di me senza dire una parola.

«Stavo giusto dicendo, Lou, che non è il caso che tua madre si butti subito nella ricerca di un lavoro. Figurati che ha intenzione di andare all'ufficio di collocamento dopo il funerale.»

«Ti sei occupata del nonno per anni, mamma. Dovresti solo pensare a goderti questo tempo che hai per te.»

«No, sto meglio se mi tengo impegnata.»

«Non avremo più armadietti se continua a strofinarli a questo ritmo» borbottò papà.

«Siediti, per favore. Devi mangiare qualcosa.»

«Non ho fame.»

«Per l'amor di Dio, Josie. Se vai avanti di questo passo, un colpo lo farai venire a *me*» sbottò mio padre. Trasalì non appena l'ebbe detto. «Scusami. Scusami. Non intendevo...»

«Mamma.» Lei sembrava non avermi sentito, così mi avvicinai. Le posai una mano sulla spalla e si irrigidì. «Mamma.»

Si rialzò da terra e guardò fuori dalla finestra. «A che servo ora?» domandò.

«Cosa vuoi dire?»

Aggiustò la tendina bianca inamidata. «Nessuno ha più bisogno di me.»

«Oh, mamma, io ho bisogno di te. Tutti noi abbiamo bisogno di te.»

«Ma tu non sei qui, capisci? Nessuno di voi lo è. Nemmeno Thom. Siete tutti a chilometri e chilometri di distanza.»

Io e mio padre ci scambiammo un'occhiata.

«Questo non significa che non abbiamo bisogno di te.»

«Il nonno era l'unico che contava su di me. Perfino tu, Bernard, staresti bene con una fetta di torta salata e un boccale di birra tutte le sere nel pub in fondo alla strada. Che cosa dovrei fare ora? Ho cinquantotto anni e non servo a niente. Ho passato tutta la vita a occuparmi di qualcun altro, e ora non c'è più nessuno che abbia bisogno di me.»

I suoi occhi si riempirono di lacrime. Pensai, per un istante di puro terrore, che fosse sul punto di mettersi a urlare.

«Noi avremo sempre bisogno di te, mamma. Non so che cosa farei se non ci fossi tu. Sei come le fondamenta di un edificio. Magari non ti vedo sempre, ma so che ci sei. Pronta a sostenermi. A sostenere tutti noi. Scommetto che Treena direbbe la stessa cosa.»

Mi guardò con aria turbata, come se non sapesse che cosa pensare.

«È così, credimi. E questo... questo è un momento particolare. Ci vorrà un po' di tempo per tornare alla normalità. Ma ti ricordi cos'è successo quando hai iniziato a frequentare la scuola serale? Quanto eri entusiasta, come se stessi scoprendo dei nuovi aspetti di te stessa? Bene, succederà di nuovo. Non si tratta di stabilire chi ha bisogno di te: si tratta di dedicare finalmente un po' di tempo a te stessa.»

«Josie» disse mio padre dolcemente, «viaggeremo. Faremo tutte quelle cose che prima non ci sentivamo di fare per non lasciarlo solo. Magari verremo a trovarti, Lou. Un viaggio a New York! Vedi, amore, non è che la tua vita sia finita, sarà soltanto una vita diversa.»

«New York?» ripeté la mamma.

«Oddio, ne sarei felicissima» dissi prendendo una fetta dal tostapane. «Potrei trovarvi un albergo carino e portarvi a fare il classico giro turistico.»

«Lo faresti?»

«Potresti anche presentarci quel milionario per cui lavori» disse papà. «Chissà, potrebbe darci qualche dritta, giusto?»

Non avevo mai raccontato ai miei genitori com'era cambiata la mia situazione lavorativa. Continuai a mangiare il mio toast mantenendo un'espressione impassibile.

«Noi? A New York?» disse la mamma, incredula.

Mio padre prese una scatola di fazzoletti e gliela passò. «Be', perché no? Abbiamo qualche soldino da parte. Non possiamo portarceli nella tomba. Il vecchio almeno questo lo sapeva bene. Non aspettarti grossi lasciti, eh, Louisa? Ho paura di passare davanti all'agenzia di scommesse: potrebbero saltar fuori a dire che il nonno gli doveva un biglietto da cinque sterline.»

La mamma si raddrizzò, lo strofinaccio in mano. Si voltò da una parte. «Io e papà a New York con te. Be', sarebbe una bellissima cosa.»

«Possiamo cercare i voli questa sera stessa, se volete.» Mi domandai per un attimo se sarei riuscita a convincere Margot a dire che il suo cognome era Gopnik.

Mia madre si portò una mano sulla guancia. «Oh, santo cielo, me ne sto qui a fare progetti e il nonno non è ancora freddo nella bara. Che cosa penserebbe di me?»

«Penserebbe che è meraviglioso. Il nonno sarebbe felicissimo all'idea di voi due in viaggio in America.»

«Lo credi davvero?»

«Certo.» Andai ad abbracciarla. «Ha girato il mondo quand'era in marina, giusto? E sono sicura che vorrebbe che tu riprendessi a frequentare la scuola serale. Sarebbe un peccato sprecare tutto quello che hai imparato l'anno scorso.»

«E io sono sicuro che gli piacerebbe anche che mi lasciassi qualcosa per cena nel forno prima di andare» aggiunse papà.

«Coraggio, mamma. Cerca solo di superare questa giornata, e poi possiamo iniziare a programmare il viaggio. Hai fatto tutto quello che potevi per lui e so che il nonno vorrebbe che la prossima tappa della tua vita fosse un'avventura, perché te la meriti.»

«Un'avventura» rifletté lei. Prese un fazzoletto dalla scatola che le porse papà e si tamponò l'angolo dell'occhio. «Come ho fatto a crescere delle figlie così sagge, eh?»

Papà inarcò le sopracciglia e con un'abile mossa mi soffiò il toast dal piatto. «Be', potrebbe essere l'influenza paterna, capisci?» Fece un gridolino quando la mamma gli sbatté lo strofinaccio sulla nuca, poi si voltò e mi sorrise, visibilmente sollevato.

Il funerale si svolse come qualsiasi altro funerale, suscitando vari gradi di tristezza e qualche lacrima, con una ragguardevole percentuale della congregazione che avrebbe voluto conoscere la melodia degli inni. Non ci fu una partecipazione "massiccia", come fece notare educatamente il sacerdote. Il nonno si era avventurato fuori casa così raramente negli ultimi tempi che, nonostante la mamma avesse fatto pubblicare un necrologio sullo "Stortfold Observer", erano pochi gli amici che si erano resi conto che era morto. O per questo motivo, oppure perché la maggior parte di loro erano già defunti (in un paio di casi era piuttosto difficile capire la differenza).

Al cimitero, in piedi accanto a Treena con la mascella tesa, provai un particolare tipo di gratitudine fraterna quando la sua mano si insinuò nella mia e la strinse. Guardai alle mie spalle, dove Eddie teneva per mano Thom, che dava dei calcetti a una margherita in mezzo all'erba, forse cercando di non piangere, o forse pensando ai Transformers, o a quel biscotto sbocconcellato che aveva infilato sotto i rivestimenti dei sedili dell'auto.

Udii il sacerdote mormorare la familiare formula del ritorno alla polvere e sentii i miei occhi riempirsi di lacrime. Le asciugai con un fazzoletto. E poi alzai lo sguardo, e oltre la tomba, in fondo al piccolo gruppo di dolenti, vidi Sam. Ebbi un tuffo al cuore. Avvertii una vampata di calore, un mix indefinito tra paura e nausea. Incrociai brevemente il suo sguardo, sbattei forte le palpebre e tornai a concentrarmi sulla funzione. Quando guardai di nuovo nella sua direzione, era sparito.

Ero al buffet al pub quando, voltandomi, me lo trovai accanto. Non l'avevo mai visto con indosso un completo elegante e il suo aspetto così attraente e insolito quasi mi tolse il respiro. Decisi di gestire la situazione nella maniera più matura possibile, ossia rifiutando di riconoscere la sua presenza e osservando attentamente i vassoi di tramezzini come avrebbe fatto una persona appena introdotta al concetto di cibo.

Lui non si mosse, forse aspettando che alzassi lo sguardo,

poi disse piano: «Mi dispiace per tuo nonno. So quanto è unita la vostra famiglia».

«Non così unita, evidentemente, altrimenti sarei stata qui.» Mi misi a sistemare i tovaglioli sul tavolo, anche se mia madre aveva pagato un rinfresco con servizio.

«Be', sì, ma non sempre la vita va come vorremmo.»

«Così pare.» Chiusi gli occhi per un attimo, cercando di smussare la punta polemica del mio tono di voce. Poi presi un respiro e finalmente lo guardai con un'espressione il più neutrale possibile. «Allora, come stai?»

«Non c'è male, grazie. Tu?»

«Oh, tutto a posto.»

Restammo in silenzio per un istante.

«Come va con la casa?»

«Procede bene. Mi trasferisco il mese prossimo.»

«Wow.» Rimasi stupita dall'imbarazzo che provavo. Mi sembrava improbabile che qualcuno che conoscevo potesse costruire una casa dal nulla. L'avevo vista quando era soltanto un blocco di cemento sul terreno. Eppure Sam ci era riuscito. «È... è fantastico.»

«Lo so. Mi mancherà il mio vecchio vagone ferroviario, però. Mi piaceva stare là dentro. La vita era... semplice.»

Ci fissammo, poi distogliemmo lo sguardo.

«Come sta Katie?»

Una brevissima esitazione. «Sta bene.»

Mia madre apparve alle mie spalle con un vassoio di salatini ai würstel. «Lou, tesoro, ti dispiace vedere dov'è Treen? Doveva servire questi... Ah, no. Eccola. Forse potresti portarglieli tu. Ci sono delle persone laggiù che non si sono ancora serv...» D'un tratto capì con chi stessi parlando e fece per strapparmi il vassoio di mano. «Scusate. Mi spiace. Non volevo interrompervi.»

«Non ci hai interrotto» replicai con un po' troppa enfasi. Continuai a tenere il bordo del cabaret.

«Ci penso io, tesoro» disse lei tirando i salatini verso di sé.

«No, lo faccio io» insistetti, notando che le mie nocche stavano diventando bianche.

«Lou. Lascia. Stare» mi intimò con fermezza. Mi fulminò con lo sguardo. Finalmente mollai la presa e lei corse via.

Io e Sam restammo accanto al tavolo. Ci sorridemmo imbarazzati, ma i nostri sorrisi si spensero troppo rapidamente. Presi un piatto e vi posai un bastoncino di carota. Non sapevo se sarei riuscita a mangiare qualcosa, ma mi sembrava assurdo starmene là con il piatto vuoto.

«Resterai qui per un po'?»

«Solo una settimana.»

«Come va la vita laggiù?»

«Si è fatta interessante. Mi hanno dato il benservito.»

«Lily me l'ha riferito. La vedo un po' di più adesso, per via di questa faccenda con Jake.»

«Già, è stato... sorprendente.» Mi chiesi che cosa gli avesse raccontato Lily della sua visita a New York.

«Non per me. L'ho capito fin dalla prima volta che si sono incontrati. Sai, lei è pazzesca. Sono felici insieme.»

Annuii.

«Chiacchiera molto. Del tuo straordinario fidanzato e di come ti sei ripresa dopo il licenziamento, della tua nuova casa e del lavoro all'emporio.» A quanto pare, Sam era affascinato quanto me dai grissini al formaggio. «Hai sistemato tutto, quindi. Lei ti ammira molto.»

«Ne dubito.»

«Dice che New York sembra fatta apposta per te.» Si strinse nelle spalle. «Ma questo forse l'avevamo capito entrambi.»

Gli scoccai un'occhiata furtiva mentre il suo sguardo era altrove, e con la piccola parte di me che non stava morendo mi meravigliai di come due persone che un tempo stavano così bene insieme ora riuscissero a stento a mettere insieme una frase per fare conversazione.

«Ho una cosa per te. In camera mia, a casa» dissi all'improvviso. Non sapevo esattamente da dove mi fosse venuta quell'idea. «L'avevo portata l'ultima volta, ma... sai com'è.»

«Una cosa per me?»

«Non proprio per te. È... be', è un cappellino da baseball dei Knicks. L'ho comprato... un po' di tempo fa. Sai, per via di quel desiderio di tua sorella di cui mi avevi parlato. Non è riuscita a salire in cima al 30 Rockefeller, e ho pensato che magari a Jake sarebbe piaciuto.»

Sam mi fissò.

Stavolta toccò a me guardarmi i piedi. «Probabilmente è un'i-

dea stupida, però» dissi. «Posso darlo a qualcun altro. Non si
fa certo fatica a trovare un destinatario per un cappellino dei
Knicks a New York. E potrebbe sembrarti un po' strano che io
ti faccia un regalo adesso.»

«No. No. Gli piacerà senz'altro. È un bellissimo pensiero.»
Qualcuno suonò il clacson per strada e Sam guardò fuori dalla
finestra. Mi domandai distrattamente se Katie lo stesse aspettando in macchina.

Non sapevo cosa dire. Sembrava non esserci una frase adatta
a quello che era successo. Cercai di sciogliere il groppo che mi si
era formato in gola. Ripensai al ballo della Fondazione Strager:
avevo dato per scontato che Sam l'avrebbe detestato e che non
avrebbe avuto un abito elegante per l'occasione. Perché l'avevo pensato? Quello che indossava sembrava fatto su misura per
lui. «Te... Te lo manderò. Sai una cosa?» dissi quando non riuscii più a sopportare l'imbarazzo che aleggiava fra noi. «È meglio che aiuti mia madre con quei... con i... con i salatini che...»

Sam fece un passo indietro. «Certo. Volevo solo farti le con-
doglianze. Ti lascio andare.»

Si voltò, e in quell'istante il mio viso si accartocciò. Ero sollevata al pensiero che, date le circostanze, nessuno avrebbe badato alla mia espressione angosciata. E poi, prima che potessi
ricompormi, lui si voltò di nuovo verso di me.

«Lou» disse piano.

Non riuscii a parlare. Mi limitai a scuotere la testa. E poi lo
seguii con lo sguardo mentre si faceva strada fra gli ospiti e
usciva dal pub.

Quella sera mia madre mi consegnò un pacchettino.

«È da parte del nonno?» chiesi.

«Non essere sciocca» rispose lei. «Il nonno non ha mai fatto regali a nessuno negli ultimi dieci anni della sua vita. Questo è del tuo Sam. Vedendolo oggi me ne sono ricordata. L'hai
lasciato qui l'ultima volta che sei venuta. Non sapevo che cosa
volevi che ne facessi.»

Prendendo in mano il pacchetto d'un tratto mi tornò alla mente la nostra discussione in cucina. "Buon Natale" mi aveva detto, e l'aveva posato sul tavolo prima di andarsene.

La mamma mi voltò le spalle e si mise a lavare i piatti. Lo

scartai delicatamente, togliendo i vari strati di carta da regalo con cura eccessiva, come se maneggiassi un prezioso manufatto risalente a un'epoca lontana.

Dentro la scatolina c'era una piccola spilla di smalto a forma di ambulanza, forse degli anni Cinquanta. La croce rossa era fatta di minuscole pietre preziose che sembravano rubini o forse strass. A ogni modo, quell'oggettino brillava nella mia mano. Nel coperchio della scatola era infilato un biglietto.

Per ricordarti di me quando saremo lontani. Con tutto il mio amore.

Il tuo Sam Ambulanza.

Mentre la soppesavo nel palmo della mano, la mamma si avvicinò e la guardò da dietro le mie spalle. Era raro che mia madre scegliesse di restare in silenzio. Ma questa volta mi diede una stretta sul braccio, mi posò un bacio sulla testa e subito dopo tornò ai suoi piatti.

27

Gentile Louisa Clark,
mi chiamo Vincent Weber e sono il nipote di Margot Weber, per come la conosco io. Ma lei sembra conoscerla con il suo cognome da signorina, De Witt.
Il suo messaggio mi ha colto di sorpresa, perché mio padre non parla mai di sua madre. A essere sinceri, per anni sono stato spinto a credere che non fosse nemmeno più in vita, benché, me ne rendo conto ora, nessuno l'abbia mai detto espressamente.
Dopo aver ricevuto il suo messaggio, ho chiesto notizie a mia madre, la quale mi ha confidato che c'è stata una frattura fra loro molto prima che io nascessi, ma ci ho pensato su e ho concluso che questo non ha niente a che fare con me, e che mi piacerebbe tanto sapere qualcosa in più su mia nonna (mi ha accennato che di recente non è stata bene?). Non riesco a credere di avere due nonne!
La prego di rispondere a questa email. E grazie per il suo interessamento.
Vincent Weber (Vinny)

Si presentò all'orario concordato un martedì pomeriggio, nella prima giornata davvero calda di maggio, quando le strade si erano improvvisamente riempite di pelle nuda e di occhiali da sole appena acquistati. Non dissi nulla a Margot perché: a) sapevo che sarebbe andata su tutte le furie, e b) avevo la netta sensazione che sarebbe uscita a fare una passeggiata finché lui non se ne fosse andato. Aprii la porta ed eccolo, un ragazzo alto e biondo con almeno sette buchi all'orecchio, che indossava un paio di pantaloni ampi stile anni Quaranta e una camicia rosso scarlatto, scarpe stringate marroni tirate a lucido e un maglione di lana Shetland gettato sulle spalle.

«Louisa?» chiese mentre mi chinavo a trattenere un Dean Martin particolarmente esagitato.

«Oh, caspita» esclamai osservandolo lentamente dalla testa ai piedi. «Sono sicura che andrete d'amore e d'accordo.»

Lo feci entrare e percorremmo il corridoio parlando a bassa voce. Solo dopo due minuti di sonore proteste da parte di Dean Martin, Mrs De Witt gridò: «Chi era alla porta, cara? Se è quell'odiosa della Gopnik, puoi dirle che le sue esibizioni al pianoforte sono solo volgare ciarpame sentimentale. E te lo dice una che una volta è andata a un concerto di Liberace.» Iniziò a tossire.

Camminando all'indietro, feci cenno a Vincent di dirigersi verso il soggiorno. Aprii la porta. «Margot, hai una visita.»

Lei si voltò, leggermente accigliata, le mani appoggiate sui braccioli della poltroncina, e lo scrutò per dieci secondi buoni. «Non lo conosco» disse con decisione.

«Lui è Vincent, Margot.» Presi un respiro. «Tuo nipote.»

Lo fissò.

«Salve, Mrs De Witt... Nonna.» Vincent si fece avanti e sorrise, poi si accovacciò davanti a sua nonna, e lei studiò il suo viso.

Margot aveva un'espressione così agguerrita che per un attimo pensai che gli avrebbe urlato contro, ma poi le sfuggì qualcosa di simile a un piccolo singulto. La bocca si schiuse di un centimetro e le sue mani ossute afferrarono le maniche del nipote. «Sei venuto» disse. La sua voce debole e spezzata emerse da un punto imprecisato in fondo al petto. «Sei venuto.» Lo fissò con occhi febbrili, come se già cogliesse delle somiglianze, delle storie, e i suoi lineamenti potessero suscitare ricordi a lungo sepolti. «Oh, ma somigli... somigli tantissimo a tuo padre.» Gli sfiorò una guancia.

«Mi auguro di avere un po' più di buon gusto di lui» disse Vincent sorridendo, e Margot scoppiò in una risata.

«Lasciati guardare. Oh, cielo. Oh, quanto sei bello. Ma dimmi, come hai fatto a trovarmi? Tuo padre sa che...?» Scosse la testa come per scacciare le mille domande che vi si affollavano, e notai che le nocche delle sue mani erano sbiancate per la forza con cui stringeva il braccio di Vincent. Poi si rivolse a me, ricordandosi d'un tratto della mia presenza. «Che cosa ci fai lì impalata, Louisa? Una persona normale a quest'ora avrebbe offerto qualcosa da bere a questo poveretto. Mamma mia! Certi giorni non ho idea di cosa tu ci stia a fare qui.»

Vincent rimase un po' sconcertato, ma quando mi voltai per avviarmi in cucina il mio viso splendeva di soddisfazione.

28

«È fatta» disse Josh battendo le mani. Era sicuro che avrebbe ottenuto la promozione. Connor Ailes non era stato invitato a una cena. Charmaine Trent, che di recente era stato trasferito dall'ufficio legale, non era stato invitato a una cena. Scott Mackey, invece, era stato invitato a una cena prima di diventare account manager, e aveva dichiarato di essere praticamente certo che Josh fosse il candidato favorito.

«Non vorrei peccare di presunzione, ma tutto dipende dalla mia abilità nelle pubbliche relazioni, Louisa» aggiunse esaminando il suo riflesso nello specchio. «Promuovono sempre e solo le persone che ritengono possano interagire con loro nelle occasioni mondane. Come si dice, non conta ciò che sai fare, ma la gente che conosci. Stavo pensando che forse è il caso di riprendere a giocare a golf. Tutti giocano a golf. Ma non ci gioco da quando avevo, quanto?, tredici anni. Che ne pensi di questa cravatta?»

«Fantastica.» Era una semplice cravatta. Non sapevo bene cosa dire. Sembravano tutte blu, comunque. La annodò con gesti rapidi e sicuri.

«Ho chiamato mio padre ieri e lui mi ha detto che la cosa fondamentale è non dare a vedere che dipendi da quello, mi spiego? Cioè... che sono ambizioso e ho un forte attaccamento all'azienda, ma che potrei trasferirmi altrove in qualsiasi momento perché sono molto richiesto. Devono sentirsi sotto la minaccia che potresti andartene da qualche altra parte se non ti danno quello che ti spetta, capisci cosa voglio dire?»

«Oh, sì.»

Era la stessa conversazione che avevamo già avuto quattordici volte nel corso della settimana. Non sapevo nemmeno se fossero richieste delle risposte da parte mia. Josh si guardò di nuovo allo specchio e poi, apparentemente soddisfatto, si avvicinò al letto, si chinò e mi passò una mano fra i capelli. «Vengo a prenderti poco prima delle sette, okay? Cerca di portare fuori il cane in anticipo, così non perdiamo tempo. Non voglio arrivare tardi.»

«Mi farò trovare pronta.»

«Buona giornata. Ehi, è stato fantastico quello che hai fatto con la famiglia di Mrs De Witt, sai? Davvero fantastico. È stato un bel gesto.»

Mi baciò con enfasi, già sorridendo al pensiero della giornata che lo aspettava, e se ne andò.

Indugiai nel suo letto nella stessa posizione in cui mi aveva lasciato, con indosso la sua T-shirt, stringendomi le ginocchia al petto. Poi mi alzai, mi vestii e uscii dal suo appartamento.

Avevo ancora la testa altrove quando accompagnai Margot all'ospedale per la sua consueta visita di controllo. Con il capo appoggiato contro il finestrino del taxi, fingevo di seguire quello che stava dicendo.

«Tu vai pure, cara» disse mentre la aiutavo a scendere dalla macchina. Le lasciai andare il braccio quando arrivammo davanti alle doppie porte dell'ospedale, che si aprirono come per inghiottirla. Questa era la nostra routine per ogni visita. Lei si avviava pian piano, e io la aspettavo fuori con Dean Martin e tornavo a prenderla un'ora dopo o quando decideva di chiamarmi.

«Non so cosa ti prenda stamattina. Sei inquieta. Inutile.» Si fermò davanti all'ingresso e mi affidò il guinzaglio.

«Grazie, Margot.»

«Be', è come andare in giro con una stupida. È chiaro che hai la testa da un'altra parte e non sei per niente di compagnia. Diamine, ho dovuto ripeterti tre volte la stessa cosa per farmi ascoltare.»

«Scusa.»

«Mi raccomando, cerca di prestare la massima attenzione a Dean Martin mentre io sono dentro. Si deprime quando capisce di essere ignorato.» Sollevò un dito ammonitore. «Dico sul serio, signorina. Se non lo farai, *lo scoprirò.*»

Ero a metà strada, diretta verso la caffetteria con il dehors e il cameriere cordiale, quando mi accorsi che avevo ancora in mano la sua borsetta. Contrariata, mi affrettai a tornare sui miei passi.

Feci irruzione alla reception ignorando gli sguardi penetranti dei pazienti in attesa, che fissavano il cane come se fosse una bomba a mano inesplosa. «Salve! Devo consegnare una borsetta alla signora Margot De Witt. Sa dirmi dove posso trovarla? La prego. Sono la sua badante.»

L'impiegata non staccò gli occhi dal monitor. «Non può chiamarla?»

«Ha ottant'anni. Non ha il cellulare. E anche se ce l'avesse, è nella borsetta. Per favore. Ne ha bisogno. Ci sono i suoi medicinali, i documenti, tutto quanto.»

«Ha una visita oggi?»

«Alle undici e quindici. Margot De Witt.» Scandii bene il nome per sicurezza.

La donna fece scorrere la lista muovendo un dito decorato con uno smalto vistoso sullo schermo. «Okay. Sì, l'ho trovata. Il reparto Oncologia è laggiù, oltre le doppie porte a sinistra.»

«Scusi, può ripetere?»

«Oncologia. In fondo al corridoio principale, superate le doppie porte a sinistra. Se è già dentro con il medico, può consegnare la borsetta a un'infermiera. Oppure lasciar detto dove la aspetta, in modo che glielo riferiscano non appena esce.»

La fissai sperando che mi dicesse che si era sbagliata. Infine la donna alzò lo sguardo con un'espressione interrogativa sul volto, come se aspettasse di capire il motivo per cui me ne stavo ancora là, stupefatta, davanti a lei. Ritirai il bigliettino degli appuntamenti dal bancone e mi voltai. «Grazie» sussurrai con un filo di voce, e accompagnai Dean Martin fuori, alla luce del sole.

«Perché non me l'hai detto?»

Margot sedeva sul taxi volgendo ostinatamente il viso verso il finestrino, con Dean Martin che ansimava sul suo grembo. «Perché non sono affari tuoi. L'avresti subito detto a Vincent. E non volevo che si sentisse in obbligo di venirmi a trovare solo a causa di uno stupido cancro.»

«Qual è la prognosi?»

«La cosa non ti riguarda.»

«Come... come ti senti?»

«Esattamente come mi sentivo prima che cominciassi a farmi tutte queste inutili domande.»

Si spiegava tutto, ora. Le pillole, le frequenti visite in ospedale, lo scarso appetito. Le cose che pensavo fossero semplicemente dovute alla vecchiaia o a un eccesso di zelo da parte dell'assistenza sanitaria privata americana, tutto aveva nascosto una faglia molto più profonda. Stavo male. «Non so che dire, Margot. Mi sento...»

«Non mi interessa come ti senti.»

«Ma...»

«Non azzardarti a coprirmi di premure, adesso» sbottò. «Che cosa è successo al contegno tipicamente inglese? Il tuo è forse fatto di marshmallows?»

«Margot...»

«No comment. Non c'è nulla da dire. Se hai intenzione di diventare appiccicosa, puoi anche sloggiare e andare a vivere nell'appartamento di qualcun altro.»

Quando arrivammo al Lavery, Margot scese dal taxi con un vigore insolito e, prima che finissi di pagare il tassista, era già entrata nell'androne senza di me.

Avrei voluto parlare con Josh di quello che avevo scoperto, ma quando gli mandai un messaggio replicò che era presissimo e che avrei potuto aggiornarlo a cena. Nathan era impegnato con Mr Gopnik. Ilaria si sarebbe agitata o, peggio, avrebbe insistito per passare tutti i giorni da Margot opprimendola con le sue personalissime ruvide attenzioni e una serie di pasticci di carne di maiale riscaldati. Non c'era proprio nessuno con cui potermi sfogare.

Mentre Margot faceva il suo sonnellino pomeridiano, sgusciai silenziosamente in bagno e, con il pretesto di pulirlo, curiosai nell'armadietto dei medicinali, annotandomi i nomi, finché trovai la conferma: morfina. Poi cercai informazioni online sugli altri farmaci che avevo trovato e ottenni tutte le risposte che cercavo.

Ero profondamente scossa. Mi domandai come ci si dovesse sentire a guardare la morte in faccia così da vicino. Mi chiesi quanto tempo le restasse. Mi resi conto che amavo quella vecchietta dalla lingua tagliente e dalla mente acuta come se fosse una di famiglia. Ed egoisticamente, in fondo al cuore, mi domandai che cosa significasse quella notizia per me: ero stata felice a casa di Margot. Certo, mi ero sentita un po' provvisoria, ma ero convinta che avrei potuto passare almeno un anno o più con lei. Ora dovevo affrontare il fatto che mi trovavo di nuovo nelle sabbie mobili.

Mi ero ripresa un pochino quando il campanello di casa suonò puntualmente alle sette. Andai a rispondere e sulla porta trovai Josh, impeccabile, perfettamente sbarbato.

«Come fai?» chiesi. «Come fai ad avere questo aspetto riposato dopo un'intera giornata di lavoro?»

Si protese in avanti e mi stampò un bacio sulla guancia. «Rasoio elettrico. E ho lasciato l'altro completo in lavanderia e mi sono cambiato in ufficio. Non volevo presentarmi tutto stropicciato.»

«Ma di certo il tuo capo sarà vestito com'era al lavoro.»

«Può darsi. Ma lui non si sta giocando una promozione. Secondo te vado bene così?»

«Salve, caro Josh.» Margot ci passò davanti, diretta in cucina.

«Buonasera, Mrs De Witt. Come sta oggi?»

«Sono ancora qui, caro. Questo è quanto ti basta sapere.»

«Be', ha un aspetto splendido.»

«E tu dici una sfilza di baggianate.»

Josh sorrise divertito e tornò a rivolgersi a me. «Allora, che ti metti, dolcezza?»

Abbassai lo sguardo. «Uhm... questo?»

Una breve esitazione.

«Quella... calzamaglia?»

Mi guardai le gambe. «Oh, *queste*. Ho avuto una giornataccia. Sono le calze che mi fanno sentire meglio, il mio equivalente di un completo fresco di lavanderia.» Gli rivolsi un sorriso spento. «Ti dirò di più, le indosso soltanto nelle occasioni *veramente* speciali.»

Josh fissò le mie gambe ancora per un po', poi si portò lentamente una mano alla bocca. «Mi dispiace, Louisa, ma non sono appropriate per questa sera. Il mio capo e sua moglie sono piuttosto tradizionalisti. E ceneremo in un ristorante davvero esclusivo. Cioè, stellato Michelin.»

«Questo è un abito Chanel. Me l'ha prestato Mrs De Witt.»

«Sicuro, ma l'effetto finale è un pochino...» fece una smorfia «... da pazzoide?»

Vedendo che non accennavo a muovermi, si avvicinò e mi prese per le braccia. «Tesoro, so che ti piace vestirti in modo originale, ma per una volta potremmo mantenerci un po' più nei binari, solo per il mio capo? Questa serata è davvero importante per me.»

Guardai le sue mani e arrossii. All'improvviso mi sentii ridicola. Era naturale che le mie calze da ape fossero fuori luogo per una cena con un pezzo grosso dell'alta finanza. Che cosa avevo in testa? «D'accordo» risposi. «Vado a cambiarmi.»

«Non ti dispiace, vero?»

«Certo che no.»

Josh quasi si afflosciò per il sollievo. «Benissimo. Puoi essere superveloce? Non voglio fare tardi e ci sono rallentamenti su tutta la Seventh. Margot, le spiace se approfitto del suo bagno?»

Lei annuì senza parlare.

Corsi in camera mia e iniziai a rovistare nel mio variopinto guardaroba. Che cosa bisognava indossare a una cena elegante con i pezzi grossi della finanza? «Aiutami, Margot» dissi sentendola arrivare dietro di me. «Cambio solo le calze? Che cosa mi metto?»

«Esattamente quello che hai addosso ora.»

Mi voltai a guardarla. «Ma Josh dice che non è adatto.»

«Per chi? È richiesta una divisa? Perché non ti è concesso di essere te stessa?»

«Io...»

«Questa gente è così stolta che non può accettare che qualcuno non si vesta esattamente come loro? Perché devi fingere di essere una persona che non sei affatto? Vuoi essere una di quelle comari?»

Lasciai cadere l'attaccapanni che avevo in mano. «Io... non so.»

Margot si portò una mano ai capelli freschi di piega. Mi lanciò una di quelle occhiate di disapprovazione che mia madre mi avrebbe riservato in un'occasione simile. «Se un uomo è così fortunato da essere il tuo accompagnatore, non dovrebbe importargli un fico secco se ti presenti con un sacchetto dell'immondizia addosso e le galosce ai piedi.»

«Ma lui...»

Margot sospirò e si premette le dita sulla bocca, come fa la gente quando avrebbe molte cose da aggiungere ma si trattiene. Lasciò passare un istante prima di riprendere a parlare. «Sai, cara, credo che a un certo punto dovrai capire chi è veramente Louisa Clark.» Mi diede dei colpetti sul braccio. E con questo uscì dalla mia stanza.

Rimasi immobile a fissare lo spazio dove lei era stata fino a pochi attimi prima. Guardai le mie calze a righe e poi gli abiti appesi nel mio armadio. Pensai a Will, e al giorno in cui me le aveva regalate.

Un attimo dopo Josh apparve sulla soglia raddrizzandosi la cravatta. "Tu non sei come lui" pensai d'un tratto. "Anzi, non sei *affatto* come lui."

«Allora?» disse sorridendo, poi abbassò gli occhi e il suo sorriso si spense. «Ah, pensavo fossi pronta.»

Mi fissai i piedi. «In realtà...» cominciai.

29

Margot mi consigliò di prendere qualche giorno di vacanza per schiarirmi le idee. Quando dissi che non l'avrei fatto, lei mi chiese il perché e aggiunse che era chiaro che non pensavo lucidamente da un po' e che avevo bisogno di rimettermi in sesto. Alla fine ammisi che in realtà non volevo lasciarla sola e lei ribatté che ero ridicola e che non sapevo cosa fosse meglio per me. Mi guardò con la coda dell'occhio mentre la sua mano ossuta tamburellava in modo irritante sul bracciolo della poltrona, poi si alzò a fatica e scomparve, tornando qualche minuto dopo con un Sidecar, un cocktail così forte che il primo sorso mi fece bruciare gli occhi. Poi mi intimò di mettermi a sedere una buona volta, che i miei piagnistei stavano diventando insopportabili e che avrei dovuto guardare *La ruota della fortuna* con lei, cosa che feci, cercando di non sentire la voce di Josh che, tra l'indignato e l'incredulo, mi echeggiava in testa.

"Mi stai lasciando per un paio di calze?"

Quando il programma finì, Margot mi guardò, fece schioccare la lingua in segno di disapprovazione e mi disse che così non si poteva andare avanti. Avremmo dovuto partire insieme, piuttosto.

«Ma non hai soldi.»

«Diamine, Louisa. È estremamente volgare discutere di questioni economiche» mi rimproverò. «Sono scioccata dal fatto che voi giovani donne siate state cresciute nella convinzione che sia del tutto naturale parlare di queste cose.» Mi disse il nome dell'hotel di Long Island che dovevo contattare e mi raccomandò di specificare che chiamavo per conto di Margot De Witt, in modo da usufruire della tariffa speciale riservata ad amici e parenti. Aggiunse che pensava a questa piccola vacanza da un po' di tempo e che, se la cosa mi sconvolgeva così tanto, potevo provvedere io per entrambe. Ecco, non mi sentivo già meglio?

E fu così che alla fine pagai per me, Margot e Dean Martin un soggiorno a Montauk.

Prendemmo un treno che ci portò da New York a un piccolo albergo sulla spiaggia che Margot aveva frequentato tutte le estati per decenni, finché la debolezza – o le difficoltà finanziarie – l'avevano costretta a rinunciare. Mentre io restavo un passo indietro sulla soglia, lei, in effetti, fu accolta come una parente ritrovata dopo tanto tempo. Pranzammo piluccando dei gamberetti alla piastra e un'insalata, dopodiché la lasciai a chiacchierare con la coppia di gestori dell'albergo e percorsi la stradina che conduceva all'ampia spiaggia spazzata dal vento, respirando l'aria intrisa di ozono e osservando Dean Martin che saltellava felice intorno alle dune di sabbia. Lì, sotto quel cielo immenso, per la prima volta da mesi iniziai ad avere la sensazione che i miei pensieri non fossero più ingombri delle esigenze e delle aspettative degli altri.

Margot, stremata dal viaggio in treno, trascorse gran parte dei due giorni successivi nel piccolo salotto guardando il mare o conversando con il vecchio patriarca dell'hotel, un colosso d'uomo di nome Charlie, simile a una statua dell'Isola di Pasqua con il viso segnato dalle intemperie, che annuiva all'incessante flusso di parole della mia amica dicendo che sì, le cose stavano cambiando rapidamente da quelle parti, oppure scuoteva la testa sostenendo che no, le cose non erano più come una volta. I due svisceravano l'argomento durante innumerevoli caffè, dopodiché, soddisfatti, si soffermavano a riflettere su come tutto fosse diventato orrendo e sul piacere di trovarsi d'accordo su questo punto. Mi resi conto quasi subito che il mio compito era stato semplicemente quello di accompagnarla qui. Margot non sembrava avere davvero bisogno di me, se non per essere aiutata a indossare qualche indumento o per occuparmi del cane. Sorrideva più di quanto l'avessi mai vista sorridere da quando la conoscevo, il che era un bel diversivo di per sé.

Così, per i quattro giorni successivi, feci colazione nella mia stanza, passai il tempo a leggere attingendo ai volumi della piccola biblioteca dell'albergo, mi abbandonai ai ritmi di vita più lenti di Long Island e feci quello che mi era stato consigliato vivamente di fare. Camminai e camminai finché non mi tornò l'appetito e tutti i pensieri che avevo in testa si placarono con il rumore delle onde, i richiami dei gabbiani nell'infinito cielo plumbeo e l'uggiolio di un cagnetto sovreccitato che non riusciva a credere alla fortuna che gli era capitata.

Il terzo pomeriggio mi sedetti sul letto, chiamai mia madre e le raccontai la verità sulle ultime settimane. Per una volta, lei preferì ascoltare piuttosto che parlare, e alla fine mi disse che ero stata molto saggia e molto coraggiosa, e quell'affermazione mi strappò qualche lacrima. Poi mi passò papà, che reagì in modo ben diverso, dichiarando che avrebbe voluto prendere a calci in culo quei maledetti Gopnik. Si raccomandò di non parlare con gli sconosciuti e di fargli sapere quando io e Margot saremmo tornate a Manhattan, poi aggiunse che era orgoglioso di me. "La tua vita... non è mai tranquilla, vero, tesoro?" disse. E io, concordando con lui, ripensai ai due anni passati, alla mia routine prima di Will, quando la cosa più eccitante che poteva capitarmi era il reclamo di un cliente al Buttered Bun che chiedeva di essere rimborsato, e mi resi conto che, nonostante tutto, quasi mi piaceva così.

L'ultima sera io e Margot, su sua disposizione, cenammo nella sala da pranzo dell'albergo. Indossavo un top di ciniglia rosa scuro e una gonna pantalone di seta tre quarti, e lei sfoggiava una camicetta a fiori verde con il colletto increspato e dei pantaloni larghi coordinati (avevo cucito un bottone in più in vita, in modo che non le scivolassero sui fianchi), e ci sottoponemmo di buon grado agli sguardi sbigottiti degli ospiti mentre venivamo condotte al nostro tavolo, il migliore, situato davanti alla vetrata.

«Allora, cara. Questa è la nostra ultima sera qui, perciò, se sei d'accordo, credo che dovremmo far salpare la barca e spingerci al largo» esordì Margot alzando la mano con un gesto regale per salutare gli ospiti che continuavano a fissarci. Mi stavo giusto chiedendo di chi fosse la barca che doveva salpare, quando lei aggiunse: «Penso che prenderò l'aragosta. E magari anche dello champagne. Temo che questa sia l'ultima volta che vengo qui, dopotutto».

Cominciai a protestare, ma lei mi bloccò. «Oh, santo cielo. È un dato di fatto, Louisa. Una verità incontrovertibile. Pensavo che voi ragazze inglesi foste fatte di una pasta più forte.»

Così ordinammo due aragoste e una bottiglia di champagne, e mentre il sole calava all'orizzonte mangiammo quella polpa deliziosa aromatizzata all'aglio. Aprii le chele perché Margot non aveva la forza sufficiente per farlo e gliele restituii; lei le spolpò con rumorosi risucchi di piacere e ne passò qualche pezzettino a Dean Martin, che se ne stava accovacciato ai suoi piedi, diplomaticamente ignorato da tutti i presenti. Ci dividemmo un enorme vassoio di patatine fritte (le mangiai quasi tutte io e lei ne sparse un po' nel piatto e disse che erano squisite).

Restammo in un silenzio denso di tranquilla complicità mentre il ristorante andava svuotandosi. Margot pagò con una carta di credito che usava di rado ("Sarò già morta quando verranno a riscuotere il pagamento, ah-ah!") e Charlie si avvicinò al tavolo a passo rigido e posò la sua manona sulla sua esile spalla. Disse che stava per andare a dormire, ma che sperava di vederla l'indomani mattina prima della partenza, e che era stato un vero piacere ritrovarla dopo tutti quegli anni.

«Il piacere è stato tutto mio, Charlie. Grazie per questo meraviglioso soggiorno» rispose Margot con gli occhi pieni d'affetto. I due si strinsero le mani finché Charlie lasciò quelle di lei con riluttanza e si ritirò.

«Sono stata a letto con lui, una volta» mi confessò Margot guardando Charlie che si allontanava. «Un brav'uomo. Non adatto a me, naturalmente.»

Mentre quasi mi strozzavo con l'ultima patatina, lei mi rivolse uno sguardo stanco. «Erano gli anni Settanta, Louisa. Ero sola da tanto tempo. È stato bello rivederlo. Ora è vedovo, com'era prevedibile.» Sospirò. «Alla mia età lo sono tutti.»

Indugiammo al tavolo davanti alla vetrata, guardando la sterminata distesa dell'oceano, nero come l'inchiostro. In lontananza si intravedevano le lucine intermittenti dei pescherecci. Mi domandai che cosa si provasse a starsene là da soli, in mezzo al nulla.

E poi Margot ruppe il silenzio. «Non mi aspettavo di tornare qui» disse piano. «Quindi devo ringraziarti. È stato... è stato tonificante.»

«Anche per me, Margot. Vedo tutto... più chiaro.»

Lei mi sorrise, poi si chinò ad accarezzare Dean Martin. Era disteso sotto la sua sedia e russava dolcemente. «Hai fatto la cosa giusta con Josh, sai? Non era l'uomo per te.»

Non replicai. Non c'era niente da dire. Avevo passato tre giorni a pensare alla persona che sarei potuta diventare se fossi rimasta con lui – agiata, pseudo-americana, perfino felice per la maggior parte del tempo – e mi ero resa conto che in poche settimane quella donna mi aveva capito meglio di quanto avessi mai fatto io stessa in tutta la mia vita. Mi sarei plasmata per adattarmi a lui. Avrei abbandonato i vestiti che tanto amavo, le cose a cui tenevo di più. Avrei trasformato i miei comportamenti, le mie abitudini, perdendomi nella scia dei suoi atteggiamenti carismatici. Sarei diventata una mogliettina perfetta, sempre pronta a rimproverarmi per quei lati di me che non erano adeguati, incessantemente grata nei confronti di questo Will in versione americana.

Non pensavo a Sam. Ero diventata bravissima in questo.

«Sai» continuò Margot «quando arrivi alla mia età, la montagna di rimpianti diventa così alta che può oscurare terribilmente la vista.»

Tenne gli occhi fissi verso l'orizzonte e io restai in silenzio, chiedendomi a chi fosse rivolta quella considerazione.

Dopo il nostro ritorno da Montauk passarono tre settimane senza intoppi. La mia esistenza sembrava non essere più fondata su alcuna certezza, perciò avevo deciso di vivere come mi aveva insegnato Will, godendomi ogni singolo momento finché qualcosa non mi avesse di nuovo forzato la mano. Immaginavo che, a un certo punto, le condizioni di salute e finanziarie di Margot sarebbero peggiorate fino a far scoppiare la nostra piccola bolla di felicità, e a quel punto avrei dovuto prenotare il mio volo di ritorno a casa.

Fino ad allora, però, la mia vita non sarebbe stata poi così male. Le abitudini che scandivano la mia giornata mi procuravano piacere: le corse mattutine in Central Park, le passeggiate con Dean Martin, la preparazione della cena per Margot, anche se non mangiava molto, e il momento in cui, la sera, ci sedevamo insieme a guardare *La ruota della fortuna*, urlando le lettere quando il concorrente pescava lo Spicchio Jolly. Alzai il tiro in fatto di abbigliamento, abbracciando la mia nuova immagine newyorkese con una serie di outfit che lasciarono Lydia e sua sorella a bocca aperta per l'ammirazione. Qualche volta indossavo quello che mi prestava Margot, e altre volte dei capi che avevo acquistato all'emporio. Ogni giorno mi mettevo davanti allo specchio nella stanza degli ospiti e, mentre mi misuravo gli abiti che ero autorizzata a prendere, una parte di me sprizzava gioia da tutti i pori.

Avevo anche un lavoro, in un certo senso. Sostituii Angelica al Vintage Clothes Emporium mentre lei era fuori per un'incursione esplorativa in un'azienda di abbigliamento di Palm Springs che, a quanto pareva, aveva conservato i campioni di ogni capo prodotto a partire dal 1952. Presidiai la cassa fianco a fianco con Lydia, aiutando ragazzine pallide a entrare in abitini vintage per il ballo studentesco e pregando che le zip tenessero, mentre lei riorganizzava la disposizione degli espositori e recriminava per la quantità di spazio sprecato nel negozio. «Sai quanto costa un negozio al metro quadrato da queste parti?» disse scuotendo la testa davanti al nostro solitario espositore girevole situato nell'angolo in fondo. «Sul serio. Ci converrebbe mettere su un parcheggio custodito in quell'angolo, se solo riuscissimo a capire come far entrare le macchine.»

Ringraziai una cliente che aveva appena acquistato un bolerino di tulle con le paillettes e sbattei il cassetto del registratore di cassa. «Allora perché non lo affittate a un negozio o qualcosa del genere? Potrebbe fruttarvi un'entrata in più.»

«Lo so, ne abbiamo discusso, ma è complicato. Se coinvolgi degli altri negozianti, devi costruire una parete divisoria, separare gli accessi, stipulare un'assicurazione, e comunque non sai mai chi entra a qualsiasi ora... Estranei in mezzo alla nostra roba. È troppo rischioso.» Fece una bolla con il chewing-gum e poi la bucò distrattamente con un dito dall'unghia colorata di smalto porpora. «In più, sai, non ci fidiamo di nessuno.»

«Louisa!» esclamò Ashok battendo le mani quando mi vide arrivare. «Sarai dei nostri sabato prossimo? Meena vorrebbe saperlo in anticipo.»

«La protesta va ancora avanti?»

I due sabati precedenti non avevo potuto fare a meno di notare che c'era stato un sensibile calo nel numero dei partecipanti. Le speranze dei residenti erano quasi ridotte a zero ormai. Gli slogan erano diventati meno incisivi, data la riduzione dei finanziamenti pubblici, e i manifestanti della prima ora si stavano lentamente defilando. Dopo mesi dall'inizio della protesta, era rimasto attivo solo il nostro gruppetto di fedelissimi guidato da Meena, che radunava tutti fornendo bottigliette d'acqua e ripetendo che non era ancora detta l'ultima parola.

«Sì, vanno avanti. Sai com'è fatta mia moglie.»

«Allora sì, mi piacerebbe. Grazie. Dille che penserò io al dolce.»

«Hai capito al volo.» Ashok fece schioccare la lingua pregustando il piacere di un buon pasto, e mentre raggiungevo l'ascensore mi richiamò: «Ehi!».

«Che c'è?»

«Bella *mise*, signorina.»

Quel giorno il mio look era ispirato a *Cercasi Susan disperatamente*. Indossavo un bomber di raso violetto con un arcobaleno ricamato sulla schiena, un paio di leggings, dei gilet a strati e una manciata di braccialetti che producevano un piacevole tintinnio ogni volta che sbattevo il cassetto della cassa (non si chiudeva bene se non gli davi un bel colpo).

«Sai» continuò Ashok scuotendo la testa «non so come tu abbia fatto a portare quella polo quando lavoravi per i Gopnik. Non era da te.»

Esitai un attimo mentre le porte dell'ascensore si aprivano. Mi rifiutavo di usare l'ascensore di servizio, ormai. «Sai una cosa, Ashok? Hai proprio ragione.»

Per rispetto al suo status di padrona di casa, bussavo sempre prima di entrare nell'appartamento di Margot, anche se avevo la chiave da mesi. La prima volta che bussai non ottenni risposta e dovetti controllare il mio immediato senso di panico dicendomi che spesso Margot teneva la radio accesa a tutto volume e che Ashok mi avrebbe avvisato se qualcosa non andava. Alla fine entrai usando le chiavi. Dean Martin mi venne incontro zampettando per salutarmi, con gli occhi strabici di felicità per il mio arrivo. Lo presi in braccio e lasciai che mi annusasse il viso con il suo nasetto schiacciato.

«Ehi, ciao. Sì, ciao. Dov'è la tua mamma?» Lo posai a terra e lui si mise a uggiolare girando su se stesso in preda a una forte eccitazione. «Margot? Margot, dove sei?»

Lei uscì dal soggiorno con la sua vestaglia di seta cinese.

«Margot! Non stai bene?» Lasciai cadere la borsetta e le corsi incontro, ma lei mi fermò con una mano alzata.

«Louisa, è successa una cosa che ha del miracoloso.»

La risposta mi uscì di bocca quasi senza accorgermene. «Stai migliorando?»

«No, no, no. Vieni. Vieni! Vieni a conoscere *mio figlio*.» Si voltò senza darmi il tempo di replicare e sparì in soggiorno. La seguii e, quando entrai nella stanza, un uomo alto con un maglione color pastello e un principio di pancetta che debordava dalla cintura si alzò dalla sedia e mi tese la mano.

«Ti presento Frank Junior, mio figlio. Frank, questa è la mia cara amica Louisa Clark, senza la quale non sarei riuscita a superare gli ultimi mesi.»

Cercai di non dare a vedere quanto mi sentissi spiazzata. «Oh. Ehm. La cosa... è reciproca.» Mi protesi in avanti per stringere la mano della donna accanto a lui, che aveva un dolcevita bianco e una chioma chiara e vaporosa che doveva aver faticato una vita intera per domare.

«Io sono Laynie» disse con una voce stridula, simile a quella delle donne rimaste un po' ragazzine. «La moglie di Frank. Quindi è lei che dobbiamo ringraziare per la nostra piccola riunione di famiglia.» Si tamponò gli occhi con un fazzoletto ricamato. Aveva il naso arrossato, come se avesse smesso di piangere da poco.

Margot posò una mano sul mio braccio. «Alla fine si è scoperto che Vincent, quel piccolo mascalzone sciagurato, ha raccontato a suo padre del nostro incontro e della mia... della mia situazione.»

«Già, quel piccolo mascalzone sciagurato sarei io» disse Vincent presentandosi sulla soglia con il vassoio della cena. Sembrava felice e rilassato. «È un piacere rivederti, Louisa.» Annuii con un mezzo sorriso stampato in faccia.

Era molto strano vedere della gente in questa casa. Ero abituata al silenzio, alla sola presenza di me, Margot e Dean Martin, non a quella di Vincent, con la sua camicia a quadretti e la cravatta Paul Smith, né di quest'uomo alto con le gambe piegate a fisarmonica contro il tavolino del salotto, né di questa donna che continuava a guardarsi intorno con aria leggermente stupita, come se non si fosse mai trovata in un posto simile prima.

«Mi hanno fatto una sorpresa, sai?» mi disse Margot con la voce un po' rauca, segno che aveva già parlato troppo. «Vincent mi ha chiamato dicendo che sarebbe passato, e io pensavo che venisse solo lui, ma poi la porta si è aperta un po' di più e io, be', non so... Pensate a quanto devo essere rimasta scioccata. Non mi ero nemmeno ancora vestita, vedete? Me ne sono resa conto solo in questo momento. Ma abbiamo passato un pomeriggio piacevolissimo. Non puoi neanche immaginare.» Margot allungò una mano e suo figlio la strinse. Il suo mento tremò leggermente di emozione repressa.

«Oh, è stato davvero magico» disse Laynie. «Abbiamo così tante cose da raccontarci per recuperare. Sinceramente penso che riportarci qui tutti insieme sia stata opera del Signore.»

«Be', del Signore e di Facebook» puntualizzò Vincent. «Vuoi un caffè, Louisa? Ne è rimasto ancora un po'. Ho portato anche dei biscotti, in caso Margot volesse mangiare qualcosa.»

«Non li mangia» dissi, incapace di trattenermi.

«Oh, ha ragione Lou. Io non mangio i biscotti, Vincent caro. Quelli sono per Dean Martin. Le gocce di cioccolato non sono vero cioccolato, capisci?»

Margot quasi non respirava. Era completamente trasformata. Sembrava che fosse ringiovanita di un decennio nel giro di una notte. Quella luce incerta nei suoi occhi era sparita, sostituita da qualcosa di tenero, e non riusciva a smettere di parlare con un tono ciarliero e fanciullesco.

Indietreggiai verso la porta. «Bene, non... non voglio stare tra i piedi. Sono sicura che avrete molte cose da dirvi. Margot, fammi un fischio se hai bisogno di me.» Rimasi lì ad agitare le mani inutilmente. «È stato un piacere conoscervi. Sono molto felice per voi.»

«Abbiamo pensato che sarebbe meglio se la mamma tornasse con noi» disse d'un tratto Frank Junior.

Una breve esitazione.

«Tornasse dove?» chiesi.

«A Tuckahoe» rispose Laynie. «A casa nostra.»

«Per quanto tempo?»

393

Marito e moglie si guardarono.

«Cioè, per quanto tempo starà via? In modo da sapermi regolare per prepararle la valigia.»

Frank Junior stava ancora stringendo la mano di Margot. «Signorina Clark, io e mia madre abbiamo perso fin troppo tempo. Ed entrambi siamo convinti che sarebbe meraviglioso sfruttare al massimo quello che abbiamo. Perciò dobbiamo prendere... accordi.» Avvertii un vago senso di possesso nelle sue parole, come se volesse mettere in chiaro che vantava più diritti su di lei rispetto a me.

Fissai Margot, che sostenne il mio sguardo con occhi attenti e sereni. «Esatto» confermò.

«Aspetta un attimo. Tu vuoi andartene...» iniziai, e visto che nessuno parlava, continuai: «... da qui? Vuoi lasciare l'appartamento?»

L'espressione di Vincent era piena di comprensione. «Perché non le lasciamo sole, papà?» suggerì. «Abbiamo tutti parecchie cose su cui riflettere. Ci sono molte questioni da risolvere. E credo che anche Louisa e la nonna debbano fare una chiacchierata.»

Mi sfiorò la spalla prima di andarsene. Sembrava un modo per chiedere scusa.

«Sai, mi sembra che tutto sommato la moglie di Frank sia una donna abbastanza piacevole, anche se non ha la *minima* idea di come ci si debba vestire, poverina. Frank ha avuto delle fidanzate bruttarelle da giovane, secondo mia madre. Per un periodo mi scrisse delle lettere in cui me le descriveva. Ma un dolcevita di cotone bianco! Ti rendi conto dell'orrore? Un *dolcevita bianco.*»

Il ricordo di quella maglia – o forse la velocità con cui Margot parlava – le provocò un accesso di tosse. Andai a prenderle un bicchiere d'acqua e attesi che si riprendesse. I suoi parenti se n'erano andati pochi minuti dopo il discorsetto di Vincent. Avevo l'impressione che Frank e la moglie avessero semplicemente obbedito alla sua esortazione, ma che nessuno dei due volesse realmente lasciarla.

Mi sedetti. «Non capisco.»

«So che deve sembrarti tutto molto affrettato. Ma è stata una cosa veramente straordinaria, Louisa. Abbiamo parlato e parlato, e forse anche versato qualche lacrima. Lui è sempre lo stesso! È come se non ci fossimo mai lasciati. È sempre lo stesso, serio e tranquillo, ma anche molto affettuoso, proprio com'era da bambino. E sua moglie non è tanto diversa da lui. E poi, di punto in bianco, mi hanno chiesto di andare a stare da loro. Ho avuto la netta sensazione che ne avessero discusso prima di venire. E io ho accettato.» Mi guardò negli occhi. «Oh, andiamo, sappiamo entrambe che non sarà per sempre. C'è un bel posticino a tre chilometri da casa loro dove potrò ritirarmi quando la situazione diventerà troppo difficile.»

«Difficile?» sussurrai.

«Louisa, non rimetterti a frignare, per l'amor del cielo. Quando non sarò più autonoma, intendo. Quando starò davvero male. Sinceramente, non credo che vivrò con mio figlio per più di qualche mese. Forse è per questo che mi hanno proposto il trasferimento così volentieri.» Si lasciò sfuggire una risatina amara.

«Ma... io non capisco. Avevi detto che non avresti mai lasciato questo posto. Voglio dire, che ne sarà di tutte le tue cose? Non puoi andartene.»

Margot mi lanciò un'occhiata. «È esattamente quello che posso fare, invece.» Prese un respiro, e il suo vecchio torace ossuto si sollevò a fatica sotto la camicetta morbida. «Sto morendo, Louisa. Sono vecchia e non mi resta ancora molto da vivere, e mio figlio, che credevo perduto, è stato così generoso da ingoiare il dolore e l'orgoglio e tendermi una mano. Capisci? Capisci che cosa significa avere qualcuno che fa questo per te?»

Pensai a Frank Junior, con gli occhi fissi su quelli di sua madre, le loro sedie accostate, la mano che stringeva la sua.

«Perché mai dovrei scegliere di rimanere qui un minuto di più se ho la possibilità di passare del tempo con lui? Di alzarmi al mattino e trovarlo seduto a far colazione, di chiacchierare di tutte le cose che mi sono persa e di vedere i suoi figli... e Vincent... il caro Vincent. Sai che ha un fratello? Ho due nipoti. Due! Comunque. Sono riuscita a chiedere scusa a mio figlio. Sai quanto era importante per me? Sono riuscita a chiedergli scusa. Oh, Louisa, puoi restare aggrappata al tuo dolore sulla base di un orgoglio malriposto, oppure puoi semplicemente lasciar perdere e goderti il tempo prezioso che ti rimane.»

Si piazzò le mani sulle ginocchia. «Perciò questa è la mia decisione.»

«Ma non puoi. Non puoi prendere e andartene.» Ero scoppiata in lacrime. Non sapevo bene da dove venissero.

«Oh, cara ragazza, spero che tu non faccia scenate per questo. Coraggio. Su, su. Niente lacrime, ti prego. Ho un favore da chiederti.»

Mi soffiai il naso.

«E questa è la parte più difficile.» Margot deglutì a fatica. «Frank e sua moglie non prenderanno Dean Martin in casa. Sono molto dispiaciuti, ma c'è di mezzo un'allergia o qualcosa di simile. Stavo per dirgli di non scherzare, che il mio cane doveva per forza venire con me, ma a essere sincera sono un po' in ansia al pensiero di cosa ne sarà di lui dopo che me ne sarò andata, capisci? In fondo, ha ancora del tempo davanti a sé. Certamente più di quanto ne abbia io. Perciò... mi chiedevo se potessi tenerlo tu per me. Sembra affezionato a te. Dio solo sa perché, vista la malagrazia con cui lo portavi in giro. Quella povera creatura deve avere un'anima votata al perdono.»

La fissai attraverso le lacrime. «Vuoi che tenga Dean Martin?»

«Sì.»

Guardai il cagnolino che aspettava ansioso ai suoi piedi.

«Ti sto chiedendo se, in qualità di mia amica... potessi prendere in considerazione questa richiesta. Per me.»

Mi scrutava intensamente, i suoi occhi chiari nei miei, le labbra arricciate in un broncio. Il mio viso si accartocciò in un'espressione di dolore. Ero felice per lei, ma mi si spezzava il cuore al pensiero di perderla. Non volevo tornare a essere sola.

«Okay.»

«Lo farai?»

«Certo.» E poi ricominciai a piangere.

Margot quasi si afflosciò su se stessa per il sollievo. «Oh, sapevo che avresti accettato. Lo sapevo. E so che ti prenderai cura di lui.» Sorrise, e questa volta non mi rimproverò per le mie lacrime, ma si protese in avanti e chiuse le dita sulla mia mano. «Sei il tipo di persona che immaginavo.»

I suoi familiari vennero a prenderla due settimane dopo. L'avevo giudicata una mossa un po' troppo frettolosa e quasi sconveniente, ma nessuno di noi poteva sapere con certezza quanto tempo le rimanesse da vivere.

Frank Junior aveva provveduto a pagare la montagna di arretrati delle spese condominiali. Il suo gesto poteva essere visto in modo lievemente meno altruistico se si pensava che, in questo modo, lui avrebbe potuto ereditare l'appartamento anziché lasciarlo nelle mani di Mr Ovitz, ma Margot preferì interpretarlo come un atto d'amore, e io non avevo nessun motivo per non fare altrettanto. Di sicuro Frank sembrava felice di riavere sua madre con sé. Lui e la moglie la ricoprivano di attenzioni, accertandosi che stesse bene, che avesse tutti i suoi medicinali, che non fosse troppo stanca, frastornata, a disagio o disidratata, finché lei non li allontanava agitando le mani e alzava gli occhi al cielo simulando irritazione. Ma in realtà stava al gioco. Praticamente non aveva smesso di parlare di suo figlio da quando me l'aveva presentato.

Quanto a me, secondo Frank Junior sarei dovuta restare in città e badare all'appartamento "nell'immediato futuro". Penso che intendesse dire fino alla morte di Margot, anche se non osava dichiararlo apertamente. L'agente immobiliare aveva specificato che nessuno avrebbe preso in affitto l'alloggio così com'era, e d'altronde sarebbe stato indecoroso svuotarlo prima dell'"immediato", così mi era stato affidato il ruolo di curatrice temporanea. Anche Margot aveva più volte sottolineato il fatto che questa soluzione avrebbe aiutato Dean Martin a ritrovare un po' di stabilità mentre si abituava alla sua nuova situazione. Non credo che il benessere mentale del cane fosse in cima alla lista delle preoccupazioni di Frank Junior.

Margot partì solo con due valigie e per il viaggio indossò uno dei suoi tailleur preferiti con una giacca di bouclé verde giada e un cappellino a tamburello coordinato. Completai il tutto con un foulard blu notte Yves Saint-Laurent che le avvolsi intorno al collo per camuffare quanto fosse esile e penosamente ossuto, e le consigliai gli orecchini cabochon di turchesi come tocco finale. Temevo che potesse avere troppo caldo, ma sembrava diventata ancora più piccola e fragile e si lamentava del freddo anche quando il tempo era bello. Rimasi sul marciapiede con Dean Martin fra le braccia mentre Frank e Vincent sovrintendevano al carico dei bagagli. Margot controllò che avessero preso i suoi portagioie – aveva intenzione di donare alcuni dei pezzi più preziosi alla nuora e altri a Vincent "per quando si sposerà" – e poi, apparentemente soddisfatta di vederli al sicuro, venne lentamente verso di me reggendosi sul suo bastone. «Dunque, cara. Ti ho lasciato una lettera con tutte le istruzioni. Non ho detto ad Ashok che me ne vado, non voglio che faccia confusione. Ma c'è una cosa per lui in cucina. Ti sarei grata se gliela facessi avere quando saremo partiti.»

Annuii.

«Ho scritto tutto ciò che devi sapere su Dean Martin in un foglio separato. È molto importante che ti attenga alla sua routine. Lui si trova bene così.»

«Non preoccuparti. Farò del mio meglio perché sia felice.»

«E niente fegatini, mi raccomando. Gli piacciono tanto, ma gli fanno venire la nausea.»

«Niente fegatini.»

Margot tossì, forse per lo sforzo di aver parlato, e attese qualche istante per riprendere fiato. Si appoggiò meglio al suo bastone e alzò gli occhi a guardare l'edificio che l'aveva ospitata per più di mezzo secolo, sollevando una mano fragile per ripararsi gli occhi dal sole. Poi, con un movimento rigido, si voltò e osservò Central Park, abbracciando con lo sguardo la vista che aveva considerato sua per così tanto tempo.

Frank Junior la chiamò, piegandosi per vederci meglio dal finestrino. Sua moglie era in piedi accanto alla portiera del lato passeggeri con un giubbotto celeste e le mani strette nervosamente davanti a sé. Era chiaramente una donna che non amava la grande città.

«Mamma?»

«Un momento, tesoro, per favore.»

Margot si spostò in modo da piazzarsi proprio davanti a me. Allungò una mano e accarezzò il cane sulla testa, tre, quattro volte, con le sue sottili dita di marmo. «Sei un buon amico, vero, Dean Martin?» sussurrò dolcemente. «Davvero un buon amico.»

Il cane la fissava rapito.

«Sei il cagnolino più bello del mondo.» La sua voce si incrinò sull'ultima parola.

Il cane le leccò il palmo, e Margot fece un passo avanti e posò un bacio leggero sulla sua fronte rugosa, e mentre indugiava un istante di troppo con le labbra premute sulla sua testa, il carlino strabuzzò gli occhi e sbatté le zampette contro di lei. Il viso di Margot parve raggrinzirsi ancora di più.

«Io... posso portartelo, se vuoi.»

Lei restò immobile, con la testa contro quella di Dean Martin e gli occhi chiusi, incurante del rumore, del traffico e della gente intorno a lei.

«Hai sentito cosa ti ho detto, Margot? Una volta che ti sarai sistemata, potremmo prendere il treno e...»

Lei si raddrizzò e aprì gli occhi, poi li abbassò per un istante.

«No. Grazie.»

E si voltò prima che io potessi ribattere. «Ora portalo a fare una passeggiata, cara. Non voglio che mi veda andare via.»

Suo figlio era sceso dall'auto e la aspettava sul marciapiede. Le tese la mano, ma lei la respinse. Mi parve di vederla sbattere le palpebre per trattenere il pianto, ma era difficile stabilirlo con certezza, poiché i miei occhi si erano riempiti di lacrime.

«Grazie, Margot» gridai. «Grazie di tutto.»

Lei scosse la testa, le labbra strette in una linea sottile. «Ora vai, Louisa. Ti prego.» Si voltò verso la macchina proprio mentre suo figlio si avvicinava tendendole di nuovo la mano, e non so che cosa accadde poi, perché depositai Dean Martin a terra come mi aveva invitato a fare la sua padrona e mi avviai a passo deciso verso Central Park, con la testa bassa, ignorando gli sguardi dei curiosi che si domandavano perché mai una ragazza con degli hot-pants glitterati e un bomber di raso violetto piangesse come una fontana alle undici del mattino.

Camminai finché le zampe di Dean Martin ressero. Poi, quando il cane si ammutinò fermandosi vicino al laghetto delle azalee con la sua piccola lingua penzoloni e un occhio quasi chiuso, lo presi in braccio e continuai a camminare con gli occhi gonfi di lacrime e il petto che sussultava vistosamente a ogni singhiozzo.

Non ero mai stata una vera amante degli animali. Ma d'un tratto capii il conforto che si prova affondando il viso nel soffice pelo di una creatura o dedicandosi alle piccole mansioni che si è obbligati a svolgere per il suo benessere.

«Mrs De Witt è partita per le vacanze?» Ashok era dietro il bancone quando entrai a testa bassa e con gli occhiali da sole con la montatura di plastica azzurra.

Non avevo ancora la forza di raccontargli come stavano le cose. «Sì.»

«Non mi ha detto di sospendere i giornali, però. Sarà meglio che me ne occupi subito.» Scosse la testa e prese un registro. «Sai quando torna?»

«Ti farò sapere.»

Salii le scale lentamente. Il cagnolino era immobile tra le mie braccia, quasi temesse che, se si fosse mosso, gli venisse chiesto di tornare a usare le zampe. E poi entrai in casa.

C'era un silenzio tombale, intriso di un profondo senso di assenza che non avevo mai avvertito quando Margot era in ospedale, con i granelli di polvere che fluttuavano nell'aria calda e immobile. Nel giro di pochi mesi, pensai, qualcun altro sarebbe venuto a vivere qui, avrebbe demolito le vecchie stanze da bagno, staccato la tappezzeria degli anni Sessanta ed eliminato i mobili con gli inserti di vetro fumé, per poi installare un impianto di riscaldamento a pavimento e un costoso sistema audio. L'alloggio sarebbe stato sventrato, riprogettato, trasformato in un rifugio per qualche impegnatissimo dirigente o per una famiglia vergognosamente benestante con i bambini piccoli. Quel pensiero mi scavava un vuoto dentro.

Diedi a Dean Martin un po' d'acqua e una manciata di croccantini come premio, e piano piano mi addentrai nelle varie stanze dell'appartamento, con i suoi vestiti, i suoi cappelli e le sue pareti rivestite di ricordi, e mi imposi di non pensare alle cose tristi ma alla gioia che avevo visto dipingersi sul volto di Margot alla prospettiva di vivere i suoi ultimi giorni con il suo unico figlio. Era una gioia che aveva avuto il potere di trasformarla, di spianare i suoi lineamenti stanchi e di farle brillare gli occhi. Mi domandai fino a che punto tutta questa roba, tutti questi cimeli, fossero stati un modo per isolarsi dal dolore della lunga assenza di suo figlio.

Margot De Witt, regina di stile, fashion editor straordinaria, una donna che aveva precorso i tempi, si era costruita un muro, un bel muro, chiassoso e multicolore, per ricordare a se stessa che tutto questo era servito a *qualcosa*. E nel momento in cui suo figlio era tornato da lei, aveva demolito quel muro senza battere ciglio.

Qualche minuto dopo, quando le mie lacrime si placarono fino a trasformarsi in singulti intermittenti, presi la prima busta dal tavolo e la aprii. Riconobbi il corsivo arioso e tondeggiante di Margot, retaggio di un'epoca in cui i bambini venivano giudicati in base alla loro grafia. Come mi aveva anticipato, conteneva i dettagli sulla dieta preferita dal cane, gli orari dei pasti, le visite dal veterinario, le vaccinazioni, i programmi di prevenzione da pulci e vermi. Mi informava su dove trovare i suoi cappottini invernali – ne aveva di diverso tipo, per la pioggia, il vento e la neve – e sulla sua marca di shampoo preferita. Bisognava inoltre provvedere alla periodica eliminazione del tartaro, alla pulizia delle orecchie, nonché – e qui ebbi un moto di disgusto – allo svuotamento delle ghiandole anali.

«Questo non me l'ha precisato quando mi ha chiesto di prendermi cura di te» dissi a Dean Martin, e lui alzò la testa, guaì e poi la abbassò di nuovo.

Più sotto c'era l'indirizzo a cui eventualmente inoltrarle la posta e i contatti dell'impresa che si sarebbe occupata di sgombrare l'appartamento. Le cose che non erano da ritirare dovevano rimanere in camera sua, e io avrei dovuto attaccare un biglietto alla porta con su scritto di non entrare. Tutti i mobili, le lampade e le tende potevano essere portati via. Nella busta c'erano anche i biglietti da visita di suo figlio e di sua nuora, qualora desiderassi contattarli per ulteriori chiarimenti.

E ora veniamo alle cose importanti. Louisa, non ti ho mai ringraziato di persona per aver rintracciato Vincent – quell'atto di disobbedienza civile che mi ha portato tanta inaspettata felicità – però vorrei farlo ora. E per esserti presa cura di Dean Martin. Sono poche le persone che ritengo affidabili e in grado di amarlo come faccio io, ma tu sei una di quelle.

Louisa, sei davvero un tesoro. Sei sempre stata troppo discreta per rivelarmi i dettagli, ma qualsiasi cosa sia successa con quella famiglia di pazzi, non lasciare che offuschi la tua luce. Tu sei una creatura fantastica, coraggiosa e incredibilmente gentile, e io non smetterò mai di ringraziare il cielo perché, se loro hanno perso qualcosa, io l'ho guadagnato. Grazie.

Ed è proprio in questo spirito di gratitudine che vorrei regalarti il mio guardaroba. Per chiunque altro – eccetto forse le tue amiche mercenarie che gestiscono quel negozio disgustoso – i miei vestiti sarebbero soltanto un mucchio di stracci. Ne sono ben consapevole. Ma tu li vedi per quello che sono. Fanne ciò che vuoi. Tienine alcuni, vendine altri, decidi tu. Sono certa che saranno fonte di gioia per te.

Questo è quello che farei io, anche se so benissimo che a nessuno interessa cosa pensa una vecchia. Apri una sartoria tutta tua dove noleggiare o vendere quei vestiti. Quelle ragazze erano convinte che potessero fruttare dei soldi. Bene, mi è balenata l'idea che potrebbe essere un'opportunità perfetta per costruirti una carriera che ti si addica. Dovresti avere materiale sufficiente per avviare un'attività. Anche se, naturalmente, potresti avere altri progetti per il tuo futuro, di gran lunga migliori di questo. Mi farai sapere quale sarà la tua decisione?

A ogni modo, cara coinquilina, aspetterò con ansia tue notizie. Ti prego di dare un bacio a quell'adorabile cagnolino da parte mia. Mi manca già da impazzire.

Con tanto affetto,
Margot

Posai la lettera e rimasi immobile in cucina per un po', poi andai nella stanza di Margot e osservai attentamente le rastrelliere straripanti di vestiti, passando in rassegna un outfit dopo l'altro.

Una sartoria? Non sapevo nulla di affari, né di spazi commerciali, contabilità o rapporti con la clientela. Vivevo in una città di cui non capivo del tutto le regole, senza un indirizzo fisso, e avevo fallito in quasi ogni impiego che avevo avuto. Perché mai Margot pensava che avrei potuto avviare un'attività?

Feci scorrere le dita su una manica di velluto blu notte, poi tirai fuori il vestito, una tutina Halston aperta quasi fino alla vita, con un inserto di rete. La rimisi al suo posto con cura e presi un altro capo, un abito bianco di sangallo con la gonna piena di balze. Camminai accanto a quella prima rastrelliera, affascinata, intimidita. Avevo appena iniziato a rendermi conto di cosa significasse possedere un cane. Che cosa avrei dovuto fare con tre stanze straripanti di vestiti?

Quella sera restai a casa di Margot e mi sintonizzai su *La ruota della fortuna*. Mangiai gli avanzi di un pollo arrosto che le avevo preparato per la sua ultima cena prima della partenza (sospettai che ne avesse passato gran parte al cane di nascosto).

Non ascoltai cosa diceva Vanna White, né urlai le lettere quando il concorrente pescò lo Spicchio Jolly. Riflettei sulle parole di Margot, e mi chiesi che tipo di persona avesse visto in me.

Chi era Louisa Clark, a proposito?

Ero una figlia, una sorella, perfino una specie di madre per un certo periodo. Ero una donna che si prendeva cura degli altri ma che sembrava non avere idea di come prendersi cura di se stessa, perfino in questo momento. Mentre la ruota scintillante girava davanti a me, cercai di pensare a ciò che volevo realmente, piuttosto che a ciò che tutti volevano per me. Pensai a quello che mi aveva ripetuto Will, ossia di non vivere accontentandomi dell'idea di un'esistenza piena, ma di vivere il mio sogno fino in fondo. Il problema era che mi sembrava di non aver mai realmente capito quale fosse, quel sogno.

Pensai ad Agnes, una donna che tentava di convincere tutti di potersi inserire in una nuova vita mentre una parte fondamentale di lei rifiutava di smettere di rimpiangere il ruolo che aveva abbandonato. Pensai a mia sorella, alla serenità che aveva ritrovato una volta presa l'iniziativa di capire quale fosse la sua vera identità. Alla facilità con cui si era avvicinata all'amore quando si era concessa la possibilità di farlo. Pensai a mia madre, una donna così plasmata dall'abitudine di dedicarsi agli altri che ora, libera da quell'impegno, non sapeva più cosa fare.

Pensai ai tre uomini che avevo amato, a come ciascuno di loro mi avesse cambiato, o almeno ci avesse provato. Will aveva lasciato un'impronta indelebile su di me. Avevo imparato a vedere tutto attraverso il prisma di ciò che lui avrebbe voluto per me. "Sarei cambiata per te, Will. E ora lo capisco, probabilmente tu l'hai sempre saputo."

Vivi con coraggio, Clark.

«Buona fortuna!» urlò il conduttore della *Ruota della fortuna*, e fece girare la ruota.

E in quel momento capii che cosa volevo fare veramente.

Trascorsi i tre giorni successivi a organizzare il guardaroba di Margot, catalogando gli indumenti in varie sezioni: sei decenni diversi e, all'interno di questi, abiti da giorno, da sera e per occasioni speciali. Misi da parte tutto ciò che necessitava di una riparazione anche minima – bottoni mancanti, strappi nel pizzo, buchini – meravigliandomi di come Margot fosse riuscita a evitare le tarme e di come le cuciture non avessero ceduto e fossero ancora perfettamente allineate. Prendevo i vestiti e me li accostavo al petto oppure me li misuravo, togliendo le custodie di nylon e facendo piccole esclamazioni di piacere o stupore che spingevano Dean Martin a drizzare le orecchie per poi allontanarsi disgustato. Andai nella biblioteca pubblica e trascorsi mezza giornata a cercare tutte le informazioni utili relative all'avvio di una piccola impresa: adempimenti fiscali, sovvenzioni, documentazione varia, e stampai un file che si arricchì di dati giorno dopo giorno. Poi feci un salto al Vintage Clothes Emporium con Dean Martin e chiesi alle ragazze i nomi delle migliori tintorie dove far lavare i capi delicati e delle mercerie più fornite dove trovare la seta per le fodere.

Erano elettrizzate per il regalo che mi aveva fatto Margot. «Potremmo rilevare noi l'intero lotto» disse Lydia soffiando in alto un anello di fumo. «Voglio dire, con qualcosa del genere potremmo ottenere un prestito dalla banca, giusto? Ti proporremmo una bella cifra. Sufficiente per pagare la cauzione di un alloggio carino! Abbiamo ricevuto molte richieste da parte di un'emittente televisiva tedesca. Devono produrre ventiquattro episodi di una serie che attraversa diverse generazioni e...»

«Grazie, ma non ho ancora deciso cosa farne» replicai cercando di ignorare le loro espressioni deluse. Avevo già sviluppato un vago istinto di protezione nei confronti di quei vestiti. Mi sporsi sul bancone. «Ma mi è venuta un'altra idea...»

La mattina dopo mi stavo provando un tailleur pantalone verde di Ossie Clark modello "Judy" per controllare se ci fossero delle cuciture strappate o dei piccoli buchi, quando sentii suonare il campanello. «Un attimo, Ashok. Aspetta! Lasciami tener fermo il cane» gridai prendendolo in braccio mentre lui abbaiava rabbiosamente alla porta.

Davanti a me c'era Michael.

«Salve» dissi con tono freddo quando mi fui ripresa dallo shock. «C'è qualche problema?»

Lui si sforzò di camuffare la sua perplessità davanti alla mia *mise*. «Mr Gopnik vorrebbe vederti.»

«Sono qui legittimamente. È stata Mrs De Witt a invitarmi a restare.»

«Questo non c'entra. Non so di cosa si tratti, a dire il vero. Ma vuole parlarti di una cosa.»

«Non ho molta voglia di parlare con lui, Michael. Grazie comunque.» Feci per chiudere la porta, ma lui infilò un piede nella fessura fra il battente e lo stipite. Abbassai gli occhi. Dean Martin ringhiò piano.

«Louisa, sai com'è fatto. Mi ha raccomandato di non andarmene finché non fossi riuscito a convincerti.»

«Digli di attraversare il pianerottolo e di venire lui stesso. Non è lontano.»

Michael abbassò la voce. «Non vuole vederti qui, ma nel suo ufficio. In privato.» Sembrava insolitamente impacciato, come qualcuno che si professa il tuo migliore amico salvo poi mollarti su due piedi nel momento del bisogno.

«Digli che posso passare in tarda mattinata, allora. Dopo che io e Dean Martin avremo fatto la nostra consueta passeggiata.»

Michael non accennò a muoversi.

«Che c'è?»

Aveva un'espressione quasi implorante. «La macchina sta aspettando fuori.»

Portai Dean Martin con me. Fu un'utile distrazione dal leggero senso di ansia che provavo. Michael era seduto accanto a me sulla limousine e il cane fissava nel contempo lui e lo schienale del sedile dell'autista. Io restai in silenzio, chiedendomi che cosa caspita avesse in mente Mr Gopnik. Se aveva deciso di sporgere denuncia nei miei confronti, di sicuro avrebbe mandato la polizia, invece della sua auto. Aveva volutamente aspettato che Margot se ne andasse? Aveva scoperto altre cose di cui incolparmi? Pensai a Steven Lipkotz e al test di gravidanza e mi domandai che cosa avrei dovuto rispondere se mi avesse chiesto a bruciapelo cosa sapevo in proposito. Will diceva sempre che avevo una faccia troppo trasparente. Cominciai a ripetermi nella mente le parole "Non so nulla" finché Michael mi lanciò un'occhiata penetrante e mi resi conto di averle pronunciate ad alta voce.

L'autista si fermò davanti a un imponente grattacielo di vetro. Michael attraversò a passo rapido e deciso il grande atrio

405

rivestito di marmo, ma io rifiutai di affrettarmi e lasciai che Dean Martin procedesse con i suoi ritmi, anche se notai che la cosa esasperava Michael. Ritirò un pass alla postazione della security, me lo consegnò e mi guidò verso un ascensore isolato, quasi in fondo all'atrio. Evidentemente Mr Gopnik era troppo importante per salire e scendere con i membri del suo staff.

Salimmo al quarantaseiesimo piano, viaggiando a una velocità che mi fece strabuzzare gli occhi quasi quanto Dean Martin, e tentai di nascondere il lieve tremolio alle gambe che mi prese quando le porte si aprirono e mi ritrovai nel silenzio ovattato degli uffici. Una segretaria con un impeccabile tailleur sartoriale e i tacchi a spillo si voltò a guardarmi una seconda volta, allibita. Immagino che non ricevessero molte persone vestite con un completo pantalone anni Settanta con i profili in raso rosso, e men che meno con un cagnetto furioso stretto fra le braccia. Seguii Michael lungo un corridoio ed entrammo in un altro ufficio in cui c'era una seconda impiegata, anche lei vestita in modo inappuntabile.

«Ho qui Miss Clark, Diane. Deve vedere Mr Gopnik.»

Lei annuì e alzò la cornetta mormorando qualcosa. «Può riceverla subito» disse con un sorrisino.

Michael mi indicò la porta. «Vuoi che ti tenga il cane?» chiese. Era chiaro che desiderava disperatamente evitare che io entrassi con Dean Martin al seguito.

«No, grazie» risposi stringendolo ancora più forte contro il petto.

Poi la porta si aprì e davanti a me apparve Leonard Gopnik in maniche di camicia.

«Grazie per aver accettato di vedermi» esordì chiudendosi la porta alle spalle. Mi indicò una sedia e girò lentamente intorno alla scrivania per tornare a sedersi. Notai che la sua andatura claudicante era peggiorata e mi domandai se Nathan stesse continuando a svolgere il suo lavoro. Era sempre stato troppo riservato per parlarne.

Rimasi in silenzio.

Lui si lasciò cadere sulla sua sedia. Aveva l'aria stanca: la costosa abbronzatura non bastava a nascondere le occhiaie e le rughe di tensione che gli si allargavano sulle tempie.

«Vedo che prende i suoi doveri molto seriamente» commentò accennando al cane.

«Lo faccio sempre» dissi, e lui annuì, come se la mia frecciatina fosse pienamente giustificata.

Poi si sporse sulla scrivania e unì le dita a campanile. «Vede, Louisa, non sono una persona a cui di solito manchino le parole, ma... devo confessarle che in questo momento mi trovo in difficoltà. Due giorni fa ho scoperto una cosa. Una cosa che mi ha lasciato piuttosto scosso.»

Mi guardò negli occhi. Io sostenni il suo sguardo, il ritratto dell'impassibilità.

«Mia figlia Tabitha si era... insospettita per delle voci che aveva sentito, così ha ingaggiato un investigatore privato per saperne di più. Devo dire che non approvo del tutto questa sua iniziativa... Non siamo una famiglia incline a spiarci a vicenda. Ma quando mi ha detto quello che aveva scoperto il detective, ho capito che non potevo ignorare la cosa. Ne ho parlato con Agnes, la quale mi ha confessato tutto.»

Attesi.

«La bambina.»

«Oh.»

Lui sospirò. «Durante queste discussioni piuttosto... lunghe, mi ha anche spiegato la questione del pianoforte e dei piccoli importi che, apprendo ora, lei era tenuta a ritirare ogni giorno da uno sportello bancomat.»

«È così, Mr Gopnik.»

Lui abbassò il capo, come se avesse nutrito l'assurda speranza che io smentissi i fatti, che gli dicessi che erano tutte sciocchezze e che l'investigatore aveva parlato a sproposito.

Alla fine si lasciò andare stancamente contro lo schienale. «Pare proprio che le abbiamo fatto un grave torto, Louisa.»

«Io non sono una ladra, Mr Gopnik.»

«Questo mi è chiaro. Eppure, per lealtà nei confronti di mia moglie, è stata disposta a lasciarmi credere di esserlo.»

Non sapevo se fosse una critica. «Mi sembrava di non avere altra scelta.»

«Oh, sì invece. L'aveva eccome.»

Restammo in silenzio nel freddo ufficio per qualche istante. Lui tamburellò con le dita sulla scrivania.

«Louisa, ho passato quasi tutta la notte cercando di capire come aggiustare le cose. E vorrei farle una proposta.»

Rimasi in attesa.

«Vorrei ridarle il suo incarico. Naturalmente a condizioni diverse: vacanze più lunghe, aumento della retribuzione, benefit di gran lunga migliori. Se preferisce non vivere sul posto, possiamo cercare una sistemazione nelle vicinanze.»

«Il mio incarico?»

«Agnes non ha trovato nessuno che le piaccia nemmeno la metà di quanto le piacesse lei. Ha dato prova di grande affidabilità e io le sono immensamente grato per la sua... lealtà e la sua totale discrezione. La ragazza che abbiamo assunto dopo di lei è... insomma, non è all'altezza. Agnes non si trova bene. Con lei era diverso, la considerava più come... come un'amica, Louisa.»

Guardai il cane, che mi restituì lo sguardo. Sembrava decisamente poco impressionato. «Mr Gopnik, la sua proposta è molto lusinghiera, ma non credo che mi sentirei a mio agio a riprendere a lavorare come assistente di Agnes.»

«Ci sono altre posizioni all'interno della mia organizzazione. Mi risulta che lei non abbia ancora trovato un nuovo impiego.»

«Chi gliel'ha detto?»

«Fra tutte le cose che accadono nel mio palazzo, sono poche quelle che sfuggono alla mia attenzione, Louisa. Di solito, almeno.» Si concesse un sorrisetto ironico. «Ascolti, abbiamo delle posizioni aperte nell'ufficio Marketing e nell'Amministrazione. Potrei chiedere alle Risorse Umane di sorvolare su determinati requisiti d'accesso e offrirle un periodo di formazione. Oppure potrei inserirla nei miei enti filantropici, se ritiene di essere più interessata a quel ramo di attività. Che ne dice?» Si accomodò meglio sulla poltrona, un braccio sulla scrivania, la stilografica color ebano che penzolava tra le dita.

Davanti ai miei occhi fluttuò l'immagine di questa vita alternativa: io, con un severo tailleur, diretta in ufficio ogni giorno in questi immensi grattacieli di vetro. Louisa Clark, dotata di un cospicuo stipendio e di un alloggio che può permettersi. Una vera newyorkese. Una donna che, per una volta, non si prende cura di nessuno, ma punta in alto, con una marea di possibilità davanti a sé. Sarebbe stata una vita completamente nuova, un serio tentativo di realizzare il sogno americano.

Pensai a quanto sarebbe stata orgogliosa la mia famiglia se avessi accettato.

E poi pensai a un magazzino fatiscente, pieno zeppo di vecchi abiti smessi da altre persone. «Mr Gopnik, glielo ripeto, sono molto lusingata, ma non credo di poter accettare.»

La sua espressione si indurì. «Quindi vuole dei soldi.»

Rimasi di stucco.

«So che viviamo in una società dove le querele sono all'ordine del giorno, Louisa. So che lei è in possesso di informazioni scottanti sulla mia famiglia. Se è un risarcimento quello a cui mira, possiamo parlarne. Posso coinvolgere il mio avvocato nella trattativa.» Appoggiò il dito sull'interfono. «Diane, per favore, puoi...»

Fu a questo punto che mi alzai in piedi. Depositai delicatamente Dean Martin sul pavimento. «Mr Gopnik, io non voglio i suoi soldi. Se avessi voluto farle causa o lucrare sui suoi segreti, l'avrei fatto mesi fa, quando sono stata lasciata senza lavoro né un tetto sulla testa. Lei mi ha mal giudicato oggi, come mi ha mal giudicato allora. E adesso, se non le dispiace, preferirei andarmene.»

Mr Gopnik staccò la mano dall'interfono. «Per favore... si sieda. Non intendevo offenderla.» Mi indicò la sedia. «La prego, Louisa. Devo sistemare questa faccenda.»

Non si fidava di me. In quel momento mi resi conto che quell'uomo viveva in un mondo dove il denaro e lo status sociale contavano più di qualsiasi altra cosa, a tal punto che era inconcepibile che qualcuno non volesse approfittarne, avendone l'opportunità.

«Vuole che firmi qualcosa?» domandai con freddezza.

«Voglio sapere il suo prezzo.»

E poi mi venne un'idea. Forse, dopotutto, un prezzo ce l'avevo.

Mi sedetti di nuovo e dopo un attimo di esitazione gliela comunicai, e per la prima volta da quando ci eravamo incontrati nove mesi prima, Mr Gopnik sembrò veramente sorpreso. «È questo che vuole?»

«Sì, è questo che voglio. Non mi importa come ci riuscirà.»

Si appoggiò allo schienale e incrociò le mani sulla nuca. Guardò da una parte, riflettendo per un istante, poi mi fissò. «Preferirei che lei tornasse a lavorare con me, Louisa Clark» disse. E infine sorrise come non aveva mai fatto in precedenza e allungò il braccio sulla scrivania per stringermi la mano.

«C'è una lettera per te» disse Ashok quando tornai. Mr Gopnik aveva dato istruzioni all'autista di riportarmi a casa, ma io gli avevo chiesto di farmi scendere due isolati prima in modo che Dean Martin potesse sgranchirsi un po'. Stavo ancora tremando per l'incontro. Mi sentivo stordita, euforica, in grado di fare qualsiasi cosa. Ashok dovette chiamarmi due volte prima che io registrassi quello che mi aveva detto.

«Per me?» Fissai l'indirizzo. Non mi veniva in mente nessuno che potesse sapere che vivevo nella casa di Mrs De Witt a parte i miei genitori, e le probabilità che mi scrivessero una lettera erano pari a quelle che si trasferissero a New York.

Corsi di sopra, feci bere Dean Martin, poi mi sedetti e aprii la busta. La grafia non mi era familiare, perciò diedi una rapida scorsa su entrambi i lati del foglio. Era scritta su una carta da fotocopie dozzinale con la biro nera, e c'erano un paio di cancellature, segno che il mittente aveva dovuto lottare per mettere nero su bianco i suoi pensieri.

Sam.

30

Cara Lou,
non sono stato del tutto sincero l'ultima volta che ci siamo visti. Perciò ti scrivo, non perché penso che questo possa cambiare le cose, ma perché ti ho già deluso in passato ed è importante per me che tu sappia che non ti ingannerò né ti deluderò mai più. Non sto con Katie. Non stavo con lei neppure allora. Non voglio dilungarmi troppo, ma ho capito praticamente subito che eravamo due persone molto diverse e che avevo fatto un grosso errore. Per la verità, credo di averlo saputo fin dall'inizio. Ha fatto domanda di trasferimento, e anche se alla sede centrale non sono molto d'accordo sembra che daranno seguito alla sua richiesta.

Ora mi sento uno stupido, e a ragione. Non passa giorno in cui non mi penta di non averti scritto qualche riga come mi avevi chiesto, o di non averti mandato una cartolina ogni tanto. Avrei dovuto mettercela tutta. Avrei dovuto dirti quello che provavo quando lo provavo. Avrei dovuto semplicemente impegnarmi un po' di più, invece di crogiolarmi nell'autocommiserazione pensando a tutte le persone che mi avevano lasciato.

Come ho già detto, non ti sto scrivendo per farti cambiare idea. So che hai voltato pagina. Volevo solo dirti che mi dispiace e mi dispiacerà sempre per come sono andate le cose, e che spero davvero che tu sia felice (era piuttosto difficile dirtelo a un funerale).

Abbi cura di te, Louisa.

Con l'amore di sempre,
Sam

Mi sentivo stordita. Poi fui colta da un lieve senso di nausea. Deglutii, inghiottendo un enorme singulto di un'emozione che non sapevo identificare. Infine appallottolai il foglio e, con un urlo di rabbia, lo scaraventai nel cestino.

Per calmare i nervi mandai a Margot una foto di Dean Martin e le scrissi una breve lettera per aggiornarla sulla salute del suo cane. Camminai su e giù nell'appartamento vuoto, imprecando. Mi versai uno sherry attingendo al polveroso mobile-bar del salotto e lo bevvi in tre sorsate, anche se non era nemmeno ora di pranzo. E poi recuperai la lettera dal cestino, accesi il portatile, mi sedetti sul pavimento con la schiena contro la porta di casa per sfruttare la rete wi-fi dei Gopnik, e scrissi una mail a Sam.

Cosa sono tutte quelle stronzate? Perché mi hai scritto una lettera soltanto adesso? Dopo tutto questo tempo?

La risposta arrivò nel giro di pochi minuti, come se Sam fosse seduto ad aspettare davanti al computer.

Capisco la tua rabbia. Al tuo posto probabilmente sarei arrabbiato anch'io. Ma quando Lily mi ha detto che parlavi di matrimonio e che stavi cercando un appartamento a Little Italy, ho pensato che se non ti avessi detto quelle cose ora, poi sarebbe stato troppo tardi.

Fissai il monitor aggrottando la fronte. Rilessi due volte quello che aveva scritto. Poi digitai:

È stata Lily a dirtelo?

Sì. E mi ha anche detto che ti sembrava un po' troppo presto e non volevi che lui pensasse che lo facessi per la residenza. Ma che davanti alla sua proposta di matrimonio è stato impossibile dire di no.

Attesi qualche istante, poi scrissi con un po' di esitazione:

Sam, che cosa ti ha detto esattamente della proposta?

Che Josh si è messo in ginocchio in cima all'Empire State Building. E del cantante d'opera che ha ingaggiato. Lou, non prendertela con lei. So che non avrei dovuto insistere. So che non sono affari miei. Ma l'altro giorno le ho solo chiesto come stavi. Volevo sapere cosa stava succedendo nella tua vita. E poi lei mi ha completamente sfasato con questa notizia. Mi sono detto che dovevo essere felice per te. Ma continuavo a pensare: "E se quell'uomo fossi stato io? Cosa sarebbe successo se avessi – non so – colto l'attimo?".

Chiusi gli occhi.

Quindi mi hai scritto perché Lily ti ha detto che stavo per sposarmi?

No. Ti avrei scritto comunque. Era una cosa che avevo in mente di fare da quando ti ho visto a Stortfold. Solo che non sapevo come spiegarti. Ma poi ho pensato che una volta sposata – soprattutto se l'avessi fatto così presto – sarebbe stato impossibile dirti quello che provavo. Forse sono un po' antiquato in questo.

Ascolta, in sostanza volevo che sapessi che mi dispiace, Lou. Tutto qui. Scusami se lo trovi fuori luogo.

Mi presi un po' di tempo prima di rispondergli di nuovo.

Okay. Bene, grazie per avermelo detto.

Abbassai lo schermo del portatile, mi appoggiai alla porta e rimasi a lungo con gli occhi chiusi.

Decisi di non pensarci su. Ero diventata piuttosto brava a non rimuginare sulle cose. Sbrigavo le faccende di casa, accompagnavo Dean Martin a fare le sue passeggiate e mi recavo nell'East Village nel caldo soffocante della metropolitana e discutevo di metratura, ripartizioni, affitti e assicurazioni con le ragazze del negozio. Non pensavo a Sam.

Non pensavo a lui quando, portando a spasso il cane, passavo davanti agli onnipresenti camion dell'immondizia dall'odore nauseabondo o scansavo gli strombazzanti furgoncini UPS, oppure mi slogavo le caviglie sull'acciottolato di SoHo, o trascinavo borsoni pieni di vestiti attraverso i tornelli della metropolitana. Mi ripetevo nella mente le parole di Margot e facevo quello che amavo, qualcosa che, dal piccolissimo germe di un'idea, si era trasformato in un'enorme bolla d'ossigeno che si era gonfiata dentro di me sbattendo fuori qualsiasi altra cosa. Non pensavo a Sam.

La sua lettera successiva arrivò tre giorni dopo. Questa volta riconobbi la sua calligrafia frettolosa su una busta che Ashok aveva infilato sotto la porta.

Dunque, ho riflettuto sul nostro scambio di email e volevo solo parlarti di un altro paio di cose. (Non mi hai proibito di scriverti, perciò spero che non strapperai questa lettera.)

Lou, io non sapevo nemmeno che vedessi un matrimonio nel

tuo futuro. Mi sento stupido per non avertelo chiesto. Non mi ero mai reso conto che sei il tipo di ragazza che in cuor suo desidera grandi gesti romantici. Ma Lily mi ha raccontato tutte le cose che Josh fa per te – le rose ogni settimana, le cene eleganti e così via – e io me ne sto qui a pensare... Ero davvero così statico? Come ho potuto aspettarmi che tutto andasse per il meglio se non ci ho nemmeno provato?

Lou, ho sbagliato così tanto? Voglio solo sapere se per tutto il tempo che siamo stati insieme tu ti aspettavi qualche gesto eclatante da parte mia, se ti ho frainteso. Se l'ho fatto, scusami di nuovo. È un po' strano ritrovarmi a riflettere così tanto su me stesso, visto che sono un tipo poco incline all'introspezione. Mi piace fare le cose, non pensarci su. Ma in questo caso credo di dover imparare la lezione, perciò ti chiedo di essere così gentile da dirmi la verità.

Presi uno dei cartoncini sbiaditi di Margot con l'indirizzo in cima. Cancellai il suo nome con un tratto di penna e scrissi:

Sam, non ho mai preteso gesti eclatanti da te. Nulla.
Louisa

Scesi le scale di corsa, consegnai la mia breve missiva ad Ashok perché la imbucasse e scappai via altrettanto rapidamente, fingendo di non sentirlo mentre mi chiedeva se andasse tutto bene.

Pochi giorni dopo giunse una nuova lettera. Erano tutte spedite per posta prioritaria. Questo scambio epistolare doveva essergli costato una fortuna.

L'hai fatto, però. Volevi che ti scrivessi delle lettere. E invece non ti ho accontentata. Ero sempre troppo stanco o, per essere sincero, mi sentivo in imbarazzo. Non mi sembrava di parlare con te, ma solo di mugugnare sulla carta. Mi pareva una cosa finta.

E così, più io non ti scrivevo e tu iniziavi a adattarti alla tua nuova vita e a cambiare, più pensavo: bene, che cosa accidenti posso raccontarle? Lei partecipa a tutti questi balli eleganti, frequenta i country club, viaggia in limousine e si gode il periodo più bello della sua vita, mentre io vado in giro in ambulanza nella zona est di Londra a raccattare ubriachi o pensionati soli che ruzzolano giù dal letto.

Okay, ti dirò un'altra cosa, Lou. E se non vorrai più sentirmi capirò, ma visto che abbiamo ripreso i contatti devo confessartelo: non è vero che sono felice per te. Non credo che dovresti sposarlo. So che è brillante, attraente e ricco, e che ingaggia quartetti d'archi per le vostre cenette romantiche sulla terrazza di casa sua e via dicendo, ma c'è qualcosa che non mi convince. Non credo che sia la persona giusta per te.

Ah, maledizione. Non è soltanto questo. Questa storia mi sta facendo impazzire. Detesto pensarti con quello. La sola idea che possa metterti un braccio intorno alle spalle mi fa venir voglia di prendere a pugni tutto. Non riesco più a dormire perché mi sono trasformato in uno stupido tipo geloso con un chiodo fisso. E tu mi conosci, io dormo dappertutto.

Probabilmente mentre leggerai questa lettera starai pensando: "Bravo, grandissima testa di cazzo, ben ti sta". E ne avresti tutto il diritto.

Ti prego solo di non affrettare le cose, okay? Assicurati che lui possa darti davvero tutto ciò che meriti. Oppure, ecco, non sposarlo proprio.

Un bacio,
Sam

Stavolta attesi qualche giorno prima di rispondere. Mi portavo dietro la lettera e la rileggevo nei momenti di pausa al negozio o quando mi fermavo a prendere un caffè nella tavola calda dog-friendly vicino al Columbus Circle. La rileggevo prima di coricarmi sul mio letto sfondato la sera e ci pensavo mentre ero immersa nella piccola vasca da bagno rosa salmone di Margot.

E poi, finalmente, gli scrissi:

Caro Sam,
non sto più con Josh. Per usare le tue parole, abbiamo capito di essere due persone molto diverse.
Lou

P.S. Per quel che può valere, il pensiero di avere un violinista che incombe su di me mentre sto mangiando mi fa accapponare la pelle.

31

Cara Louisa,
finalmente ho avuto la mia prima notte di sonno decente da settimane. Ho trovato la tua lettera al ritorno da un turno di notte alle sei del mattino, e devo confessarti che mi ha reso così strafelice che avrei voluto urlare come un pazzo e mettermi a ballare, ma faccio schifo come ballerino, così sono andato in cortile, ho aperto il recinto delle galline, mi sono seduto sul gradino e l'ho detto a loro. (Non si sono mostrate particolarmente colpite. Ma che ne sanno?)
Quindi posso scriverti?
Ho delle cose da dirti. Ho anche uno stupido sorriso stampato in faccia per circa l'80 per cento della mia giornata lavorativa. Il mio nuovo collega (Dave, quarantacinque anni, decisamente non incline a prestarmi romanzi francesi) dice che spavento i pazienti.
Dimmi come te la passi. Stai bene? Sei triste? Non sembravi triste. Forse voglio soltanto che tu non sia triste.
Parlami.

Con amore,
Sam

Le lettere arrivavano quasi ogni giorno. Alcune erano lunghe e sconclusionate, altre si limitavano a un paio di righe, qualche scarabocchio, o una foto di Sam accanto a diverse parti della sua casa ormai terminata. O delle galline. Qualche volta i suoi messaggi erano lunghi, indagatori, appassionati.

Abbiamo corso troppo, Louisa Clark. Forse è stato il mio ferimento ad accelerare tutto. D'altronde, non puoi fare il sostenuto con una persona che ha tenuto le tue viscere fra le mani nude. Perciò forse è un bene. Forse ora riusciremo a parlarci davvero.

Ero uno straccio dopo Natale. Adesso posso dirtelo. Mi piace sentire di aver fatto la cosa giusta. Ma non avevo fatto la cosa giusta. Ti avevo ferito e questo mi ossessionava. Ci sono state tante notti in cui non riuscivo a dormire e allora andavo a lavorare nella nuova casa. Non c'è niente di meglio che comportarsi come un coglione se si vuole portare a termine un progetto edilizio.

Penso spesso a mia sorella. Soprattutto a quello che mi direbbe. Non serve averla conosciuta per immaginare come mi definirebbe se fosse ancora qui.

Le missive giungevano giorno dopo giorno, talvolta due in ventiquattro ore, talvolta integrate da un'email, ma per lo più erano solo lunghi sfoghi scritti a mano, finestre dentro la testa e il cuore di Sam. Certi giorni quasi non volevo leggerle, temendo di rinnovare un'intimità con l'uomo che mi aveva letteralmente spezzato il cuore. Altre mattine, invece, mi ritrovavo a precipitarmi giù in portineria a piedi nudi, con Dean Martin alle calcagna, e a saltellare ansiosa mentre Ashok smistava il pacco della posta sulla sua scrivania. Fingeva che non ci fosse nulla per me, poi, vedendo la delusione dipingersi sul mio volto, tirava fuori una busta dalla giacca e me la consegnava con un sorriso, e infine scappavo di sopra per gustarmela in privato.

Leggevo e rileggevo quelle lettere, scoprendo di volta in volta quanto poco io e Sam ci conoscessimo prima della mia partenza e costruendomi una nuova immagine di quest'uomo taciturno e complicato. Ogni tanto i suoi messaggi mi rattristavano:

Scusami tanto. Non ho un attimo di tempo oggi. Abbiamo perso due bambini in un incidente stradale. Ho solo bisogno di andare a letto.
Baci.
P.S. Spero che la tua giornata sia stata piena di cose belle.

Il più delle volte, però, mi facevano sorridere. Mi parlò di Jake, il quale gli aveva confidato che Lily era l'unica persona che capisse fino in fondo i suoi sentimenti, e mi disse che ogni settimana accompagnava suo cognato a fare una passeggiata lungo il canale o si faceva aiutare a dipingere le pareti della sua nuova casa solo per indurlo a confidarsi (e a smettere di mangiare torte). Mi parlò delle due galline morte per l'incursione di una volpe, delle carote e delle barbabietole che stavano crescendo nel suo orticello. Mi raccontò che il giorno di Natale, dopo essere uscito da casa mia, spinto dalla rabbia e dalla disperazione aveva preso a calci la marmitta della moto e che non l'aveva portata a riparare perché l'ammaccatura era un buon promemoria di quanto si sentisse infelice da quando avevamo smesso di parlarci. Ogni giorno lui si apriva un po' di più, e ogni giorno io avevo l'impressione di capirlo un po' meglio.

Ti ho detto che Lily è passata da me oggi? Finalmente le ho detto che ci siamo riavvicinati e lei è diventata tutta rossa e le è andata di traverso la gomma da masticare. Sul serio. Ho temuto di doverle praticare la manovra di Heimlich.

Gli rispondevo approfittando dei momenti in cui non lavoravo o non ero impegnata con Dean Martin. Gli dipingevo dei quadretti della mia quotidianità, descrivendogli come catalogavo e riparavo accuratamente il guardaroba di Margot. Gli mandavo delle foto di capi che sembravano essere stati confezionati su misura per me (lui mi disse che le appendeva in cucina). Gli dissi che l'idea di Margot si era ormai radicata nella mia immaginazione e non riuscivo più a estirparla. Gli parlai dell'altra corrispondenza che tenevo oltre a quella con lui, fatta di brevi messaggi scritti con la grafia incerta e filiforme di Margot, ancora raggiante per essere stata perdonata dal figlio, e di lettere più estese da parte di sua nuora, Laynie. Mi mandava deliziosi cartoncini con motivi floreali, aggiornandomi sul peggioramento delle condizioni di salute di Margot e ringraziandomi per aver contribuito a sanare il conflitto di suo marito con la madre, e concludeva rammaricandosi che ci fosse voluto così tanto tempo perché ciò avvenisse.

Dissi a Sam che avevo iniziato a cercare una casa, e che io e Dean Martin ci eravamo spinti in nuovi quartieri – Jackson Heights, Queens, Park Slope, Brooklyn – cercando di valutare con un occhio il rischio di essere assassinata nel mio letto, e con l'altro di non vacillare davanti al terrificante prezzo al metro quadro.

Gli dissi delle mie cene settimanali con la famiglia di Ashok, e di come i loro punzecchiamenti e l'evidente affetto che li legava mi facessero sentire la mancanza della mia. Gli dissi che il mio pensiero tornava costantemente al nonno, molto più sovente di quando era vivo, e che la mamma, pur sollevata da ogni responsabilità, trovava ancora impossibile smettere di piangere la sua morte. Gli dissi che, nonostante passassi più tempo da sola di quanto avessi fatto negli ultimi anni e vivessi in un grande alloggio vuoto, stranamente non soffrivo affatto di solitudine.

E, a poco a poco, gli feci sapere che cosa significasse per me averlo di nuovo nella mia vita, sentire la sua voce nell'orecchio nel cuore della notte, avere la consapevolezza di rappresentare qualcosa per lui. La sensazione che lui fosse fisicamente presente, a dispetto dei chilometri che ci separavano.

Infine gli dissi che mi mancava. E quasi nel momento stesso in cui premevo "invio", mi resi conto che questo non risolveva assolutamente nulla.

Nathan e Ilaria vennero a cena da me, Nathan con una scorta di birre e Ilaria con uno stufato di maiale e fagioli speziato che nessuno aveva voluto assaggiare. Riflettei sul fatto che piuttosto spesso lei cucinava pietanze che nessuno mostrava di gradire. La settimana prima era arrivata con un curry di gamberetti che, lo ricordavo perfettamente, Agnes le aveva ordinato di non replicare mai più.

Ci sedemmo sul divano di Margot con i piatti sulle ginocchia, uno di fianco all'altro, raccogliendo l'invitante sugo di pomodoro con pezzi di pane di mais e cercando di non ruttarci reciprocamente in faccia mentre chiacchieravamo davanti alla tivù. Ilaria si informò su Margot, e quando le riferii gli aggiornamenti di Laynie si fece il segno della croce e scosse la testa tristemente. In cambio, mi raccontò che Agnes aveva bandito Tabitha dall'appartamento, il che aveva causato un certo stress a Mr Gopnik, che aveva scelto di gestire questa frattura familiare trascorrendo ancora più tempo al lavoro.

«Per la verità, ci sono parecchie cose in ballo in ufficio» disse Nathan.

«Ci sono parecchie cose in ballo anche sul pianerottolo.» Ilaria mi lanciò un'occhiata alzando un sopracciglio. «La *puta* ha una figlia» aggiunse piano pulendosi le mani in un tovagliolo quando Nathan si allontanò per andare in bagno.

«Lo so» dissi.

«Verrà a trovarla, con la sorella della *puta*.» Tirò su con il naso e giocherellò con un filo allentato dei pantaloni. «Povera piccola. Non è colpa sua se si ritroverà in una famiglia di squinternati.»

«Ti occuperai tu di lei» dissi. «Ci sai fare con i bambini.»

«Che colore, quel bagno!» esclamò Nathan rientrando in soggiorno. «Non sapevo che esistessero dei mobiletti da toilette verde menta. Lo sai che là dentro c'è un flacone di crema per il corpo datata 1974?»

Ilaria spalancò gli occhi e strinse le labbra.

Nathan se ne andò alle nove e un quarto e, quando la porta si chiuse alle sue spalle, Ilaria abbassò la voce come se lui potesse ancora sentirla e mi disse che usciva con una personal trainer di Bushwick che pretendeva di vederlo a ogni ora del giorno e della notte. Tra lei e Mr Gopnik, Nathan non aveva nemmeno il tempo di scambiare due parole con qualcuno. Che cosa si poteva fare?

Niente, risposi. Le persone fanno quello che si sentono di fare.

Lei annuì, neanche le avessi dispensato una rara perla di saggezza, e tornò nella sua stanza ciabattando lungo il pianerottolo.

«Posso chiederti una cosa?»

«Certo! Nadia, tesoro, porta questo alla nonna, okay?»

Meena si chinò per dare alla piccola dell'acqua fresca in un bicchiere di plastica. Era una serata afosa e tutte le finestre dell'appartamento di Ashok e Meena erano aperte. Nonostante i due ventilatori che ronzavano pigramente sul soffitto, l'aria non voleva saperne di muoversi. Stavamo preparando la cena nella loro cucina minuscola e a ogni movimento mi sembrava che una parte di me si appiccicasse a qualcosa.

«Ashok ti ha mai ferito?»

Meena, impegnata ai fornelli, si voltò di scatto per guardarmi bene in faccia.

«Non fisicamente, intendo. Solo...»

«Ferito i miei sentimenti? Per esempio mancandomi di rispetto? Non troppo, a essere sincera. Non è proprio il tipo. Quando ero incinta di Rachana, alla quarantaduesima settimana mi provocò dicendo che sembravo una balena, ma sai, dopo aver superato la crisi ormonale e tutto il resto, ho dovuto ammettere che aveva ragione. Accidenti se l'ha pagata cara, però!» Scoppiò in una risata fragorosa, poi si avvicinò al mobiletto per prendere il riso. «Il tuo ex fidanzato si è di nuovo fatto vivo?»

«Mi scrive. Tutti i giorni. Ma io...»

«Tu cosa?»

Mi strinsi nelle spalle. «Ho paura. Lo amavo così tanto. Ed è stato terribile quando ci siamo lasciati. Probabilmente ho solo paura che se ci cascassi di nuovo non farei che espormi ad altro dolore. È complicato.»

«È sempre complicato.» Meena si asciugò le mani sul grembiule. «È la vita, Louisa. Dài, fammi vedere.»

«Che cosa?»

«Le lettere. Andiamo, non fingere che non te le porti dietro tutto il giorno. Ashok dice che vai in brodo di giuggiole ogni volta che te ne consegna una.»

«Pensavo che i portinai fossero persone discrete!»

«Quell'uomo non ha segreti per me. Lo sai. Siamo *profondamente partecipi* dei colpi di scena della tua vita newyorkese.» Rise e tese la mano agitando le dita con impazienza. Esitai solo un istante, poi, con delicatezza, tirai fuori le lettere dalla borsetta. E senza badare all'andirivieni dei figlioletti, alle risate soffocate di sua madre davanti alla commedia in tivù, e al rumore, al sudore e al ritmico *clic-clic-clic* del ventilatore, Meena chinò la testa sulle mie lettere e si immerse nella lettura.

È una sensazione stranissima, Lou. Ci ho messo tanto tempo a costruire questa casa. Tempo speso a preoccuparmi della scelta degli infissi giusti o del tipo di cabina doccia più adatta, a chiedermi se optare per gli interruttori di plastica bianchi o quelli in nichel lucido. E ora che è finita che più finita non si può, me ne sto qui da solo nel mio salotto immacolato con le pareti dipinte della perfetta tonalità di grigio chiaro, la stufa a legna ricondizionata e le tende a tripla piega con tanto di fodera che mi ha aiutato a scegliere mia madre e mi chiedo: bene, a cosa diamine è servito? Perché l'ho costruita?

Forse avevo bisogno di una distrazione dopo la morte di mia sorella. Ho costruito una casa per non pensare. Ho costruito una casa perché avevo bisogno di credere nel futuro. Ma ora che è terminata, mi guardo intorno in queste stanze vuote e non provo nulla. Forse una punta di orgoglio per aver portato a termine un lavoro, ma a parte questo? Niente di niente.

Meena rimase a fissare le ultime righe per un lungo istante. Poi ripiegò la lettera, la posò delicatamente insieme alle altre e me le restituì. «Oh, Louisa» disse con la testa piegata da una parte. «Su col morale, ragazza.»

1442 Lantern Drive
Tuckahoe
Westchester, NY

Cara Louisa,
spero che lei stia bene e che l'appartamento non le stia causando troppe seccature. Frank dice che l'impresa verrà a fare un sopralluogo fra due settimane. Può farsi trovare sul posto per aprire? Le daremo i contatti della ditta più avanti.

Margot non se la sente di scrivere in questi giorni – si stanca facilmente e le medicine la intontiscono un po' –, ma ho pensato che le avrebbe fatto piacere sapere che ci stiamo prendendo amorevolmente cura di lei. Abbiamo deciso, malgrado tutto, che non possiamo sopportare l'idea di trasferirla in una casa di riposo, perciò resterà con noi, con l'aiuto dello staff medico, che si è dimostrato davvero gentile. Ha ancora molte cose da raccontare a me e Frank! Il più delle volte ci fa correre di qua e di là come dei disperati, ma non mi importa. Mi piace avere qualcuno di cui occuparmi, e nelle sue giornate buone è bello ascoltarla mentre racconta gli aneddoti di Frank bambino. Credo che si diverta pure lui, anche se non lo ammetterà mai. Sono uguali come due gocce d'acqua, quei due!

Margot mi ha pregato di chiederle se può inviarle un'altra foto del suo cane. Le è piaciuta moltissimo quella che le ha mandato l'ultima volta. Frank l'ha messa in una bella cornice d'argento vicino al suo letto, dove ormai trascorre gran parte del suo tempo, e so che le è di grande conforto. Non posso dire di trovare quella creatura altrettanto piacevole da guardare, ma a ognuno i suoi gusti.

Margot le manda tanti affettuosi saluti e spera che lei indossi ancora quelle strepitose calze a righe. Non so se parli sotto l'effetto dei farmaci, ma sono sicura che lo dice in senso buono!

Con i più cordiali saluti,
Laynie G. Weber

«Hai sentito?»

Stavo uscendo con Dean Martin per andare al lavoro. L'estate aveva iniziato a imporre prepotentemente la sua presenza e ogni giorno diventava sempre più caldo e più umido, perciò, nel breve tragitto a piedi fino alla fermata della metropolitana, la camicetta mi si appiccicava alla schiena e i fattorini in bici esponevano la loro pelle pallida e bruciacchiata dal sole e inveivano contro i turisti che attraversavano la strada fuori dalle strisce pedonali. Ma io indossavo l'abito psichedelico anni Sessanta che mi aveva regalato Sam e un paio di scarpe con la zeppa di sughero con dei fiori rosa sul cinturino, e dopo l'inverno che avevo passato il sole sulle braccia era come un balsamo.

«Ho sentito cosa?»

«La biblioteca! È salva! Il suo futuro è assicurato per i prossimi dieci anni!» Ashok mi passò il suo cellulare. Io mi fermai sulla passatoia e alzai gli occhiali da sole sulla fronte per leggere il messaggio di Meena. «Non posso crederci. Una donazione anonima in memoria di un tizio. Aspetta, ce l'ho qui.» Fece scorrere il dito sul display. «Biblioteca William Traynor. Ma chi se ne importa del nome esatto! Un finanziamento per dieci anni, Louisa! E il consiglio comunale l'ha approvato! Dieci anni! Oh, cavolo. Meena è al *settimo cielo*. Era sicura che non ce l'avremmo fatta.»

Diedi un'occhiata al telefono, poi glielo restituii. «È una bella cosa, giusto?»

«È fantastica! Chi se lo aspettava, Louisa? Eh? Chi se lo aspettava? Uno a zero per la povera gente. *Oh, sì!*» Il sorriso di Ashok era radioso.

In quell'istante sentii qualcosa crescere dentro di me, una sensazione di gioia e di attesa così grande che mi parve che per un attimo il mondo avesse smesso di girare, come se esistessimo soltanto io e l'universo e un milione di cose buone che sarebbero potute accadere se solo fossi rimasta ad aspettare.

Guardai Dean Martin, poi l'atrio del Lavery. Feci un cenno di saluto ad Ashok, mi rimisi gli occhiali da sole e imboccai la Fifth Avenue con un sorriso sempre più ampio a ogni passo.

Ne avevo chiesti soltanto cinque.

32

Dunque, penso che a un certo punto dovremo parlare del fatto che il tuo anno a New York è quasi trascorso. Hai già fissato una data per tornare a casa? Immagino che tu non possa rimanere nell'alloggio di quella vecchia signora per sempre.

Ho pensato all'idea di noleggiare abiti e... Lou, potresti usare casa mia come sede per la tua attività, c'è un sacco di spazio qui, completamente gratuito. E se volessi, potresti starci anche tu.

Se ritieni che sia troppo presto per questo, ma non te la senti di sconvolgere la vita di tua sorella tornando a vivere nel tuo appartamento, potresti utilizzare il vagone ferroviario. Non è la mia opzione preferita, sia ben chiaro, ma quel posto ti è sempre piaciuto e trovo piuttosto intrigante l'idea di averti al di là del giardino...

Poi, naturalmente, c'è un'altra opzione, che è quella per cui la mia proposta risultasse fuori luogo e tu non volessi più avere niente a che fare con me, ma non mi piace affatto. È una pessima opzione. Spero che tu sia d'accordo con me.

Pensieri al riguardo?

Sam

P.S. Stasera ho caricato una coppia sposata da cinquantasei anni. Lui aveva difficoltà respiratorie – niente di grave, però – e lei non gli ha lasciato la mano per un attimo. L'ha coperto di premure finché non siamo arrivati in ospedale. Di solito non bado a queste cose, ma stasera... non so.

Mi manchi, Louisa Clark.

Mentre percorrevo la Fifth Avenue in tutta la sua lunghezza, con il traffico intasato e la marea colorata di turisti che bloccava i marciapiedi, pensai a quanto potevi essere fortunata a trovare non uno, ma due uomini straordinari da amare, e che colpo di fortuna fosse se capitava che entrambi ti ricambiassero. Pensai a quanto sei influenzata dalle persone che ti circondano e a quanto, proprio per questo motivo, devi sceglierle con cura, e poi pensai al fatto che, nonostante tutto questo, forse alla fine devi perderle tutte per trovare veramente te stessa.

Pensai a Sam e a una coppia sposata da cinquantasei anni che non avrei mai conosciuto, e il suo nome ripetuto nella mia testa si sincronizzò al ritmo del mio passo mentre oltrepassavo la Rockefeller Plaza, lo sfarzo pacchiano della Trump Tower, la cattedrale di St Patrick, le enormi e scintillanti vetrine di Uniqlo con gli abbaglianti schermi pixelati, e poi Bryant Park, l'imponente sede della New York Public Library con i suoi leoni in pietra sempre vigili, i negozi, le insegne luminose, i turisti, i venditori ambulanti e i senzatetto. Erano tutte immagini quotidiane di una vita che amavo in una città dove lui non abitava, eppure, sopra il rumore e le sirene e il frastuono dei clacson, mi resi conto che Sam era con me a ogni passo.

Sam.
Sam.
Sam.
E poi pensai a come sarebbe stato tornare a casa.

28 ottobre 2006

Mamma,
sono di corsa, ma volevo dirti che sto per tornare in Inghilterra! Ho ottenuto il lavoro presso l'azienda di Rupe, perciò domattina darò le dimissioni e con ogni probabilità pochi minuti dopo lascerò il mio ufficio con tutte le mie cose in uno scatolone. Queste società di Wall Street non amano tenersi stretta la gente che potrebbe saccheggiare il loro portafoglio clienti.

Perciò, a partire dal prossimo anno, sarò direttore esecutivo dell'ufficio Fusioni e Acquisizioni a Londra. Non vedo l'ora di affrontare questa nuova sfida. Pensavo di prendermi una piccola pausa di un mese, prima – potrei andare a fare trekking in Patagonia come ti accennavo – e poi dovrò cercarmi un posto dove vivere. Se ne hai l'occasione, potresti mettere un'inserzione presso qualche agenzia immobiliare? Soliti quartieri, molto centrale, due-tre camere da letto. Parcheggio sotterraneo per la moto, se possibile (sì, so che non sei contenta che io la usi).

Oh, ho una notizia che ti piacerà. Ho conosciuto una persona. Alicia Deware. In realtà è inglese, ma era qui a trovare degli amici. L'ho incontrata a una cena orrenda e siamo usciti insieme qualche volta prima che lei tornasse a Notting Hill. Una frequentazione seria, non come si fa di solito a New York. Siamo solo all'inizio, ma è un tipo divertente. La vedrò un po' di più quando sarò a Londra. Non metterti subito a cercare cappelli da cerimonia, però. Mi conosci.

Questo è tutto, credo. Salutami tanto papà, digli che molto presto gli offrirò un paio di pinte al Royal Oak.

A un nuovo inizio!

Con affetto, tuo figlio
Will

Lessi e rilessi la lettera di Will, piena di accenni a un universo parallelo, e tutti i cosa-sarebbe-potuto-essere atterrarono dolcemente intorno a me come neve che cade. Lessi fra le righe quello che sarebbe potuto essere il futuro tra lui e Alicia, o perfino tra lui e me. Più di una volta William John Traynor aveva spinto il corso della mia vita fuori dai suoi binari prestabiliti, e non con una piccola gomitata, bensì con un energico spintone. Mandandomi la corrispondenza di suo figlio, Camilla Traynor aveva inavvertitamente permesso che questo accadesse di nuovo.

"A un nuovo inizio!"

Lessi le parole di Will un'ultima volta, poi piegai la lettera con cura, la rimisi insieme alle altre e mi fermai a riflettere. Infine mi versai quello che restava del vermouth di Margot, fissai nel vuoto per un po', sospirai, mi avvicinai alla porta di casa, mi sedetti per terra con il portatile sulle ginocchia e scrissi:

Caro Sam,
non sono pronta.
So che è passato quasi un anno e avevo detto che la mia esperienza sarebbe finita qui, ma il punto è questo: non sono pronta a tornare a casa.
Ho passato tutta la vita a occuparmi degli altri adattandomi alle

loro esigenze e ai loro desideri. È una cosa che mi riesce bene. Lo faccio senza neanche rendermene conto. Lo farei anche con te, probabilmente. Non hai idea di quanto vorrei prenotare un volo in questo preciso momento ed essere lì nella tua nuova casa.

Ma negli ultimi due mesi mi è accaduto qualcosa, qualcosa che mi impedisce di farlo.

Sto per aprire la mia attività. Si chiamerà Ape Regina e avrà sede in un angolo del Vintage Clothes Emporium: i clienti potranno fare acquisti dalle ragazze o prendere abiti a noleggio da me. Metteremo insieme i nostri contatti, sborseremo un po' di soldi per la pubblicità, e spero che ci aiuteremo a vicenda per procacciarci affari. Venerdì ci sarà l'inaugurazione e ho scritto a tutti quelli che mi sono venuti in mente. Abbiamo già registrato molto interesse da parte di case di produzione cinematografica, riviste di moda e perfino privati che vogliono semplicemente noleggiare un vestito elegante. (Non sai quante feste a tema *Mad Men* ci siano a Manhattan.)

Sarà difficile e mi ritroverò squattrinata. Già adesso, quando torno a casa la sera, praticamente dormo in piedi dalla stanchezza, ma per la prima volta nella mia vita, Sam, mi sveglio piena di voglia di fare. Mi piace avere contatti con i clienti e cercare di capire quale capo gli si addice di più. Mi piace sistemare questi vecchi abiti per farli sembrare come nuovi. Mi piace il fatto di poter immaginare ogni giorno chi voglio essere.

Una volta mi hai detto che volevi diventare un paramedico fin da quando eri piccolo. Bene, io ci ho messo quasi trent'anni per capire chi sono destinata a essere. Questo mio sogno potrebbe durare una settimana così come un anno, ma ogni giorno, quando vado nell'East Village, con i borsoni così straripanti di abiti che mi fanno male le braccia e la sensazione che non ce la farò mai, ebbene, mi viene semplicemente voglia di cantare.

Penso spesso a tua sorella. E penso anche a Will. La morte prematura delle persone che amiamo è un campanello d'allarme che ci ricorda che non dobbiamo dare nulla per scontato, che abbiamo il dovere di goderci al massimo ciò che abbiamo. E io finalmente sento di esserci arrivata.

Perciò vengo al dunque: non ho mai chiesto niente a nessuno, in realtà. Ma se mi ami, Sam, vorrei che tu mi raggiungessi, almeno mentre vedo se sono in grado di realizzare questo progetto. Ho fatto un po' di ricerche e ho scoperto che, anche se c'è un esame da superare e a quanto pare le assunzioni nello Stato di New York sono stagionali, c'è sempre bisogno di paramedici.

Potresti affittare la tua casa e ricavarne un'entrata, e così potremmo prendere un appartamentino nel Queens o magari nella zona meno cara di Brooklyn, e ogni giorno potremmo svegliarci nello stesso letto, e credimi, niente mi renderebbe più felice. E io, da parte mia, farei qualsiasi cosa – nelle ore in cui non sono in mezzo a polvere, tarme e lustrini vaganti – per renderti felice di stare qui con me.

Insomma, vorrei tutto.

Si vive una volta sola, giusto?

Tempo fa mi hai chiesto se volevo un gesto plateale da te. Bene, eccolo: la sera del 25 luglio alle sette sarò dove avrebbe sempre desiderato andare tua sorella. Se la tua risposta sarà un sì, sai dove trovarmi. Altrimenti vorrà dire che resterò là per un po', contemplerò la vista dall'alto e sarò comunque felice che, anche se solo in questo modo, ci siamo ritrovati.

Con tutto il mio amore, sempre.

Baci,

Louisa

33

Vidi Agnes un'ultima volta prima di lasciare definitivamente
il Lavery. Ero entrata barcollando sotto il peso di una montagna di abiti che avevo portato a casa con l'intenzione di ripa-
rarli, e le custodie di nylon mi si appiccicavano fastidiosamente alla pelle per il gran caldo. Proprio mentre passavo davanti
alla guardiola, mi scivolarono per terra due vestiti, e Ashok balzò fuori per raccoglierli mentre io faticavo a trattenere gli altri.

«Vedo che stasera avrai il tuo bel da fare.»

«Di sicuro. Già solo trascinarmi tutta questa roba sulla metropolitana è stato un incubo.»

«Ci credo. Oh, mi scusi, Mrs Gopnik. Glieli tolgo subito dai
piedi.»

Alzai lo sguardo mentre Ashok liberava il passaggio con un
movimento fluido e feci un passo indietro per lasciar passare
Agnes.

Mi raddrizzai, per quanto potessi fare con le braccia così ca-
riche. Indossava un tubino semplice con un'ampia scollatura a
barchetta e un paio di ballerine e, come sempre, sembrava che
le condizioni meteorologiche dominanti – che fossero caldo o
freddo eccessivi – non la toccassero. Teneva per mano una bambina intorno ai quattro o cinque anni che rallentò per sbirciare
i vestiti dai colori vivaci che stringevo al petto. Aveva gli stessi occhi a mandorla della madre e dei sottili capelli ricci biondo miele, trattenuti da due fiocchetti di velluto, e vedendomi
in difficoltà mi indirizzò un sorriso birichino.

Non potei fare a meno di sorridere a mia volta, e proprio in quell'istante, quando Agnes si voltò per vedere cosa guardava la piccola, i nostri sguardi si incrociarono. Mi bloccai e mi sforzai di tornare seria, ma gli angoli della sua bocca si curvarono in un sorriso simile a quello della figlia, come se non potesse trattenersi. Annuì appena, un cenno così discreto che forse soltanto io riuscii a coglierlo. Poi oltrepassò la porta che Ashok le teneva premurosamente aperta mentre la bambina già si lanciava in un saltello, e insieme sparirono, inghiottite dalla luce abbagliante della giornata estiva e dall'incessante andirivieni della folla nella Fifth Avenue.

Da: MrandMrsBernardClark@yahoo.com
A: BusyBee@gmail.com

Cara Lou,
ho dovuto leggere due volte l'articolo per essere sicura di aver capito
bene. Guardavo la ragazza della foto e pensavo: è davvero la mia
bambina quella che appare su un quotidiano newyorkese?
Quelle foto con i tuoi vestiti sono meravigliose, e sei strepitosa tutta
in tiro con le tue amiche. Riesci a immaginare quanto io e tuo padre
siamo orgogliosi di te? Abbiamo ritagliato quelle del volantino e papà
ha fatto gli screenshot di tutte quelle che siamo riusciti a trovare su
Internet (ti ho detto che ha iniziato un corso di computer al centro
di formazione per adulti? Sarà il prossimo Bill Gates di Stortfold!). Ti
mandiamo tutto il nostro affetto e siamo certi che la tua attività sarà
un successo, Lou. Sembravi così positiva e sicura di te al telefono.
Quando hai chiuso la comunicazione, sono rimasta a fissarlo e non
riuscivo a credere che quella con cui avevo parlato fosse la mia Lou,
piena di progetti, che chiamava dal suo negozietto dall'altra parte
dell'Atlantico. (È l'Atlantico, dico bene? Lo confondo sempre con il
Pacifico.)
E ora passiamo alla NOSTRA grande notizia. Verremo a trovarti verso
la fine dell'estate, quando farà un po' più fresco... Mi sono spaventata
sentendo parlare di quell'ondata di caldo che c'è stata da voi. Sai che
tuo padre soffre di irritazioni in posti strani. Deirdre, quella dell'agenzia
viaggi, ha promesso di farci usufruire dello sconto riservato allo staff.
Prenoteremo i voli alla fine di questa settimana. Possiamo stare con

te nell'appartamento della signora? Se no, puoi dirci dove andare? Un posto SENZA CIMICI DEL LETTO, comunque. Fammi sapere quali date ti andrebbero bene. Non sto più nella pelle! Con l'affetto di sempre e tanti bacioni, Mamma

P.S. Dimenticavo! Treena ha avuto una promozione. È sempre stata una ragazza intelligente. Sai, capisco perché Eddie è tanto attratta da lei.

25 luglio

"SAGGEZZA E CONOSCENZA SARANNO LA STABILITÀ DEL TUO TEMPO."

Mi trovavo nell'epicentro di Manhattan, davanti al mastodontico 30 Rockefeller Plaza, e mentre aspettavo che il mio respiro si stabilizzasse fissavo il bassorilievo dorato sopra il grandioso ingresso del grattacielo. Intorno a me New York brulicava di vita nella serata calda, i marciapiedi erano affollati di turisti che vagavano esausti, l'aria era densa di clacson strombazzanti e dell'onnipresente odore di scarichi delle auto e di gomma surriscaldata. Alle mie spalle, una donna con una polo con la scritta 30 ROCK si sforzava di alzare la voce per farsi sentire sopra il frastuono mentre ripeteva il suo discorsetto ormai collaudato a un gruppo di visitatori giapponesi. «L'edificio, costruito in stile Art Déco dal celebre architetto Raymond Hood, fu completato nel 1933... Per favore, signori, non vi disperdete. Signora? Signora?... e originariamente chiamato "RCA Building" per poi diventare "GE Building" nel... Signora? Da questa parte, prego...» Alzai lo sguardo verso i sessantasette piani del grattacielo e presi un respiro profondo.

Erano le 18.45.

Desideravo apparire perfetta per questo momento, perciò avevo programmato di tornare al Lavery alle 17 per avere tutto il tempo di fare una doccia e scegliere un look appropriato (pensavo a Deborah Kerr in *Un amore splendido*). Ma il fato era intervenuto nelle vesti di una stylist di una rivista di moda italiana che si era presentata in negozio alle 16.30 pretendendo di vedere tutti i tailleur disponibili per un servizio che doveva realizzare e di farne provare alcuni alla collega che la accompagnava per poter scattare delle foto. Senza neppure accorgermene, si erano fatte le 17.40 e avevo a malapena avuto il tempo di portare a casa Dean Martin, dargli da mangiare e poi precipitarmi al 30 Rock. Perciò ora mi trovavo qui, sudata e quasi esausta, con indosso gli stessi abiti che avevo portato al lavoro, in procinto di scoprire che piega avrebbe preso la mia vita.

«Okay, signore e signori, per la terrazza panoramica da questa parte, prego.»

Avevo smesso di correre qualche minuto prima, ma quando attraversai la Rockefeller Plaza ero ancora senza fiato. Spinsi la porta a vetri e notai con un certo sollievo che non c'era molta coda alla biglietteria. Cercando informazioni su TripAdvisor la sera prima, avevo scoperto che le code potevano essere molto lunghe, ma ero troppo superstiziosa per comprare il biglietto in anticipo. Così attesi il mio turno controllando il trucco nello specchietto del portacipria e guardandomi intorno con circospezione nella remota eventualità che Sam fosse arrivato prima del previsto, poi acquistai un biglietto che consentiva l'accesso dalle 18.50 alle 19.10, seguii il cordone di velluto e mi lasciai convogliare verso un ascensore con un gruppo di turisti.

Sessantasette piani, dicevano. Un'altezza tale che salendo ti si tappavano le orecchie.

Sarebbe venuto. Certo che sarebbe venuto.

E se invece non fosse venuto?

Era questo il pensiero che continuava ad attraversarmi la mente da quando era arrivata quell'unica riga di risposta alla mia email: *Okay. Ricevuto.* Che, in effetti, avrebbe potuto significare qualsiasi cosa. Mi aspettavo che Sam mi facesse delle domande sul mio progetto, o mi dicesse qualcosa che mi avrebbe aiutato a intuire la sua decisione. Avevo riletto la mia email, chiedendomi se ero apparsa sgradevole, troppo sfacciata, troppo sicura, e se ero riuscita a comunicare tutta la forza dei miei sentimenti. Amavo Sam. Lo volevo qui con me. Aveva capito fino a che punto? Ma avendogli dato il più estremo degli ultimatum, sembrava assurdo ricontrollare che il mio messaggio fosse stato interpretato correttamente, così mi ero limitata ad aspettare.

18.55. Le porte dell'ascensore si aprirono. Mostrai il mio biglietto ed entrai. Sessantasette piani. Il mio stomaco si contrasse.

Non appena l'ascensore iniziò a salire, fui colta dal panico. E se non fosse venuto? Se avesse recepito il messaggio ma avesse cambiato idea? Come avrei reagito? No, non mi avrebbe fatto questo, non dopo tutto quello che c'era stato fra noi. Mi ritrovai a dover prendere fiato inspirando forte e premendomi una mano sul petto nel tentativo di calmarmi.

«È l'altezza, vero?» domandò una signora gentile sfiorandomi il braccio. «Sessantasette piani non sono uno scherzo.»

Abbozzai un sorriso. «Sì, dev'essere quello.»

"Se non te la senti di lasciare il tuo lavoro, la tua casa e tutto ciò che ti rende felice, capirò. Sarò triste, ma capirò. Sarai sempre con me, in un modo o nell'altro."

Mentivo. Eccome se mentivo. "Oh, Sam, ti prego, dimmi di sì" ripetevo tra me. "Ti prego, fatti trovare lì quando le porte si riapriranno." E d'un tratto l'ascensore si fermò.

«Ma non siamo al sessantasettesimo piano» osservò qualcuno, e un paio di persone fecero una risatina imbarazzata. Un bambino sul passeggino mi guardò con i suoi occhioni nocciola sgranati. Esitammo per qualche istante, incerti sul da farsi, poi iniziammo a uscire.

«Oh. Non era questo l'ascensore principale» disse la donna accanto a me. «È *quello*.»

Ed effettivamente eccolo là. All'estremità di un'interminabile coda serpeggiante di persone in paziente attesa.

La fissai inorridita. Dovevano esserci un centinaio di visitatori, forse duecento, che si trascinavano silenziosamente osservando i pezzi esposti e le immagini appese alle pareti che illustravano le varie fasi della costruzione dell'edificio. Guardai l'ora. Mancava solo un minuto alle sette. Scrissi a Sam e mi accorsi con sgomento che il messaggio si rifiutava di partire. Cominciai a farmi largo tra la folla mormorando: «Permesso, permesso», mentre qualcuno esclamava irritato: «Scusi, signora. Siamo tutti in attesa qui». A testa bassa, passai davanti ai pannelli che raccontavano la storia del Rockefeller Center con i suoi alberi di Natale, e agli schermi che proiettavano i video della NBC, sgusciando fra i visitatori e borbottando le mie scuse. Esistono poche persone più scontrose dei turisti accaldati che si ritrovano incagliati in una coda. Uno mi afferrò per la manica. «Ehi, tu! Devi metterti in fila!»

«Devo incontrare una persona» replicai. «Mi dispiace tanto.

Sono inglese. Di solito siamo *molto bravi* a rispettare le code. Ma se arrivo tardi, il mio appuntamento andrà a monte.»

«Puoi aspettare come fanno tutti gli altri!»

«Lasciala andare, tesoro» disse la donna accanto a lui. Sussurrai un «Grazie» e continuai ad avanzare sgomitando in un pantano di spalle bruciate dal sole, corpi in movimento, bambini piagnucolosi e T-shirt con la scritta I LOVE NY, mentre le porte dell'ascensore si avvicinavano lentamente. Ma a meno di cinque metri di distanza dal mio obiettivo, la fila si bloccò. Saltai in punta di piedi cercando di vedere sopra la testa di quelli che mi precedevano, e d'un tratto mi ritrovai davanti a una finta trave di ferro. Era piazzata di fronte a un enorme sfondo fotografico in bianco e nero dello skyline di New York. A turno, i visitatori si sedevano sulla struttura imitando la foto iconica degli operai che consumano il loro pranzo durante la costruzione della torre, mentre una giovane donna dietro una macchina fotografica urlava: «Alzate le mani in aria... così. Ora un bel pollice in su per New York, bravi! Fingete di spintonarvi. Adesso baciatevi. Okay. Potete ritirare le foto all'uscita. Avanti il prossimo!». Ripeteva le stesse quattro frasi via via che i gruppi si avvicendavano. C'era un unico modo di superare quella tappa obbligata, ma avrebbe significato rovinare a qualcuno la possibilità di avere una foto-ricordo originale, forse unica nella vita, in cima al 30 Rock. Erano le 19.04. Provai a spingermi un po' più avanti per vedere se riuscivo a sguisciare alle spalle della fotografa, ma mi ritrovai bloccata da un gruppo di adolescenti con gli zaini. Qualcuno mi diede uno spintone sulla schiena e cominciai a muovermi con la massa.

«Sulla trave, per favore. Signora?» Il passaggio era ostruito da un irremovibile muro di persone. La fotografa mi fece cenno di avvicinarmi. Avrei fatto qualsiasi cosa per far sì che il gruppo procedesse più rapidamente. Così le obbedii e mi issai sulla trave borbottando sottovoce: «Su, muoviamoci, devo andare».

«Alzate le mani in aria, così. Ora un bel pollice in su per New York!» Alzai le mani in aria e mi costrinsi a sfoderare un pollice in su. «Ora fingete di spintonarvi, bravi. E adesso baciatevi.» Un ragazzino con gli occhiali si voltò verso di me e mi guardò, dapprima sorpreso, poi compiaciuto.

Scossi la testa. «Questo no, piccoletto. Mi dispiace.» Saltai giù dalla trave, gli passai davanti e mi accodai all'ultimo gruppo in fila davanti all'ascensore.

Erano le 19.09.

Fu a questo punto che mi accorsi di essere sull'orlo delle lacrime. Rimasi lì, pigiata in quella coda di persone accaldate e nervose, spostando il peso del corpo da un piede all'altro e osservando l'altro ascensore che vomitava un'ondata di visitatori, e mi maledissi per non aver dato retta alle mie ricerche su Internet. Era questo il problema dei gesti eclatanti. Tendevano a ritorcersi contro di te in maniera spettacolare. Le guardie osservavano la mia agitazione con l'indifferenza di chi ha già avuto modo di vedere qualsiasi comportamento umano. E poi, finalmente, alle 19.12 le porte dell'ascensore si aprirono e un addetto ci incanalò in quella direzione, contandoci uno per uno. Ma quando arrivò il mio turno, tirò il cordone sbarrandomi la strada. «Prossimo ascensore.»

«Oh, *andiamo*.»

«È il regolamento, signora.»

«La prego. Ho un appuntamento. Sono in terribile ritardo. Mi lasci passare. Per favore. La supplico.»

«Non posso. Dobbiamo rispettare i numeri.»

Mi lasciai sfuggire un piccolo gemito di disperazione, e una donna a pochi metri da me mi fece un cenno. «Venga» disse uscendo dall'ascensore. «Le cedo il mio posto. Io salgo con il prossimo.»

«Dice sul serio?»

«Amo gli appuntamenti romantici.»

«Oh, grazie, grazie infinite!» dissi superando il cordone. Evitai di aggiungere che le possibilità che l'appuntamento fosse romantico, o addirittura che ci fosse un appuntamento, si stavano assottigliando di secondo in secondo. Mi incuneai tra gli altri passeggeri, consapevole dei loro sguardi incuriositi, e strinsi i pugni mentre l'ascensore iniziava a muoversi.

Stavolta salì alla velocità della luce, suscitando lo stupore dei bambini che guardavano verso l'alto, dove il soffitto di vetro rivelava la straordinaria rapidità con cui ci muovevamo. Le luci scintillavano sulle nostre teste. Il mio stomaco si mise a fare le capriole. Una signora anziana con un cappello floreale mi diede una gomitata. «Vuoi una mentina?» mi chiese strizzandomi l'occhio. «Per quando finalmente lo vedrai.»

Ne presi una e le rivolsi un sorriso nervoso.

«Voglio sapere come va a finire» disse, e rimise le caramelle in borsetta. «Vieni a cercarmi.» E poi, mentre mi schioccavano le orecchie, l'ascensore iniziò a rallentare fino a fermarsi.

C'era una volta una fanciulla che viveva in una piccola città di un piccolo mondo. Era molto felice, o almeno si convinceva di esserlo. Come tante ragazze, amava sperimentare diversi look e apparire come qualcuno che non era. Ma, come troppe ragazze, era stata minata dalla vita, finché, invece di trovare ciò che era adatto a lei, si era camuffata, nascondendo le parti di sé che la rendevano diversa. Per un po' aveva lasciato che il mondo la ferisse, e infine aveva concluso che era più sicuro non essere affatto se stessa.

Esistono tantissime versioni di noi stessi, e tra queste possiamo decidere quale fare nostra. Una volta la mia vita era destinata a essere misurata in passi ordinari e prevedibili. Avevo imparato a discostarmi da questa strada già tracciata grazie a un uomo che si rifiutava di accettare la versione di sé che gli era rimasta, e a un'anziana signora che, per contro, pensava di potersi trasformare fino al momento in cui molti avrebbero ammesso che non c'era più nulla da fare.

Io avevo una scelta. Potevo essere Louisa Clark di New York o Louisa Clark di Stortfold, oppure una Louisa completamente diversa che non avevo ancora conosciuto. L'importante era fare in modo che nessuno fra coloro a cui permettevi di camminare al tuo fianco potesse decidere quale di queste versioni tu fossi e ti inchiodasse come una farfalla in una teca. L'importante era sapere che potevi sempre trovare il modo di reinventarti.

Se Sam non fosse stato là ad aspettarmi sarei comunque sopravvissuta, mi rassicurai. Dopotutto, ero sopravvissuta a ben di peggio. Sarebbe stata soltanto un'altra reinvenzione. Me lo ripetei più volte mentre aspettavo che l'ascensore terminasse la sua corsa. Erano le 19.17.

Mi avviai rapidamente verso le porte a vetri, dicendomi che, se era venuto fin qui, avrebbe senz'altro aspettato venti minuti. Poi attraversai di corsa la terrazza, girando su me stessa e sgusciando fra i turisti chiassosi intenti a farsi un selfie per vedere se Sam fosse in mezzo a loro. Tornai sui miei passi superando di nuovo la porta a vetri e attraversai l'ampio atrio interno fino ad arrivare a un secondo spiazzo. Doveva essere da questa parte. Mi spostavo rapidamente, dentro e fuori, spiando volti di sconosciuti, gli occhi focalizzati alla ricerca di un uomo leggermente più alto di tutti gli altri, con i capelli scuri e le spalle squadrate. Corsi avanti e indietro sul pavimento piastrellato, con il sole del tramonto che mi batteva sulla testa e il sudore che cominciava a scorrermi lungo la schiena mentre cercavo e cercavo e mi rendevo conto, con una terribile sensazione di sgomento, che lui non c'era.

«L'hai trovato?» mi chiese la signora anziana prendendomi per il braccio.

Scossi la testa.

«Vai di sopra, tesoro.» Mi indicò il lato della torre.

«Di sopra? C'è un altro piano?»

Mi misi a correre sforzandomi di non guardare in basso, finché arrivai a una piccola scala mobile che conduceva a un altro punto panoramico, ancora più affollato. Stavo per perdere le speranze. Avevo avuto la fugace impressione di averlo visto scendere dalla parte opposta mentre parlavo con la signora. E non avrei avuto modo di sapere se fosse davvero lui.

«Sam!» gridai con il cuore in gola. «Sam!»

Alcune persone si voltarono, ma per la maggior parte continuarono a guardare lontano, a farsi selfie o a posare contro il parapetto di vetro.

Mi fermai in mezzo alla terrazza e con voce rauca chiamai: «Sam?».

Premetti freneticamente i tasti del cellulare, cercando invano di mandare il messaggio.

«Mi spiace, la copertura va e viene quassù. Sta cercando qualcuno?» domandò una guardia materializzandosi accanto a me. «Ha perso un bambino?»

«No. Un uomo. Dovevo incontrarlo qui. Non sapevo che ci fossero due livelli. Né così tante terrazze. Oddio. Oddio. Penso che non sia su nessuna delle due.»

«Contatto il mio collega e vedo se può fargli un fischio.» L'uomo si portò il walkie-talkie all'orecchio. «Lo sa che in realtà i livelli sono tre, signora?» disse indicandomi il piano superiore. A quel punto emisi un gemito soffocato. Erano le 19.23. Non l'avrei mai trovato. Forse se n'era già andato, ormai. Ammesso che fosse venuto, ovviamente.

«Provi lassù.» La guardia mi prese per il gomito e mi indicò una piccola scala. E poi si voltò per parlare nella ricetrasmittente.

«È finita, giusto?» dissi. «Non ci sono altre terrazze.»

Lui sorrise. «No, nessun'altra terrazza.»

Ci sono sessantasette gradini fra le porte che danno accesso alla seconda terrazza del 30 Rockefeller Plaza e la piattaforma panoramica più alta, ma risultano ancora di più se avete ai piedi delle scarpe di raso fucsia con i tacchi e i cinturini elastici tagliati, di certo non adatte per correre, specialmente durante un'ondata di caldo. Procedetti piano questa volta. Salii la stretta rampa di gradini e a metà strada, quando capii che avrei potuto scoppiare di ansia da un momento all'altro, mi voltai e guardai la vista alle mie spalle. Manhattan si estendeva sotto di me, baciata dal bagliore arancione del sole al tramonto, un mare infinito di grattacieli che riflettevano una luce color pesca, il centro del mondo, dove la vita continuava a pulsare. Milioni di vite, milioni di cuori spezzati, di dolori piccoli e grandi, storie di gioia, di perdita e di sopravvivenza, milioni di piccole vittorie ogni giorno.

"C'è una grande consolazione nel fare semplicemente qualcosa che ti piace."

In quegli ultimi passi riflettei su tutti i modi in cui la mia vita poteva ancora essere meravigliosa. Mentre cercavo di stabilizzare il mio respiro, pensai alla mia nuova attività, ai miei amici e a un cagnolino dal musetto allegro e sbilenco arrivato a sorpresa. Pensai a come, in meno di dodici mesi, fossi sopravvissuta alla mancanza di una casa e di un lavoro in una delle città più toste della terra. Pensai alla Biblioteca William Traynor.

E quando mi voltai e alzai di nuovo gli occhi, eccolo là, di spalle, appoggiato al parapetto, con lo sguardo che vagava sulla città, i capelli leggermente arruffati dalla brezza. Indugiai per un istante mentre l'ultimo dei turisti mi superava, osservando quelle spalle larghe, l'incavo della nuca, i capelli più fini all'attaccatura, e avvertii un cambiamento dentro di me, la ricalibratura di qualcosa di profondo che placò la mia tensione.

Rimasi ferma a fissarlo e presi un lungo respiro.

E, forse conscio del mio sguardo, in quel momento Sam si voltò lentamente, si raddrizzò, e il sorriso che si allargò sul suo viso si armonizzò perfettamente con il mio.

«Ciao, Louisa Clark» disse.

Ringraziamenti

Un grazie enorme a Nicole Baker Cooper e Noel Berk per la generosità e la saggezza con cui mi hanno fornito informazioni su Central Park e l'Upper East Side, aprendomi una finestra su questi due mondi molto particolari. Qualsiasi scostamento dalla realtà è unicamente responsabilità mia e serve ai fini della trama.

Tutta la mia gratitudine va anche a Vianela Rivas della rete delle biblioteche di New York per avermi dedicato il suo tempo, facendomi visitare la biblioteca civica di Washington Heights. Quella descritta nel mio romanzo non è una replica esatta, ma certamente deve molto al prezioso servizio pubblico fornito dalla versione reale e dal suo staff. *Ad maiora!*

Grazie, come sempre, alla mia agente, Sheila Crowley, e al mio editore, Louise Moore, per la costante iniezione di fiducia e l'immancabile supporto. Grazie anche all'instancabile team della Penguin Michael Joseph, che mi aiuta a plasmare questo materiale grezzo in qualcosa di pubblicabile, in particolare: Maxine Hitchcock, Hazel Orme, Matilda McDonald, Clare Parker, Liz Smith, Lou Jones e Claire Bush, Ellie Hughes e Sarah Harwood. Inoltre, grazie a Chris Turner, Anna Curvis e Sarah Munro, nonché Beatrix McIntyre, e Lee Motley per la grafica della copertina. Grazie a Tom Weldon e a tutti i librai, gli eroi sconosciuti che aiutano noi autori ad arrivare al grande pubblico.

Un immenso grazie a tutti i collaboratori di Sheila alla Curtis Brown per il continuo sostegno, soprattutto Claire Nozieres, Katie McGowan, Enrichetta Frezzato, Mairi Friesen-Escandell, Abbie Greaves, Felicity Blunt, Martha Cooke, Nick Marston,

Raneet Ahuja, Alice Lutyens, e ovviamente Jonny Geller. Negli Stati Uniti, grazie ancora una volta a Bob Bookman.

Grazie per la lunga amicizia, i consigli professionali, i pranzi, i tè e le bevande meno innocenti a Cathy Runciman, Monica Lewinsky, Maddy Wickham, Sarah Millican, Ol Parker, Polly Samson, David Gilmour, Damian Barr, Alex Heminsley, Wendy Byrne, Sue Maddix, Thea Sharrock, Jess Ruston, Lisa Jewell, Jenny Colgan e tutta la squadra di Writersblock.

Più vicino a casa, un ringraziamento a Jackie Tearne, Claire Roweth, Chris Luckley, Drew Hazell, lo staff di Bicycletta, e tutti coloro che mi aiutano a fare quello che faccio.

Un grazie colmo d'affetto ai miei genitori – Jim Moyes e Lizzie Sanders –, a Guy, Bea e Clemmie, e soprattutto a Charles, Saskia, Harry e Lockie, e BigDog (la cui inclusione in famiglia non sorprenderà chi ha avuto modo di conoscerla).

Un ultimo ringraziamento a Jill Mansell e sua figlia Lydia, che, con la loro generosa donazione alla campagna "Authors for Grenfell Tower", hanno fatto sì che Lydia sia ora immortalata nelle vesti di proprietaria di un negozio di abbigliamento vintage, sempre pronta a masticare un chewing-gum o a fumarsi una sigaretta.